대통령 노무현의 5년

대통령 노무현의 5년

사람 사는 세상을 이끈 참여정부
대통령 노무현

편집부 엮음

더휴먼

차례

대통령 5년의 기록

2007.2~2008.1

2월

3월

4월

5월

6월

7월

8월

9월

10월

11월

12월

1월

대통령
5년의 기록

/

2007. 2 ~ 2008. 1

2월

대한민국 혁신포럼 2007 축하 메시지

2007년 2월 7일

'대한민국 혁신포럼 2007'을 축하드립니다. 혁신을 통해 국가 발전의 새로운 동력을 만들어 가고 계신 여러분 모두에게 감사와 격려의 말씀을 드립니다.

지금은 혁신 경쟁의 시대입니다. 어느 나라 없이 혁신을 최우선 전략으로 추진하고 있습니다. 우리 역시 혁신은 피할 수 없는 과제입니다. 세계화와 지식정보화의 진전으로 시장이 하루가 다르게 넓어지고 있고, 경제수준이 높아지면서 경쟁상대도 달라졌습니다. 과거처럼 선진국을 뒤따라가서는 결코 성공할 수 없습니다. 혁신의 속도가 중요합니다. 변화의 흐름을 먼저 읽고 한발 앞서 나가야 합니다. 할 일은 제때 하고, 미래의 불안요인에 대해서도 미리 준비하고 대응해 나가야 합니다. 그래야 국민소득 2만 달러 시대를 넘어 세계일류국가로 도약해 나갈 수 있을 것입니다. 정부도 혁신에 최선을 다하고 있습니다. 조직과 제도 개혁은 물론 일하는 방식과 문화까지 질적 혁신을 추진하고 있습니다. 무엇보다 공무원 사회의 자발적인 참여와 혁신관리기법의 도입을 통해 과학적이고 체계적인 혁신을 지속해 나가고 있습니다.

그동안 많은 성과가 있었습니다. 성과주의 예산, 고위공무원단과 같이 자율과 책임, 경쟁의 원리가 한층 강화되었고, 통계·평가·기록관리 등 기본적인 행정 인프라가 새롭게 구축되었습니다. 개별 정책들도 기획부터 평가까지 전 과정에 걸쳐 품질관리가 이뤄지고 있습니다. 또한 2,300여 개의 위기관리 매뉴얼이 마련되어 각종 재난과 위기상황에 체계적으로 대응할 수 있게 되었습니다. 행정의 속도도 몰라보게 빨라졌습니다. 22개월 걸리던 특허심사 기간이 10개월로, 90일이나 걸리던 재난복구비 지원이 20일 이내로 크게 단축되었습니다. 조달·통관·특허·납세 시스템은 선진국에서도 큰 주목을 받고 있습니다.

정부 혁신은 이제 지방자치단체, 지방교육청, 공기업으로까지 빠르게 확산되고 있습니다. 이렇게 해 나가면 공공 부문의 역량과 문화가 또 한 단계 올라서게 될 것입니다. 앞으로도 참여정부는 더 효율적이고 국민에게 책임을 다하는 정부가 되기 위해 최선을 다해 나갈 것입니다.

혁신도 함께하면 더 큰 변화를 만들 수 있습니다. 정부와 민간이 손을 맞잡고 국가 혁신으로 나아가야 합니다. 이번 포럼이 '혁신한국'을 세계 일류 브랜드로 만들어 가는 좋은 계기가 되기를 바라며, 행사의 큰 성공과 여러분 모두의 건승을 기원합니다.

카를로스 스페인 국왕 내외 주최 국빈만찬 답사

2007년 2월 12일

존경하는 후안 카를로스 국왕 폐하 내외분, 그리고 내외 귀빈 여러분,

우리 내외와 일행을 이처럼 환대해 주신 데 대해 감사드립니다. 오늘 저녁, 아름답고 유서 깊은 팔라치오 레알에서의 만찬은 오래도록 잊지 못할 것 같습니다. 저는 이번에 대한민국 국가원수로는 처음 스페인을 방문했습니다. 그러나 낯설지가 않습니다. 알타미라 동굴벽화와 신대륙 발견에서 보듯이 스페인은 인류문명의 진보를 이끌어 온 나라입니다. 피카소와 세르반테스, 가우디와 같은 위대한 예술가들을 모르는 한국인은 없을 것입니다. 우리나라 애국가를 작곡한 안익태 선생이 살았던 곳도 스페인입니다.

우리는 또한 어제의 스페인만이 아니라 선진국가로 우뚝 선 오늘의 스페인을 봅니다. 모범적인 민주주의 국가로 세계 8위의 경제대국으로

발전했습니다. 또한 EU와 지중해 연안, 중남미 국가를 아우르는 폭넓은 교류협력을 통해 국제무대에서 중추적인 역할을 해 나가고 있습니다.

폐하께서 바로 이러한 토대를 놓으셨습니다. 오랜 권위주의 통치를 마감하고 새로운 헌법 제정을 통해 민주주의의 근간을 세웠습니다. 특히 1981년 군부 쿠데타를 단호히 배격한 결단과 용기는 큰 감명을 주었습니다. '국민 속의 왕'이 되겠다는 약속대로 많은 사회적 갈등을 극복하고 국민통합의 시대를 열었습니다. 저는 스페인이 앞으로도 폐하의 지도력과 국민의 저력으로 더욱 번영할 것임을 확신합니다.

국왕 폐하,

11년 전 폐하의 방한은 양국 우호협력의 획기적인 전기가 되었습니다. 지난 5년 동안 교역량이 두 배로 늘어났습니다. 정보통신과 전자·금융·관광 등 서로 경쟁력을 갖고 있는 분야의 상호협력도 한층 강화되고 있습니다. 올해는 '한국문화의 해'로써 다양한 행사가 이곳에서 펼쳐집니다. 특히 아시아 국가로는 최초로 마드리드 국제현대미술전의 주빈국으로 참가합니다. 매우 영광스럽게 생각하며, 폐하와 함께 참석할 개막식이 기대됩니다. 지금 스페인에는 3,500명의 한국 동포들이 살고 있습니다. 저는 이분들이 두 나라의 관계 발전에 큰 힘이 되고 있다고 생각합니다. 앞으로도 폐하께서 많은 관심을 갖고 배려해 주실 것을 당부드립니다.

폐하 내외분의 건강과 스페인의 무궁한 발전, 그리고 우리 두 나라의 우정을 기원하는 축배를 제의합니다.

건배!

사파테로 스페인 총리 주최 공식오찬 답사

2007년 2월 13일

존경하는 호세 루이스 로드리게스 사파테로 총리 각하, 그리고 함께해 주신 귀빈 여러분,

따뜻한 환대에 감사드립니다. 스페인은 듣던 대로 아름답고 매력적입니다. 세계 사람들이 왜 그토록 스페인을 즐겨 찾고 스페인의 미래를 주목하는지 알 것 같습니다. 각하께서는 이러한 스페인의 더 큰 번영을 이끌고 계십니다. 유럽연합 평균의 두 배에 이르는 3.5% 안팎의 높은 경제성장률은 물론 사회적 약자의 권익 증진과 과거사 정리, 지방자치권 확대와 같은 개혁을 성공적으로 추진하고 있습니다. 특히 각하께서 주창하신 '문명간 연대'는 세계 각국으로부터 큰 공감을 얻고 있습니다. 문화와 종교의 차이를 넘어 소통의 중요성을 일깨우는 소중한 제안이라고 생각합니다. 가톨릭과 이슬람 문명이 만나 문화적 다양성을 꽃피워 온

스페인이 21세기에도 유럽과 아프리카, 중남미 대륙을 이어 주는 교량 역할을 할 것으로 믿습니다.

총리 각하,

우리 두 나라는 수교 이후 반세기가 넘는 세월 동안 각별한 우정을 나누어 왔습니다. 최근에는 교류의 속도가 더욱 빨라지고 있습니다. 지난 5년 동안 교역량이 두 배나 늘었고, '한·스페인 포럼'을 비롯한 민간 교류도 활발히 추진되고 있습니다. 올해 세르반테스 문화원이 서울에 개설되면 두 나라 국민 간의 상호이해와 관심은 더욱 깊어질 것입니다. 조금 전 끝난 정상회담에서도 많은 성과들이 있었습니다. 교역과 투자 확대, IT·관광·산업기술 협력 강화, 정책협의체제 구축, 경제 및 과학기술 공동위원회 개최 등 합의사항 하나하나가 양국 관계 발전을 위해 매우 뜻 깊은 일이라고 생각합니다. UN과 ASEM을 비롯한 국제무대에서도 든든한 친구로서 더욱 긴밀히 협력해 나가게 되기를 기대합니다.

귀빈 여러분,

총리 각하의 건강과 스페인의 번영, 그리고 우리 두 나라 국민의 영원한 우정을 위해 다 함께 잔을 들어 주시기 바랍니다.

건배!

마드리드 시청 방문 답사

2007년 2월 13일

존경하는 루이스 가야르돈 시장, 그리고 마드리드 시민 여러분,

여러분의 따뜻한 환대에 감사드립니다. 마드리드는 정말 아름다운 도시입니다. 가는 곳마다 찬란한 역사와 문화적 숨결을 느낄 수 있었습니다. 그러나 더욱 인상적이었던 것은 친절하고 활력에 넘치는 시민들입니다. 스페인의 역동적인 경제 성장과 민주주의 발전의 저력을 확인할 수 있었습니다. 모든 일에 열정적인 모습이 우리 국민들과 많이 닮았다고 생각합니다. 우리 국민에게 마드리드는 유럽에 가면 꼭 한번 들러봐야 할 곳으로 손꼽힙니다. 레알 마드리드 축구단의 인기도 매우 높습니다. 여러분도 내일부터 시작되는 국제현대미술전을 통해 한국을 보다 가깝고 친근하게 느끼게 되기를 바랍니다. 마드리드에 살고 있는 1천여 명의 한국 교민도 서로의 이해를 높이고 협력을 확대하는 데 큰 힘이 되어

줄 것입니다. 시장님과 시의회 의원님들의 각별한 관심과 지원을 당부드립니다.

내외 귀빈 여러분,

오늘 시장께서 주신 행운의 열쇠는 마드리드 시민이 우리 국민에게 전하는 우정의 선물이라고 생각합니다. 돌아가서 여러분의 따뜻한 마음을 전하겠습니다. 한마디 더 드리겠습니다. 얼마 전 한국에서 마드리드를 다녀온 대학생이 스페인에 관해 책을 썼는데 제목이 『스페인은 자유다』였습니다. 저는 책 제목을 바꿔서 이렇게 불러보고 싶습니다. '마드리드 너는 자유다.' 마드리드의 발전과 시민 여러분의 행복을 기원합니다.

감사합니다.

한·스페인 비즈니스포럼 연설

2007년 2월 14일

존경하는 후안 카를로스 국왕 폐하, 하비에르 고메스 상의연합회 회장, 손경식 대한상의 회장, 그리고 양국 경제인 여러분,

안녕하십니까? 한·스페인 비즈니스포럼을 축하드립니다. 아울러 이 자리에 함께해주신 국왕 폐하께 깊은 감사의 말씀을 드립니다. 저는 스페인을 방문하면서 한 가지 의문을 가지고 왔습니다. 한국과 스페인의 경제 규모에 비해 교역과 투자가 만족스럽지 못한 이유가 무엇일까 하는 것입니다. 오늘 우리가 모인 것도 그 답을 찾아보자는 뜻일 것입니다. 그런데 이 숙제를 푸는 첫 단추는 꿴 것 같습니다. 제가 이번에 대한민국 대통령으로서는 처음 스페인을 방문했습니다. 그리고 여러분의 만남을 보면서 앞으로 이 숙제가 아주 빠른 속도로 풀릴 것이라는 확신을 갖게 됩니다. 몇 가지 확실한 근거도 있습니다. 무엇보다 양국은 서로 협력할

분야가 많다는 것입니다.

스페인은 항공·우주 등 첨단산업과 금융·통신·관광·자동차·신재생에너지 분야 등에서 세계적인 경쟁력을 갖고 있습니다. 한국 역시 세계에서 가장 많은 선박과 D램 반도체, TFT-LCD를 만드는 나라입니다. 자동차·철강·휴대폰·전자제품도 세계 다섯 번째 안에 드는 생산력과 기술을 보유하고 있습니다. 뿐만 아니라 두 나라 모두 안정적인 성장을 지속하고 있습니다. 스페인은 EU 지역 평균의 두 배에 이르는 3.5% 안팎의 높은 성장세를 보이고 있고, 한국도 지난해 5% 가까운 성장률을 기록했습니다. 스페인보다는 조금 늦었지만 올해 말이나 내년 초에는 국민소득 2만 달러 시대를 열게 됩니다. 이처럼 역동적으로 발전하고 있는 양국 경제가 산업기술 협력을 강화하고 교역과 투자를 늘려 나간다면 두 나라 간의 교역이 확대 균형을 이루는 것은 물론 서로에게 큰 이익이 될 것이라고 확신합니다. 어제 사파테로 총리와의 정상회담에서도 이에 대해 많은 대화를 나누었습니다. 또한 정부 간에, 그리고 여러 기관 간에 다양한 협력 약정을 체결했습니다. 이번에 열리는 '한국상품전'과 '기술매치 메이킹 행사'도 두 나라간 협력을 강화하는 좋은 계기가 될 것입니다. 저도 그제 한국상품전에 다녀왔습니다. 여러분도 꼭 한번 들러보시길 바랍니다.

양국 경제인 여러분,

앞으로 두 나라 간의 협력이 확대될 것이라는 두 번째 근거는 아시아 지역에 대한 스페인의 높은 관심입니다. 스페인은 아시아와의 관계강화를 위해 '액션플랜'을 추진하고 있습니다. 한국은 스페인이 주목하고 있는 아시아의 요충에 자리하고 있습니다. 중국·일본을 비롯한 거대 시장이 주변에 있고, IT와 물류기반도 잘 갖춰져 있습니다. 한국에서 중국으로 가는 운송비가 오히려 중국 내에서보다 저렴합니다. 또한 우수한 인적자원, 자유롭고 공정한 시장, 개방된 경제, 넓은 소비자층도 빼놓을 수 없는 장점입니다. 지금 한국이 국가적 역량을 집중하고 있는 과학기술 혁신과 인재 양성, 그리고 이를 통한 혁신 주도형 경제로의 전환과 동북아 경제 허브 도약도 스페인 기업인 여러분에게 새로운 기회를 제공해 줄 것입니다. 한·EU 자유무역협정 체결을 위한 협상도 조만간 시작됩니다.

셋째, 중남미와 북아프리카를 비롯한 제3국에 공동 진출할 수 있는 여지도 많습니다. 특히 스페인은 중남미 국가들과 긴밀한 유대 관계를 맺어 왔습니다. 역사적으로도 그렇고 지금도 이 지역에 미국 다음으로 많은 투자를 하고 있습니다. 한국도 2005년 미주개발은행에 가입하는 등 중남미 지역의 경제 발전에 적극 참여하고 있습니다. 양국이 플랜트·석유화학·건설·금융·IT 분야에서 전략적 제휴를 통해 중남미 시장에 함께 진출한다면 지금보다 한 차원 높은 동반자 관계를 만들어 갈 수 있을 것입니다. 오늘 회의에서 이에 대한 활발한 논의가 이루어지길 기대합니다.

경제인 여러분,

우리 국민들은 스페인을 아주 좋아합니다. 해마다 4만 명에 이르는 관광객이 이곳을 찾고 있습니다. 또한 12개 대학에서 3천 명이 넘는 학생들이 스페인어를 공부하고 있습니다. 이러한 인적 자원을 잘 활용한다면 스페인 기업의 한국에 대한 투자는 물론 아시아 지역에서의 사업이 한층 더 활발해질 것입니다. 저와 우리 정부도 열심히 뒷받침하겠습니다. 오늘 유익한 대화 많이 나누시고 가까운 친구가 되시기 바라며, 여러분 모두의 성공을 기원합니다.

감사합니다.

스페인 상원 방문 답사

2007년 2월 14일

존경하는 프란시스코 하비에르 로호 상원의장, 마누엘 마린 하원의장, 그리고 의원 여러분,

스페인 민주주의의 전당인 이곳 상원의사당을 방문하게 된 것을 매우 뜻 깊게 생각합니다. 여러분의 좋은 말씀과 따뜻한 환영에 감사드립니다.

오늘은 나흘간에 걸친 스페인 방문의 마지막 날입니다. 나는 이번 방문을 통해 인류 문명의 발전에 크게 기여해 온 스페인의 찬란한 역사를 만났습니다. 또한 민주주의를 토대로 높은 성장을 지속하고 있는 역동적인 스페인을 보았습니다. 특히 포용과 공존의 지혜로 사회적 갈등을 국민통합으로 승화시켜 온 스페인 국민의 저력에 큰 감명을 받았습니다. 이처럼 모범적인 선진국가를 만들어 온 스페인 의회와 의원 여러분의

지도력에 깊은 경의를 표합니다.

존경하는 의원 여러분,

우리 한국도 불과 반세기 만에 세계가 기적이라고 부르는 경제와 민주주의 발전을 이뤄 냈습니다. 6·25 전쟁의 폐허를 딛고 일어서 세계 12위의 경제 강국이 되었고, 군사독재를 물리치고 민주주의 시대를 열었습니다. 저는 한국과 스페인이 지구촌의 평화와 번영에 기여하는 좋은 동반자가 될 것으로 확신합니다.

지금도 세계는 종교적 갈등과 테러·빈곤·질병과 같은 많은 도전에 직면해 있습니다. 우리는 스페인이 주창하고 있는 '문명간 연대'를 지지하며 적극 동참해나갈 것입니다. 이를 위해서도 우리 두 나라의 우호협력은 더욱 확대되어야 합니다. 2005년 8월에 출범한 한·스페인 의원친선협회가 양국 의회 간 교류는 물론 국민간의 이해와 관심을 높이는 데 많은 역할을 해 주실 것으로 기대합니다. 다시 한번 여러분의 환대에 감사드리며, 스페인 의회의 무궁한 발전을 기원합니다.

감사합니다.

교황 베네딕토 16세 면담 연설

2007년 2월 15일

존경하는 교황 성하,

우리 내외와 일행을 따뜻하게 맞아 주신 데 대해 깊이 감사드립니다. 아울러 교황청을 방문하게 된 것을 큰 영광으로 생각합니다. 교황 성하께서는 12억 가톨릭 신도들의 목자이십니다. 종교 간의 화합, 가족과 도덕성 회복을 강조하는 성하의 가르침은 평화와 공존의 지구촌 공동체를 만드는 데 큰 힘이 되고 있습니다. 「전례의 정신」, 「이 땅의 소금」같은 저서들은 한국어로도 번역되어 널리 읽히고 있습니다.

특히 성하께서는 한국에 대해 깊은 관심과 애정을 보여주셨습니다. 2005년 성탄 미사 때에는 한반도의 평화를 기원해 주셨고, 올해 초 연례 강론에서는 대화를 통한 북핵문제 해결과 남북 화해를 촉구하셨습니다. 앞으로도 한반도와 동북아 평화를 위해 많은 조언과 역할을 당부드리며,

성하에 대한 우리 국민의 존경과 사랑을 전합니다.

교황 성하,

200여 년 전 우리나라에 들어온 천주교는 모진 박해와 고난 속에서도 하느님의 은총으로 크게 성장해 왔습니다. 해방 직후 10여만 명에 불과했던 천주교 신도가 이제 510만 명을 훌쩍 넘어섰습니다. 한국 천주교회는 교육과 복지, 민주주의와 인권, 그리고 남북 화해 협력에 크게 기여하며 빛과 소금의 사명을 다하고 있습니다. 교황 성하께서 지난해 또 한 분의 한국인 추기경을 서임해 주신 것은 이러한 한국 천주교회에 큰 축복의 선물이자 우리 국민 모두에게 경사스런 일이었습니다. 성하의 지도력으로 한국 천주교회가 한반도와 동아시아 지역의 평화와 번영에 더 큰 역할을 할 것으로 믿습니다.

교황 성하,

한국은 불과 반세기 만에 전쟁의 폐허 위에서 세계 12위의 경제와 민주주의 발전을 이룩해 냈습니다. 이제 우리는 도움을 받는 나라에서 도움을 주는 나라로서 책임을 다해 나가고자 합니다. 빈곤과 기아 문제 해결은 물론 자유·인권과 같은 인류 보편의 가치를 지키고 세계가 평화와 공동번영의 질서로 나아가는 데 적극적인 역할을 해 나갈 것입니다. 이것은 또한 성하께서 기도하고 소망하는 지구촌의 미래를 앞당기는 길이라고 생각합니다. 끝으로 성하께서 우리나라를 방문해 주시기를 정중히 요청드립니다. 성하의 방문은 우리 국민에게 큰 기쁨과 격려가 될 것입니다.

우리나라와 국민에 대한 성하의 사랑에 거듭 감사드리며, 성하의 건안과 교황청의 무궁한 발전을 기원합니다.

베르토네 교황청 국무원장과의 오찬 건배사

2007년 2월 15일

존경하는 타르치시오 베르토네 국무원장 예하, 그리고 귀빈 여러분,

오늘 오전 교황청 방문은 매우 특별한 느낌이었습니다. 무엇보다 하느님의 축복이 가득함을 느꼈습니다. 또한 한국 천주교 신도들의 존경과 애정이 각별한 곳이어서 저도 매우 가깝고 친근하게 여기고 있습니다. 실제로 주한 교황청 대사관은 제가 있는 청와대와 가장 가까운 곳에 있습니다.

한국에서 천주교회의 역할은 참으로 큽니다. 선교 초기 박해와 순교의 아픈 역사를 딛고 이제는 신도 수가 510만 명을 넘어섰습니다. 교육과 빈민 구제, 그리고 인권신장과 민주화에 기여하며 국가 발전에 큰 역할을 담당하고 있습니다. 이러한 한국 천주교회의 발전은 하느님의 은총과 교황청의 지도력, 그리고 천주교 신도들의 기도와 헌신 덕분이라고

생각하며, 국무원장 예하를 비롯한 가톨릭 지도자 여러분께 경의를 표합니다.

우리 국민은 교황청에 깊은 감사의 마음을 가지고 있습니다. 요한 바오로 2세께서는 103위 복자에 대한 시성식을 집례하는 등 한국을 두 차례나 방문해 주셨고, 지난해 베네딕토 16세 교황께서는 한국 천주교회의 오랜 소망이었던 또 한 분의 추기경을 서임해 주셨습니다. 이와 함께 한반도 평화와 남북 화해 협력에도 많은 관심을 기울여 주었습니다. 1995년 이후 북한에 대한 인도적 지원을 계속하고 있고, 북핵문제의 평화적 해결을 촉구하는 등 우리의 평화번영정책을 지지해 주었습니다. 앞으로도 한국과 한국 천주교회가 맡겨진 사명을 잘 감당할 수 있도록 더 많은 관심과 기도를 부탁드립니다. 예하의 건강과 교황청의 무궁한 발전을 기원하면서 건배를 제의합니다.

감사합니다.

전국 일하는 노인 전진대회 축하 메시지

2007년 2월 13일

전국 일하는 노인 전진대회를 축하드립니다.

뜻깊은 대회를 준비하신 관계자 여러분, 그리고 어르신 여러분께 따뜻한 인사 말씀을 전합니다. 일할 능력과 의지가 있는 사람이라면 나이를 막론하고 일을 통해 보람을 찾을 수 있어야 합니다. 특히 어르신 여러분이 경험과 역량에 맞는 일자리를 갖는 것은 국가 경쟁력 차원에서도 꼭 필요한 일이라고 생각합니다. 참여정부는 세계에 유례가 없는 고령화 추세에 대응하여 고령친화산업을 활성화하고 노인 일자리를 확대하는 데 많은 노력을 기울여 왔습니다.

그 결과 2004년 2만 5천 개이던 노인 일자리는 올해 11만 개로 늘었고, 노인복지 예산도 출범 초기보다 두 배 이상 증가했습니다. 건강·여가프로그램, 노인수발보장제도, 요양시설 확충, 기초노령연금 등 어르신들께 꼭 필요한 사업들도 하나하나 챙기고 있습니다. 그러나 여전히 많이 부족하다고 느끼실 것입니다. 남은 기간 더 열심히 하겠습니다. 무엇보다 더 많은 어르신들이 일을 통해 건강하고 활력 있게 생활할 수 있도록 더욱 노력하겠습니다. 한꺼번에 다 해결하지는 못하겠지만, 앞으로도 이 방향으로 계속 갈 수 있도록 확실한 토대를 닦아놓겠습니다.

어르신 여러분의 건강과 행복, 그리고 이번 대회의 큰 성공을 기원합니다.

2014년 동계올림픽 IOC 조사평가위원회 환영 메시지

2007년 2월 14일

안녕하십니까? 치하루 이가야 위원장과 위원 여러분을 진심으로 환영합니다.

평창에 오신 소감이 어떻습니까? 올림픽을 치르기에 더없이 좋은 것 같지 않습니까?

올림픽에 대한 우리 국민의 애정은 각별합니다. 특히 냉전의 벽을 허무는 데 기여한 서울올림픽은 지금도 우리 국민에게 큰 자부심으로 남아 있습니다. 우리는 평화와 화합의 올림픽 정신이 대한민국 평창에서 더욱 발전해 가길 기대합니다. 세계에서 하나 남은 분단국가에서 치러지는 동계올림픽은 올림픽의 이상을 한층 드높이고, 한반도와 동북아시아의 평화에도 실질적인 기여를 하게 될 것입니다.

우리는 2010년 동계올림픽 유치에 성공하지 못했습니다. 그래서 더 열심히 준비해 왔습니다. 국민들도 한마음으로 유치를 희망하고 있습니다. 정부의 지원 의지 또한 확고합니다. 기회가 주어진다면 역대 어느 대회보다 훌륭하게 치러 낼 것으로 확신합니다.

여러분의 많은 지지를 당부드립니다.

진보 진영 내 논쟁에 관한 기고문

-대한민국 진보, 달라져야 합니다-

2007년 2월 17일

저는 요즈음 소설을 읽거나 TV 드라마를 보면서 아내에게 이런 푸념을 곧잘 합니다. '작가는 참 좋겠다.' 그런데 학자들의 비판이나 논쟁을 보면서도 역시 이런 생각이 듭니다. '학자들은 참 좋겠다.'

학자는 말하는 사람이고, 집권한 정치인은 실행을 하는 사람입니다. 말을 하는 사람들은 제약이 없습니다. 스스로 선택한 논리 구조의 제약은 있겠지만, 현실을 해석할 때 현실의 중요한 변수를 외면할 수도 있고 자유로이 온갖 가정을 동원할 수도 있습니다. 그러나 실천을 하는 사람은 상황의 제약을 단 하나도 도외시할 수 없습니다. 마음대로 가정을 동원할 수도 없습니다. 주어진 조건에서 가능한 것을 선택할 수 있을 뿐입니다. 다만 장기적인 전략으로 또는 의제화·담론화 자체를 목적으로 하는 경우에는 당장의 실현 가능성이 낮은 시도를 하기도 합니다. 이런 경우에는 비현실적이라는 비판을 각오해야 합니다.

신문에서 참여정부를 비판하는 분들 간의 논쟁을 보면서 난감함을 느낍니다. 사실에 대한 인식이나 논리 모두 할 말이 있으나, 논점이 너무 많고 어려운 전략 논리와 개념을 사용하고 있어서 일일이 반론하는 것은 불가능해 보입니다. 그래서 지난날의 저의 경험에서 시작하여 몇 가지 의견과 생각을 말하고자 합니다.

저는 고시합격을 위해 유신헌법을 공부했습니다. 한때 이 일을 부끄럽게 생각했던 적도 있습니다. 하지만 다행히 유신헌법 책을 쓴 학자들도 민주주의의 원리에 관해서는 소상하게 써 놓아 민주주의를 받치고 있는 상대주의 철학을 접할 수 있는 기회를 저에게 주었습니다. 이것은 일생 동안 저의 생각을 지배하는 철학이 됐습니다. 저는 이것을 참 다행으로 생각합니다. 그런데 유신과 5공은 저에게 새로운 사상에 접할 기회와 방황할 기회를 동시에 제공하기도 했던 것 같습니다.

1980년대 초 변호사 시절, 단지 정의감만으로 시국 사건 변론을 맡으면서 많은 사회과학 분야 서적과 자료를 접하게 됐습니다. 물론 심오한 이론이 담긴 원서도 접하기는 했지만 압도적으로 많은 것은 종속 이론, 사회구성체 이론, 민족경제론 같은 것들이었습니다. '5·18 광주' 이후 계속된 당시의 숨 막히는 현실이 이런 이론과 유사하다는 점에 동의하여 비타협적 투쟁을 실천도 하고 주장하고 다니기도 했습니다. 국회의원이 되고 나서도 젊은 대학교수들을 모셔 신식민지국가독점자본주의론이니, 식민지반봉건사회론이니 하는 이론적 조류에 대한 강연을 듣기도 했습니다. 그리고 한때는 노동자·농민·서민들의 생존을 위한 투쟁을 지원하는 것이 국회의원으로서의 활동보다 더 중요하다는 판단으로 국회의원직을 사퇴해 버리려 한 일도 있고, 1989년 전민련이 결성됐을 때에는 거기에 은근히 기대를 걸기도 했습니다.

그러나 그 이후 현실은 우리가 읽고 말하던 이론이 예언했던 방향과는 다른 양상으로 전개됐습니다. 외채 때문에 망할 것이라고 했던 경제는 이를 극복했고, 1987년 이후 1990년대 중반까지 4배의 임금 인상에도 불구하고 성장을 지속하며 격차를 줄이고 있었습니다. 진보 진영은 개방을 할 때마다 '개방으로 나라가 무너질 것'이라고 걱정했으나, 우리 경제는 모든 개방을 성공으로 기록하면서 발전을 계속했습니다. 이제는 2만 달러 시대에 들어섰습니다. 물론 그 과정에서 급속한 구조조정과 1997년 외환위기로 많은 국민들이 고통에 몰린 것은 사실이지만, 이것은 정책으로 교정할 문제이지 시장경제 원리나 세계화 자체를 부정함으로써 해결될 문제는 아닌 것이 분명합니다. 민주 진영은 단결을 내세웠지만 작은 차이로 분열하는 일도 많았고, 대의를 내세웠지만 이기주의도 적지 않았습니다. 그동안 제가 들어 왔던 논리가 틀렸거나 현실이 논리를 배반한 경우가 많았던 것입니다.

저는 논리를 좋아하는 사람입니다. 더욱이 체계적으로 정연한 논리를 좋아하는 사람입니다. 그러나 논리에 빠져 현실에 맹목이 되지 않기 위해 끊임없이 스스로를 경계해 왔습니다. 철학적으로 사고하는 것은 아주 필요한 일입니다. 그러나 사상 체계의 완결성을 신봉하거나 현실을 사상과 논리 체계에 억지로 끼워 맞추는 일은 바람직하지 않습니다. 사실은 사실로 인정해야 합니다. 그리고 분명히 잘못된 길을 가고 있는데도 진보 진영이라 하여 아무 지적도 하지 않거나 심지어는 이름을 걸고 도와주다가 '그것 맞느냐'고 물으면 '그냥 이름만 걸어준 것'이라고 변명하는 무책임도 옳지 않습니다. 참여정부가 민심의 지지를 잃은 책임을 묻는다면 저는 그저 송구스러울 뿐입니다. 그러나 참여정부가 아무 한 일도 없이 국정에 실패만 했다고 한다면 구체적인 근거와 자료를 가지고 따져 보자고 말합니다. 참여정부 때문에 진보 진영이 망하게 생겼다고 원망한다면 그것은 지나친 얘기입니다. 진보 진영 스스로 전체를 돌아봐야 할 일은 없을까요.

참여정부에 진보적 정책이 없다는 비판도 사실이 아닙니다. 참여정부 동안에 양극화가 심화된 것은 맞습니다. 저도 참으로 가슴이 아픕니다. 그러나 분명한 사실은 그것이 과거 외환위기와 가계 부도라는 경제적 위기에서 심화된 것이고, 참여정부는 이를 극복하기 위해 노력하고 있다는 것입니다. 그리고 지금은 조금씩 회복되고 있습니다. 시원하게 해결하지 못해서 송구스럽습니다. 그러나 최대한 노력하고 있습니다. 참여정부 4년 동안 재정에서 차지하는 복지 지출 비중이 20%에서 28%로 증가했습니다. 이것은 지난 어느 정부보다 빠른 속도입니다. 그리고 지방 재정에서도 복지 예산을 31%에서 36%로 늘렸습니다. 이것 역시 이전 정부와는 확연히 다른 점입니다. 그 의미가 적지 않습니다.

아시는 바와 같이 우리나라 재정에서 차지하는 복지 지출 비중은 유럽 국가들과 비교해 절반 수준에 불과합니다. 정부의 공공서비스는 국민들의 기본적인 수요를 충족시키지 못하고 있습니다. 부족한 공공서비스로 기회가 공정하게 제공되지 못하면서 빈곤이 대물림되고 있습니다.

이를 치유하기 위해 복지 지출을 확대하고 있습니다. 동반성장과 양극화 해소를 위해 국민총생산 대비 복지 지출을 2020년까지는 현재의 미국·일본 수준으로, 2030년까지는 현재의 유럽 수준으로 높이자는 '비전 2030'도 이전에 없던 국가장기발전계획입니다. 지금 우리나라는 과거에 겪어 보지 못한 엄청난 도전을 받고 있습니다. 한꺼번에 몰려오고 있는 저출산·고령화·양극화가 계층 간·부문 간 불균형을 초래하고 있습니다. 이를 방치하면 우리에게 미래는 없습니다. 그래서 내놓은 것이 '비전 2030' 미래 전략입니다. 이것은 혁신 주도형 경제로 성장잠재력을 높이고 사회투자를 통해 동반성장을 추구하자는 전략입니다. 이에 대해 진보 진영에서 얼마나 진지한 관심을 가졌는지 의문입니다. 진보가 진보다우려면 미래 문제에 대해 보다 심각하게 고민해야 합니다.

용산 미군기지가 서울을 떠납니다. 진보 진영의 오랜 숙원이었습니다. 역사적으로 의미가 있는 일입니다. 그런데 진보 진영의 일부는 평택기지 건설을 반대해 정부를 곤경에 몰아넣고, 이를 지원했습니다. '주한미군 나가라'는 말일 것입니다. 그러나 그것이 과연 타당한 일이고 가능한 일입니까? 국제정치의 현실도 현실이지만, 국내 사정으로 보더라도 우리나라가 진보 진영만 사는 나라입니까? 진보 진영이라고 다 미군 철수를 타당하다고 생각합니까? 앞으로 전시작전통제권은 한국군이 단독으로 행사하게 됩니다. 단지 상징적 문제에 그치는 것이 아니라 유사시든 평상시든 남북관계나 대외관계 등 한반도 문제에 중대한 의미를 가지는 일입니다. '노 정권은 미국이 요구하는 것을 다 들어주었다'는 주장은 지극히 주관적인 평가입니다. 협상은 상대가 있는 것입니다.

권력을 등에 업고 특권을 누리는 국가기관은 지금 없습니다. 권력이 합리화되고 정경유착이 끊어졌습니다. 정치와 권력뿐만 아니라 시장과 사회의 투명성이 높아졌습니다. 공정한 경쟁의 규칙이 확립되어 가고 있습니다. 권위주의도 해소되었습니다. 언론권력은 여전히 막강하지만 권언유착의 근절은 이제 돌이킬 수 없는 현실이 됐습니다. 언론의 행태도, 언론을 보는 사람들의 인식도 많이 달라지고 있습니다. 참여정부가 끝나면 더 많이 달라질 것입니다. 일부 언론권력도 참여정부에서는 한 발도 물러설 수 없을 것이나 이후에는 지금과 같은 행태를 계속하지 못할 것입니다. 계속하다가는 국민의 심판을 받게 될 것입니다. 참여정부 동안에는 '앞으로 계속 그래서는 곤란하다'는 학습을 하고 있을 것입니다.

저는 흔히 말하는 '형식적 민주주의', '절차적 민주주의'라는 말이 우리 민주주의의 발전 과정에 불만을 가진 표현이라고 생각하여 이 말을 잘 쓰지는 않지만, 어떻든 이것은 이제 완성 단계에 접어들었습니다. 우리나라 진보 진영이 보기에는 이 모두가 아무 의미도 없다는 것입니까? 이라크 파병, FTA가 마음에 들지 않더라도 사실을 인정합시다. 인정할 것은 인정하고 따질 것은 따지는 것이 지식을 가지고 논리를 말하는 사람들의 자세라고 생각합니다. 제가 마음에 안 든다고 하여 '지역주의가 별 문제 아니다'라거나 '일부 언론권력, 정치언론의 횡포가 별 것 아니다'는 논리까지 나오는 일이 있어서는 안 된다고 생각합니다. 참여정부는 지금도 지역주의, 언론권력과 싸우고 있을 뿐 책임 모면이나 '알리바이'를 위해 지역주의나 언론 이야기를 한 일은 없습니다.

참여정부가 진보 진영의 비주류라서 실패하고 있다는 주장도 있습니다. 참으로 놀라운 발견입니다. 오래 전 저는 어느 모임에서 진보 진영의 학자 한 분에게 '나는 비주류 중의 비주류라 대통령이 되기는 어려울 것'이라는 말을 했던 일이 있습니다. 지금은 참여정부를 매도하는 데 앞장서고 있는 그분은 그때 '그럴 것'이라고 상당히 힘주어 말했습니다. 그런 제가 대통령이 되었는데 도와주지는 못할망정 어려운 처지의 저와 참여정부를 흔들고 깎아내리는 일은 하지 않았으면 좋겠습니다. 저는 신자유주의자가 아닙니다. 그렇다고 한나라당이나 일부 정치언론이 말하는 그런 좌파도 아닙니다. 저는 진보의 가치를 지향하는 사람이지만 무슨 사상과 교리의 틀을 가지고 현실을 재단하는 태도에는 동의하지 않습니다.

오늘날은 개방도, 노동의 유연성도 더 이상 이념의 문제가 아니라 현실적 효용성의 문제입니다. 세계 시장이 하나로 통하는 방향으로 가는 시대의 대세는 중국의 지도자들도 거역하지 못한 일입니다. 이런 마당에 개방을 거부하자는 주장이나 법으로 직장을 보장하자는 주장은 현실이 아닙니다. 그것은 지난 시대에나 가능했던 일입니다. 비판 가운데엔 '진정성'이라는 말과 '좌파 신자유주의'라는 말까지 시비가 돼 있습니다. 이것은 정말 엉뚱한 오해입니다.

청와대는 정권에 대한 평가에 대해 책임회피를 하자고 진정성이라는 말을 쓴 일은 없습니다. 개헌이 정략이니 아니니 하는 논쟁의 와중에서 누군가가 진정성이라는 말을 쓰기 시작했고 청와대도 이 말을 따라 쓴 모양이나, 이것을 가지고 청와대가 진정성을 내세워 결과에 대한 책임을 모면하려고 한다고 비난하는 것은 사실에 근거하지 않은 것입니다. '좌파 신자유주의'라는 우스개 표현마저 심각한 논란이 되는 현실은 비극입니다. 제가 이 말을 한 것은 참여정부를 굳이 교조적인 이념의 틀에 가두어 놓고 두드리려는 의도로 한쪽에서는 '좌파정부'라 비난하고, 한쪽에서는 '신자유주의'라고 비난하는 상황이 못마땅하여 이런 비판을 교조적 논리라고 비꼬아서 말한 것입니다.

그런데 이 말을 두고 언론이 진지한 표정으로 무슨 뜻이냐 묻기도 하고, 비난하기도 하는 바람에 난감한 기분이 든 일이 있습니다. 이제는 학자들마저 이 말을 정색하면서 받아들이고 의미까지 덧붙이니 입장이 참으로 난처합니다. 다시 한번 더 밝힙니다. 이 말은 참여정부를 교조적 사상으로 재단하는 현실을 비꼬아서 쓴 말일 뿐 아무런 의미도 없는 말이니 더 오해가 없기를 바랍니다. 저는 이제 우리 진보가 달라지기를 희망합니다. 그리고 진보의 가치를 실현하는데 필요하면 그것이 신자유주의자들의 입에서 나온 것이든 누구의 입에서 나온 것이든 채택할 수 있는 유연성을 가져야 합니다. 유럽의 진보 진영은 진작부터 이런 방향으로 가고 있습니다. 참여정부의 노선은 이런 것입니다. 굳이 이름을 붙이자면 '유연한 진보'라고 붙이고 싶습니다. '교조적 진보'에 대응하는 개념이라 생각하고 붙인 이름입니다. 저 때문에 진보 진영이 다음 정권을 놓치게 되었다고 말하는 사람들도 있습니다. 지금 정권에 대한 지지가 다음 정권을 결정한다면 지난번에도 정권은 한나라당에 넘어갔을 것입니다. 저는 다음 정권까지 책임지겠다고 약속한 일도 없습니다. 저 또한 대세를 잡고 있지 못한 지금의 상황을 안타깝게 생각하고, 미안한 마음을 가지고 있습니다. 그러나 다음 선거에서 민주 혹은 진보 진영이 성공하고 안 하고는 스스로의 문제이고 국민의 선택에 달려 있습니다. 저에게 다음 정권에 대한 책임까지 지우는 것은 사리에 맞지 않습니다.

차라리 한나라당이 정권을 잡았더라면 진보 진영이 행동하기 좋았을 것이라는 말도 있는 것 같습니다. 그것은 진보 진영이 무엇을 잘하자는 것이 아니라 반사적 이익을 보자는 것입니다. 진보 진영이 무엇을 잘해서 정권을 잡을 일이라면 참여정부 시대에도 잘할 수 있는 일이고, 반사적 이익을 보겠다는 말이라면 다음에도 기회는 있을 것입니다. 요즘은 거기서 더 나아가 민주세력 무능론까지 등장하는 것 같습니다. 대단히 부당한 논리입니다. 과거의 군사정권과 비교해서 무능하다는 것인지, 다른 나라 민주세력과 비교해서 무능하다는 것인지 기준을 알 수가 없습니다.

비록 민주화 이행 과정에서 갈등과 혼란이 적지 않았습니다만, 이것은 어느 나라고 할 것 없이 사회 변동 과정에서 있는 보편적 현상이라고 봅니다. 1987년 이후 우리나라가 이룬 민주주의와 경제 발전을 전 세계 사람들이 경이의 눈으로 바라보고 있습니다. 지난 20여 년 민주주의를 주도하고 경제 발전을 이끌어 온 민주 진영은 자부심을 가져야 합니다. 저는 지지도가 낮다고 하여 민주세력 무능론까지 대두되는 최근 상황을 보면서 마음이 무겁습니다. 저와 참여정부에 대한 평가가 근거와 논거를 갖춰 이뤄지길 바라는 것과 같이 민주세력의 공과 역시 시대적 요구를 중심으로 비교의 기준과 사실적 논거를 갖고 이뤄져야 한다고 생각합니다.

우리에게는 지금 민주화와 사회 발전 과정에서 생긴 분열과 좌절의 상처가 남아 있습니다. 아직 분열은 극복되지 않았습니다. 작은 차이들을 극복하지 못하고 있습니다. 저는 저에게 주어진 민주화 과정 20년의 한 획을 긋는 나름대로의 소임에 최선을 다하고 있습니다. 지난 4년은 아쉬움이 있습니다만 보람과 자부심도 있습니다. 그리고 마지막 날까지 최선을 다할 것입니다. 진보 진영의 논쟁이 서로가 책임을 다하는 범위 안에서 애정과 이해를 가지고 냉정하게 진행되기를 바랍니다.

인터넷신문협회 주최
'취임 4주년 노무현 대통령과의 대화'

2007년 2월 27일

안녕하십니까? 반갑습니다.

우선 오늘 제게는 매우 중요한 자리입니다. 4년 평가를 스스로 해 보는 자리이니까요. 이런 자리를 만들어 주신 인터넷신문협회 여러분에게 감사드립니다. 이런 생각을 해 보았습니다. 오늘 이 자리, 이 시간의 의미가 무엇일까? 저에겐 4년간의 얘기를 하게 되는데, 뭔가 제 얘기를 하고 싶은 거지요. 이 자리를 만든 인터넷신문협회는 왜 이 자리를 만들었을까, 무슨 말을 국민들에게 전달할까, 지금 이 자리를 지켜보는 국민들과 나중에 인터넷을 통해 대담을 지켜보실 많은 국민들은 왜 여기에 관심을 가지고 보고 들을까, 그 사이에는 각기 조금씩 생각들이 다를 것 같아요. 그러면 어디에다 맞추어야 할까, 결국 가장 바람직한 것은 국민에게 맞추어야 한다고 생각합니다.

그러면 국민들의 이익에 맞출 것이냐, 국민들의 선호에 맞출 것이냐, 보통 국민들이 좋아하는 것이 국민에게 이익이 된다고 생각하는 것이 민주주의의 전제인 것은 맞습니다. 그러나 나폴레옹이 황제로 뽑힐 때에도 국민투표에 의해서 뽑혔고, 우리가 유신헌법을 통과시킬 때에도 국민투표에 의해서 헌법을 만들었습니다. 그 헌법에 의해서 얼마나 많은 사람들이 고통을 받았는가를 생각해 보면 국민들이 원한다고 해서 항상 옳은 것만은 아니라는 고민에 빠지게 됩니다. 이 어려운 질문에 대해서 끊임없이 생각하면서 바른 답을 찾아 나가야 합니다. 좋은 대답을 찾아내야만 진정한 의미에서 국민들을 위한 사회를 열 수 있게 되는 것이지요. 한때는 많은 사람들이 아편이 건강에 좋은 줄 알고 즐겨 피우던 시대가 있었습니다. 또 요즘 어린아이들은 사탕을 좋아합니다만, 어떤 어린아이들은 부모에게 어릴 때부터 훈련을 많이 받아서 단 것을 좋아하지 않는 체질을 갖게 됩니다. 어떤 환경에서 자랐느냐에 따라 사탕을 좋아하는 아이, 좋아하지 않는 아이가 달라지게 돼 있지요.

우리 국민들이 좋아하는 것 중에서 혹시 사탕은 없는가, 우리가 좋아한다고 해서 단순하게 그대로 공급만 하는 것이 대통령이 하는 일이거나 언론이 하는 일의 전부는 아닐 수 있다는 생각을 해 볼 수 있습니다. 많은 사람들이 다이어트를 합니다. 굉장히 고통스럽지요. 꼭 필요한 사람들은 고통스럽더라도 다이어트를 해야 하는데, 필요하지 않은 사람들도 다이어트를 해 엄청나게 큰 부작용으로 나중에 고통 받는 경우도 있지요. 대통령을 하면서 항상 어려운 것은 제가 옳다고 생각하는 것이 과연 국민들에게도 옳은 것인가, 국민들에게 필요한 것인가, 지금 필요한 것이 30년 뒤에도 그대로 필요한 것인가, 이런 문제 때문에 고심을 참 많이 합니다. 더욱 어렵고 혼란스러운 것은 제가 어떤 확신을 가지고 있든 간에 제 생각이나 제가 하고 있는 일의 취지가 국민들한테 제대로 전달되고 있는가, 그런 문제가 가장 큰 고민입니다. 전혀 다르게 전달되는 경우도 있고요. 때로는 국민들의 요구가 도저히 납득할 수 없고 그대로 이해할 수 없는 경우도 더러 있습니다.

그래서 여러 가지 방법을 찾고 노력을 하는데 저는 그래도 역사를 쭉 돌이켜 보면, 매 시기 진실이라는 것은 있다, 진실이라는 것을 믿고 거기에 의거해서 행동하는 것이 옳다고 생각합니다. 공론 또는 정론이라는 것이 있다고 생각합니다. 그리고 그것들을 찾을 수 있다고 생각합니다. 수천 년의 영구 불변한 정론이 아닐지라도 적어도 그 시기에 그것은 정론이었다, 이런 것이 무엇인지를 우리가 찾기 위해서 노력해야 하는 것이지요.그 다음에 정치인에게는 정치인으로서, 언론인은 언론인으로서, 또 일반 시민은 시민으로서 각기 정도가 있다고 생각합니다. 그 모두가 항상 하기에 즐겁고 항상 본인에게 이익 되는 것만은 아니라는 것이지요. 그래서 저는 정치인 스스로는 이익이 되지 않는 쪽에 오히려 정도가 있을 수도 있다고 봅니다. 오히려 정도라는 것이 본인의 정치적 이해관계와 잘 맞지 않는 경우가 많다는 데 우리의 고민이 있는 것이지요. 또 너무 자기 이익을 돌보지 않으면 선거에서 떨어져 버리는 것이 현실이라는 점에서도 또한 고민이 있습니다. 어떤 선택을 할 것인가, 참 어려운 일입니다만 그러나 어쨌든 저는 정치라는 것이 가치를 추구하는 행위라고 생각합니다. 가치를 추구하는 행위이기 때문에 적어도 정치를 하는 사람은 이익에 앞서 가치에 의거해 행동해야 한다고 생각합니다.

언론 또한 하나의 사업이라고 하지만, 그 사회에서 시민사회를 대변하고 권력을 견제한다는 시민사회적 기관으로서의 자기 역할이 있습니다. 공적 역할이 있기 때문에 거기에 충실해야 한다는 것이지요. 실제로 국민들도 주권자로서 기분 내키는 대로가 아니라 이 사회의 미래를 위해서 진정으로 나와 내 자손들을 위해서 필요한 것을 선택할 의무가 있습니다. 그 의무에 따라, 올바른 판단에 따라 행동할 의무도 가지고 있다고 생각합니다. 이것은 우리가 놓칠 수 없는 일이고 적어도 여기에서 우리가 일탈했을 때 뒤에 가서 우리가 직접 또는 우리 아이들이 그에 대한 책임을 지게 되는 경우가 있습니다. 그런 것을 항상 염두에 두고 저는 오늘 대답해야 하고, 질문하시는 분들도 바로 그 점에 관해서 질문해 주시기 바랍니다. 국민들도 그런 관점에서 그저 게임의 하나로 바라보는 것보다 이런 기회에라도 그런 것을 생각하면서 말하고 대답하고 지켜보는 것이 필요하다는 말씀을 드리고 싶습니다.

질문과 답변

질문 : 지금 이 시점에 진보 비판에 나서신 이유는 무엇인지요. 또 너무 정치적으로 해석하는 것인지 모르겠지만, 이번 대선에 진보 논쟁이 미칠 영향이 있을 것이라고 보시는지요.

대통령 : 대선 정국의 파장이나 영향이 있을지는 생각 안 해 보았습

니다. 그냥 저에 대한 평가이지만 사실은 저에 대한 질문으로 들릴 수도 있어서 말씀드린 것입니다만 저는 그런 논쟁이 필요하다고 생각합니다. 우리나라의 진보의 범위가 어디까지이며, 누가 진보이고 진보가 추구하는 가치가 무엇이며, 가장 대표적인 가치가 무엇인지, 그 가치가 지금 우리 사회가 추구해야 되는 가치와 나란히 가고 있는 것인가, 적절한가 하는가에 대해서 많은 논쟁이 있어야 된다고 생각하는데 저는 그런 논쟁이 많지 않다고 생각합니다.

그런데 최근에 진보 진영에서 저에게 문제를 제기했는데, 그 문제 제기의 근거가 된 전제가 사실이든 의견이든 간에 뭔가 우리나라의 보편적인 진보를 대표하는 가치와 논리에 근거하고 있는 것 같지 않아서 조금 유감스럽다고 생각했습니다. 과연 그 글을 쓰신 분들이 진보를 표방할 만한 균형점 위에 서 있는가, 이 점에 대해서 의문이 들었고, 두 번째로는 아무리 읽어 봐도 어려워서 잘 이해를 못하겠습니다. 제가 어려워서 잘 이해를 못하면 일반 국민들은 진보 논쟁이 자기와는 아무 관계 없는 현학적인, 구름 위에 놀고 있는 논쟁일 뿐이지요. 그런데 그 권위 때문에 논쟁의 구조 자체에 대해서 말하기가 매우 어렵게 돼 있습니다. 그 논쟁의 당사자인 저는 낄 자리도 없고요.

그래서 이런 식으로 하지 말고, 우리 문제를 본질적으로 생각해 보고 싶었습니다. 누가 진보이며, 진보의 대의가 무엇이며, 진보의 가치와 논리는 무엇이며 누가 대변하고 있는가, 지금 논쟁은 올바르게 가고 있는가, 그런 문제 제기를 한 것입니다. 그러면 많은 사람들이 이를 계기로 진보의 진로에 대해서 좀 깊이 고민하지 않겠습니까? 그 점에 대해서 지적한 것입니다. 제가 제기하는 방향으로도 한번 생각해 보자, 그런 뜻이었지요. 대통령이 그런 논쟁에 뛰어든 것이 적절한가? 그건 적절한 것입니다. 저는 그런 금기를 두지 않기 때문에 논쟁에 뛰어들었던 것이고, 그런 논쟁도 하고 평가도 하고 생각해 보자는 차원입니다.

대통령 선거에서 유리할지 불리할지 정확하게 읽을 만한 능력이 없습니다. 그리고 지금 대통령 선거가 모든 가치의 중심에 있는 것이 반드시 옳다고 생각하지 않습니다. 대통령 선거에서 누구에게 유리하고 누구에게 불리한가가 중요한 것이 아니라 대통령 선거라는 장이 국민에게 얼마만큼 이익이 되는 방향으로 올바른 방향으로 움직이는가, 말하자면 대통령 선거에서 논의되는 여러 가지 주제가 국민들과 어떤 이해관계가 있느냐, 얼마만큼 옳고 바르게 논의가 되느냐 하는 것이 가장 중요한 것이지요.

그런데 매체를 보고 있으면 국민들은 어디로 가고 없고, 누구에게 유리한가, 불리한가만 있어요. 저는 그 점에 대해서 좀 안타깝게 생각하고 있습니다. 그래서 제 진보 논쟁은 대통령 선거와 관계도 없거니와 또 대통령 선거와 결부지어 생각하더라도 누구에게 유리한가 불리한가, 이것이 문제가 아니라 우리 국민과 내일의 역사와 그것이 어떤 의미가 있는가, 이런 방향으로 생각하는 것이 옳다고 생각합니다.

질문 : 최근 2·13 베이징합의를 통해서 북핵문제 해결을 위한 초기 이행 조치 첫 단계에 돌입했는데요. 대통령께서는 북한이 궁극적으로 모든 핵을 포기하고 개혁 개방으로 나갈 수 있는지, 만약 현 김정일 정권이

개혁 개방으로 나갈 수 없다고 하면 대북정책은 어떻게 돼야 되는지 묻고 싶습니다. 아울러 최근 한반도 평화체제 구성이 논의되고, 그 다음에 남북정상회담 추진설이 나오고 있습니다. 제가 알기로는 그동안 정부는 북핵문제가 해결되지 않고서는 정상회담을 가질 수 없다고 밝혀 왔는데, 이 부분에 대한 입장이 바뀌신 게 있다면 말씀해 주셨으면 좋겠습니다.

대통령 : 북한은 개혁 개방할 것이라고 저는 믿습니다. 왜냐하면 만일 북한도 제 정신을 가지고 국가를 운영하는 사람들이라면 이 외에 아무런 길이 없기 때문에 개혁 개방할 것이다 그렇게 생각합니다. 그리고 개혁 개방하면 성공할 수 있을 것인가? 네, 성공할 수 있다고 생각합니다. 그래서 개혁 개방할 것입니다. 속도의 문제라고 생각하지요.

개혁 개방하겠다는 사람이 왜 핵무기를 만들었느냐. 그것은 개혁 개방의 길로 나가자면 앞에서 막히는 것도 있고, 개혁 개방을 안 할 줄 알고 붕괴를 바라는 사람, 붕괴를 획책하는 사람들도 있을 수 있고, 여러 가지 위험이 있다고 판단할 수가 있지요. 그런 판단에 근거해서 개혁 개방과는 별개로 또한 상대방이 나를 위협할 때 대응하기 위해서, 또는 아예 위협을 하지 못하도록 협상을 하기 위해서, 또 이런 여러 가지 목적으로 핵무기는 따로 개발할 수 있는 것이지요.

잘했다는 뜻은 아닙니다. 잘했다는 뜻이 아니라 별개의 것입니다. 핵무기를 개발했다고 해서 반드시 그 핵무기를 사용할 것이냐, 또는 절대로 포기하지 않을 것이냐. 사용하는 것보다 사용 안 하는 것이 더 안전하면 사용 안 할 것이고, 가지고 있는 것보다 버리는 것이 더 이익이 크면 버리는 쪽으로 선택할 것입니다. 그 판단을 할 때 한국정부 또는 미국의 판단이 굉장히 중요한 것이지요. 말하자면 공존할 수 있느냐 입니다. 적대 관계를 청산하고, 평화구조를 정착시키고, 교역하고 협력해서 적어도 적대적 관계가 아닌 중국과 미국처럼 서로 교류할 수 있느냐, 거기에 대한 확신이 있으면 핵무기를 버리고 개혁 개방 쪽으로 가게 되겠지요. 이것은 쌍방적인 상호 관계입니다. 그래서 안전이 확실하게 보장되고 개방을 통해서 이익을 얻을 수 있다는 신호를 우리는 계속 주어야 되는 것이지요.

한국정부는 일관되게 그 신호를 주어 왔습니다. 상황이 좀 나쁠 때도 주어 왔습니다. 일시적으로 꽃샘바람이 불어도, 북한에서 일시적으로 우리가 납득하고 수용하기 어려운 어떤 행동이 있어도 어쨌든 3월이 되면 봄이 온다, 계절이 바뀌는 것이 법칙이듯이 세계 역사도 그런 법칙이 있다는 믿음을 가지고 신호를 보냈습니다. 지금은 봄으로 가는 방향이기 때문에 여간한 꽃샘바람이 불어도 우리는 흔들림 없이 갔습니다. 미국의 판단은 우리처럼 꼭 그렇게 일관되지는 않았습니다. 클린턴 대통령 시대가 다르고 부시 대통령 시대가 달랐습니다. 부시 대통령 임기 내에서도 상황에 따라서 조금씩 판단들이 달라졌습니다. 또 안에서 내부의 서로 다른 의견들이 존재했던 것이지요. 그랬던 것이 어느 한 방향으로 정착되고 장기적으로 같은 방향으로 가게 될 것이라는 상태가 굳어지면 상대방도 판단하기가 쉬워지지요. 그렇게 상호 간에 신뢰를 구축해 가면서 길을 열어 가는 것, 이것이 방법이고 또 그렇게 갈 것이라고 생각합니다.

정상회담에 관해서 말씀드리면, 제가 그동안 부정적이었던 것은 제가 하기 싫어서 부정적인 것이 아니라 제가 하고자 해도 되기 어려울 것이다, 그러므로 안 될 일을 자꾸 주장할 일은 아니다, 그런 것입니다. 왜냐하면 지금의 상황은 북핵문제가 해결되는 것이 일차적인 문제이고, 그 문제가 해결되지 않으면 남북관계도 풀어내기 어려운 것이 국제적인 역학구조이기 때문입니다.

먼저 해결될 문제가 해결되면 여러 가지 장애물들이 없어지니까 이제 우리가 바빠지지 않겠습니까? 그럴 때는 우리도 만나면 할 말이 있습니다. 그런데 지금은 우리끼리 만나서 약속을 해도 그 약속은 다시 미국·중국 등 주변국의 합의를 받아 내야 되는 과정이기 때문에 그건 만나 봐야 되는 일이 없습니다. 그러므로 정상회담이 이루어지기가 매우 어려울 것이라고 본 것입니다. 상황의 전개에 따라서 지금 이루어질 수 있는 때이고 또 만나서 할 일이 있다는 판단이 서면 그때는 저도 적극적으로 만나자고 손을 내밀겠지만, 지금은 아직 그럴 때가 아니라고 생각합니다.

질문 : 먼저 만나서 약속을 할 수도 있을 것 같은데, 그 점에 대해서는 어떻게 생각하십니까?

대통령 : 예, 그런데 저는 순서가 그렇게 되기 어렵다고 봅니다. 왜냐하면 빗장이 풀릴지 안 풀릴지 모르는데, 앞으로 빗장이 풀리면 미리 어떻게 하자, 그렇게 만나는 것이 오히려 여러 가지 상황을 혼란스럽게 할 뿐이라고 생각합니다.

질문 : 대통령의 당적 정리가 지금 최대 이슈가 되고 있습니다. 대통령의 초당적 국정운영과 선거중립을 위한 중립내각 구성 요구가 높아지고 있는데, 이에 대한 답변을 부탁드립니다. 특히 한명숙 총리 후임 인선 원칙에 대해서 밝혀 주시고, 더불어 유시민 장관과 이상수 장관 등 당적 보유 장관들 거취 문제에 대해서도 다시 한번 명확하게 밝혀 주시기 바랍니다. 마지막으로 대선 정국 변화도 클 것이라고 예상됩니다. 대통령께서는 탈당은 밀려서 하는 것이 아니라는 점을 강조하셨는데 이것은 대통령의 정국주도의제 차원이 아닌가 하는 생각이 듭니다. 탈당 후 당정 관계 변화 그리고 국회 변화, 정계 개편 구상 등 정국 구상에 대한 전반적인 입장을 밝혀 주시기 바랍니다.

대통령 : 저는 초당적 국정운영이라는 데 대해서 예전부터 거부감을 가지고 있습니다. 그것은 진실하지 않기 때문입니다. 지금도 국회의장이 당적을 안 가지고 있습니다. 갖지 못하도록 그렇게 법에 정해 놓았습니다만, 국회의장이 실제로 당적이 있는 것과 다름없이 당과의 관계를 가지고 실제로 활동하고 있습니다. 사실을 사실대로 하는 것이 좋다고 생각합니다. 당적을 가지고 또 정치적 견해를 분명하게 얘기하면서 하더라도 법률적으로 중립하도록 규정하거나 우리 사리에 비추어 거기에서는 개인 의견에 불문하고 공정하게 행동해야 한다고 하면 됩니다. 자리에서 공정하게 행동하면 되는데 실제로는 그렇게 하지 않으면서 자꾸 중립이라고 꾸미려고 하느냐는 것이죠. 독재시대의 잔재입니다.

외국의 어느 나라 대통령도, 특히 선진국, 선진 제도하에서의 대통령이 초당적 정치 행위를 말하는 사람은 없습니다. 언제든지 정당 활동을 하고, 심지어 국회 의원 선거 때는 나가서 지원 유세까지 합니다. 그래도 그 나라의 정부가 국정운영에서 행정에서 편파적 행동을 해 문제를 일으킨 일이 없습니다. 우리만 왜 세상에 없는 말을 만들어 자꾸 초당화라고 하느냐는 것이죠. 이런 위선적 구조를 왜 자꾸 요구하는지 이해할 수 없는 것입니다.

과거에 아닌 척하고 공작으로 정치를 운영하던 시대의 유산입니다. 옛날에는 여당의 대통령이 선거자금 1천억 원을 만들어서 여당에다 주고, 아닌 척하고 시치미 뚝 떼고, 대통령 선거 때에는 국세청 차장이 기업체들로부터 선거자금 다 걷어서 뒤를 밀어주었어요. 그때 대통령은 중립하고 있었는데 정부의 공무원들이 후보한테 매일 가서 보고하는 겁니다. 대통령한테 보고해야 하는 상황을 후보에게 가서 보고해 버리는데 대통령 중립 하나마나 무슨 소용 있어요?

우리는 그런 시대를 지내 왔는데 국민의정부 이래로 저는 정부가 행정의 중립을 하지 않아서, 선거중립 하지 않아서 선거의 공정성을 훼손했다는 얘기를 한번도 들어 본 일이 없습니다. 이미 과거의 일이 됐는데 심심하면 이 낡은 카드를 들고 나오는 사람들은 낡은 정치인들이 아닌가, '참 낡았다'는 생각을 합니다.

그래서 제가 기자 여러분께 부탁드리고 싶은 것은 낡은 정치인들 하는 소리를 따라 하면 낡은 기자가 되는 것이니까 이런 얘기는 중계하지 말았으면 합니다. 아무래도 이상한 소리 같다, 이런 논평을 할 수도 있지 않습니까? 나는 그런 방향으로 생각해 주면 좋겠습니다.

총리 인선도 중요한 문제이지만 이 문제는 자세하게 말씀드릴 수는 없습니다. 지금 이 시점은 정치적 내각보다는 행정 실무형 내각으로 가는 것이 맞는 것이 아닌가. 저는 그렇게 보고 있습니다. 지금 장관 문제에 대해서 말씀드리면 가급적이면 바꾸지 않으려고 합니다. 정치인 출신 장관들이 지금까지 공정성을 해칠만한 정치적 행동을 하지 않았습니다. 참여정부 각료 중 청와대를 거쳐 간 분들이 많은데요. 청와대에서 대통령의 정책과 가치와 행정 전략이 무엇인지 충분히 숙지하신 분들이기 때문에 그렇게 하는 것입니다.

혁신이라는 것은 지금 4년째 추진 중인 국가과제입니다. 모든 부처에서 자기의 고유 업무 못지않게 중요한 업무입니다. 그러면 혁신 업무에 정통해야 합니다. 실제 여러 이유에 따라 장관을 자주 교체하게 되는데 혁신에 대해 사전에 충분히 익힐 시간을 주고, 그렇게 내각으로 전진 배치하는 방법을 썼습니다. 그런 과정 속에서 그동안 인재 풀이 조금 떨어진 면도 있습니다. 장관을 또 바꾸면 혁신 업무와 참여 정부 노선을 익혀야 하고, 정책도 새로 배워야 하니까 상당한 시간이 걸립니다. 그래서 정부 외에 계신 분이라도 감이 맞는 분도 있겠지만 수가 조금 적고, 정계에서 모시고 올 수도 없는 형편이라 가급적이면 그대로 가려고 합니다.

오늘 아침 국무회의 때 장관들은 대통령의 당적에 관계없이 그냥 열심히 해 주면 좋겠다는 점을 통보했습니다. 본인이 더 좋은 자리가 있거나 특별한 계획이 있어서 나가시는 것은 말리지 않을 겁니다. 명령으로 못 가게 하는 것이 아니라 제가 장관을 교체할 생각이 없다는 것입니다.

그 다음에 당적 정리와 탈당인데, 유감스러운 일입니다. 정당에서 후보로 선출되었고, 정당의 지지를 받아 대통령에 당선되었습니다. 대통령이 되어서는 당·정 협의하면서 정당과 공동으로 정부를 꾸려 왔습니다. 우리나라의 대통령제는 당과의 정책적 관계가 매우 밀접한 서구식 정당제입니다. 그렇게 정당 중심의 정치를 해왔는데, 역대 대통령은 임기 말 대부분 탈당했습니다. 이번이 네 번째입니다.

그런데 국민들의 저를 보고 열린우리당과 관계없다고 믿어 줄까, 관계가 있으면 어떻고 없으면 어떠냐 하는 것이 제 의견입니다. 관계가 있다면 저 때문에 표 떨어진 건 이미 결과로 나타난 것이고, 제가 탈당한다고 해서 열린우리당이 떨어졌던 표를 다시 모을 수 있을까요? 그런데도 왜 탈당하느냐 하면, 당 안에서 제 탈당을 바라는 분들이 계셔서, 이것이 아무런 생산성 없는 시비로 확산되면 시끄럽기만 하니까 당적 정리를 하자는 판단을 했습니다.

대통령 탈당 현상이 일어나는 이유는 제가 다시 출마할 수 있다고 가정하면, 공격하든 방어하든 지금 그냥 치열하게 거기에서 정책 논쟁이 벌어질 텐데 저는 출마를 못하니까 배제하는 겁니다. 선거 개입하지 말라고 하고, 제 정책을 제가 변론하면 대통령은 선거에서 손떼라고 경고가 계속 나오는 겁니다. 저는 계속 공격을 받아야 하고, 열린우리당은 저와 조금 멀리 있을수록 화살을 안 맞게 되는 것 아닙니까? 화살을 정확하게 쏘면 되는데 저를 못 맞히고 옆의 분들이 맞을 수도 있거든요. 그래서 아예 멀리 떨어지는 것이 좋겠다는 판단을 하는 사람들이 있는 것입니다.

우리가 논쟁을 해서라도 결론을 지어야 하는 일이 있고, 어떤 경우는 갈등의 소지부터 제거하는 것이 좋겠다고 판단하는 경우도 있습니다. 밀려났다고 하기도 이상하고 안 밀려났다고 하기에도 이상하고, 한국정치의 구조가 조금 이상합니다. 연임제라면 먼저 한 번은 그렇지 않을 거고, 내각제에서는 항상 책임자와 새로운 도전자가 하게 돼 있기 때문에 그런 이중 구조는 발생하지 않는데, 지금 우리 정치에서는 다소 이중적이며 기만적인 구조가 있는 것입니다. 가급적이면 진실과 본질에 가깝도록 정치를 운영하는 것이 좋다고 생각합니다.

질문 : 대통령께서는 여태까지 원 포인트 개헌 얘기를 계속해서 해오셨어요. 그런데 많은 분들이 이 마당에 무슨 개헌이냐, 반대여론도 많고요. 또 복합적으로 개헌을 하는 것이 아닌가, 이런 의견도 있거든요. 여기에 대해서는 어떻게 생각하시는지요?

대통령 : 왜 지금 개헌하면 안 되지요? 사회자께서 양해해 주신다면 오늘 이 자리에서 즉석으로 토론해 보시죠.

질문 : 국민들이 대통령께서 발의하겠다고 하신 개헌안에 대해서 전혀 공감대를 느끼지 못하고 있습니다. 왜 하면 안 되냐고 물으시기 전에 국민들이 이해하지 못하는 것들에 대해 충분한 공론화 과정을 거치지 않으신 것 아닌가 하는 생각이 듭니다.

대통령 : 지금 여론조사에서 62-63%에서 60% 후반까지 개헌이

필요하다고 말하는 것은 알고 계시지요? 그런데 지금은 아니라고 답하는 것이 그중에서도 압도적으로 많다는 것 아닙니까? 몇 %인지 기억을 못해서 제가 말씀을 못 드리는데, 이렇게 많은 사람들이 공감대가 없는데 왜 하려고 하느냐, 이 말씀 아닙니까? 공감대가 없는 많은 의문들을 의제로 제기해서 그것을 논의해 보자라고 하는 것이 정치하는 사람의 본분입니다.

그런데 전혀 공감대가 없는 것이 아닙니다. 지금까지 각 당에서 여러 그룹의 개헌 연구 모임도 있었고, 여러 메이저 신문에서 사설로 전부 노무현 정권 후반기, 2006년이 적기다, 2007년이 적기라고 전부 개헌하자고 얘기했기 때문에 그래서 공론으로서 개헌하는 것은 별로 반대가 없을 거라고 생각했습니다. 그래서 개헌을 제기한 것이고요. 그랬더니 다음 정권에서 해야지 현 정부에서는 못한다고 합니다. 공감대가 없는 것이 아니라 개헌 자체에 대해서는 공감대가 있는데 지금 하자는 데 대해서 공감대가 없다는 것이지요. 왜 지금 개헌을 하자는 것에 대한 공감대가 없는지를 묻고자 하는 것입니다. 국민의 공감대가 얼마냐 하는 것은 토론을 통해, 사회적 논쟁을 통해서 공감대가 얼마든지 올라갈 수 있는 것입니다.

지금 FTA를 보면 국민 공감대가 높았다가 낮았다가 밀려갔다 밀려왔다 하지 않습니까? 마찬가지로 이것도 논쟁을 하는 것이 민주주의 사회에서 당연한 절차라고 생각합니다. 처음 듣는 얘기라도 대통령이 꺼냈으면 한번 들어 볼 만한 것 아닐까요? 저도 그냥 대통령이 된 것이 아니고 국민들이 선출했기 때문에 대통령이 된 사람인데 사회에서도 그 정도의 무게는 인정해 줘야 될 것 아니겠습니까? 더구나 2004년에도 언론과 당을 비롯한 여러 정치 지도자들이, 2002년에는 여러 정치 지도자들이 내가 당선되면 개헌하겠다고 다 했던 얘기였습니다.

왜 미뤄야 되는가 하는 문제입니다. 그 이유는 누가 지지하고 안 하고를 떠나서 왜 지금 하면 안 되고 다음 정권에서 하면 되느냐, 다음 정권에서 해야 될 이유가 있다면 다음 정권에서 과연 되기는 되느냐, 하려면 어떤 절차가 필요하냐, 한번 논의해 봐야 되지 않겠습니까? 누구라도 왜 지금 하면 안 되느냐에 대해 먼저 얘기하고, 다음 정권에서 하면 뭐가 좋은지를 얘기하고, 다음 정부에서 하려면 과연 어떤 조건들이 필요하냐를 얘기해 보자는 것이지요. 여러분 모두 지금 언론사에서 중요한 역할을 하고 계신 분들 아닙니까? 저는 이 말씀을 드리고 싶었습니다. 우리 사회가 이래도 좋으냐는 것이지요. 지금의 여론이 모든 것이냐, 그렇지는 않다고 생각합니다. 여론이 영향을 미치기 위해서는 충분하고 활발한 토론을 하고, 그 토론도 가급적이면 공정하게 하기 위해서 공론 조사라고 하는 방법을 흔히 쓰지 않습니까? 새롭게 개발해서 충분히 토론을 지켜보고, 답을 내게 하는 이런 과정들을 만들어 내는 데 그것은 올바른 답을 찾아내기 위한 민주주의 과정입니다.

그런데 지금은 그렇게 하지 못합니다. 공론을 조성하는 데 가장 결정적인 역할을 하는 언론이 하지 않으니까 아무도 말할 사람이 없는 것입니다. 지지율이 가장 높은 정당이 침묵하고, 대통령은 인기가 없으니까 그것으로 논의가 정리된 것입니다. 그러나 지지도가 낮은 대통령이 제기한 것도 옳은 것은 옳은 것이고, 지지가 높은 대통령이 제기한 것도 틀린 것은 틀린 것입니다. 그것이 민주주의입니다. 저는 조금 전에 질문하신 분이 뭔가 논쟁이라는 것을 한번 만들어 보자고 말씀하신 것으로 보입니다만, 이 문제에 대해서 제 반대편에선 아무도 주도적으로 제기하는 분이 없습니다. 그냥 토론의 재미를 위해서 역할을 맡는 것 말고는 진정한 의미에서 토론하려는 분이 없습니다. 그런데 이것은 결코 가벼운 문제가 아닙니다.

원 포인트 개헌이 아니라 내용을 본격적으로 개헌해야 되는 것 아니냐는 주장도 있습니다. 그런데 지금 그것이 가능하지 않습니다. 반드시 해야 하지만 지금 가능한 것이 아닙니다. 원 포인트 개헌 과정을 거치면 어느 때라도 그 부분 개헌에 관해서 논의를 할 수 있습니다. 그러나 원 포인트 개헌을 거치지 않으면 앞으로 20년 동안에는 본질적 내용에 관한 개헌을 얘기할 수가 없게 됩니다. 그러니까 대통령이 지지율 낮다는 이유로 정당한 이유 없이 개헌을 하지 못하고, 앞으로 20년 동안 개헌 얘기를 할 수 없는 상황이 지금 펼쳐질 것인데도 그냥 가자고 하는 것이 정당한 것입니까?

항상 말씀드리지만, 우리나라가 세계적인 경쟁의 시대에서 적어도 뒤떨어지지 않으려면 변화의 속도가 따라줘야 합니다. 개혁의 속도라고 말할 수도 있습니다. 사회적 시스템이 변하는 속도가 시대가 요구하는 속도만큼 거의 가깝게 따라가지 않으면 그 사회는 낙오합니다. 그래서 제가 제도 개선에 대해 제기한 것입니다. 제가 어리석었던 것이지요. 적어도 최소한 우리 사회는 그 정도의 양심과 공론은 살아 있을 것으로 판단했는데, 이 문제의 중요성에 대해 저와는 생각이 많이 다릅니다. 그래도 관심이라도 보여 줘야 되는데, 그냥 덮어 버리는 이 힘에 대해 참 난감합니다. 저는 솔직히 한국사회의 이런 문제 때문에 우리의 미래를 걱정하는 편입니다.

질문 : 그러면 연계선상에 한번 여쭤보겠습니다. 말씀처럼 현 정부 내에 개헌 추진에 대한 반대여론이 찬성여론에 비해 두 배 이상 많은 것이 현실입니다. 그럼에도 불구하고 대통령께서 다음 달쯤 개헌안 발의를 강행하겠다고 하셨습니다. 연초에 보면 국민들의 평가를 잘 받고 싶은 욕심은 있었지만, 작년에 완전히 포기해 버렸다는 대통령님의 말씀과 맥을 같이하는 것으로 보입니다. 국민의 지지를 포기하는 식의 말씀과 관련해 우선 대통령께서 과연 국민을 사랑하느냐는 궁금증이 남습니다. 국가의 최고 지도자라면 비판세력이든 반대세력이든 국민이라는 이유 하나만으로 국민에 대한 사랑의 마음을 절대 놓쳐서 안 된다고 생각합니다. 진정 대한민국의 국민을 사랑하시는지 한번 여쭙고 싶습니다. 그리고 아까도 말씀하셨지만 지지율이 이렇게 떨어지는 이유가 무엇이라고 생각하시는지, 혹시 그 이유가 국민들에게 있다고 보시는지 한번 답변해 주시기 바랍니다.

대통령 : 개헌 문제는 앞서 말씀드린 것으로 대개 갈음이 되겠지요. 처음부터 지지가 높은 것만 제기하는 것이 정치인의 책무는 아니라고 생각합니다. 아주 지지가 낮은 것도 제기해서 차츰 높여 나갈 수 있다는 것을 다시 한번 말씀드립니다. 정치 과정이라는 것이 처음부터 반드시

될 것만 제기하는 것은 아닙니다. 높여나가는 것이지요.

지지율 문제는 포기했다는 말씀에 대해서는 그렇습니다. 그러나 국민을 사랑하지 않는다거나 국민을 무시한다거나 하는 것은 논리의 비약입니다. 그렇게 일부 생각될 수도 있겠지만 냉정하게 접근하면 그것은 똑같은 말이 아닙니다. 반드시 논리적으로 그렇게 귀결되는 것이 아닙니다. 아무리 노력해도, 어떻게 하면 모든 국민의 지지를 받는 것인지 제 나름대로 열심히 해 봤는데 안 되니까 이제 그것 신경 안 쓰고 그냥 제 양심껏 국민들에게 이것이 필요하다고 생각하는 대로 소신껏 가겠다는 것입니다. 그렇게 이해해 주시면 고맙겠습니다. 사랑을 포기했다거나 무시한다거나 하는 말들은 모두 맞지 않습니다. 제가 생각하는 바 이것이 옳다고 생각하는 그 방법에 따라 국민을 위해서 최선의 봉사를 다하겠습니다.

저는 이런 얘기를 할 때 그 사람의 과거 정치 행적에 대해 분석하는 것이 항상 필요하다고 생각합니다. 어떤 사람의 말을 듣는 것보다는 그 사람이 걸어온 길을 하나하나 분석해 보고 이때 정당하게 행동했는가, 이때 사리사욕으로 행동했는가, 대의명분을 취했는가, 이익을 취했는가, 이런 것들을 분석해 판단하는 것이 필요하다고 봅니다. 저는 모든 선거에서 모든 유권자들이 이 문제에 대해 깊이 공부할 의무가 있다고 생각합니다. 다 공부하기가 어렵지 않습니까? 그래서 미디어가 이 문제에 대해서 객관적 사실을 정확하게 전달해 주는 것이 필요하다고 생각합니다. 어떤 행동이나 말을 평가할 때 그 사람이 걸어온 길과 함께 평가해 주면 좋겠다고 생각하는데, 저는 그런 점에서 국민을 한 번도 배신한 일이 없다고 생각합니다. 제 스스로 많은 손실을 감수하고라도, 첫 번째는 제 양심을 배반한 일은 없다고 감히 단언합니다. 그때마다 일부 국민들로부터는 지지를, 일부 국민들로부터는 배신자라는 소리를 들었지만 어느 쪽에 있었든지 저는 지금 와서 다시 평가해도 국민을 배반한 행동은 아니었다는 자신이 있습니다.

지지율이 낮은 것은 굉장히 곤란한 문제입니다. 지금 여러분이 보시다시피 개헌이라는 모두가 함께 주장하던 당연한 일을 제기했는데도 대통령의 지지율이 높지 않기 때문에 이 일을 공론화하지도 못하고, 추진해 나갈 힘이 떨어진 것입니다. 물론 이것은 평상시와 다릅니다. 대통령 선거의 유·불리와 아무런 관계가 없는데도 대통령 선거에 이미 뛰어든 정당이나 정치인들이 이것을 찬성하고 반대하는 태도를 보이고, 반대 전선이 너무나 분명해지기 때문에 장애가 좀더 커진 것은 사실입니다.

대통령의 지지율이 낮다는 것이 이만큼 어려운 것입니다. 낮으면 그만큼 정책 수행의 환경이 어려워지는 것입니다. 거꾸로 얘기하면 지지도가 너무 높으면 옳지 않은 것도 밀어붙일 수 있는 힘이 생긴다는 것이지요. 그것도 좋지 않습니다. 적당한 것이 좋은 것이지요. 적당해서 옳은 것이 밀리지 않게 되는 수준의 지지는 있고, 옳지 않은 것을 밀어붙일 수 있는 수준까지는 지지도가 높게 가지 말아야 된다고 생각합니다. 제가 지지율을 잃은 것은 주로 제 책임입니다. 그래도 뭐 어떻게 방법이 별로 없네요. 제가 항상 국민들에게 '그건 이렇습니다'라고 얘기하려고 해도 그 말을 전달하기가 참 쉽지 않습니다. '그것은 아닙니다'라고. '그것은 사실이 아닙니다'라고 얘기하려고 해도 어렵고, 전달하기가 어렵습니다. 이런 것도 하나의 원인 아닐까. 제가 정치적 역량이 부족해서 지지가 떨어진 것이 첫 번째일 것입니다.

또 하나는 국민들과 저와의 사이에 소통이 굉장히 어렵습니다. 연초에 제가 대국민 연설을 했었지요. 신년 연설을 했는데, 다음 날 아침에 참모회의를 하면서 그동안 그렇게 공들여 연설문을 써 놓고도 시간 조절을 잘 못하고, '난 책임 없다'는 말을 괜히 해서 보람이 없어졌다고 얘기했습니다. 참모들도 의아스런 표정으로 고개를 갸우뚱갸우뚱하더니 '실제로 책임 없다고 말한 것 같지는 않은데요'하더군요. 그래서 다시 연설문을 꺼내 봤습니다. 꺼내 봤는데, 실제로 보니까 책임 없다는 말을 제가 안 했습니다. 전적으로 제게만 책임을 묻는 데 대해서는 그것은 곤란하다, 스스로 원인 발생에 결정적 책임이 있는 사람이 자기 일은 다 감추고 제게 거꾸로 책임을 묻는 것은 적반하장 아니냐는 취지로 얘기를 한 것입니다. '나 책임 없소' 이렇게 염치없는 소리는 안 했더라고요. 그래서 제가 신문 제목이라는 것이 이렇게 위력이 있다는 생각이 들었습니다. 아내도 제게 '당신은 옆에서 보면 뭐 어떻든 열심히 하는 것 같고, 잘못도 있겠지만 큰 잘못은 없이 잘 하는 것 같은데, 꼭 어디 가서 말실수 좀 하지 마세요'라고 합니다. 제가 어릴 때부터 버릇이 군대도 졸병으로 갔다 왔고, 제가 친구 같은 대통령이라는 데 생각이 있었는지, 편한 대로 말을 하는 것입니다. 제가 그동안 말실수를 어디에서 언제 어떻게 했는지를 한번 뽑아달라고 비서실에 부탁했어요. 자료를 보니까 딱부러지게 그렇게 무식하게 말하지는 않았더라고요.

예를 들면 '대통령 못 해먹겠다' 이런 식으로 말이 되어 있는 것은 문장 앞뒤를 읽어 보니까, 문맥이 국민들한테 아주 버릇없이 예의 없이 말한 것은 아니더라고요. 그런데 지금 저도 '난 책임 없다'고 말한 것으로 기억하고, 제 아내는 제가 말실수나 하고 돌아다니는 사람으로 기억하고 있으니까, 제가 국민들의 지지를 받겠다고 노력을 한들 무슨 소용이 있겠습니까? 그냥 잊어버리고 일이나 해야 하는 것이 숙명입니다. 앞으로는 말을 최대한 조심하고 살려고 합니다.

질문 : 이미 대통령께서 정략적 의도가 없다고 누차 강조하셨는데도 불구하고 임기 내 개헌에 대한 일부의 부정적 의견이나 야당의 반대에는 또 정치적 중립성이나 대선에 미칠 영향력에 대한 의구심이 있는 것 같습니다. 선거중립과 정치중립을 가를 수 있는 기준에 대해서 어떻게 생각하시는지 듣고 싶습니다.

대통령 : 대개 그건 법조문의 해석으로 충분히 됩니다. 우리가 선거활동 금지라는 다른 나라에 없는 제도를 도입했기 때문에 부득이 선거활동을 못하는 것이지요. 그러니까 정치활동과 선거활동을 구분해야 되는 어려움이 있습니다. 정치 활동은 허용하면서 선거활동은 허용하지 않는 이런 모순이 있지요. 어디까지가 정치활동이고 어디까지가 선거활동이냐. 가치를 얘기하는 것도. 가치와 정책을 얘기하는 것도 정치활동이고. 그리고 자기 당을 자랑하는 것도 정치활동이고. 상대 당을 비판하는 것도 정치활동이지요. 그런데 당을 비판하고 자기를 자랑하는 것은 자연스럽게 득표에 영향을 미치게 되니까, 선거활동이라는 것을 넓게 해석하

면 아주 넓게까지 되는 것이지요. 우리가 법제를 이상하게 만들어서 지금 질문하신 것처럼 혼선이 있는 것입니다. 이럴 경우에는 법을 집행하는 사람들이 적절한 선에서 해석을 해내리라고 생각하는데, 얼마만큼 직접적인 표현이냐를 놓고 판단하는 것 아닌가 싶습니다.

지금 우리가 시민적 자유의 영역에 있어서도 소위 선거활동으로 금지해서 많은 제약을 가지고 있습니다. 선거 시기가 되면 일반 시민들도 합당한 방법으로 자기의 정치적 의사 표명을 자유롭게 할 수 있어야 됩니다. 그런데 사전 선거운동이다 뭐다 해서 그것을 못하게 묶어 놓고 있는데, 이러면 제약이 너무 심하지요. 그것은 선거방법이 너무 과도하기 때문에 생긴 현상이긴 합니다만, 그런 점에서 우리의 법 해석은 결국 그 시기에 적절한 상식으로 해석할 수밖에 없습니다. 중요한 것은 다른 나라에 없는 조항을 우리만 만들어 놨을 때에는 그것을 매우 축소 해석해야 합니다. 당연히 자유인 것을 우리만 금지해 놨을 때, 그 금지의 폭을 최대한 줄여서 해석하는 것이 법 해석의 원칙입니다. 또 그것으로 해서 자꾸 잡음이 생기고 논란이 생기는 것은 어쩔 수 없는 일이지요.

그것을 문제 삼는 사람도 정략적이고, 정략적으로 문제 삼는 것이지요? 그러니까 그 문제에 대한 판단이나 평가는 결국 국민들의 몫인데, 도덕적 판단의 문제는 아니고 그때그때 정치적 분위기에 따라 구분이 되리라고 생각합니다. 정략적이라고 한다면 선거에 영향을 미친다든지 제가 한 번 더 해 먹겠다고 한다든지, 이런 구체적인 인과 관계가 있어야 되는데, 개헌에 대해 토론한다고 해서 어떻게 어느 당이 유리하고 불리해지는지 제 머리로는 아무리 생각해도 이해할 수가 없습니다. 개헌안이 통과된다고 해서 어느 당이 유리하고 불리해지는지 모르겠습니다. 그 메커니즘이 있다면 설명해 주면 좋겠다는 것이지요. 설명도 안 하고 그냥 정략이라는 것인데, 누구에게 왜 이익이 되는지 왜 손해가 되는지 설명이 전혀 없으니까 답답한 노릇이지요. 그리고 개헌이라는 문제가 참 중요한 문제인데, 이유도 모르고 밟히고 있는 것이지요. 정략이 뭔지 저는 도저히 이해를 못하겠습니다.

질문 : 인터넷신문협회 공통 질문으로 개헌에 대한 게 있어서 여쭤봅니다. 야당 반응이 정말 냉랭하잖아요. 또 여당도 안으로 사정이 복잡하기는 마찬가지고. 그러니까 여야를 어떻게 개헌의 장으로 끌어들여서 이 대화의 물꼬를 틀 것인지, 그게 참 안팎으로 쉽지가 않아 보이는데 어떻게 타개를 해 나가실 계획이신지요?

대통령 : 개헌에 실패하면 제가 정치 생명이 끝난다든지 또는 우리 국가적으로 어떤 큰 부담이 있다든지, 이런 여러 가지 중요한 문제가 걸려 있을 때 안 되는 일을 시도할 때는 굉장히 주의 깊게 해야 됩니다.

그런데 지금 이 상황에서 개헌이 안 되면 장래 국가 운영에 있어서 지금까지 우리가 겪었던 많은 비능률·비효율이 반복될 것이라는 것이지, 당장 국민들한테 무슨 큰 일이 생기거나 저한테 큰 일이 생기거나 하는 것은 아닙니다. 그렇기 때문에 이럴 때에는 되느냐 안 되느냐를 가지고 저울질을 열심히 하는 것보다는 되든 안 되든 최선의 노력을 다하는 것, 그것이 성실한 정치인의 도리라고 생각합니다.

아주 솔직히 말씀드리면, 훗날의 평가와 기록까지도 저는 염두에 두고 있습니다. 나중에 아무것도 모르는 국민들이 10년쯤 지나서 그때 해야 되는 건데 그때가 아주 절호의 기회였는데, 개헌 발의권을 가지고 있는 사람들이 대선 분위기에 매몰되어서 책임을 방기했기 때문에 개헌의 기회를 놓쳤고 지금까지 엎치락뒤치락, 말하자면 비효율적인 제도하에서 그와 같은 것을 계속하고 있거나 또는 본격적인 개헌을 할 수 있는 길마저 열지 않았다, 이런 평가를 저도 듣고 싶지 않은 것 아니겠습니까? 그래서 원칙에 있어서 최선을 다하는 것이고요. 안 된다고 누가 큰 피해 입는 것은 아니고 장기적인 문제이니 역사적 관점에서 제 책무를 다하고 싶다는 것이지요.

질문 : 정치 분야의 마지막 질문이 될 것 같은데, 이것도 역시 공통 질문이라서 제가 질문을 드리겠습니다. 올해 대선에는 어떤 것이 선거의 쟁점이 될 것 같고, 올해 대선의 시대정신은 어떤 것인지 묻고 싶습니다.

대통령 : 대선 쟁점은 가급적이면 현재의 대통령이 말하는 것보다는 그 시기, 그 사회의 공론이 대선 쟁점을 이끌어 줘야 되는 것이지요. 우리나라로 치면 그동안에 경험 많은 자산과 인적 자원 그리고 경력을 축적한 큰 언론들이 올바른 쟁점을 이끌어 나가야 하는 것이지요. 시대정신이 뭔지에 대해서도 국민적 공론을 모으고, 그쪽으로 방향을 몰아가야지요. 그래서 지금 무슨 경마 보도 하듯이 누가 몇 퍼센트, 누가 몇 퍼센트 이것만 계속할 것이 아니라 중요한 것이 뭔지를 찾아서 그리로 조명

을 해 줘야 되는 것이지요. 그런데 안 하는 것 같아요.

그래서 제가 오히려 이건 한번 물어보고 싶은 것입니다. 언론 하시는 분들께 이번 대선의 쟁점은 무엇이 되어야 합니까? 쟁점이야 당연히 시대정신을 가지고 얘기해야 되는 것입니다. 지금 국민들한테 여론조사를 하면 경제 하는 대통령이 나오는데, 지난번 15대 대통령 때도 경제 하는 대통령, 16대 대통령 선거 때도 경제 하는 대통령이 국민들의 여론조사에서 항상 높이나왔습니다. 그러나 그때의 시대정신이 전부 경제였는가, 경제는 어느 때나 항상 나오는 일등 단골 메뉴이고, 진정한 의미에서 시대정신은 각기 다 있습니다.

그런 시대정신이 뭔지를 이제 답하는 것이 이번 선거에서 투표하는 사람에게도 방향을 제시하는 것이고, 출마하는 사람들도 거기에 맞추어서 공약을 해야 하는 것이지요. 실제로 본인의 생각이 지금까지 그렇지 않았더라도 이 시점에서는 이것이 시대의 요구라고 생각하면 거기에 맞추어서 가치관의 결정적인 뒤집기가 아닌 한 정비를 해 가야 합니다. 지금 이 시기가 무엇을 요구하는가, 이 문제에 대해서는 나중에 기회가 있으면 또 말씀드리기로 하겠습니다. 저는 오히려 가장 중요한 것이 정치를 좀 잘 알고, 그리고 가치를 말하고 정책을 말하는 사람이, 즉 가치 지향이 분명하고 정책적 대안이 분명한 사람, 그런 사람이 차기 대통령이 됐으면 좋겠다고 생각합니다. 특히 정치를 좀 알면 좋겠다, 그렇게 생각합니다.

질문 : 제가 경제 분야 쪽으로 질문을 옮겨 보겠습니다. FTA 이야기

입니다. 8차 FTA 협상이 오는 8일 시작됐는데, 이번 협상에서 큰 가닥에 대해 어떤 타결이 이루어질 것이라는 전망이 나오고 있습니다. 그렇지만 이전까지 협상을 보면 미국 측에 너무 많은 것을 양보한 게 아니냐 하는 지적도 있고, 지금 한·미 FTA가 미국화를 재촉하고 양극화를 심화시키는 게 아니냐 하면서 반발하고 있습니다. 반대세력을 설득시키지 못하면 국회 비준까지 쉽지 않을 텐데 반대세력을 설득시킬 복안이 무엇이며, 또 양극화가 심화될 것이라는 것에 대해서는 어떤 식으로 설득시켜 나가실 생각입니까?

대통령 : 양극화 현상이 지금 한국에서도 진행되고 있고, 세계적으로도 진행되고 있습니다. 미국·일본은 빠르고 폭넓게 진행되고 있고, 유럽도 좀 폭은 좁고 얕지만 진행되고 있습니다.

그러나 한·미 FTA로 양극화가 진행된다는 논리의 근거는 어디에서 나온 거지요? 지난번에 한번 TV 토론을 보니까 FTA를 공격하는 쪽에서 양극화를 들고 나와서 아주 재미를 보는 것을 봤는데, 저는 어떤 메커니즘 때문에, 어떤 요소 때문에 양극화가 진행될 것이라고 말하는지에 대해서는 모르겠습니다. 모르는 것이 아니라 한·미 FTA로 양극화가 더 벌어질 데는 없다고 생각합니다. 농업이 피해를 입겠지만, 정부가 적어도 그로 인해서 양극화가 벌어지는 일은 없도록 대비할 것입니다. 그 외 나머지 부분 어디가 더 양극화됩니까?

질문 : 제가 생각하기에는 서비스업이라든가, 외국의 다국적 기업들

이 들어왔을 때 우리의 산업에서 구조적으로 와해될 수 있는 부분에 대해서 다시 한번 구조적인 위기감이 생기지 않을까, 그리고 구조조정이 이뤄지지 않을까, 그것이 양극화를 심화시키지 않을까 생각합니다.

대통령 : 어느 부분이라고 생각합니까? 서비스 어느 사업 부분이라고 생각합니까?

질문 : 유통업 쪽으로 생각하고 있습니다.

대통령 : 유통업의 어느 부분이지요? 어떤 유통업 말이지요? 지금 유통업 중에 개방 안 된 게 있습니까? 유통업은 벌써 다 개방했는데 또 무슨 개방이 있다는 말씀이지요? 한·미 FTA에서는 유통업 개방은 아예 주제 자체가 없습니다. 있어야 될 것 아닙니까? 어떤 유통업 말입니까? 자동차 유통업, 예를 들면 농산물 유통입니까? 아니면 공산품 유통입니까? 식품 유통입니까? 아니면 잡화 이런 유통, 어느 유통 분야가 한·미 FTA에서 개방되는 게 있느냐는 것이지요. 이미 다 개방됐는데요. 미국화, 어떻게 미국화가 된다는 것입니까? 한국이 어떻게 미국화가 될 수 있습니까? 제가 옛날에 대통령 후보로 출마했을 때 미국 안 갔다 오면 대통령 안 된다고 꼭 미국 가서 누구하고 악수하고 사진 찍고 오라고 저더러 막 가라고 했는데 기어코 안 갔습니다. 한·미 관계 지금 아무 문제 없습니다.

한·미관계, 지금 한나라당하고 미국하고 삐걱거리더라고요. 지금 우리 정부하고 미국 정부하고 잘 맞아요. 솔직히 얘기해서 미국이 요구하는 대사관 터도 다 마련해 줬고요. 외교라는 것은 국교를 가지고 있는 이상, 미국만큼 우리하고 관계가 있고 미국만한 세계적 영향력을 가지고 있는 국가라면 대사관 터 한 개쯤은 근사하게 그럴 듯하게 해결해 줘야 됩니다. 대사관 터도 한 개 짓지 못하게 하고, 숙소도 못 짓게 하면서 한·미관계가 정상적으로 유지되겠습니까? 해 줄 건 해 주고, 받을 건 받아야 합니다. 그래서 한·미 관계가 잘 가고 있습니다.

지금 어떤 사람들은 '노무현 대통령이 미국이 해 달라는 것 중에 안 해 준 것 뭐있냐' 그렇게 얘기하던데. 안 해 준 것 많습니다. 전략적 유연성도 도장 안 찍어줬습니다. 찍어 줬다고 해석하는 사람도 있는데, 제가 분명히 안 찍어 줬습니다. 이라크에도 1개 사단 넘게 파병해야 된다고 온 신문이 다 떠들었는데, 저는 1개 여단급 정도로 해결 봤습니다. 그것도 비전투 부대로 해결 봤고, 그 밖에 미국이 요구 더 한 게 뭐가 있습니까? 대사관 지어 달라는 것 해결해 줬어요. 당연히 해결해 줘야지요. 기지 돌려받는데 오염이 많이 되어 있습니다. 미국도 그 오염에 대해서 예산을 새롭게 국회에서 편성 받지 않으면 하기 어려운 많은 일들이 있고, 그래서 미국의 기준이 있고 우리의 기준이 있는데, 그 사이에서 지금 절충해서 받을 것은 받습니다.

우리가 위기에 처했을 때 도와달라고 해서 와서 있다 보니까 환경관리도 좀 엉망이고, 우리도 옛날에는 환경에 대한 인식이 충분치 못해서 결과적으로 이렇게 적정한 선에서 합의해야지, 지금 와서 오늘날 한국의 최고 기준으로 '싹 말끔하게 청소해 놓고 나가시오' 하는 것은 적절치 않습니다. 그건 밀고 당기고 할 일이지요. 그런 것 가지고 정부가 잘못했다 얘기하는 것은 적절하지 않습니다. 그건 우리도 최선을 다해서 밀고 당기고 타협하고 있습니다.

한·미관계에서 가장 중요한 것은 우리의 안보가, 안보의 의존 상태가 지금부터 아주 빠른 속도로 현저히 개선되어 가고 있다는 것입니다. 그래서 한국 방위는 한국 주도로 가게 됩니다. 그러면 양국 관계의 발언권도 자연스럽게 거기에 맞추어서 변화하게 되는 것입니다. 그래서 미국화될 것이 없습니다. 한·미 FTA로 미국화될 것은 없습니다. 그 다음에 어느 나라 없이 자본이라는 것은 언제 어디든 다닙니다. 시장경제를 우리가 수용하고, 세계적인 기준과 표준에 맞추어서 시장경제를 하고, 우리가 수출해서 먹고 사는 이상 우리도 나가자면 그쪽에 요구하는 것이 있고, 시장 개방을 하게 되는 것인데, 거기에 따른 국제화는 있지만 미국화는 없습니다.

미국에 양보한다, 안 한다 하는 것은 그건 보기 나름이지요. 나는 우리나라 공무원들이 이 문제를 다루어 가는 과정을 보면서 그래도 열심히 하는구나, 최선을 다 하는구나, 그리고 한국 공무원들이 상당히 실력이 있구나, 이렇게 믿고 있습니다.

지난번 칠레 회담도 상대를 잘못 골랐다, 회담 내용이 엉망이다, 그래 가지고 우리나라 농촌·농민 다 망칠 거다 했는데, 한·칠레 자유무역 가지고 농촌이 망하지도 않았고 회담 잘못된 것도 없고요, 지금 잘하고 있습니다. 양국이 서로 이익을 얻고 있습니다. 한·미 FTA는 앞으로 FTA 경쟁 시대에서 대단히 중요한 상징적 의미를 지니고 있습니다. 한국이 지금 약한 것이 기업지원서비스입니다. 예를 들면 디자인이라든지 발명, 연구·개발이라든지 또는 연구·개발에 대한 실험이 따라간다든지, 법률서비스·회계서비스 같은 지식기반서비스 부분이 약합니다. 그래서 저는 이 부분을 미국 시장하고 동조화해서 한국의 지식기반서비스 수준을 세계 최고 수준으로 끌어올리고, 학력이 아주 높은 한국 사회의 사람들에게 일자리를 제대로 좀 열어 주고, 그것을 통해서 동북아시아에서 적어도 기업지원서비스 분야에서는 한국이 선두를 차지해 나가자는 그런 욕심이 있습니다. 사실 저는 이번 FTA 협상에서 그런 욕심으로 그걸 열자고 했는데, 우리 한국이 그 부분에서 협상을 너무 잘해서 잘 안 열었고, 미국도 그 부분을 자꾸 열어 달라고 애를 별로 안 써서 좀 아쉬운 부분이 있습니다. 오히려 한·미 FTA가 끝나고 나서라도 서비스시장이 안 열린 게 있는지 살펴서 우리가 주도적이고 자발적으로 열어 나가야 한다는 게 그동안 계속 제가 주장해 왔던 것입니다. 세계적 경쟁을 통해서 서비스 경쟁력을 확보하지 않으면 대학교를 졸업한 많은 인력들이 갈 데가 없다고 생각합니다. 한국경제 전체가 경쟁력이 없다는 생각을 가지고 있어서 사실은 그런 희망을 가지고 미국 시장과 한국 시장의 관계를 밀접하게 가지고 가려고 한 것입니다. 막상 FTA 진행 상황을 보니 그런 쪽은 많이 열리지 않았습니다만, 그럼에도 불구하고 저는 한·미 FTA라는 것은 한국경제의 자신감을 보여 주는 것이고, 한국경제의 역량에 대한 평가를 보여 주는 것이라고 생각합니다.

그리고 솔직히 얘기해서 일본이 한·일 FTA에 대해서 적극적이지 않은 것이 다행인데, 일본이 미·일 FTA 먼저 하고 치고 나가면, 한국에 위기감이 옵니다. 중국이 먼저 치고 나가도 한국에 위기감이 옵니다. 선제적으로 한국이 먼저 그 카드를 쥔 것 아닙니까? 22개 국가 모두 미국하고 FTA 하자고 했는데, 한국이 상대가 돼서 우리가 그 기회의 카드를 쥐고 가는 것이 세계 시장에서 좋은 기회라고 생각합니다. 결코 한국은 미국화될 수 없습니다. 한국 사람들이 그렇게 호락호락하지 않습니다. 대원군 시대 그리고 조선 대한제국 시대에 우리 한국이 우왕좌왕하며 무너졌던 그 시대의 한국과 오늘의 대한민국은 전혀 다른 국가입니다. 한국은 어떤 개방에 대해서도 충분히 이겨 낼 만한 국민적 역량을 가지고 있습니다. 지도자가 좀 못해도 충분한 역량을 가지고 있습니다.

질문 : 최근 정부가 발표한 부동산 대책 이후 부동산 가격이 안정 추세에 들어섰다는 분석도 있지만, 여전히 거품이 많고 일시적 현상이라는 분석도 있습니다. 대통령께서 생각하시는 가장 이상적인 부동산시장 상황이라는 것은 어떤 것이고, 이를 위해 또 다른 부동산 대책을 발표할 계획이 있으신지요. 강남의 주택을 가진 상당수 주민들이 양도세 때문에 집을 못 판다는 하소연을 하고 있습니다. 가령 1세대 1주택 주거 목적인 경우에도 6억 원 이상이면 양도세 과세 대상이 돼서 세금을 내고, 이사 비용을 내면서 집을 줄여야 한다는 불만을 표출하고 있는데요. 이 같은 경우 양도세 부담을 줄여서 주택 매매를 촉진시켜야 한다는 지적이 있는데, 어떻게 생각하시는지 답변 부탁드리겠습니다.

대통령 : 부동산은 안정되는 것이 좋습니다. 적어도 물가 인상률이

나 또는 금리 수준 이상으로는 절대로 오르면 안 된다고 생각합니다. 그렇다고 해서 부동산 가격이 폭락해서도 안 된다고 생각합니다. 부동산 가격이 폭락할 때 경제에 심각한 침체와 위기가 오기 때문에 되도록이면 안정된 수준에서 갔으면 좋겠습니다.

부동산이 실제로 물가 수준으로 오르면 부동산에 여러 가지 조세들이 따라붙기 때문에 다른 데 투자하는 것보다 수지가 안 맞게 되는 것이지요. 종합부동산세의 경우 제대로 부과되면 연간 약 10%가 오르더라도 물가 인상률이나 금리 수준을 감안하면 금리 쪽에 투자한 것보다 수지가 맞지 않도록 설계한 것입니다. 이건 예측이기 때문에 정확하게 갈 수는 없는 것이지만, 연간 약 10% 올라도 수지가 안 맞게 만든 것이지요. 그래서 저는 부동산시장이 안정될 것이라고 보고, 물가 수준에서 가는 것이 좋다고 생각하는 것입니다.

그 다음에 새로운 정책이라는 것은 항상 그렇습니다. 예측이 정확하지 않기 때문에, 또 심각한 징후가 나타나면 할 수 있는 정책이 전혀 없는 것은 아닙니다. 그렇지만 지금은 특별한 징후가 없는 이상 단기 처방보다는 소위 공공 부문이, 정부 지방자치단체 또는 공공기관이 보다 적극적인 역할을 해서 부동산 가격 안정을 위한 것이 아니라 국민들의 주거 복지를 위한 공급확대정책을 추진하고 있습니다. 거의 마무리 단계에 들어서고 있습니다. 재원을 어디서 동원할 거냐 하는 문제가 굉장히 조심스럽고 정교하게 다루어져야 하기 때문에 제가 지시를 내린 지는 오래됐지만 그걸 다듬는 데 시간이 상당히 걸립니다.

그래서 부동산정책이라는 것은 소위 시장에서 게임을 할 수 있는 사람들을 위한 것이 아니라 국민들의 주거 복지를 위해, 시장의 게임에 참여할 형편도 잘 안 되는 사람들, 또 그 약간 위의 실수요자들을 위한 주거복지정책으로서 공공 부문의 주택 공급을 대폭 확대하는 쪽으로 맞추어져 있습니다. 그렇게 갈 것이고요. 양도세 문제를 말씀하셨습니다만, 양도세 때문에 집을 팔래야 팔 수 없다, 그래서 이사를 가려면 집을 줄일 수밖에 없다고 말합니다. 두 가지 다 말이 맞지 않습니다. 흔히 양도세 타령하는 사람들의 집들을 표준으로 해서 실효 세율을 대강 계산해 보니까 실제 양도세는 약 10% 내외입니다. 약 10억짜리 가옥, 5억 내지 10억짜리 주택을 기준으로 해서 여러 번 계산해 봤는데, 실효 세율은 10% 내외입니다. 그래서 저는 그런 주장이 정확하게 맞지 않다고 생각합니다.

두 번째로, 이사를 가려면 그 동네 바깥으로 나가셔야 세금이 줄어듭니다. 종합부동산세 때문에 이사 가겠다는 것 아닙니까? '종부세' 줄이려고 이사를 간다면 집이 싼 곳으로 이사를 가야 하는데 이사를 갈래야 갈 수 없다는 전제는 비싼 동네에서 비싼 동네로 그대로 가겠다는 얘기입니다. 그러면 이사 뭐 하러 가세요? 그냥 거기에 사시지, 굳이 이사를 가시겠다면 싼 동네로 가시면 됩니다. 가시면 양도세 10% 정도 내더라도 돈 한참 남습니다. 저도 여의도에서 집 팔고 명륜동 오면서 돈 많이 남아서 그것 가지고 선거 비용으로 썼습니다. 이것은 부동산 정책을 흔들려고 하는 사람들이 조직적으로 퍼뜨린 논리라고 생각합니다.

종부세에 대한 지금 보도를 보니까 엄청나죠. 3,700만 원짜리 종부세가 있더라고요. 약 49억 원짜리 집의 종부세가 3,700만원 하는데 사실 1%가 안 됩니다. 재산세 1%가 안 되거든요. 미국의 일반 평균 보유세가 1%입니다. 미국 수준으로 가자면, 또는 유럽의 복지국가 수준으로 가자면 냉정하게 그 종부세도 더 올리는 것이 현실입니다. 그래야 형평에 맞는다는 것이지요. 종부세가 많다고 그냥 안 내던 사람한테 내라고 하니까 이게 엄청난 것처럼 보이는데 실제로 따지고 보면 아직도 미국보다 낮고, 거기에 해당되는 분들이 아직까지는 전체 국민의 2% 정도밖에 안 된다는 겁니다. 앞으로 집값이 자꾸 오르면 해당자가 많아지겠지요.

저희는 해당자가 많아지지 않도록 하는 것이 정책 목표입니다. 집값이 안 올라야 해당자가 안 많아지니까 종부세 해당자가 앞으로 느는 것도 한계가 있습니다. 계속 오른다면 계속 많아질 수밖에 없는 것이거든요. 민주노동당에서 보유세를 매기겠다고 지난번에 공약하지 않았습니까? 보유세를 부과해야 한다, 보유 세제를 만들겠다고 말이죠. 지금 부동산세가 민주노동당에서 말했던 보유세제도 하고 결과적으로 아주 비슷하게 돼 가고 있습니다. 이런 것이 사회적 형평성을 높이는 데도 아주 적절하고요. 39억 원짜리 집 가지고 있는 부자들은 세금 조금 더 내시고, 그렇게 해서 '함께 가는 희망 한국'이 좋지 않겠습니까? 능력에 따른 부담은 조세 정의의 기본입니다.

질문 : 인터넷신문협회 공통 질문을 말씀드리면, 경제지표라는 게 나오잖아요? 그런데 서민들이 느끼는 경제의 체감온도하고 차이가 있는 것 같아요. 서민들은 굉장히 체감온도가 낮거든요.

대통령 : 제가 두 가지 질문을 드리겠습니다. 첫째로 무슨 답을 하기 전에 서민들의 생활에 대해서는 저도 항상 마음 아프고 부담을 많이 느끼고 있습니다. 그런데 그럼에도 불구하고 제가 물어보고 싶은 것은 '서민들의 생활'하면 경제라기 보다는 민생이거든요. 민생파탄이라고 얘기하는데 파탄이 아닌 때는 언제였으며 언제보다 얼마나 나빠졌습니까, 하는 점을 꼭 개별적으로 물어보고 싶어요. 민생파탄을 말하는 사람한테 언제보다 얼마나 나빠졌기에 그것을 파탄이라고 말하는지, 빈부격차나 양극화가 어느 나라보다 얼마만큼 심하기 때문에 그것을 파탄이라고 말하는지 이렇게 말이죠.

체감이라는 것은요. 제가 예전에 서울에서 연수원 다닐 때 날씨가 별로 춥지 않은 것 같아서 활발하게 다녔는데, 부산에서 친구가 올라오더니 춥다고 와들와들 떨어요. '아, 춥다 추워.' 제가 '뭐가 추우냐.'했더니 부산보다 춥다는 것이지요. 어제보다는 안 추운데 말입니다. 그러니까 우리의 민생이 괴롭다고 할 때 느낌이라는 것은 입에서 입으로 전해지는 분위기입니다. 그것도 중요하지만 조금 더 냉정하게 어느 시장이 언제보다 나빠졌는지, 이런 것은 좀 분석적으로 생각하는 것인데요. 그러니까 한분 한분이 생각하면서 내 삶은 언제보다 어떻게 나빠졌는데, 그 원인이 뭐다 라는 것을 냉정하게 따지지 않으면 안 됩니다. 굳이 말은 안 해도 좋습니다. 그거 살면서 따지려면 얼마나 힘들겠습니까? 그런데 그렇게 말하지 않으면 듣는 사람들이 '당신에게 민생이 좋았던 나라는 언제였습니까?' 반드시 마음속으로 묻습니다.

그 다음에 경제지표를 가지고 얘기하면 대개 2003년도에 3.1%인데 그것이 정상적인 실력의 결과가 아니고, 우리가 감기에 걸려 감기몸살을 앓던 상태에서 낸 기록이지 않습니까? 몸살이 조금 삭고 열이 조금 내리고 나서 2004년부터 우리가 성장을 해 왔는데 대개 4.5% 내지 5% 정도이지요? 한국경제가 4.5% 내지 5%면 이것이 파탄인가, 4.5%가 파탄이면 얼마를 보통이라고 해야 되고 아주 좋은 호황은 몇 %로 잡아야 할 것이냐, 이 질문을 우리는 반드시 해 봐야 합니다. 또 한편으로는 오히려 우리나라 서민들 입장에서 4.5%, 5%가 무슨 상관이냐, 일자리로 계산하자, 그렇게 다시 한번 따지자고 우리 국민들이 들고 나오는 것이 맞습니다. 몇 %가 나한테 무슨 소용이 있느냐 말이죠.

질문 : 그 말씀을 드리고 싶었는데, 일자리가 굉장히 많이 없어졌다고 합니다. 비정규직도 많아지고요. 그러니까 사는 게 불안한 거 있잖아요. 시장에 가 보면 사람이 없고 썰렁하고요.

대통령 : 네, 그렇습니다. 저는 그 문제 해결에 전력투구하고 있습니다. 그런데 비정규직이 언제부터 많이 생겼으며 왜 많이 생겼으며, 해결책은 뭐냐, 그런 것이 중요한 것 아니겠습니까? 그 문제를 본격적으로 얘기할까요?

비정규직 문제 해결의 가장 중요한 것은 경제 활성화라고 말하는 분들이 있습니다. 경제가 활성화되면 비정규직 문제가 바로 해결된다는데 그렇지 않습니다. 대기업은 투자를 하면 할수록 GDP는 늘어나는데 일자리는 결과적으로 줄어가는 경향이 있습니다. 그렇기 때문에 대기업의 투자와 수출을 통한 경제 성장이 아무리 늘어나도 우리나라 일자리는 늘어나지 않을 수 있습니다. 그래서 경제 성장 투자, 총액 투자가 많고 성장지표만 높다고 일자리 문제가 해결되는 것은 아닙니다. 대기업보다는 중소기업이 훨씬 더 일자리를 많이 만들기 때문에 중소기업을 살려 나가야 됩니다. 그런데 참여정부의 중소기업정책에 대해서 여러분 얼마나 알고 계신지 매우 궁금합니다. 정말 심혈을 기울여서 중소기업정책을 추진하고 있습니다. 과거보다는 좀 다르게 한다고 하고 있습니다. 그러나 그것 가지고 몇 % 좋아졌다고 내놓기는 그렇게 쉽지 않고요. 서비스업에 대한 지원 정책을 전체적으로 바꿔 나가고 있습니다. 최선을 다해서 하고 있습니다만 그것도 효과가 나려면 상당히 기다려야 합니다.

예를 들면 우리나라 서비스업에 종사하는 사람의 숫자는 전체 취업자의 66%입니다. 그런데 실제 서비스업의 GDP는 약 56%입니다. 약 10%의 갭이 생기지요. 우리나라 서비스업은 고급 서비스업이 많지 않고, 임금이 낮은 서비스업이 많다는 것입니다. 여기에 부가가치를 높여주기 위해 여러 지원책을 펴 나가고 있고, 서비스업에 있어서도 혁신 주도 경제를 해 나가도록 최선을 다하고 있습니다. 조금 전에 제가 기업지원서비스를 얘기했는데 소위 고급 서비스, 돈 엄청 많이 버는 서비스를 우리도 하자는 말이죠. 옛날에 MBA자격 가지고 오면 한때 날렸다는 거 아닙니까? 그리고 그런 것이 우리 한국에서 소비가 되도록 연결을 시켜야 합니다. 서비스가 또 문제 되는 것은 학교 교육비 문제로 외국에 많이 나가고, 해외 관광도 많이 가니까 이 부분에서 우리 국민들이 굳이 나갈 필요가 없게 하고, 외국인 관광객도 오게 할 수 있는 뭔가를 해야 합니다. 노력하고 있습니다. 쉬운 일은 아니지만 이런 것은 장기적으로 노력해 가야 합니다. 경제산업정책으로 이것을 해야 한다면, 경제의 경쟁력 전체가 높아져야 우리 경제의 폭이 넓어지고 일자리를 만들 수 있기 때문에 결국 국민들의 직업 능력을 향상시켜 줘야 됩니다. 그래서 국민들에게 끊임없이 직업훈련을 할 수 있는 제도를 계속 개발하고 있습니다.

지금 여러분 KTV 한번 가 보시면요, 국민들한테 정부가 제공하는 직업교육서비스 사례를 접할 수 있습니다. 그런 교육훈련 과정을 비롯한 여러 직업훈련 과정을 하고 있는데 이것은 '내가 잘했어'가 아니고 당연히 이 시기에 그래야 하기 때문에 그런 것이지만, 여기에 대한 내용과 예산 투입 등은 그 어느 때보다 가장 풍부합니다.

그 다음에 교육훈련은 직업알선제도와 함께 결합돼야 합니다. 그래서 고용지원서비스를 하고 있습니다. 직업 안내 소식으로 옛날에 운영하던 것을 지금 고용 지원 안내센터를 만들어서 굉장히 많은 노력들을 하고 있습니다. 그 부분의 투자가 지난날보다 곱절로 바로 바로 늘어나는 수준으로 투자를 늘려 가고 있습니다. 그렇다고 하루아침에 해결할 수는 없는 것이지요. 보육정책도 해 봤지만 '돈 백억 원 줄 테니까 여성부 장관 내일 보육시설을 배로 늘리시오.' 이런다고 배로 느는 것은 아닙니다. 그러기 위해서는 여러 정책적 준비에서부터 보육시설의 교육 훈련도 받아야 하고 홍보도 돼서 자연스럽게 사람들이 모이는, 이런 다양한 준비과정이 있기 때문에 금방 되는 것은 아닙니다. 할 수 있는 최대한의 속도로 가고 있는 것이 고용지원서비스인데 이 부분은 본격적으로 참여정부에 와서부터 시작되고 있습니다.

그러나 이것이 유럽의 10분의 1입니다. 여기에 드는 예산의 비율을 따지면 예를 들면 덴마크의 13분의 1이나 10분의 1 수준이기 때문에 한국에서 이 부분을 대단히 많이 늘려 줘야 하는 겁니다. 그 다음에 중풍으로 누워 있는 분들이라든지 또는 행동이 자유롭지 않은 장애인들이라든지 이런 분들, 그 밖에 여러 사회적 서비스가 필요합니다. 대개 사회적 서비스 부분의 일자리를 90만 개로 보고 지역적 방식 또는 정부가 직접 제공하는 방식 등을 통해 절반 정도는 민간 차원에서 절반 정도는 정부 차원에서 공급하는 계획을 세워서 일자리들을 만들어 나가고 있습니다. 적어도 이 정책에 관한 한 참여정부가 그동안 해 왔던 것들을 놓고 전문가와 한 시간 정도 토론한다면 다 고개를 끄덕이고 돌아가실 수 있게 말할 자신 있습니다.

성장에 관심을 갖지 않은 것도 아니고 과학기술 투자도 적극적으로 하고 있습니다만 소위 사회투자, 함께 가는 투자, 전 국민의 직업 능력을 향상시키고 또 경쟁의 과정에서 낙오하는 사람들을 우리가 함께 끌고 갈 수 있는, 함께 가는 사회를 위한 투자, 이 투자에 관한 한 정말 자신 있게 말씀드릴 수 있습니다.

참여정부 출범 직전에 우리 예산에서 포괄적으로 복지 지출이라고 말할 수 있는 것이 약 20% 수준이었는데 올해는 약 28%입니다. 20%와 28%는 아무것도 아닌 것 같지만 정부예산에서 다른 예산을 깎아 20%짜리 예산을 28%로 올린다는 일은 과격한 대통령이 아니면 해낼 수 없다는 것을 자세히 들여다보면 알 수 있습니다. 그 점에 관해서는 과격하다 할 만큼 했거든요. 이런 것이 우리 민생에 관한 것들이지요.

병원에 입원한 지 하루 만에 나아 걷게 안 해 준다고 의사 멱살을 잡아 버리면 아무 의사도 못 살지요. 감기는 14일 걸리고, 또 다른 병은 얼마 걸리고, 다 절차가 있는 것입니다. 가난병도 고치려면 적어도 10년, 20년 장기적인 계획을 가지고 가는 것이 당연하다고 생각합니다.

질문 : 대통령께서는 지금의 우리나라 과학기술계가 어느 단계에 와 있고, 그리고 과학기술 강국으로 가기 위해서는 어떤 과제들이 있고 어떻게 풀어 나가야 한다고 생각하십니까.

대통령 : 저는 과학기술 얘기가 나오면 과학기술 하시는 분들에 대해 감사하다는 인사를 먼저 드리고 싶고요, 마음으로 우리 국민들의 역량에 대한 존경심을 말씀드리고 싶습니다. 저는 과학기술 얘기가 나올 때마다 신기하다고 생각이 들만큼 우리 국민들은 그 점에서 역량이 우수해요. 정말 저는 우리 국민들을 존경합니다.

한국의 미래에 대해서, 지금 경제도 잘나가고 있고 민주주의도 많은 문제가 있지만 다른 나라와 비교하면 우리가 잘 가고 있다고 말할 수 있습니다. 그래서 미래를 밝게 보지만, 그러나 그 여러 요소들보다 더욱 더 확실하게 우리의 미래를 제가 밝게 보는 이유는 우리 국민들, 특히 과학도들이 열심히 잘하고 계시다는 것입니다. 과학기술 발전이 아주 엄청난 속도로 아주 다양하게 진행되고 있습니다. 이것은 참여정부 와서 새롭게 만들어진 것은 아니고 문민정부 시대에도 발전이 있었고, 국민의정부 시대에는 그야말로 본격적인 투자가 진행됐고요. 과학기술 투자, 공공 부문 투자 증가의 기울기는 그럼에도 불구하고 저희 정부에서도 과거 정부보다 조금도 떨어지지 않고 오히려 더 가파르게 올라가고 있습니다. 그래프의 기울기가 우리 정부의 과학기술에 대한 의지라고 생각합니다. 사람의 마음이 있는 곳에 돈이 가지 않습니까? 저도, 참여정부도 과거 정부의 업적을 이어받아서 잘 가고 있다는 말씀을 드립니다.

과학기술 행정체계를 말씀하셨는데, 이 부분에서는 돈을 자꾸 넣는 것도 좋지만 같은 돈의 효율성을 높이면 그만큼 예산을 더 쓰는 효과가 생기지 않습니까? 그래서 근본적으로 과학기술 행정체계의 어디에 어떤 것을 연구과제로 설정할 것이며, 어떻게 평가해서 어떻게 연구비를 더 주고 또 중단할 것이냐 하는 전체 시스템이 필요합니다. 그것을 가장 효율적으로 할 수 있는 조직이 제가 와 보니까 없었습니다. 국가과학기술위원회가 있었지만 사무조직이 행정사무밖에 할 수 없는 조직이고, 실제로 과학기술부 공무원들이 그 일을 합니다. 그런데 과학기술부는 자기 부분의 예산도 있고, 산업자원부도 예산을 쓰고, 남에게 예산도 분배하니까, 타 부처에서 과학기술부의 판정에 의한 분배에 잘 승복하지 않으려고 하지요. 그 부분에서 공정성과 신뢰성·전문성, 이런 것들을 높이기 위해 소위 국가 과학기술위원회를 실무적으로 뒷받침하는 과학기술혁신본부를 만들었습니다. 그것이 핵심입니다.

그리고 기왕에 우리가 돈을 쓰지만 다른 부처보다 우위에서, 기술적 관점에서 기술 우위로 돈을 쓰게 하기 위해서는 과학기술부를 부총리부로 격상시켜서 타 부처를 통할하게 해 줘야 한다, 그렇게 해서 과학기술부총리 제도를 만들었습니다. 가장 효과적인 투자를 할 수 있는 심사체계 같은 것을 만들어서 거기서 나오고 있는 것을 계량화해 보고해 달라고 해 놓고 있는데, 그 기간이 짧아서 성과를 계량화하기는 쉽진 않을 것입니다. 그러나 어떻든 예산도 매년 증가 속도를 유지해 늘려 나가되 효율성을 증가 폭만큼 높이면 두 배의 효과가 나지 않겠느냐, 그런 목표를 갖고 있습니다. 솔직히 말씀드리면 제가 자랑 잘 안 합니다. 그런데 지난번에 이탈리아에 갔더니 이탈리아 총리께서 세계에서 과학기술 혁신을 가장 잘하고 있는 나라가 어느 나라냐고 어느 연구기관에 물었더니 '한국이다' 그렇게 말했대요. 그렇다고 한국하고 얘기 좀 하자고 해서 4월에 오기로 했습니다.

그렇습니다. 우리 한국의 과학기술 혁신체계, 국가기술 혁신체계 또는 지방기술 혁신체계, 이 체계 자체에 대해 세계가 주목하고 있는 것은 틀림없습니다. 이미 최고의 속도를 가지고 있다고 평가를 내리고, 그런 평가를 받고 있습니다. 과학기술 논문은 물론이고 특허출원 건수가 재작년에 6위까지 왔다가 작년에는 4위까지 올라갔습니다. 이런 점에서 문민정부 이래로 한국 과학기술은 잘 가고 있습니다. 참여정부에서는 감히 말씀드리면, 그 잘 가고 있는 수준을 한 단계 더 질적으로 업그레이드하려는 노력을 기울였고, 저는 그 성과가 나타날 것이라는 믿음을 가지고 있습니다. 그러나 무엇보다도 역시 우리나라 과학기술인들이 최고입니다. 정말 열심히 잘해 주고 있습니다.

질문 : 4년 동안 국정운영 하시면서 온라인 민주주의를 직접 체험하신 결과, 장점과 그리고 국민의 여론 수렴 창구로 온라인 민주주의 영역

에서 풀어야 할 숙제가 무엇인지 여쭙고 싶습니다.

대통령 : 저는 솔직히 말씀드려서 온라인 매체조차 없었더라면 제가 어떻게 이 정치무대에서 이만큼이라도 유지해 갈 수 있었을까, 발을 붙일 수 있었을까, 그렇게 생각합니다. 대통령 당선되는 과정에서 사실 저는 이미 그때 끝난 후보였습니다. 끝난 후보였는데 인터넷에서 저를 다시 살려 냈습니다.

인터넷이라는 시스템이 저를 낸 것이 아니라 인터넷 참여, 인터넷을 이용해서 저를 새롭게 지지한 사람들이 저를 살려 내신 것이지요. 저는 그 사람들을 참여민주주의에 선두주자들이라고 생각하고, 또 시민 주권의 주체라고 생각합니다. 인터넷이 없었더라면 적어도 그건 못했을 것이라는 것이지요. 또 선거 당일날도 인터넷을 통해서 그와 같은 힘을 결집시켜 낼 수 있었습니다. 매우 중요한 매체이고, 아직까지는 비상시국에 보완적 대안 매체 수준으로 있는 것 아니냐고 평가할 수 있습니다만, 요즘은 평상시에도 적어도 인터넷을 통해서 일반 대중매체들의 왜곡을 바로잡아 보자고 하는 견제 또는 대항 매체로서의 장을 만들어 보려고 노력하고 있는 것 같습니다.

저희 스스로 국정브리핑과 청와대브리핑을 운영하면서 사실 꼭 이것까지 안 싸워도 좋을 텐데 싶은 것까지도 일일이 하나하나 대응을 합니다. 왜냐하면 사실이기 때문입니다. 사실을 바로잡는 일은 누가 보거나 보지 않거나 읽거나 말거나 우리는 의무로써 사실이다, 사실과 다르다, 이런 것을 쭉 밝혀서 역사적 자료로도 보존해야 된다고 생각합니다.

전체적으로는 인터넷 매체가 기존 매체와는 다른 견제의 역할이나 보완적 역할을 할 수 있다고 생각합니다. 거기에는 쌍방향적 흐름이 있지 않습니까? 여기에서 불이 한번 붙으면 사람들이 가지고 있던 어떤 정치적 의지 같은 것을 결집하고 폭발시킬 수 있는 힘이 있다고 생각합니다. 과거에 있었던 일이 항상 반복되는 것은 아닙니다. 그래서 엉뚱한 기대를 하고 있지는 않습니다만, 그러나 저는 그런 역할을 할 수 있어야 우리 민주주의가 좀더 정상적으로 작동할 수 있다고 생각합니다. 어떻든 인터넷 매체의 성장에 대해서 기대를 가지고 있습니다. 다만 저는 인터넷 매체가 기존 매체에 밀려서 또는 기존 매체에서 성공하지 못한 사람들의 또 다른 하나의 장, 또는 그 시각을 판박이 하듯이 반복하는 그런 매체가 아닌, 기존 매체와는 다른 관점을 가지고 다른 방법으로 접근해 나가는 독창성 있는 길을 모색해야만 우리 사회의 다양성을 이루어 낼 수 있는 것 아닌가 그렇게 생각합니다. 어려운 일이겠습니다만 그런 희망을 말씀드려 보고 싶고요, 과정에서 저는 권력의 민주화가 이루어진다고 생각합니다.

저는 정권의 책임자입니다. 우리 사회에는 정권만 있는 것이 아니고 많은 권력 주체들이 존재합니다. 시민권력도 존재하고, 매체권력도 존재하고, 의회권력도 존재하고, 또 시장권력도 있습니다. 이 모든 권력, 우리의 공동체적 운명에 관계되는 뭔가를 결정할 수 있는 힘은 여러 군데 분산돼 있기 때문에 권력이 분산돼 있는 체제 속에서 저는 정치권력의 한 축을 맡고 있지요. 매체권력이 이기주의에 빠지지 않고, 우리 사회의 다양성을 담보하는, 국민의 이해관계의 다양성을 담보하는, 국민의 이해관계의 다양성을 제대로 반영하고 담보하는 방향으로 행사돼야 되는 것 아니냐고 생각합니다. 정치가 국민의 의사를 대변하고 국민의 이익의 균형점을 찾아 나가야 한다면, 매체는 하나도 집중되어 있지 않기 때문에 국민의 다양한 이해관계를 반영시켜 주는 역할을 해야 된다고 생각합니다. 다양성을 가지고 각 국민들의 힘이 균형을 취하게 해 주는 역할을 해야 그것이 정치의 마당이나 국회의 마당에서 균형으로 조절되는 것 아니겠습니까?

지금 우리나라 매체는 시각이 너무 획일적입니다. 방송하는 사람도 신문하는 사람도 전부 기자실에서 똑같이 '야, 이거 어떻게 봐야 되냐' 하면 '그거, 이 사람아 이런 것 아니냐.' 하고, 옛날 선배가 '야, 옛날에 우리 이런 건 이렇게 썼어.'라든지 '야, 이거는 이거야. 그거 내가 잘 알고 있는데.' 또는 '옛날부터 해서 그거 내가 다 알아.' 이렇게 가 버리면 이건 악의가 없더라도 매체는 망하는 것입니다. 그래서 독창성과 창의성, 그러면서도 충실하게 현재에 존재하는 국민적 이해관계의 다양성, 그리고 그 밑에 인과관계의 본질을 찾아 가려고 하는 치열함이 중요합니다.

보이는 것이 본질이 아닙니다. 본질은 다 숨어 있습니다. 숨어 있는 이해관계의 본질을 파헤쳐서 국민들이 '아, 저것이 나한테 이런 의미를 가지고 있구나.', 쉽게 이해할 수 있게 해 주는 것이 매체의 역할이라고 생각하거든요. 그래서 앞으로 인터넷 매체가 그런 방향으로 갔으면 좋겠고, 저로서는 그런 방향으로 가는 과정에서 뭔가 대통령이, 권력을 가지고 어찌할 수 없는 일이지만, 개인적 자격으로 좀더 적극적으로 이런 쌍방향 매체라든지 새로운 매체의 길이 열리도록 마음으로라도 지원하고 싶습니다. 저도 참여할 것입니다. 누구나 할 수 있는 일이니까요.

질문 : 대통령과 참여정부에 대해서 서민들이 가장 먼저 떠올리는 것은 역시 신행정수도 건설이 아닐까 하는 생각이 듭니다. 물론 지금은 그 의미가 반감돼서 행정중심복합도시가 건설 중인데요, 아직까지 대통령께서는 신행정수도 건설에 대한 소신이나 신념에 변함이 없으십니까? 그리고 차기 정권에서 이에 대한 역할을 해야 한다면 어떤 역할을 해야 될지, 그리고 마지막으로 행정중심복합도시 때문에 장항산단이나 나머지 충청권 현안들에 좀 무관심해지거나 소홀히 하는 것은 아닌가, 이런 여론도 있는데 이에 대한 의견도 부탁드리겠습니다.

대통령 : 행정도시와 장항산단은 아무런 관계가 없습니다. 별개로 판단될 문제인지 상호관계를 가지고 있는 않습니다. 별도로 판단하겠습니다. 그리고 행정도시는 걱정하지 마십시오. 첫째, 정권은 바뀌지만 국가 그리고 정부는 바뀌지 않습니다. 그리고 전임 정부가 한 것을 뒤집을 수 있는 일이 있고, 뒤집을 수 없는 일이 있습니다. 그런데 제가 보기에는 이런 일은 성격상 되돌릴 수 있는 일은 아니라고 생각합니다. 왜냐하면 엄청난 비용을 지불해야 하기 때문입니다. 그래서 그건 가야 하고요, 정부의 계속성에 대한 국민적 신뢰가 무너지면 앞으로 아무 일도 못 합니다. 정치인들이 무슨 약속을 해도 정권 바뀌면 뒤집을 텐데, 그렇죠? 국가를 그렇게 운영해서는 안 됩니다. 마음에 좀 안 들어도 결정돼서 가는 것은 존중해야 되고요.

특히 한나라당이 이 법에 대해서 합의했지 않습니까? 마지못해 한 것이지만 합의했기 때문에 스스로 존중할 것이고 그때 합의할 때 국민들의 압력이 있어서 합의한 것이 아니겠습니까? 그런 조건은 계속돼 가고 있기 때문에 어느 면으로 보나 이것은 가게 됩니다. 더욱 제가 말씀드리고 싶은 것은 이름이 꼭 행정수도가 아니라 할지라도 정부부처와 행정기관은 다 함께 그곳에 가는 것이 순리입니다. 장차 행정도시가 가다가 유야무야 되는 것이 아니고 앞으로 정부의 중요한 입법기관들은 다 세종시로 모여야 합니다. 그것은 다음 정부의 과제라고 생각하고요. 그 문제는 문제가 없을 것이라고 생각합니다.

질문 : 의약분업이 시행된 지 6년이 지났습니다. 처방전 공개로 인한 환자의 알권리 증진, 이런 부분에 대해서 긍정적인 평가도 있지만 전체 의료비 가운데 약제비가 매해 29% 이상 차지하는 정도로 증가하고 있습니다. 이것은 건강보험 재정은 물론이고 국민보험 부담도 동시에 증가시키는 상황입니다. 특히 의약품 선택권을 매개로 한 리베이트도 상존하고 있는 것이 현실입니다. 이 같은 문제를 해결하기 위해서 대통령께서는 지난 2002년 대선 공약으로 성분명 처방과 대체조제 활성화를 내거셨습니다. 4년이 지난 지금 이에 대한 입장과 향후 추진 계획에 대해서 말씀해 주십시오. 그리고 최근 보건복지부가 추진 중인 의료법 개정과 관련해서 의료 단체가 대규모 집회를 개최하는 등 반발 조짐이 확산되고 있습니다. 이에 대한 입장도 함께 밝혀 주시기 바랍니다.

대통령 : 약제비 증가가 정부 의약분업 때문에 29%라고 말씀하셨는데 제가 확인을 못해 봤습니다만, 전체가 의약분업 때문에 증가한 것은 아닐 것이라고 생각합니다. 이건 제가 한번 분석해 보기로 하겠습니다.

대체조제 활성화는 필요한 일이지요. 약효가 동등하다면 의사가 특정 회사의 약품을 지정하는 것보다 효과가 같은 약을 지어서 같은 효과를 보면 되는 것이니까. 그래야 약 가격이 조금이라도 더 내려오지 않겠습니까? 소비자를 위해서 그렇습니다. 그런데 이것이 지금 완벽하게 시행되고 있지는 않습니다.

이것을 하려면 약효 동등성 검사를 마쳐야 되거든요. 검사를 거쳐야만 대체 약품으로 지정될 수 있습니다. 효과가 다른 것을 함부로 서면으로 지정할 수 없는 것이고 하나하나 A회사·B회사 약품의 약효가 동등하다는 것을 계속 검사하고 증명해야 되기 때문에 하루아침에 할 수 없고 정부기관이 이것을 계속 검사해서 가는 것이지요. 그러니까 점차점차 늘어 가고 있습니다.

대체조제 가능한 품목 수가 늘어 가고 있는데, 여기에 한국이 과거병에 걸린 것 아니겠습니까? 적당하게 봐줘 버렸단 말이지요. 남의 집 담장을 뛰어 넘어서 물건을 훔친 것은 확실하게 범죄라고 생각하는데, 성적 낮은 것을 지우고 성적 좀 올려주는 것, 검사 결과의 숫자 하나 고치는 것, 이런 걸 가볍게 생각하는 문화가 아직도 잔존해 있어서 말썽이 생겼지 않습니까? 그래서 검사 기관의 신뢰, 이런 것이 쌓이도록 노력하면서 한꺼번에 되는 것보다는 차근차근 다져 가면서 발전해 가는 것이 사회 변화의 과정이라고 생각합니다. 저는 잘 가고 있다고 생각합니다.

지금 의료법 개정의 핵심은 '간호 진단'이라는 말을 넣느냐, 넣지 않느냐는 게 아니고, 결국 국민들의 의료 진단 과정에서 알권리 같은 국민들의 권리를 좀더 향상시킨 것입니다. 공공기관과 국민 사이에서 국민의 권리를 계속해서 확대시켜 왔거든요. 이제 의사와 국민 사이에서도 국민들의 권리를 확대시키고, 다른 병원에 순방 진료를 할 수 있게 함으로써 시골 사람들도 서울의 훌륭하신 의사의 진찰도 한번 받아 볼 수 있게 하는 것이 핵심입니다. 간호 진단이냐 아니냐, 이 문제는 너무 기술적이라서 대답을 할 수가 없어요. 간호 진단이라는 말을 써도 되는 건지, 진짜 쓰면 의료 실행에 많은 문제가 생기는 건지, 전문적 영역이라서 기왕에 갈등이 생겼으니까 전문가들이 판단해 주고 타협도 할 수 있고, 이렇게 할 수 있는 것 아닌가 싶습니다.

건강 진단은 의사의 몫이지요. 안전 진단은 기술자의 몫이지요. 경기 진단, 이건 경제학자가 하는 몫이고, 간호사는 뭐 간호 진단하는데 그럴 듯하기도 하고 또 한편 생각해 보면 그래도 사람 진단하는 건 다 의사가 한다고 하니까 또 그런 것 같기도 하고, 이 문제는 제가 대답을 못 하겠습니다. 이런 문제는 대통령이 결정하는 것이 적절하지 않은 케이스지요. 대개 의견이 이렇다는 것 말씀드리고, 전문가들이 토론과 타협의 과정으로 결정하는 것이 좋을 것입니다.

제가 마무리 말씀 준비를 해 놓고 있는데요. 플로어에서 저 빨간 머플러 매신 부인께서 손을 드시는데, 말씀하시고 싶다는 뜻인가요? 마지막 말을 저분 질문하는 것에 답하는 것으로 하면 안 될까요?

질문 : 정치적 행위라는 게 정치적 정당성이 확보되어야 추동력이 생기고 또 엔트로피도 생기고 그래서 성공할 수도 있고, 또 옳고 그름에 대한 진위도 담론도 생성됩니다. 민주주의 사회에서 지지율이라는 게 상당히 중요한데, 그것을 추진할 수 있는 추동력에 대한 지지율이 너무 떨어져 있다는 것. 그래서 국민들과 야당이 생각하기에는 '아, 저 양반이 어떤 다른 자기 정치적 목적을 숨겨 놓고 음모를 꾸미는 게 아닌가' 우리가 더 이상 거기에 흔들리기 싫다는 강력한 저항이 있다는 것을 먼저 한 말씀 드립니다.

오늘 실수를 하지 않을까 많이 염려하셨는데, 이게 보도되면 또 격렬하게 반대를 할 수 있는 실수라고 제가 지적을 해 드린다면, 북핵에 대해서 너무 관용적이었던 부분은 보수 세력에서 상당히 격렬한 반발이 있지 않을까 하는 생각이 듭니다. 북한이 자기 방어용으로 핵을 개발하지 않았느냐, 약간 옹호하듯 말씀하셨기 때문에 거기에 대한 반발이 또 있을 수 있을 것 같고요. 또 지금까지 합쳐서 1,000만이나 1,200만이 종사하는 자영업자들, 거기에 대한 민생파탄에 대해서 동의하지 않는 듯한 상당히 무책임하게 보이는 부분에 대해서도 상당히 인기가 떨어지지 않을까 하는 염려가 생깁니다.

대통령 : 이 자리에서는 짐작하지 못한 지적입니다만, 바깥에서는 있을 것이라고 짐작했던 말씀입니다. 제가 정치 10단이 아닌데, 지난번 탄핵 이후에 저에게 정치 10단이라고 누가 이름을 갖다 붙이더라고요. 저는 술수가 아니고 정직하게 제 생각을 항상 밝히고 제 생각 그대로 정

치를 해 왔습니다. 그래서 제가 무슨 술수가 있는가 하고 의심하는 것이 정당하다고 생각지 않습니다. 정치는 그런 방식으로 할 일이 아니라고 생각합니다.

누구 주장이 어떤 속셈을 담고 있느냐, 이런 질문 이전에 옳은가 그른가, 내용에 있어서 옳으면 속셈이 설사 개인적인 저의가 있다 할지라도 그냥 가면 되는 것이고, 아무리 선의라 할지라도 결론적으로 옳지 않은 것은 우리가 따라갈 수 없는 것입니다. 그것으로 판단하면 된다고 생각하는데, 우리 한국사회에서는 하도 많이 속아 봐서 그런지 속셈부터 따집니다. 그 말이 옳으냐, 그르냐를 안 따지고 저 사람 속셈이 무엇일까를 따지는 거죠.

그렇게 따지면 제가 1992년도 14대 총선 때 부산 동구에 다시 출마한 그 행위도 결국 2002년도에 대통령에 출마하기 위한 포석 아니겠습니까? 그래서 1992년에도 떨어지고 1995년도에 부산시장에 또 도전한 것도 역시 대통령에 출마하려고 한 것이니까, 전부 그렇게 가면 가치 있는 행위는 다 없어져 버립니다. 그래서 저는 행위, 말 그 자체가 갖는 의미가 중요하다고 생각합니다.

다음으로 그 사람의 말의 신뢰성을 그 사람의 행적으로 다시 한번 더 평가하는 것은 별개의 문제라고 생각합니다. 지금 의견이아니라 미래에 대한 어떤 약속을 내세웠을 때 그 신뢰성은 평가해야 되지만 '개헌하자'는 것은 미래의 약속이 아니거든요. 제가 이행해야 될 어떤 의무를 부담하는 것이 아니고 하자는 발의이기 때문에 그것은 옳으냐, 그르냐만 판단하시고, 제가 어떤 약속을 하고 나를 믿고 해 달라고 요구했을 때는 그 진정성에 대해서 평가하는 것이 맞지 않겠습니까? 전 합리적으로 행동하는 사회를 간절히 바랍니다.

북핵문제에 대해서 관대하게 발언했다고 하는데, 저는 북한에 대해서 관대하게 발언해서는 안 된다는 생각에 동의하지 않습니다. 북한에 대해서는 관대해도 좋다, 그런데 오늘 제가 북한에 대해서, 북한 핵에 대해서 말한 것은 조금도 관대하게 말한 것이 아니고 사실을 객관적으로 냉정하게 평가해서 드린 말씀입니다. 북한 핵을 공격용이라고 보는 것은 상상을 할 수가 없습니다. 북한이 핵을 만들어서 누구를 향해 언제 어디로 공격한다는 뜻입니까? 공격용이라면 어디를 공격하려고 만든 것일까요? 언제 어떤 상황에서 어디를 향해 공격할 거냐, 북한이 먼저 공격을 받지 않고 핵무기를 선제적으로 사용한다는 것은 그것은 정신병자만 할 수 있는 일입니다.

저는 그렇게 판단하고 있기 때문에 북한에게 관대하게 말한 것이 아니고 냉정한 사실적 판단을 얘기했는데, 이것이 오늘 매체에서 문제가 된다면 저는 그 매체들의 판단에 대해서 또 문제 제기를 할 수밖에 없지요. 그런 판단력 가지고 국민들한테 끊임없이 정보를 제공한다면 우리는 객관적 진실에 도달할 수 없을뿐더러 우리 미래를 올바른 방향으로 끌고 갈 수도 없을 것이다, 그렇게 분명하게 말씀드리고 싶습니다.

우리나라 자영업자가 28%인데, 세계에서 제일 많습니다. 미국은 7%입니다. 우리는 그 4배 정도를 가지고 있는데, 자영업에서 탈출하게 할 수 있도록 해 줘야 됩니다. 취업 알선·고용 지원 같은 쪽으로 한쪽은 풀어 나가고, 다른 한쪽은 직업 훈련 쪽으로 풀어 나가야 됩니다.

그 다음에 이쪽에서 작지만 혁신형 경영으로 가게 하는 것이 있습니다. 재래시장의 특화, 풍물시장화, 이런 노력을 최대한 다하고 있습니다. 그렇다고 자영업자를 나몰라라 하는 것이 아니라 자영업자라 할지라도 사실을 가지고 얘기하자는 것입니다. 언제보다 얼마나 나빠졌으며 왜 나빠졌는가를 얘기하지 않고 무조건 노무현 대통령 때문에 쫄딱 망했다고 얘기하면 저로서는 아니라고 얘기하는게 내 권리입니다. 그래서 워낙 많으니까 한분 한분 잡고 '그것 맞소, 아니오' '그거 내 책임이오. 내 책임 아니오' 할 수 없으니까 여러분 한번 깊이 따져 봐 주십시오. 언제부터 어떤 이유로 갑자기 그렇게 어려워졌습니까? 그것을 가지고 우리가 문제 해결을 위해 같이 한번 머리를 싸매 봅시다.

왜냐하면 부채질하는 사람들이 있거든요. 아까는 '남 탓이다' '또 언론 탓' 하고 내일 신문에 제목으로 뽑힐까 봐 말씀을 안 드렸는데, 부채질하는 사람이 있거든요. 상황을 실제 이상으로 계속 부추기고 사람들한테 불안감을 조성하는 사람들이 있으니까 여러분 스스로 냉정하게 판단해서 정부의 정책이 뭐가 있는지 보고, 있는 건 활용하고 없는 것은 스스로 노력하고, 또 이런 정책 해 달라고 요구하고, 이렇게 가는 것이 개성상인과 같은 현명한 시민의 자세 아닙니까? 국민들 앞이라도 쓴소리를 하겠습니다. 대통령에게 제왕의 도리를 빗대어서 귀를 널리 열어라, 무슨 간신배를 멀리 하라, 인의 장막을 걷어라, 이런 많은 조언들을 받습니다. 포용하라, 삼고초려 하라, 이런 얘기들을 많이 듣는데, 옛날에 군왕이 정치하던 전제군주 시대의 그와 같은 논리가 오늘날 대통령에게 맞느냐는 문제가 있습니다.

오늘날 청와대 행정 관료들이 아니, 정부 참모들이 대통령에게 직언을 하는 것이 필요한 시기이냐, 아니면 오늘날 우리나라에 지성 사회가 국민에게 직언하는 것이 더 요구되는 사회냐, 이거 중요한 문제입니다. 왕이 누구냐에 따라서 직언을 받아야 될 사람은 왕입니다. 윗사람이죠. 한국에서 제일 높은 사람은 국민입니다. 시민입니다. 시민에게 직언할 수 있어야 진정한 의미에서 용기 있는 언론이고, 언론이 그런 직언 안 하면 대통령이라도 직언해야지요. 대통령도 직언 받겠습니다. 받고 있습니다. 요즘은 정보 차단이라는 것이 불가능하거든요.

그런데 이 신념의 차이, 프로세스에 대한 전략의 차이, 이것 가지고 지금 우리가 엎치락뒤치락하고 있는 것 아니겠습니까? 이 시기 시대정신 중에 정부와 언론과의 특별 관계 또는 유착 관계를 청산하고 언론과 건강한 갈등 관계를 유지해 간다는 것, 그것이 저는 2000년 이후 아니, 1987년 이후 민주주의의 중대한 과제라고 생각합니다. 이 시기에 그것은 중대한 역사적 과제라고 생각하고, 저는 지금 그렇게 가고 있거든요.

이런 점에서 의견 차이가 있고, 그로 인한 갈등을 우리가 감수하고 가고, 그리고 저는 대통령을 그만두고 난 뒤에 평생을 저 행위의 정당성을 다시 평가하고 잘못된 것은 잘못됐다, 정당한 것은 정당하다, 이렇게 변론할 것은 변론하고 고백할 것은 고백할 것입니다. 앞으로 역사라는 것은 그렇게 계속 평가받으면서 올바른 판단력을 가진 시민들, 그리고 지성 사회를 우리가 형성해 가는 것 아니겠습니까? 저는 그렇게 가면 되리라고 생각합니다.

감사합니다.

당적 정리와 관련하여 열린우리당 당원 여러분께 드리는 글

2007년 2월 28일

존경하는 당원 동지 여러분, 안녕하십니까? 대통령 노무현입니다.

먼저 열린우리당의 전당대회를 성공적으로 치른 것을 진심으로 축하드립니다. 여러분의 민주적이고 책임 있는 행동이 성공적인 전당대회를 만들어 낸 것입니다. 참으로 훌륭한 모범을 보여 주셨습니다. 당원 여러분께 경의를 표합니다. 그리고 감사드립니다.

저는 이제 당을 떠납니다. 떠난다 생각하니 너무 섭섭하여 '탈당'이라는 말 대신 굳이 '당적 정리'라는 말을 써 봅니다만, 당을 떠난다는 결론은 피할 수 없는 것 같습니다. 떠나는 허전함이 있기는 하지만, 전당대회를 통해 당이 흩어지지 않고 정체성을 지켜 나갈 것이라는 믿음을 가질 수 있게 된 것은 참으로 큰 위안입니다.

열린우리당은 대한민국 민주세력의 역사적 정통성을 이어 가는 정당입니다. 열린우리당의 창당을 '분당'이라고 나무라는 사람들이 있고 형식적인 과정은 그런 점을 부인하기 어려운 것이 사실이지만, 역사의 대의에 비추어 보면 그것은 결코 부도덕한 분당이 아니라 민주정당의 정통성을 복원하고 새로운 정치를 구현하기 위한 역사적 결단이었습니다. 열린우리당은 국민통합의 정당입니다. 1987년 6월항쟁에 이르기까지 국민의 민주적 열망의 구심점 역할을 하던 민주정당이 1987년 대선을 계기로 지역당으로 분열한 이후 15년간 계속되어 온 분열의 상태를 극복하고자 창당한 정당입니다. 열린우리당은 또한 개혁정당입니다. 오랜 군사독재 속에서 파생된 권위주의와 당리당략, 권모술수의 정치문화를 청산하고 새로운 정치를 구현하기 위해 만든 정당입니다.

2003년 창당은 국민통합과 새로운 정치를 위해 모두가 다음 선거에서 불이익을 받게 될 것이라는 우려에도 불구하고 그야말로 기득권을 포기하고 몸을 던진 국회의원들의 자기희생의 결단과 우리 정당사상 처음으로 스스로의 호주머니를 털어 전당대회에 참여한 당원들의 역사적 사명감이 만들어 낸 우리 정치의 새로운 이정표였습니다.

그동안 열린우리당은 많은 시행착오가 있었고, 지금도 감당하기 어려운 시련을 헤쳐 가고 있습니다. 이렇게 된 데에는 제 책임이 큽니다. 당원 여러분께 송구스럽기 그지없습니다. 그러나 저는 이런 상황에도 불구하고 어려움을 극복해 가는 과정에서 당원들이 단합하고 당도 성장하여 국민 속에 굳건한 뿌리를 내리고, 마침내 우리나라의 정치 발전을 선도해 갈 것으로 굳게 믿습니다.

존경하는 당원 여러분.

그럼에도 제가 여러분과 끝까지 함께하지 못하고 당을 떠나는 것은 개인적으로 가슴 아픈 일일 뿐만 아니라 한국정치의 올바른 발전을 위해서도 불행한 일이라고 생각합니다.

앞서 대통령을 지내신 세 분 모두가 임기 말에 자신이 몸담았던 정당을 떠났습니다. 잘못된 일입니다. 책임정치의 취지에 맞지 않습니다. 그래서 저는 임기가 끝난 뒤에도 당적을 유지하는 전직 대통령이 되고 싶었습니다. 그러나 안타깝게도 저의 역량 부족으로 한국정치 구조와 풍토의 벽을 넘어서지 못했습니다. 단임 대통령의 한계입니다. 야당은 대통령을 공격하는 것이 선거 전략상 유리하게 되어 있으니 자연 대통령은 집중 공격의 표적이 됩니다. 그러나 대통령은 차기 후보가 아니니 맞서 대응하기가 어렵습니다. 여당 또한 대통령을 방어하는 것보다 차별화하여 거리를 두는 것이 유리하게 생각될 수밖에 없는 구조입니다.

이 구조에 빠지지 않으려면 대통령이 차기 선거에서 여당 후보에게 도움이 될 만큼 국민의 지지가 높아야 합니다. 그러나 저는 역량이 부족하여 그렇지 못했습니다. 더욱이 여당이 저와 책임을 함께하겠다고 하려면 막강한 언론과 맞서 싸울 각오를 해야 합니다. 어려운 일이 아닐 수 없습니다. 그러다 보니 당 내부에서 저의 당적 문제로 인해 갈등을 겪게 되고 심지어는 다수의 국회의원이 당을 이탈하는 사태에까지 이르렀습니다. 물론 당에서 공식적으로 저의 당적 정리를 요구한 바는 없습니다. 그러나 아직도 적지 않은 의원들은 저의 당적 정리를 요구하고 있는 상황입니다. 이론상 당론을 정하자고 할 수도 있는 일이나 그렇게 되면 당이 시끄러워질 것입니다. 일부 당원과 저 사이에도 갈등이 생길 것입니다. 제가 당적을 유지하기 어려운 사정입니다. 그리고 이런 상황을 만든 것은 국민의 지지를 지켜 내지 못한 저의 책임입니다.

다행히 2·14전당대회를 통해 새로 구성된 지도부를 중심으로 당이 새로운 출발을 하게 된 시점에서 제가 당적을 정리할 수 있게 되어 그나마 다행이라 여기고 있습니다.

존경하는 당원 여러분.

야당은 대통령의 정치적 중립을 요구하고, 나아가 중립적인 선거관리를 위해 중립내각을 구성하라고 합니다. 그러나 이 주장은 옳지 않습니다. 선진 어느 나라 대통령이 정치적 중립을 하고 있습니까? 심지어 국회의원 선거에 지원 유세까지 자유롭게 하고 있습니다. 왜 한국만 당의 이름을 걸고 당원들의 노력으로 당선한 대통령이 대통령에 당선만 되고 나면 중립이 되어야 합니까?

과거 한나라당 대통령은 여당에 불법으로 거액의 선거자금을 마련해 주기도 했습니다. 저는 그런 불법을 하지 않습니다. 국민의정부 이래 지금까지 정부가 선거에 가담하거나 편파적인 선거관리로 문제가 된 일이 없습니다. 중립내각 운운하는 것은 상투적인 정치공세입니다. 이제 낡은 정치공세는 그만두어야 합니다. 이유야 어떻든 저는 임기 말년에 차기 선거 때문에 당을 떠나는 네 번째 대통령이 되었습니다. 저는 임기 말 당을 떠나는 마지막 대통령이 되기를 바랍니다. 우리 정치제도와 문화가 개선되기를 간절히 바랍니다.

존경하는 당원 여러분.

저는 비록 지금 당적을 정리하지만 열린우리당의 성공을 바랍니다.

그리고 우리가 애초에 가졌던 국민통합과 새로운 정치라는 창당정신이 온전히 지켜지기를 바랍니다. 그리고 열린우리당이 멀리 내다보고 나라의 역사를 열어 가는 정당이 되기를 바랍니다. 당원 여러분께서 치열하게 노력해 주실 것으로 믿습니다.

저는 저에게 주어진 소임을 마지막까지 최선을 다해 수행하겠습니다. 임기가 끝나는 그 순간까지 국정운영의 끈을 놓지 않기 위해 노력하겠습니다. 한국정치 발전이라는 역사의 큰 길에서 언젠가 여러분과 다시 함께 어깨를 같이하게 되기를 기대합니다.

3월

제88주년 3·1절 기념사

2007년 3월 1일

존경하는 국민 여러분, 독립유공자와 유가족 여러분, 그리고 해외동포 여러분,

오늘은 3·1운동 여든여덟 돌입니다. 해마다 이날이 오면 우리는 삼천리 방방곡곡에 물결쳤던 '대한독립만세'의 함성을 되새기게 됩니다. 그날 우리 선조들은 지역과 계층·종교·이념의 차이를 뛰어넘어 하나가 되었습니다. 손에 손에 태극기를 들고 일제의 총칼에 맞서 우리 민족의 자주독립 의지를 세계 만방에 떨쳤습니다. 자유·평등·평화라는 인류 보편의 대의를 밝혀 약소민족들에게 희망의 등불이 되기도 했습니다. 참으로 자랑스러운 역사라고 하지 않을 수 없습니다. 특히 올해는 일제의 국권침탈에 맞서 일으킨 국채보상운동 100년, 이준 열사가 헤이그에서 일제의 침략상을 알리고 순국한 지 100주년이 되는 해입니다. 그래서 3·1절

의 의미가 더욱 뚜렷한 해입니다. 뜻 깊은 이날을 맞아 선열들의 고귀한 희생을 기리며, 나라와 민족을 위해 헌신하신 독립유공자와 그 후손들께 깊은 경의를 표합니다.

국민 여러분,

3·1운동 당시 우리는 거국적으로 단결했고 대의명분도 정당한 것이었지만 우리는 성공하지 못했습니다. 그 이후로도 선열들은 해방의 그날까지 피땀 어린 투쟁과 눈물겨운 희생을 바쳐야 했습니다. 우리에게 국력이 없었기 때문입니다. 세계 정세도 말로는 민족자결의 대의를 내세웠지만 현실은 힘에 의해 좌우되는 제국주의 질서였습니다. 그러나 이제는 다릅니다. 우리 대한민국은 우리의 안전과 자존을 지킬 만한 충분한 역량을 갖추고 있습니다. 어느 누구도 넘볼 수 없는 막강한 국군이 있고, 세계 12번째의 경제력이 이를 뒷받침하고 있습니다. 당당한 민주인권국가로서 세계의 인정을 받고 있습니다. 세계 역사도 과거와 같이 제국주의 시대로 되돌아가는 일은 없을 것입니다. 자유와 인권, 민주주의가 보편적 가치로 자리 잡은 지금, 국가 간의 분쟁이 있을 수는 있지만, 또 때로는 전쟁도 있을 수는 있지만, 어느 국가가 다른 나라를 정복하는 것도, 설사 정복한다 하더라도 지배하는 일은 더더욱 불가능한 시대로 가고 있습니다.

이제는 우리 국력과 역사의 대세에 대한 확신을 갖고 동북아의 평화와 번영을 앞장서 이끌어 가야 할 것입니다. 역사적으로 누구에게 해를 끼친 적 없는 우리는 동북아의 평화를 주도할 만한 충분한 도덕적 명분과 자격을 갖추고 있습니다. 지정학적으로도 우리는 동북아의 평화구조를 유지할 수 있는 위치에 있습니다. 우리가 힘이 있을 때 동북아시아의 평화는 지켜졌고, 힘이 없을 때 동북아시아는 전쟁의 소용돌이에 휘말렸습니다. 우리가 어떻게 하느냐에 따라 동북아시아의 질서가 달라질 수 있는 것입니다. 우리의 역량에 대한 자신감을 가져야 합니다. 국방 개혁과 전시작전통제권 전환을 통해 자주적 방위 역량을 키우고, 남북관계도 화해와 협력의 방향으로 더욱 발전시켜 나가야 합니다. 북핵문제 해결의 전기가 된 2·13합의를 성공적으로 이행해서 한반도의 평화체제를 공고히 정착시키고 협력과 통합의 동북아 시대를 주도해 나가야 할 것입니다.

국민 여러분,

최근 미국 하원에서 열린 일본군 위안부 청문회에서는 인간으로서 도저히 상상할 수 없는 고난과 박해를 받아야 했던 우리 할머니들의 생생한 증언이 있었습니다. 아무리 하늘을 손으로 가리려고 해도 일제가 저지른 만행에 대해서는 국제사회가 용납하지 않는다는 것을 다시금 확인하는 자리였습니다. 아직도 일본의 일부 자치단체는 러·일전쟁 당시 무력으로 독도를 강탈한 날을 기념하고 있으며, 일부에서는 지난날의 과오를 부정하는 발언을 하고 나아가서는 역사를 그릇되게 가르치는 일을 부추기고 있습니다. 우리는 일본과 사이좋은 이웃이 되기를 원합니다. 또 경제·문화 등에서 이미 단절하기 어려운 관계를 맺고 있습니다. 이제는 양국 관계를 넘어 동북아시아의 평화와 번영에 함께 이바지해야 하지 않으면 안 되는 상황에 이르러 있습니다.

그러기 위해서는 무엇보다 역사적 진실을 존중하는 태도와 이를 뒷받침하는 실천이 필요합니다. 역사교과서, 일본군 위안부, 야스쿠니 신사참배와 같은 문제는 이제 성의만 있다면 얼마든지 해결할 수 있는 문제입니다. 잘못된 역사를 미화하거나 정당화하려고 할 것이 아니라 양심과 국제사회에서 보편성을 인정받고 있는 선례를 따라 성의를 다해 주기를 바랍니다. 이것이 국제사회로부터 존경과 신뢰를 받는 길이 될 것입니다.

국민 여러분,

저는 오늘 애국선열들께 다소나마 마음의 짐을 덜 수 있게 된 것을 다행스럽게 생각하며 이 자리에 섰습니다. 1965년 한·일협정 체결 과정에서 제대로 정리되지 못하고 지금껏 방치되어 왔던 일제 강점기 강제동원 피해에 대한 진상규명위원회를 만들어 조사를 시작했습니다. 또한 한·일협정 관련 문서를 공개하고 청구권자금 지급이 미진했던 데 대해 국가 차원의 지원방안을 마련하여 국회에 제출했습니다. 친일반민족행위 진상규명위원회와 재산조사위원회를 만들어 실상을 밝히고, 민족과 나라를 팔아 치부한 재산을 그 후손들까지 누리는 역사의 부조리를 해소할 수 있는 계기를 마련했습니다. 이 일이 마무리되면 과거 식민지 역사에서 고통 받은 분들의 맺힌 한을 다소나마 풀어드리고, 역사의 정통성을 바로 세워 정의와 양심이 살아 있는 미래를 만들어 갈 수 있을 것입니다.

존경하는 국민 여러분,

우리의 맥박 속에는 선열들의 드높은 기상과 대동단결의 정신이 고동치고 있습니다. 우리 모두 힘과 지혜를 모읍시다. 지금 해야 할 일을 책임 있게 해 나갑시다. 그래서 우리 아들딸들에게 자랑스러운 내일을 물려줍시다.

감사합니다.

차기전차 시제품 출고식 축사

2007년 3월 2일

친애하는 국군 장병과 국방과학연구소 임직원 여러분, 그리고 방위산업 관계자와 내외 귀빈 여러분,

오늘 우리 육군의 핵심 전력이 될 차기전차가 첫 선을 보이게 된 것을 매우 뜻 깊게 생각합니다. 온 국민과 더불어 진심으로 축하합니다. 우리 강토를 철통같이 지켜낼 차기전차의 당당한 모습을 보니 참으로 마음 든든합니다. 기동력과 화력·방호력 등 모든 면에서 세계 최고 수준의 전차를 순수 독자기술로 만들어냈습니다. 우리의 자주국방 의지와 역량을 보여 주는 쾌거입니다. 오늘이 있기까지 혼신의 노력을 다해 온 국방과학연구소와 방위산업 연구기술진, 그리고 군 관계자 여러분의 노고에 큰 감사와 격려의 박수를 보냅니다.

참석자 여러분,

우리 방위산업은 그동안 비약적인 발전을 거듭하며 군 전력 증강에 크게 기여해 왔습니다. 제대로 된 소총 하나 만들지 못했던 우리가 유도탄과 어뢰, 구축함, 잠수함 같은 최신예 무기를 개발하는 나라가 되었습니다. 특히 T-50 초음속 고등훈련기나 K-9 자주포는 세계적으로 주목을 받고 있습니다. 우리 군이 세계 열 손가락 안에 드는 강력한 군대로 성장할 수 있었던 것도 이러한 방위산업의 발전이 있었기에 가능한 일이었습니다. 방위산업은 또한 수입 대체를 통해 예산을 절감하고, 국방기술을 여러 분야에 활용함으로써 우리 경제에도 크게 기여해 왔습니다. 국방개발 투자로 인한 경제적 효과가 투입된 연구개발비의 11배가 넘는다는 연구결과도 있습니다. 관계자 여러분의 노고를 치하하며, 핵심기술 개발에 더욱 박차를 가해줄 것을 당부드립니다.

내외 귀빈 여러분,

참여정부는 국방개혁을 통해 우리 군을 병력 위주의 양적 구조에서 정보과학군 중심의 질적 구조로 발전시켜 가고 있습니다. 그리고 그 토대가 되는 국방과학기술에 적극적인 투자를 해왔습니다. 국방연구개발비를 2002년 7천억 원에서 올해 1조 2천억 원으로 78%나 늘렸고, 군과 민간 산·학·연의 협력도 확대하고 있습니다. 지난해에는 방위사업청을 신설해 국방획득체계의 효율성과 투명성을 크게 높였습니다. 앞으로도 정부는 국방연구개발에 대한 투자를 확대하고, 그 성과가 다른 산업에 확산되도록 해 나가겠습니다. 또한 해외 마케팅도 적극 지원해서 우리 방산업체들이 더 많은 수출 기회를 가질 수 있도록 할 것입니다.

참석자 여러분,

우리 방위산업의 미래는 매우 밝습니다. 우수한 과학기술 인력과 IT 인프라를 갖추고 있고, 세계 최고 수준의 전자·조선·철강 산업도 방위산업을 든든하게 뒷받침하고 있습니다. 우리 모두 자신감을 갖고 방위산업의 더 큰 성공을 이뤄 냅시다. 우리 군을 선진정예강군으로 만들어 갑시다. 다시 한번 차기전차 출고를 축하하며, 여러분 모두의 건승과 행복을 기원합니다.

감사합니다.

제61기 해군사관학교 졸업 및 임관식 치사

2007년 3월 2일

친애하는 해군사관학교 졸업생 여러분, 학부모님과 내외귀빈 여러분,

오늘 영광된 대한민국 해군 장교로 첫발을 내딛는 여러분의 졸업과 임관을 진심으로 축하합니다. 그동안 어려운 교육과정을 성공적으로 마치고, 이 자리에 선 여러분 모두가 자랑스럽습니다. 우리나라 해양 수호의 초석이 될 여러분의 늠름한 모습이 참으로 당당합니다. 자리를 함께 하신 부모님들의 감회도 남다를 것입니다. 졸업생 여러분이 이곳에서 힘든 교육을 받을 때, 부모님들 또한 밤잠을 설치며 여러분을 응원했습니다. 학교장 이홍희 제독을 비롯한 교수와 훈육관들은 여러분과 함께 뛰었습니다. 귀한 아들딸들을 군에 맡겨 주신 부모님과, 훌륭한 해군 장교로 키워 주신 모든 분들에게 깊은 감사의 박수를 드립니다.

졸업생 여러분,

4년 전 여러분은 참여정부의 출범과 동시에 청운의 꿈을 안고 이곳 옥포만에 들어섰습니다. 그리고 이제 우리의 바다를 굳건하게 지켜 낼 늠름한 해군 장교로 다시 태어났습니다. 그동안 우리 군의 모습 또한 크게 달라졌습니다. 무엇보다 십수 년 동안 미뤄왔던 국방개혁이 법적 토대를 갖추고 힘차게 추진되고 있습니다. 국방개혁이 차질 없이 추진되면 2020년 우리 군은 선진정예강군으로 거듭나게 될 것입니다. 지식·정보 중심의 정보과학군으로 발전하게 되는 것입니다. 지난주에는 우리 군의 오랜 염원이었던 전시작전통제권을 오는 2012년 전환하기로 미국과 합의했습니다. 6·25전쟁의 와중에 넘겨주었던 전시작전통제권이 62년 만에 한국군의 손으로 돌아오는 것입니다. 이것은 그동안 우리 국군이 꾸준히 역량을 키워 온 결과이자 우리 군의 위상을 다시 세우는 일입니다. 또한 한·미동맹이 보다 강력하고 효율적인 새로운 공동방위체제로 발전하는 전기가 될 것입니다.

용산 미군기지 이전, 주한미군 재배치와 감축 문제 등 해묵은 과제들도 모두 해결했습니다. 북핵문제도 지난달 6자회담에서 이뤄진 '2·13 합의'를 통해 해결의 가닥이 잡혀 가고 있습니다. 한반도 비핵화와 북미·북일 관계 정상화, 경제·에너지 협력, 동북아 평화안보체제 협의 등은 그 의미가 매우 큽니다. 북핵문제 해결뿐만 아니라 한반도의 항구적인 평화정착과 동북아시아에 협력과 통합의 질서를 열어 갈 수 있는 역사적 계기가 될 것으로 기대합니다. 우리는 그동안 북핵문제를 대화를 통해 평화적으로 해결한다는 일관된 원칙을 가지고 주도적인 역할을 해왔습니다. 6자회담이 난관에 봉착할 때마다 적극적인 대안 제시와 한·

미 간의 긴밀한 공조를 통해 합의를 이끌어 냈습니다. 이번 합의가 반드시 이행될 수 있도록 앞으로도 최선의 노력을 다할 것입니다.

해군 장병 여러분,

우리 해군력도 크게 발전했습니다. 참여정부 들어서만 문무대왕함과 독도함, 손원일함을 비롯한 일곱 척의 함정을 진수했고, 올 봄에는 이지스 구축함도 그 위용을 드러내게 될 것입니다. 우리 해군은 미국·일본·중국·러시아 등 세계 10여개 나라들과의 연합훈련에서 높은 평가를 받고 있고, 2005년에는 사상 처음 동남아시아 지역에 해외 구호 물자 수송도 성공적으로 완수했습니다. 관사를 비롯한 복지 시설과 복무 여건도 크게 개선되었습니다. 정부는 앞으로도 첨단 해군력 증강에 지속적인 노력을 기울여 나갈 것입니다. 우리 해군은 국민의 땀으로 만들어 낸 최신예 함정과 함께 한반도는 물론 세계평화에 기여할 수 있는 대양해군으로 발전할 것입니다.

친애하는 신임 장교 여러분,

여러분은 우리가 건설할 기동함대의 주역이 될 것입니다. 1,200년 전 동아시아의 뱃길을 제패했던 장보고 대사와 국난 극복의 영웅이었던 충무공의 자랑스러운 후예들입니다. 여러분에게 대한민국 해양수호의 막중한 사명을 맡깁니다. 우리 국민 모두가 여러분의 명예로운 장도를 축복할 것입니다. 다시 한번 졸업과 임관을 축하하며, 신임 장교 여러분의 앞날에 무운과 영광이 있기를 기원합니다.

감사합니다.

헌법 개정 시안 발표에 즈음한 기자회견

2007년 3월 8일

모두연설

존경하는 국민 여러분,

정부는 오늘 헌법 개정 시안을 발표하였습니다. 이번 개헌 시안은 대통령 4년 연임제, 그리고 대통령과 국회의원의 임기 일치를 핵심 내용으로 하고 있습니다. 장기독재를 막기 위한 대통령 5년 단임제는 시대의 변화와 민주주의 성숙에 따라 그 역사적 소명을 다했습니다. 대통령 단임제는 대통령과 여당의 책임정치를 훼손하고, 국가적 전략과제 추진의 연속성과 안정성을 저해하고 있습니다. 역대 세 분의 국민 직선 대통령이 자신의 임기 중 탈당하였고, 저 역시 그 벽을 넘지 못하였습니다. 이제 4년 연임제를 통하여, 대통령과 여당이 임기 마지막까지 책임을 다하면서 국가와 국민의 미래를 개척해 나가도록 해야 합니다. 또한 대통령과 국회의원의 임기 불일치에 따라 전국 단위 선거가 수시로 치러지면서 선거 때마다 '정권 심판론'이 제기되고 정치적 갈등과 혼란이 심화되었습니다. 이 과정에서 중대한 국가 과제 추진이 지체되거나 장애에 직면하는 일이 적지 않았습니다. 대통령과 국회의원의 임기를 일치시켜 국정 혼란과 갈등 요인을 제거하고, 대통령과 국회가 보다 책임 있게 국정에 임하도록 해야 합니다.

대통령과 국회의원의 임기 불일치는 여소야대 정치구조를 만드는 주요 요인이기도 합니다. 민주주의가 확고하게 뿌리내린 오늘의 한국 현실에서 국정을 책임지고 일하는 세력보다 반대하는 세력이 다수를 형성하는 것이 결코 바람직한 구조는 아닙니다. 변화의 속도가 국가의 성패를 좌우하는 시대에 중대한 국가적 과제와 민생 과제들이 지체되고 결론을 내리지 못하는 상태가 지속됩니다. 대통령과 국회의원의 임기를 일치시키면 1987년 이후 일상화되고 있는 여소야대 정치구조를 극복하여 대통령과 여당이 보다 책임 있게 일하고 다음 선거에서 평가받는 정치를 만드는 데 크게 기여할 것입니다. 이번 헌법 개정 시안은 결국 국정의 책임성과 연속성, 그리고 안정성과 효율성을 제고시켜 21세기 국가 발전의 새로운 기틀을 마련하려는 것입니다.

저는 이번에 제안하는 이 개헌안이 지고지선도 아니고 완벽한 것도 아니라는 점을 잘 알고 있습니다. 우리 헌법의 보다 많은 부분에 관하여 손질이 필요하다는 점을 잘 알고 있습니다. 뿐만 아니라 권력구조에 관한 저의 소신과 반드시 일치하는 것도 아닙니다. 그럼에도 굳이 이 개헌안을 제안하는 이유는 1단계 개헌을 통해 대통령과 국회의원의 임기 불일치라는 정치적 이해 상충 요소를 해소시키지 않고는 향후 어떤 개헌 논의도 할 수 없는 정치구조 위에 있기 때문에 1단계 개헌을 통하여 개헌의 장애요인을 제거함으로써 향후 대한민국 사회 구성원 모두가 참여하고 합의하는 본격적 개헌 논의의 첫 관문을 열어 놓자는 것입니다. 정부가 발표한 헌법 개정 시안에 대해 정치권과 언론·시민사회·학계·국민 여러분의 활발한 토론과 공론화를 당부 드립니다. 제가 제안한 개헌은 저의 대선 공약이었을 뿐만 아니라 2002년 한나라당 대선후보를 비롯하여 그동안 각 정당과 정치 지도자, 언론과 학계 등에서 주장하였던 것입니다. 또한 국민 여론의 60~70%가 공감하고 있는 내용입니다. 그럼에도 개헌 논의가 대선에 영향을 미칠 것이라는 막연한 불안감만으로 논의조차 거부하는 상황이 전개되고 있습니다. 모든 국가적 과제를 대선의 유·불리로만 재단하는, 그야말로 정략적 행동이 나라의 대세를 장악하고 있는 비이성적인 상황에 빠져 있는 것입니다.

정치의 가장 기본적인 생명은 대의명분과 국민의 신뢰입니다. 선거에서 약속하고 국민 앞에서 계속 주장했던 의제에 대해 대통령이 제안하니까 반대하고 뒤집는 불신의 정치는 이제 극복되어야 합니다. 만약 태도와 입장을 바꾼다면 합당한 사유와 근거가 제시되어야 합니다. 자신이 한 말에 대해 책임을 지는 정치의 신뢰회복이 필요합니다. 여론을 형성하는 언론 또한 마찬가지입니다. 한나라당과 일부 언론에서는 저의 개헌 제안이 정략적이라고 주장합니다. 그러면서도 무엇이, 왜 정략적인지 아무런 근거와 이유를 제시하지 못하고 있습니다. 또한 한나라당은 개헌의 구체적 내용과 일정은 제시하지 않은 채, '개헌은 차기 정부에서 해야 한다'는 주장만을 되풀이하고 있습니다. 차기 정부에서 개헌이 성사되려면 대통령과 국회의원의 임기를 일치시키기 위해 차기 대통령의 임기를 1년 가까이 단축해야 합니다. 이런 구조 때문에 그동안 각 정당과 정치인, 많은 언론과 지식인들은 현 대통령과 국회의원의 임기 만료가 거의 일치하는 올해야말로 20년 만에 한 번 돌아오는 개헌의 적기라고 주장해 왔던 것입니다. 올해를 흘려보낸다면 다시 20년을 기다려야 할 것입니다. 여론조사에 따르면 이미 절반이 넘는 국민들이 차기 정부 개헌은 불가능하다고 보고 있습니다.

저는 오늘 제 정당과 대선 후보 희망자들에게 촉구합니다. 다시 한 번 말씀드리지만 이번 개헌은 어느 정당, 어느 정치인에게도 유·불리를 따질 이유가 없습니다. 오직 나라와 국민의 미래를 위한 일이며, 다음 대통령의 책임 있는 국정운영을 위한 것입니다. 역사와 국가 발전에 대한 책임감을 갖고, 정부가 내놓은 헌법 개정 시안에 대한 진지한 논의와 대화를 촉구합니다. 한나라당은 '차기 정부 개헌'을 주장하면서도 그 내용과 일정에 대해서는 침묵하고 있습니다. 책임 있는 공당과 정치 지도자라면 개헌의 구체적인 내용을 제시해야 합니다. 특히 대통령과 국회의원의 임기 일치를 위해서는 차기 대통령의 임기 단축에 대한 분명한 입장을 내놓아야 할 것입니다. 또한 차기 정부 개헌 추진의 구체적인 일정을 밝히는 것이 국민에 대한 도리이자 책임 있는 자세입니다.

그리고 오늘 저는 새로운 제안을 드리고자 합니다. 이 문제들에 대해 제 정당과 대선 후보 희망자들이 책임 있고 실현 가능한 대안을 제시

한다면, 저는 제 정당 대표 및 대선 후보 희망자들과 개헌의 내용과 추진 일정 등에 대해 대화하고 협상할 뜻이 있음을 밝힙니다. 각 당이 당론으로 차기 정부에서 추진할 개헌의 내용과 일정을 구체적으로 명확하게 제시하고 이것이 합의가 되거나 신뢰할 만한 대국민 공약으로 이루어진다면, 저는 개헌안 발의를 차기 정부와 국회에 넘길 용의가 있습니다. 다만, 이 합의나 공약에는 차기 대통령의 임기를 1년 가까이 단축한다는 내용이 포함되어야 할 것입니다. 이에 대한 합의가 이루어지지 않는 경우에도 지금 제가 제안한 내용의 개헌은 반드시 발의하고 통과시킨다는 것이 당론으로 분명하게 표현되어야 할 것입니다.저의 이 제안에도 불구하고 아무런 응답이나 조치가 없을 경우에는 저는 저에게 주어진 역사적 책무를 다하기 위해 다음 임시국회에 맞춰 개헌안을 발의하도록 하겠습니다. 정당 및 대선 후보 희망자들이 저의 제안에 대해 진지하고 책임 있게 임하여 이른 시일 내에 신뢰할 만한 대안이 국민 앞에 제시될 수 있기를 기대합니다.

감사합니다.

질문과 답변

질문 : 대통령께서는 지금 각 당이 다음 정부에서 개헌 합의를 하거나 대국민 공약을 하면 개헌안 발의를 유보할 수 있다고 하셨는데, 먼저 임기 1년 단축 조건이 불분명한 것 같습니다. 모든 정당의 당론이나 후보 공약에 반드시 이 부분이 포함돼야 하는 것인지 명확히 밝혀 주십시

오. 또 유력한 대선 주자가 이에 대해 반대할 경우엔 당론으로만 결정하면 유보할 수도 있는 것인지, 그리고 일부 정당은 연임제 자체를 반대하고 있는데, 유력한 정당만 이 부분에 대해 당론을 정하면 되는 것인지 말씀해 주시기 바랍니다.

대통령 : 제가 조금 전에 읽은 회견문 내용에 구체적인 조건이 나와 있다고 생각합니다. 적어도 다음 국회에서 정당 구조가 어떻게 될지는 누구도 예측할 수 없는 일이지만, 상식적으로 판단해 지금 의석 구조에 비추어서 3분의 2를 충분히 초과할 수 있는 수준의 정당이 참여한다면, 역시 다음 국회도 대개 비슷한 의석 구조가 된다고 예측하는 것이 그리 크게 어긋나는 일은 아닐 것이라고 생각합니다.

그런 기준에 따라 참여하는 정당의 숫자를 판단하면 될 것이라고 생각하고요. 일반적으로 우리가 유력한 후보라고 추정하고 있는 사람들이 참여하는 정당이 당론으로 표현할 정도면 우리가 신뢰할 수 있지 않겠습니까? 결국 저는 신뢰할 수 있는 수준의, 소위 합의 내지 공약이 이루어지면 조건을 충족한다고 생각합니다. 어느 정도가 신뢰할 수 있는 것인지는 논의가 이루어지고, 국민적 합의 또는 협상이 이루어지거나, 국민들에게 발표하는 형식이나 시간·절차·내용 등 이런것들이 종합될 때 우리의 신뢰를 형성하는 것 아니겠습니까? 그때 가서 대화를 하거나 토론을 하면 신뢰할 만하다 하지 않다, 여러분과 제가 함께 판단해도 크게 어긋나지 않을 것이라고 생각합니다.

질문 : 저는 시기와 관련해 몇 가지 질문을 하겠습니다. 먼저 오늘 대통령께서는 제 정당 대표 및 후보들을 상대로 협상을 제안하셨습니다. 그런데 마냥 늦출 수는 없을 것이기 때문에 대통령께서 언제까지 기다리고 언제까지 협상이 이루어져야 의미 있는 결과가 나올 것으로 보십니까? 또 한 가지는 이번 제안의 초점이 다음 임시국회에 어떤 경우든 개헌 발의를 하겠다는 것에 맞춰진 것인지, 아니면 협상하는데 그 시간이 조금 더 필요하다면 늦춰서라도 논의를 이어보겠다는 점에 있는 것인지, 설명을 해 주십시오.

대통령 : 언제까지 기다리는 것이 적당한 시간이냐 하는 것일 텐데, 여기에 관계된 정당이나 당사자들이 반응하는 데 그렇게 긴 시간이 필요하다고 생각하지 않습니다. 또 어떤 반응이 있고 어떤 결정을 내리는 데도 그렇게 많은 시간이 필요하지 않을 것입니다. 아무 반응도 없으면 더 많이 기다릴 이유가 없겠지요. 일단 어떤 반응이 있어서 대화가 시작되거나 여기에 대한 준비가 진행되고 있는 경우라면, 대화가 진행되고 있는데 제가 날짜를 정해 놓고 안 된다 된다, 그렇게 싹둑 자르는 것은 대화를 제안한 사람의 바람직한 태도는 아닐 것이라고 생각합니다. 그러나 전체적으로 보아서 시간이 그렇게 많이 있지 않기 때문에 3월 중으로 가부간에 판단이 날 것이라고 생각합니다.

발의해 놓고 난 뒤에 어떤 반응이 있거나, 또 대화가 있을 경우에는 어떻게 하느냐, 그것은 대화의 진지함이나 태도에서의 신뢰성을 놓고 판단해야 할 것입니다. 성의 없이 정치적으로 시간이나 끈다든지 또는 정략적으로 제의하는 것이라면 대응할 이유가 없겠습니다만, 그야말로 진지한 자세로 국민 앞에 다음 정부에서의 개헌에 대해 책임 있게, 믿을 만한 구체적 제안을 한다면 저도 거기에 대응해 발의한 개헌안을 철회할 것인지, 그대로 유지할 것인지를 판단해야 할 것이라고 생각합니다. 그래서 이와 같은 협상의 문제는 형식 논리로 판단할 것이 아니라 진심을 가지고 겸손한 자세로 국민들에게 약속할 뜻이 있는지 없는지 그런 것을 판단해서 할 것입니다.

질문 : 역사적 소명에 따라 반드시 개헌안을 발의하겠다고 강조하시던 대통령께서 오늘 제 정당이 당론으로 구체적인 개헌에 대해 일정과 내용을 밝혀 오면 개헌안 발의를 유보하겠다는 입장을 밝히셨습니다. 그러나 각 정당이 차기 대선주자를 확정하지도 않았고 공약의 주체가 없는 마당에 당이 공약을 요구한 대통령의 제안은 현실성이 없고, 현 정부 내 개헌 가능성이 희박하다는 판단에 따라 대통령께서 개헌 유보라는 퇴로를 선택하신 것 아니냐는 분석이 제기되고 있습니다. 이에 대한 대통령의 입장을 밝혀 주시기 바랍니다.

대통령 : 저는 개헌 발의 자체를 가지고 퇴로를 모색할 이유가 없습니다. 개헌이 되든 안 되든 발의하는 데 목적이 있다면 거침없이 발의하면 그만입니다. 그러나 저는 개헌 발의 자체에 목적이 있는 것이 아니고 개헌 자체에 목적을 두고 있습니다. 개헌이 돼야 한다고 생각합니다. 개헌이 되더라도 임기 중에 되는 것이 가장 바람직하다고 생각합니다. 그

러나 제 마음대로 되는 일이 아닌 이상 타협을 해서라도 다음 정부에서 개헌에 대해 확실한 보장을 받을 수 있다면 그것은 차선이 된다고 생각합니다. 그래서 이런 제안을 드리는 것이기 때문에 퇴로를 모색하는 것하고는 관계가 없습니다. 저는 개헌 자체가 성사되기를 바라지, 발의 자체에 높은 가치를 두고 있는 것이 아닙니다. 성사 가능성이 낮다 하더라도 발의는 해야 한다는 책임감을 느끼고 있다는 것이지, 일차적 목표는 개헌 자체의 성사입니다. 결국 개헌 자체가 어렵다 할지라도 발의 또한 저의 의무이므로, 부득이 하지 않을 수 없다는 뜻으로 발의도 중요하지만 일차적인 목적은 발의가 아니라는 것이지요. 그래서 퇴로 문제는 아닙니다. 성사시키고 싶어서 이 제안을 하는 것입니다.

이런 답답함도 있습니다. 모두들 주장해 왔던 것인데 지금은 논의조차 거부하니까, 이런 상황에서 저는 토론을 살려 보고 싶은 것입니다. 토론을 살려 가급적이면 임기 안에 하고, 아니라도 토론 과정을 거쳐 서로 확실하게 우리가 신뢰할 수 있는 개헌 방안을 국민에게 약속할 수 있다면, 정치 신뢰가 조금은 회복되지 않겠나 생각합니다. 제가 말했던 것이 불리하다 생각되면 언제라도 뒤집어엎을 수 있는 정치가 아니라, 말한 것에 대해서 책임을 질 수 있는 정치, 그것이 중요한 것이라고 생각합니다. 공약만으로 이행이 담보 되는가, 이런 질문을 하셨습니다만, 그렇습니다. 그것이 책임 정치의 본질입니다. 공약한 것은 이행해야 하는 것이지요. 후보가 결정되지 않았다는 말씀을 하셨는데 본시 공약의 주체는 당입니다. 개헌할 때 투표하는 사람은 당원이고 국회의원이지, 대통령 혼자 투표하는 것은 아니고 대통령 혼자서 개헌할 수 있는 것도 아닙니다.

다만 후보가 중요한 것은 당론에 영향을 미칠 수도 있을 것이고, 지금은 대통령의 임기를 조정할 필요가 없지만 다음 정부에서 개헌을 하려면 대통령의 임기를 반드시 조정해야 하기 때문입니다. 대통령 후보가 된 사람 또한 다음 정부에서 개헌해야 된다는 생각이라면 임기에 대해 공약을 해 줘야 하는 것이지요. 적어도 후보를 하겠다고 선언한 사람은 적어도 이 문제에 대해 국민한테 자기 의견을 말하는 것이 도리라고 생각합니다. 이후에 새로이 후보가 되겠다고 선언하는 분이 있다면 그 선언을 할 때 항상 이런 점에 대해 입장을 밝히는 것이 맞겠지요. 양당이 당론으로 공약하면 새로이 등장하는 후보가 거역하기는 어렵지 않겠나 생각합니다. 우리가 신뢰할 만한 정치적 상황을 조성하면서 그렇게 정치를 좀 책임 있게 해 가자는 주장입니다.

질문 : 지난 1월 9일 대통령께서는 대국민 담화를 통해 개헌 방침을 발표하셨는데 발의 시점이 당초 3월 초에서 4월 초까지 얘기되고 있었습니다. 단순히 공론화 과정이 필요하다는 이유에서 지연되는 것인지 모르겠습니다만, 오늘 시안이 발표됐기 때문에 정확한 발의 시점을 밝히는 것이 필요하지 않나 생각됩니다. 국회 의결과 국민투표 과정을 고려하고 각 당 경선 과정 등을 감안할 때 대통령께서 생각하시는 개헌 추진이 과연 가능한지 구체적인 설명을 부탁드립니다.

대통령 : 제가 1월 9일 담화에서 개헌을 제안했는데, 3월 초 정도면 충분히 공론이 수렴될 것으로 보았습니다. 그런데 논의 자체가 잘 일어

나지 않고 지금도 계속해 소방수 불 끄듯이 논의를 자꾸 끄고 있지요? 일부 언론들도 그렇고요. 그러니까 자연히 논의가 늦어진 만큼 시간이 조금 늦어진 것이라고 판단하시면 별로 이상하게 보이지는 않을 것입니다. 그래서 논의를 조금 더 활발하게 하자는 뜻으로 오늘 새로운 제안을 드리는 것이지요.

다음 정부에서 하겠다는 확약에 가까운 제안이 나온다면 저는 물론 받을 것입니다만, 그러나 왜 다음 정부인지를 아울러 설명해야 될 것이고, 어쨌든 지금 정부냐 다음 정부냐 하는 공론이 얼마 동안 진행되고, 또 계속해서 다음 정부를 주장한다면 저는 그것을 받아들일 것입니다. 논의도 충분히 하고 결정도 개헌이라는 목표의 성사가 좀더 가능하도록 한 번 해보자, 그런 과정으로 이해해 주시기 바랍니다. 그리고 시간이 있느냐 없느냐 하시는데, 극단적으로 한번 제가 비교해 보지요. 극단이지 아닌지 모르겠습니다만, 1987년을 예로 들면 그때는 개헌 발의가 8월께 되어 10월에 개헌이 이루어지고, 그리고 12월에 대통령 선거를 했습니다. 그래도 대통령 선거 기간이 모자랐다는 느낌보다는 대통령 선거를 정말 지겹게 했다는 느낌을 저는 가지고 있습니다. 꼭 20년 전이지요. 때문에 4월 발의가 늦다고 해야 될 이유가 없을 것 같고, 4월에 발의를 하면 실질적인 결판은 국회 의결 시한인 60일 내, 그러면 6월 초순이 되겠지요? 4월 초에 한다면, 너무 빨리 결판이 나는 것 아닌가요? 뭐 그 이후에도 대통령 선거 시간은 충분할 것입니다.

질문 : 개헌을 제안하실 때 '차기 정부 개헌은 대통령과 국회의원 둘

중의 임기를 줄여야 하기 때문에 사실상 불가능하다. 그래서 이번을 넘기면 20년을 기다려야 된다. 그래서 대통령께서는 발의가 가결되든 부결되든 이번에 하는 것이 역사적 책무다.'라고 하셨는데, 오늘은 '차기 주자들이 개헌을 약속하면 개헌 발의를 유보하겠다'고 하셨습니다. 이는 그동안의 말씀과 모순되지 않느냐는 문제가 나올 것 같은데 여기에 대해서 답변해 주시기 바랍니다. 그리고 제 정당 대표와 대선후보 희망자가 개헌을 약속한다면 발의를 유보하겠다고 하셨는데, 대통령께서도 잘 아시다시피 지금 한나라당 내에는 이른바 빅3가 있지만, 범여권 내에서는 사실상 후보가 없는 상황입니다. 이런 정당 구조와 지금 후보 간 경쟁 구조 속에서 대통령께서 제안하신 것은 사실상 이 구조가 계속 간다고 하는 전제하에서 말씀하신 것인데, 그런 정치적 인식에 대해서 말씀해 주시기 바랍니다.

대통령 : 차기 정부에서는 개헌이 불가능하다, 이것은 제 인식이 맞습니다. 다만 차기 정부에서 개헌이 가능하려면 다음 대통령의 임기를 조정해야 된다는 것이지요. 그때만 차기 정부에서도 개헌이 가능해지는 것 아니겠나, 그래서 차기정부에서의 개헌은 모든 경우에 따라 불가능하다는 것이 아니고 임기를 조정하지 않으면 불가능하다는 것입니다. 또 지난번에도 거짓말 했으니까 또 거짓말 하면 어떻게 할 것이냐, 이 두 가지 문제가 있거든요. '차기 정부에서 하자'라고 말했다가 안 할 경우에는 무게가 없지 않습니까? 이전에도 말했다가 다 뒤집었듯이 개인적 발언, 국회에서 대표 연설을 하면서 말한 것을 바로 당론이라고 말할 수 없는

것이지요. 그러니까 이렇게 가면 차기 정부에서도 안 된다고 생각한 것입니다.

그런데 제가 말씀드린 대로 임기 단축 공약이 있고 그 다음에 당론을 수렴해 결정한 후 당론으로 발표를 하면 뒤집기가 어려울 것 아니겠는가라고 생각합니다. 지금까지 개헌해야 된다는 주장은 많이 있었지만 전부 다 개인적인 발언이었습니다. 그러니까 지켜지지 않는 면도 있다고 생각되고요. 그래서 움직일 수 없는 공약으로 하자는 것입니다. 그리고 임기 단축의 문제도 분명하게 해 달라는 것입니다. 이 얘기도 제가 안 할 텐데 한나라당이 자꾸 차기 정부, 차기 정부 하니까 차기 정부에서 하려면 바로 이와 같은 요건이 갖추어 줘야 우리가 믿을 수 있지 않겠느냐, 그런 질문을 던지는 것과 별 다름이 없습니다. 그것을 분명하게 해 달라는 것이지요. 그리고 후보가 없다고 하셨는데 후보가 왜 없습니까? 이미 사실상 활동을 하고 있는 사람이 있지요? 여론 조사상 지지도가 높지 않다는 것뿐입니다. 그것은 몇 번 더 바뀔 수 있습니다. 후보가 없다는 것은 좀 속단인 것 같고 후보가 나오고 지지도도 여러 번 엎치락뒤치락할 것입니다. 그런데 여당, 지금은 아니지요. 얼마 전까지 여당이었는데 제가 당적이 없으니까요. 열린우리당은 개헌을 하자는 쪽이지요. 하자는 쪽이니까 그 당에서 후보가 나오면 이 문제에 대해서는 쉽게 정리하지 않겠습니까? 또 지금 후보로 자천타천으로 거론되는 사람들에게 여러분께서 물어보시지 않겠습니까? 어차피 이 부분은 정리가 될 것이라고 생각합니다.

한나라당에는 지금 후보가 많은데 그분들은 다 대답을 하시겠지요? 적어도 당에서 당론을 내놓는다면 '나는 모른다.' 그렇게 할 수도 있겠고, 그럴 경우에는 그럴 경우대로 저는 대응하겠습니다만, 저는 충분히 대답이 있으리라고 생각합니다. 저는 이 제안에 대해 한나라당과 또 나머지 정당들이 다 응답해 주기를 바랍니다. 만일 응답을 안 한다면 적어도 다음 정부에서 한다고 기왕에 그렇게 발표했으니까 다음 정부에서 안 하겠다든지, 한다고 하면 좀 믿을 만한 구체적인 그런 대안을 제시해 주길 바라는 것이지요. 그것이 국민들 앞에 책임 있는 자세라고 생각합니다. 왜냐하면 그 말을 믿고 많은 국민들이 다음 정부에서 하는 것이 좋겠다는 의견을 가지고 있는데, 국민들은 일일이 저처럼 하나하나 따지면서 깊이 생각하지 않기 때문에 말씀하시는 것만 듣고 판단할 수도 있습니다. 제가 보기에는 그렇게 해서는 다음 정부에서는 안 된다, 다음 정부에서 정말 할 마음이 있다면 제가 제안을 한 대로 구체적으로 내용을 밝혀 달라, 그런 얘기입니다. 신뢰성 있는 약속으로 해 달라는 것이지요. 아직 신뢰성 있는 약속이 나오지 않았는데, 국민들은 그것을 마치 약속인 것으로 오인하고 다음에 하면 될 줄로 아는 분들이 많아 이 상황을 좀 명확하게 하고, 그리고 그냥 개헌 자체를 반대하면 그냥 반대하든지, 다음 정부에서 한다면 실현 가능한 좀 믿을 만한 대안을 내 달라는 뜻도 포함돼 있습니다. 그렇게 되면 국민들은 다시 속는 일이 없을 것이고 저와도 적당하게 타협이 이루어질 수 있는 것이지요.

제 임기 동안에 개헌이 이루어지는 것보다는 못하지만 그만해도 무엇인가 예측 가능한 미래를 내다볼 수 있지 않겠습니까? 우리 헌법 이대로는 안 됩니다. 정말 안 됩니다. 저는 거기에 대해 미래를 보고 싶은 것입니다. 소위 잘못된 제도들, 좀 모자라는 제도들을 어떻게 만들어 갈 것인가에 대해서 미래를 보고 또 맞춰 가고 싶은 것이지요. 저도 따로 더 말씀드리지 않겠습니다만, 아마 처음 말씀드린 것, 답변드린 것으로 내용은 충분하리라고 생각합니다.

감사합니다.

투명사회협약 대국민 보고회 연설

2007년 3월 9일

안녕하십니까?

투명사회협약을 체결한 지 꼭 2년 만에 여러분과 다시 만나게 되었습니다. 그동안 여러분 모두 수고 많으셨습니다. 투명사회협약은 국가적으로 대단히 상징적이고 중요한 의미를 가지고 있습니다. 우선 정부수립 이후 처음으로 시민사회·경제계·정치권·정부 모두가 함께 참여해서 체결한 사회적 약속입니다. 더욱이 시민사회가 앞장서고 사회 각계가 흔쾌히 호응해서 이루어졌다는 점에서 참여민주주의 시대의 협력적 거버넌스의 모델을 만든 것입니다. 또한 단순한 선언에 그치지 않고 구체적인 실천과 제도화, 평가로까지 이어지고 있다는 것도 그 의미가 크다고 하겠습니다. 앞서 이행평가를 보며 조금은 인색한 것이 아닌가 하는 생각도 듭니다. 만족할만한 수준은 아니라도 나름대로 큰 성과를 거두었다고 생각합니다. 국제투명성기구나 APEC과 같은 국제사회가 우리나라를 반부패 민관 협력의 모범사례로 인정한 것만 봐도 알 수 있습니다. 앞으로 이 같은 모델이 더욱 발전하고 다른 분야로까지 확산되기를 바라며, 여러분의 노고에 거듭 감사드립니다.

참석자 여러분,

지난 몇 년 사이 우리 사회의 투명성이 크게 높아졌습니다. 대통령의 권력이 낮아지고 권력기관이 민주화되면서 부패의 온상이었던 정경유착의 고리가 끊어졌습니다. 돈 달라고 하지 않고 청탁도 없어서 기업인들 속이 편해졌다는 말을 듣고 있습니다. 그만큼 기업의 탈법과 특혜도 확실히 줄었습니다. 게이트라는 이름을 붙여가며 실체도 없는 의혹을 부풀리기도 했지만, '측근' '가신' '친인척'이란 말로 상징되는 권력형 부정부패도 사라졌습니다. 인사 문제도 추천에서 검증에 이르기까지 투명하게 제도화되었습니다. 이른바 밀실인사·비선인사도 없고, 지난날 잡음이 많았던 군이나 경찰 인사도 뒷말이 나오지 않습니다. 선거가 깨끗해진 것은 우리가 잘 아는 대로입니다. 조금 전 서명식을 보면서 올해 대통령 선거 때도 한 걸음 더 나아갈 수 있겠구나 하는 믿음이 생깁니다.

우리 기업의 84%가 윤리경영헌장을 채택했고, 정부도 투명하고 신뢰받는 정부를 만들기 위해 혁신에 박차를 가하고 있습니다. 이렇게 해나가면 오늘 '투명사회 비전'에서 밝힌 바와 같이 투명성과 신뢰도 등 모든 면에서 10년 안에 세계 최상위 수준으로 올라설 수 있을 것입니다.

존경하는 참석자 여러분,

투명사회는 선진한국을 위해 우리가 반드시 가야 할 길입니다. 경제적으로만 보면 우리는 이미 선진국 문턱에 바싹 다가섰습니다. 문제는 사회적 자본입니다. 사회적 자본이 충실한 사회라야 경쟁력이 높아집니다. 신뢰가 바로 선 사회, 통합이 잘되는 사회가 그런 사회입니다.

그리고 이러한 신뢰와 통합의 기본이 되는 것이 투명성입니다. 투명해야 신뢰가 쌓이고 신뢰가 쌓여야 함께 힘을 모을 수 있기 때문입니다. 선진경제의 조건인 자유롭고 공정한 시장 시스템도 투명한 사회의 토대 위에서 가능한 일입니다. 그러나 투명사회로 가는 길에는 여전히 어려운 과제들이 가로놓여 있습니다. 사회적 합의에도 불구하고 고위공직자 비리조사 기구가 제도화되지 못하고 있고, 사회지도층의 책임성도 아직 국민의 기대에 못 미치고 있습니다. 지방자치단체의 견제와 균형시스템, 언론과 시민단체의 보다 책임 있는 자세도 필요합니다. 저는 잘 될 것으로 믿습니다. 시작도 좋았고 지난 2년 동안 잘해 오셨습니다. 좀더 속도를 냅시다. 경제와 민주주의에서 기적을 이룬 것처럼 투명사회에서도 세계의 모범이 됩시다.

감사합니다.

국제기자연맹 특별총회 개막식 축사

2007년 3월 12일

존경하는 에이든 화이트 사무총장, 한국기자협회 정일용 회장, 그리고 내외 귀빈 여러분,

국제기자연맹 특별총회의 개막을 축하드립니다. 세계 70개 국에서 오신 기자 여러분을 진심으로 환영합니다. 자유와 정의, 그리고 지구촌의 평화를 위해 노력하고 계신 국제기자연맹과 기자 여러분께 깊은 감사와 경의를 표합니다.

내외 귀빈 여러분,

국제기자연맹 역사상 처음으로 열리는 특별총회의 주제가 '한반도의 평화와 화해'라는 사실은 매우 뜻 깊은 일입니다. 금강산과 개성으로 이어지는 일정 또한 한반도 문제를 깊이 있게 이해하고자 하는 여러분의 사려 깊은 선택으로 생각됩니다. 과거에는 학자나 언론인들이 우리나

라를 방문하면 냉전과 분단의 현장인 판문점을 먼저 찾았습니다. 그런데 이번에는 남북 화해협력의 상징인 금강산과 개성공단을 방문합니다. 참으로 큰 변화가 아닐 수 없습니다. 작년 10월, 북한이 핵실험을 감행했을 때 우려와는 달리 우리 주식시장이나 국가신용도는 별다른 영향을 받지 않았습니다. 국민들도 생필품을 사재기하는 일 없이 차분하게 생업에 종사했습니다. 이 또한 남북관계의 변화를 잘 보여 주는 하나의 예라고 하겠습니다. 참여정부는 그동안 북핵문제의 평화적 해결, 남북 간 신뢰 구축과 실질적인 관계 진전을 위해 유연하면서도 일관된 원칙에 따라 대북정책을 추진해 왔습니다.

분단 이후 처음으로 장성급 군사회담이 열린 것을 비롯해 국민의정부 5년간 83회 열렸던 남북회담이 참여정부 4년간 119회로 늘어났습니다. 투자 보장, 이중과세 방지 등 남북 간 경제협력을 제도적으로 보장하는 13개 합의서도 발효되었습니다. 남북 간 교역이 참여정부 들어 두 배 이상 늘어났고, 지난 한 해 금강산 관광을 제외하고도 10만 명 이상이 남북을 오갔습니다. 금강산 관광객은 지난해까지 140만 명에 이릅니다. 남북을 잇는 경의선과 동해선도 올 상반기에 시범 운행될 것입니다.

무엇보다 남북관계 변화를 상징적으로 보여주는 것은 개성공단입니다. 지금 개성공단에서는 1만 1천여 명의 북한 근로자가 우리 기업인과 함께 땀 흘리고 있고, 앞으로 1단계 사업이 완료되면 7만 명 규모로 늘어날 것입니다. 핵심적인 군사 요충지였던 이 지역이 한민족 경제협력의 중심으로 바뀌고 있는 것입니다.

참석자 여러분,

그러나 한반도 평화와 남북 관계를 한 단계 더 높은 차원으로 끌어올리기 위해서는 우선 북핵문제가 해결되어야 합니다. 그것도 평화적으로 해결되어야 합니다. 그리고 한반도 정전체제를 평화체제로 전환해야 합니다. 나아가 동북아시아 지역에 통합과 협력의 질서를 만들어 나가야 합니다. 우리 정부는 이러한 전략적 구상 속에서 북핵문제를 한반도와 동북아 평화 전반에 걸친 문제로 다루어 왔습니다. 이러한 관점은 단순히 핵을 폐기하는 차원을 넘어서 동북아의 평화와 안보 문제를 보다 본질적이고 구조적으로 해결하고자 하는 구상에 근거한 것입니다.

2005년 9·19공동성명에 이르기까지 한국은 한·미정상회담, 대북특사 파견, 대북지원 중대 제안 등을 통해 꾸준히 북한과 미국 양측을 설득해 왔습니다. BDA문제·미사일·핵실험으로 6자회담이 열리지 못하는 상황에서도 '공동의 포괄적 접근방안'을 추진하기로 미국과 합의하는 등 적극적인 노력을 기울여 왔습니다. 다행히 지난달 13일에 의미 있는 합의가 이루어졌습니다. 2·13합의는 한반도 비핵화뿐만 아니라 북·미, 북·일 관계 정상화, 한반도 평화체제 구축, 동북아 평화안보체제 형성을 위한 기본적인 조치들을 담고 있습니다. 이 합의가 제대로 실천된다면 북핵문제 해결은 물론 동북아에서 60년 만에 냉전을 대체하는 새로운 평화질서가 만들어지게 될 것입니다. 우리 정부는 2·13합의가 성실히 이행될 수 있도록 앞으로도 적극적인 역할을 다해 나갈 것입니다. 이미 북한과 미국, 북한과 일본 사이에 관계 정상화를 위한 초보적 논의가 시작되었습니다. 우리는 이들 논의가 성공하도록 최선의 노력을 다할 것입니다.

저는 6자회담이 북핵문제 해결 이후에도 북핵문제를 푼 경험과 역량을 바탕으로 동북아시아의 평화안보협력을 위한 다자간 협의체로 발전해 가야 한다고 생각합니다. 이 협의체는 군비 경쟁의 위험성이 높은 동북아에서 군비를 통제하고 분쟁을 중재하는 항구적인 다자안보협력체로서 기능하게 될 것입니다. 나아가 안보 문제만이 아니라 경제·외교·환경 등 다양한 문제들이 이 협의체에서 논의될 수 있을 것입니다.

그렇게 되면 이 지역 경제는 통합적 구심력이 증대하면서 더 큰 발전을 이루고, 동북아의 한가운데에 위치한 한반도는 확고한 평화체제의 기반 위에서 동북아시아의 평화와 번영을 이끄는 중심축이 될 것입니다.

내외 귀빈 여러분,

한반도와 동북아의 미래를 위한 우리의 노력이 성공적인 결실을 맺기 위해서는 국제사회, 특히 그중에서도 언론의 역할이 중요할 것입니다. 언론이 무엇을 가정하고 어떻게 말하느냐에 따라서 우리의 미래가 결정될 수 있습니다. 대결과 불신을 얘기하면 위기가 고조될 것입니다. 평화와 화해를 얘기하면 또 현실이 그와 같은 방향으로 갈 수 있을 것입니다. 한반도 문제도 마찬가지입니다. 우리는 지난날 끊임없는 대결과 근거가 박약한 충돌의 가정이 한반도와 주변 세계에 불안과 혼란을 초래했던 여러 번의 경험을 기억하고 있습니다. 어떤 가정이든 그것은 언론의 자유로운 판단이라 할 것입니다. 그러나 한국 국민에게는 안전과 생존이 걸린 문제입니다. 그런 점에서 민감한 안보 문제에 관한 보도는 각별히 신중한 접근을 부탁드리고 싶습니다.

이번 특별총회가 한반도에 화해와 협력의 분위기를 더욱 확산시키고 동북아시아의 평화와 공동번영을 위한 좋은 계기가 될 것으로 믿습니다. 아울러 우리 한국이 열심히 준비하고 있는 평창동계올림픽과 여수세계박람회에 대해서도 여러분의 많은 관심을 부탁드립니다. 여러분 모두 뜻깊고 보람된 시간 보내시기 바랍니다.

지금 대한민국의 정부는 친미정부입니다. 그런데 그 정부의 대통령이 지켜보는 가운데 한국기자협회 회장께서는 미국을 비판할 수 있습니다. 우리나라의 언론자유에 대해 저는 자부심을 가지고 있습니다. 현장을 여러분께서 그런 의미로 지켜봐 주시길 부탁드리면서 저의 인사 말씀을 마치겠습니다.

감사합니다.

제43회 한일·일한 협력위원회 합동총회 축하 메시지

2007년 3월 14일

존경하는 나카소네 야스히로 일·한협력위원회 회장, 남덕우 한·일 협력위원회 회장, 그리고 양국 위원 여러분,

한·일, 일·한 협력위원회 합동총회가 도쿄에서 열리게 된 것을 진심으로 축하합니다. 아울러 양국 간의 선린우호와 교류협력을 증진하기 위한 위원 여러분의 노력에 감사드립니다. 우리 두 나라는 1965년 국교 정상화 이후 경제협력을 비롯한 여러 분야에서 긴밀한 이웃으로 발전해 왔습니다. 작년 한 해 동안 460만 명의 양국 국민들이 왕래할 정도로 인적, 문화적 교류가 폭넓게 확대되고 있습니다. 그러나 우리 두 나라가 정말 좋은 이웃이 되기 위해서는 풀어야 할 문제들이 많습니다. 무엇보다 역사적 진실을 존중하고 이를 뒷받침하는 실천이 중요합니다. 이를 통해 양국이 한 차원 더 높은 동반자 관계로 발전해 나가야 할 것입니다.

지난 달, 6자회담에서 이뤄진 '2·13합의'는 북핵문제 해결은 물론 동북아에 협력과 통합의 질서를 구축해 가는 계기가 될 것입니다. 앞으로 우리 두 나라가 긴밀한 협력을 통해 이번 합의를 성공시켜 가는 데 크게 기여할 것으로 믿습니다. 그런 점에서 양국의 지도자들이 한자리에 모인 이번 총회에서 동북아 정세와 한·일협력에 관해 논의하게 된 것을 뜻 깊게 생각하며, 좋은 성과가 있기를 바랍니다.

양국 협력위원회의 무궁한 발전을 기원합니다.

3·15의거 제47주년 기념 메시지

2007년 3월 15일

3·15의거 47주년을 매우 뜻 깊게 생각하며, 민주주의 발전을 위해 희생하신 분들의 명복을 빕니다. 마산시민과 경남도민 여러분께 깊은 존경과 감사의 말씀을 전합니다. 3·15의거는 우리 민주주의 역사에 길이 남을 기념비입니다. 자유·민주·정의의 3·15정신은 4· 19혁명으로 뜨겁게 타올랐고, 부마항쟁과 5·18민주화운동, 6월항쟁으로 이어져 오늘 우리가 누리는 민주주의의 밑거름이 되었습니다. 이제 대한민국은 세계가 인정하는 민주주의 나라가 되었습니다. 특권과 권위주의 청산, 정경유착 해소, 선거문화를 비롯한 사회 전반의 투명성에 이르기까지 많은 변화와 발전을 이루어냈습니다.

이러한 민주주의의 진전 위에서 우리는 자유롭고 공정한 시장을 발전시켜 가고 있고, 창의와 다양성을 꽃피우며 21세기 지식기반경제를 이끌고 있습니다. 양극화와 저출산·고령화 같은 도전에 제대로 대응해 나간다면 머지않아 우리는 명실상부한 선진국에 진입하게 될 것입니다. 그러기 위해서는 반드시 해야 할 일이 있습니다. 속도 경쟁의 시대에 맞춰 필요한 변화를 제때 제때 이뤄 내야 합니다. 생각과 입장이 다르더라도 국가의 장래를 위해 꼭 필요한 일이라면 대화하고 타협해서 결론을 내고, 힘을 하나로 모아 가야 합니다. 그래야 성공하는 대한민국을 만들어 갈 수 있습니다. 시대적 소명을 앞장서 실천해 온 마산시민과 경남도민 여러분께서 이 일에 적극적인 역할을 해주실 것으로 믿습니다.

여러분 모두의 건강과 행복을 기원합니다.

제42기 육군3사관학교 졸업 및 임관식 치사

2007년 3월 16일

친애하는 육군3사관학교 42기 졸업생 여러분, 학부모님과 내외 귀빈 여러분,

오늘 명예로운 대한민국 육군 장교로 출발하는 여러분의 졸업과 임관을 진심으로 축하합니다. 당당하고 패기 넘치는 여러분의 모습을 보니 정말 자랑스럽고 마음 든든합니다. 고된 교육 과정을 훌륭히 이겨 내고 조국을 위해 헌신할 것을 다짐한 여러분의 충정에 아낌없는 신뢰와 격려의 박수를 보냅니다. 오늘이 있기까지 열과 성을 다해 지도해 온 학교장 김일생 장군을 비롯한 교수와 훈육관 여러분, 수고 많았습니다. 장한 아들딸을 나라에 맡겨 주신 부모님들께 마음으로부터 감사와 축하의 말씀을 드립니다.

졸업생 여러분,

참여정부의 지난 4년은 중대한 안보 현안에 대한 선택과 결단의 시기였습니다. 제가 취임할 당시 북핵 위기는 무력 제재의 가능성까지 거론될 만큼 최고조에 달해 있었습니다. 뿐만 아니라 이라크 파병, 한·미동맹 재조정과 같은 어려운 선택이 기다리고 있었습니다. 용산 미군기지 이전과 전시작전통제권 전환, 국방개혁도 더 이상 미룰 수 없는 과제였습니다. 이러한 상황에서 참여정부는 평화와 경제를 위한 안보, 우리 힘으로 지키는 안보, 국민을 불안하게 하지 않는 조용한 안보, 그리고 동북아의 미래를 내다보는 안보를 추진해 왔습니다.

무엇보다 한반도의 평화와 안전을 최우선에 두고, 북핵문제의 평화적 해결과 남북관계의 안정적 관리에 최선을 다해 왔습니다. 2·13합의는 북핵 폐기는 물론 한반도의 평화체제 구축과 동북아시아에 협력과 통합의 질서를 여는 계기를 마련했다는 점에서 그 의미가 매우 큽니다. 한·미동맹 또한 일방적인 의존관계에서 벗어나 건강한 상호관계로 변화해 가고 있습니다. 20년 전부터 공약만 하고 미뤄 온 용산 미군기지 이전과 전시작전통제권 전환에 합의했습니다. 앞으로 한·미동맹은 미래의 안보환경에 부합하는 강력하고 효율적인 공동방위체제로 발전해 나갈 것입니다.

우리의 자주적 방위 역량도 한층 강화되고 있습니다. 수십 년간 계획만 무성했던 국방개혁을 법으로 만들고, 군 스스로가 앞장서서 추진해 가고 있습니다. 국방비를 연평균 8.7% 수준으로 꾸준히 늘리고, 최신예 전차와 구축함, 초음속 고등훈련기를 우리 손으로 개발해 전력의 첨단화를 이뤄 가고 있습니다. 아울러 병영생활관과 간부숙소의 현대화, 군

의료서비스의 개선 등 처우와 복무 여건 향상도 국방개혁의 중심과제로 추진하고 있습니다. '국방개혁 2020'이 성공적으로 마무리되면, 우리 군은 어떤 상황에도 신속하고 완벽하게 대비할 수 있는 선진정예강군으로 거듭나게 될 것입니다. 지난달에 발표한 병역제도 개선 방안도 이러한 정예강군 육성의 초석이 될 것입니다. 전문성을 갖춘 유급지원병을 늘리면서 의무 복무기간을 단축해서 청년 인적 자원을 효율적으로 활용하고, 예외 없는 병역의무 이행으로 형평성을 제고하게 될 것입니다.

신임장교 여러분,

이곳 충성대는 대한민국 정예 장교의 요람입니다. 창설 이래 지금까지 14만 명의 정예 장교를 길러 냈고, 지금도 육군 장교의 절반 이상이 여러분의 선배들입니다. 여러분의 어깨 위에 우리 국민의 안전과 조국의 미래가 놓여 있습니다. 선배들이 쌓아 온 충성대의 명예로운 전통을 더욱더 빛내 주기를 당부합니다. 나와 우리 국민은 늘 자랑스러운 마음으로 여러분을 지켜볼 것입니다. 졸업과 임관을 거듭 축하하며, 무운과 영광이 함께하길 기원합니다.

감사합니다.

사우디 국왕자문회의 연설

2007년 3월 25일

존경하는 살레 빈 호마이드 의장, 그리고 국왕자문회의 의원 여러분,

여러분의 환대에 감사드리며, 우리 국민이 전하는 따뜻한 우정의 인사를 드립니다. 저는 오늘 이슬람의 발상지이자 13억 무슬림의 대표 국가인 사우디아라비아의 국왕자문회의 의사당에 서게 된 것을 영광스럽게 생각합니다. 사우디아라비아 국민의 대표인 의원 여러분을 만나게 되어 매우 기쁩니다. 사우디는 척박한 자연환경을 극복하고 중동·이슬람 문화를 세계사의 한 축으로 발전시켜 왔습니다. 아시아와 유럽이 만나는 이곳에서 탄생한 이슬람은 동서양을 융합한 새로운 문명으로 발전했으며, 유럽에 과학과 의학·수학을 전파하는 등 세계 문명의 진보에 크게 기여해 왔습니다.

사우디아라비아 건국의 아버지 압둘 아지즈 국왕을 비롯한 선왕들

의 눈부신 업적과 압둘라 국왕의 탁월한 지도력에 경의를 표합니다. 특히 압둘라 국왕께서 국민통합을 바탕으로 정치안정과 경제 발전, 국민복지 증진, 그리고 중동지역의 평화를 위해 기울여 온 노력을 높이 평가합니다. 저는 사우디아라비아가 앞으로도 중동의 중심국가로서 더 큰 번영을 이뤄 나갈 것으로 확신합니다.

의원 여러분,

우리 두 나라는 광대한 아시아 대륙의 동쪽과 서쪽 끝머리에 있음에도 불구하고 이미 오래 전부터 실크로드를 통해 교류해 왔습니다. 1300년 전, 한국의 고승 혜초는 중동을 다녀오면서 '왕과 백성들은 음식을 먹는 데도 귀천을 가리지 않는다.'는 기록을 남겼고, 도자기와 음식 등 다양한 우리 문화 속에서 교류의 자취를 볼 수 있습니다. '코리아'라는 이름도 아랍 상인을 통해 서방에 전해졌습니다. 우리 국민들이 가장 즐겨 마시는 소주라는 술도 아랍에서 유래된 것으로 알고 있습니다. 우리 두 나라는 1962년 수교 이후 정치·경제 등 여러 분야에서 긴밀한 우방국으로 발전했습니다. 지금 한국은 사우디아라비아의 세 번째 수출시장이며, 사우디아라비아 또한 한국의 첫 번째 원유 공급국이자 건설시장이 될 정도로 서로에게 꼭 필요한 나라가 되었습니다. 양국 간 실질협력 확대의 결정적 계기는 역시 1970년대의 건설협력일 것입니다. 파이잘 국왕 시절 젯다~메카 고속도로, 주베일 항만 등 이곳의 건설 현장에서 우리 근로자들이 흘린 구슬땀이 양국 간 우정의 밑거름이 되었다고 생각합니다. 당시 한국의 경제 성장에도 큰 힘이 되었다는 것은 두말할 필요가 없을 것입니다.

오늘날 한국에는 십여 개의 이슬람 성원과 수만 명에 이르는 무슬림 신자들이 있습니다. 한국의 이슬람 공동체는 다원화된 한국사회의 존경받는 일원으로 자리를 잡았으며, 최근 들어 이슬람과 중동에 대한 사회적 관심도 한층 커지고 있습니다. 한국의 이슬람 공동체가 성장하는 데에는 사우디의 역할이 큽니다. 한국의 이슬람 지도자들은 사우디의 '메디나 대학'이나 '킹 사우드 대학'에서 유학하고 있으며, 올해부터 사우디의 국비 유학생들도 한국에서 공부하게 됩니다. 이들은 양국의 훌륭한 가교가 될 것으로 믿습니다.

의원 여러분,

어제 저는 압둘라 국왕과 정상회담을 갖고 양국 간 실질협력 확대와 함께 동북아시아와 중동지역에 평화를 정착시키기 위한 방안에 대해 깊이 있게 논의했습니다.

저와 압둘라 국왕은 이들 지역의 갈등과 대립은 결코 숙명이 아니라 극복해야 할 도전이며, 시간이 걸리더라도 외교적인 노력을 통해 평화를 달성해야 한다는 데 인식을 같이했습니다. 또 반드시 달성할 수 있다는 믿음을 나누었습니다.

지금 동북아시아와 중동에서는 평화 구축을 위한 각고의 노력이 진행되고 있습니다. 우선 한반도와 동북아 평화의 큰 걸림돌이었던 북핵문제가 6자회담을 통해 해결의 가닥이 잡혔습니다. 지난 2월 13일 합의한 한반도 비핵화와 북·미, 북·일 관계 정상화, 경제·에너지 협력, 동북아 다자안보체제 협의 등은 그 의미가 매우 큽니다. 북핵문제 해결뿐만 아니라 한반도의 평화정착과 동북아시아에 협력과 통합의 질서를 열어 가는 계기가 될 것입니다. 한국은 그동안 북핵문제를 대화를 통해 해결한다는 일관된 원칙을 가지고 주도적인 역할을 해 왔습니다. 6자회담이 난관에 봉착할 때마다 적극적인 대안을 제시하며 이번 합의를 이끌어냈습니다. 이번 합의가 반드시 이행되어 동북아시아, 나아가 세계의 평화에 기여할 수 있도록 최선을 다할 것입니다. 아울러 사우디를 비롯한 국제사회의 한결같은 지지가 많은 도움이 되었다고 생각하며 감사드립니다. 사우디아라비아 또한 이슬람과 아랍권의 핵심 국가로서 역내 평화 구축을 위해 많은 노력을 기울여 왔습니다. 과거 레바논 사태를 해결하기 위한 '타이프 협정'을 주도했고, 팔레스타인 문제를 풀어 가는 과정에서도 큰 몫을 담당해 왔습니다. 그리고 이번 주에 리야드에서 개최되는 아랍연맹정상회의도 사우디의 주도적인 역할로 좋은 성과를 거둘 것으로 확신합니다. 최근 이라크 상황과 이란 핵문제 등은 국제사회에 많은 우려를 안겨주고 있습니다. 우리는 중동 문제가 대화와 협상을 통해 평화적으로 해결될 수 있기를 희망하며, 특히 사우디 지도자들의 지혜와 경륜에 큰 기대를 걸고 있습니다.

의원 여러분,

저는 오늘 중동의 국제 정치적, 경제적 위상을 주목하면서 우리나라와 중동 간의 전방위적 우호협력 관계 구축을 위한 '21세기 한·중동 미래협력 구상'을 밝히고자 합니다. 중동지역은 21세기 들어서도 막대한 에너지 공급 능력과 구매력으로 세계 경제 성장의 핵심 동력이 되고 있습니다. 우리에게 있어서도 중동지역은 원유 도입의 82%, 건설·플랜트 수주의 63%, 교역량의 12%를 차지할 만큼 매우 중요한 협력 파트너입니다. 우리는 중동지역이 분쟁과 갈등을 하루속히 해소하고 평화와 공동번영의 길로 나아갈 수 있도록 국제사회와 함께 적극 협력하고자 합니다. 아울러 사우디를 비롯한 중동 국가들과 경제협력을 확대하고 서로의 문화에 대한 공감대를 넓히기 위해 최선을 다해 나갈 것입니다. 이를 위한 구체적인 방안으로서 다음과 같은 사업들을 적극 추진해 나가고자 합니다.

첫째, 경제협력 확대의 틀로서 한국과 GCC 간 자유무역협정을 추진하고자 합니다. 한·GCC FTA가 체결될 경우 양측 모두에게 큰 혜택을 가져다 줄 것으로 생각하며, 올해 안에 GCC 측과 협상 개시를 위한 절차에 착수할 것입니다.

둘째, 한국은 중동의 탈석유 산업화 노력을 높이 평가하며, 이를 위해 필요한 인적 자원 개발에 적극 기여하고자 합니다. 아울러 중동의 발전 전략에 도움이 된다면 한국의 경제 발전 과정에서 축적된 경험을 기꺼이 공유하고자 합니다.

셋째, 한국과 중동 국가 간의 활발한 문화 교류가 이루어지기를 기대합니다. 이를 위해 정부와 기업·언론·종교계·학계가 공동으로 참여하는 문화교류 프로그램을 추진하고자 합니다. 그래서 서로의 문화가 새롭게 조명되고 양 지역 국민간의 상호이해가 제고될 수 있기를 희망합니다.

넷째, 기존의 연례 한·중동 협력포럼을 확대·강화할 계획입니다. 앞으로 이 포럼을 양 지역 정부의 고위 인사와 기업인들이 참석하여 미래를 함께 설계하는 실질적 교류의 장으로 더욱 발전시켜 나갈 생각입니다. 저의 이와 같은 미래협력 구상이 성공할 수 있도록 사우디아라비아의 적극적인 협력과 지원을 기대합니다.

존경하는 의원 여러분,

우리 두 나라 간 우호협력 관계를 한층 더 발전시키기 위해서는 국민의 대표인 의원 여러분의 역할이 매우 중요하다고 생각합니다. 의원친선협회를 중심으로 양국 의회 간의 교류협력이 더욱 확대되기를 바랍니다. 우리 두 나라의 먼 조상들이 친구였듯이 우리도 새로운 동반자로 다시 만나고 있습니다. 숱한 도전을 극복해 온 지혜와 용기로 우리 두 나라가 21세기 공동번영의 미래를 향해 굳게 손잡고 나아가기를 기대합니다.

"슈크란 좌질란(대단히 감사합니다)."

한·사우디 경제인 오찬간담회 연설

2007년 3월 25일

존경하는 압둘 라흐만 알 라쉬드 상의연합회 회장, 압둘 라흐만 알 안카리 경협위원장, 손경식 대한상의 회장, 김선동 경협위원장, 그리고 양국 경제인 여러분,

안녕하십니까? 초대해 주셔서 감사합니다. 제3차 경제협력위원회가 성공적으로 개최된 것을 축하드립니다. 이곳이 서울이 아닌가 착각할 정도로 한국의 대표적인 기업인들이 거의 다 오셨습니다. 사우디아라비아에 대한 우리 기업의 관심과 기대가 얼마나 큰지 알 수 있을 것 같습니다. 실제로 사우디아라비아는 우리의 네 번째 교역 상대국입니다. 원유 비중이 크기는 하지만 중국, 일본, 미국 다음입니다. 또 중동 국가 가운데 우리나라의 가장 큰 수출시장이기도 합니다. 뿐만 아니라 사우디는 세계 1위의 산유국에 머물지 않고 산업구조 다변화와 인프라 확충, 그리

고 인적 자원 개발을 통해 포스트오일 시대에 대비해 나가고 있습니다. 이 모두가 사우디를 주목하게 하는 충분한 이유가 되고 있다고 생각합니다.

사우디아라비아는 또한 한국경제가 성장하는 데 두 가지 점에서 큰 도움을 주었습니다.

첫째는 원유의 안정적인 공급입니다. 지금 한국이 쓰고 있는 원유의 1/3을 이곳에서 들여오고 있습니다. 지난해에만 175억 달러를 썼습니다. 지금까지 그래왔던 것처럼 사우디가 OPEC의 중심국으로서 국제유가 안정에 주도적인 역할을 해 줄 것으로 믿습니다. 또한 우리 에너지 산업에 대한 투자 확대와 원유 공동 비축 등을 통해 양국 간 에너지협력이 보다 장기적인 협력 관계로 발전해 나아가기를 기대합니다.

두 번째 도움은 건설협력을 통해서입니다. 특히 한국경제가 오일쇼크로 인해 어려움을 겪을 때 고마운 친구가 되어 주었습니다. 중동에서 처음으로 우리 기업에 건설시장을 열어 준 나라가 바로 사우디아라비아입니다. 1974년 젯다시의 미화공사를 맡았을 때 우리 근로자들이 횃불을 밝히고 일하는 것을 보고 파이잘 국왕께서 '저렇게 부지런한 사람들에게는 공사를 더 줘야 한다.'고 지시했다는 일화는 지금도 유명합니다.

또 20세기 최대의 역사로 불리는 주베일항만 공사 당시에도 한국에서 철골 구조물을 조립한 다음 바지선으로 운반하는 기상천외한 시도에 대해 아낌없는 신뢰와 찬사를 보내 주었습니다. 그리고 30여 년이 지난 지금, 한국 기업들은 이러한 성실함과 도전정신에 더해 세계 곳곳에서 축적한 경험과 기술을 가지고 있습니다. 사우디가 추진하고 있는 신도시 건설과 석유화학, 발전, 철도공사 등에서 가장 적은 비용으로 최고의 품질을 만들어 낼 수 있는 역량을 갖추고 있다고 생각합니다. 또 기술과 경험을 함께 나눌 준비도 되어 있습니다. 오전에 개최된 '한·중동 플랜트 심포지엄'과 수출보험협력 약정 체결 등을 계기로 건설과 플랜트 분야에서 앞으로 더 많은 협력이 이루어지길 희망합니다.

경제인 여러분,

여러분이 이곳에서 회의를 하고 있는 시간에 저는 국왕자문회의를 방문했습니다. 그리고 '21세기 한·중동 미래협력 구상'을 발표했습니다. 올해 안에 한국과 GCC 간 자유무역협상 개시를 위한 절차에 착수하는 것을 비롯해서 중동의 인적자원개발 지원, 문화교류 증진, 한·중동 협력 포럼 활성화 등이 주된 내용입니다. 어제는 압둘라 국왕과 정상회담을 갖고 이중과세방지협정과 고등교육협력약정에 서명했습니다. 관계 장관과 기관들 사이에도 세부적인 논의가 있었습니다. 오늘 이곳에서 기공식을 갖는 LG전자의 에어컨 공장도 비석유화학 분야에서 처음 이루어지는 산업협력 사례라고 들었습니다. 이처럼 새로운 변화가 이루어지고 있는 두 나라간 협력을 이제 한 차원 더 끌어올릴 때가 되었습니다. 그동안 성공적으로 추진해 온 에너지와 건설 협력을 지속해 나가는 것은 물론 제조업과 정보통신·문화·인적교류·발전경험 공유에 이르기까지 협력의 폭과 깊이를 한층 더해 나가야 할 것입니다. 특히 제가 권해 드리고 싶은 것은 한국의 와이브로와 DMB 기술입니다. 오전 회의에서도 소개된 것으로 알고 있습니다만 사우디아라비아가 꼭 필요로 하는 기술입니다. 국토가 넓고 국가 정보화에 박차를 가하고 있는 사우디에 유용하게 쓰일 것입니다. 또 하나 덧붙여서 한국에 대한 투자도 권해드립니다. 한국에는 우수한 인력과 첨단 과학기술, 넓은 소비자층, 그리고 자유롭고 공정한 시장이 있습니다. 여러분이 기대하는 것 이상의 기회와 이익을 제공해 줄 수 있을 것이라고 확신합니다.

양국 경제인 여러분,

앞으로 우리 두 나라 관계는 더욱 긴밀하게 발전해 나갈 것입니다. 이곳 국비유학생이 올해 80여 명을 시작으로 500명 수준까지 한국 대학을 찾을 예정이고, 우리 고등학교에서도 아랍어를 외국어 과목으로 채택할 만큼 사우디와 중동에 대한 관심이 높아지고 있습니다. 무엇보다 양국은 경제적으로 서로 돕고 이를 통해 함께 이익을 얻을 수 있는 구조를 가지고 있습니다. 서로 손을 맞잡으십시오. 더 새로운 방식, 더 긴밀한 협력으로 윈-윈 할 수 있는 길을 찾으십시오. 법과 제도가 달라 부딪히는 어려움은 양국 정부가 열심히 해결해 나가겠습니다. 저의 방문이 두 나라 간 협력 관계를 더욱 심화시키는 기회가 되기를 바라며, 여러분의 큰 발전을 기원합니다.

"슈크란 좌질란(대단히 감사합니다)."

한·쿠웨이트 비즈니스포럼 연설

2007년 3월 27일

존경하는 알 가님 쿠웨이트 상의 회장, 손경식 대한상의 회장, 최태원 비즈니스포럼 위원장, 그리고 양국 경제인 여러분,

반갑습니다. 한·쿠웨이트 비즈니스포럼을 축하드립니다. 그리고 여러분의 따뜻한 환영에 감사드립니다. 어제 이곳에 도착해 짧은 시간이었지만 쿠웨이트의 역동적인 성장을 피부로 실감할 수 있었습니다. 특히 쿠웨이트를 걸프지역의 무역·물류 중심국가로 도약시키려는 지도자들의 열정과 리더십에 깊은 감명을 받았습니다.

지금 쿠웨이트는 성공의 길로 나아가고 있습니다. 8%대의 고도성장을 거듭하면서 지난 4년 동안 경제 규모가 두 배 이상 커졌습니다. 외국인 투자 유치, 민영화와 같은 개혁정책을 적극 추진하고 있고, 원유 중심의 산업구조를 다변화하는 데 국가의 역량을 집중하고 있습니다. 국민

의 저력과 여기 계신 여러분의 기업가 정신으로 쿠웨이트 경제가 앞으로 더 큰 발전을 이뤄 갈 것으로 믿습니다.

참석자 여러분,

저와 우리 경제인들은 쿠웨이트가 가고자 하는 길에 든든한 동반자가 되기를 원합니다. 그리고 그것은 쿠웨이트뿐만 아니라 한국에게도 좋은 기회가 될 것입니다. 두 나라 간 경제협력은 빠른 속도로 확대되고 있습니다. 2002년 24억 달러이던 교역 규모가 지난해 88억 달러로 크게 늘어났습니다. 품목도 원유와 석유제품 중심에서 자동차·휴대폰· TV 등으로 다양해지고 있습니다. 이달 초에는 제1차 경제공동위원회가 성공적으로 열려 포괄적인 경제협력의 기반도 갖추어졌습니다. 이틀 전, 제가 '21세기 한·중동 미래협력 구상'에서 밝힌 것처럼 한국과 GCC 간에 자유무역협정이 추진되면 두 나라 간의 교역과 투자는 한층 가속화될 것입니다. 어제 사바 국왕과의 정상회담에서도 많은 성과가 있었습니다. 교역과 투자를 비롯해 에너지·플랜트·건설·IT 등 여러 분야의 실질 협력을 더욱 확대해 나가기로 했습니다.

그중에서 가장 기대되는 분야는 역시 건설·플랜트입니다. '아흐마디 해상터미널' 공사가 보여 주듯이 우리 기업의 시공 능력은 세계 최고입니다. 밤을 새워서라도 정해진 기간 내에 완벽하게 마무리할 뿐 아니라 계약서에 없는 추가적인 서비스도 이행하는 성의를 가지고 있습니다. 기술과 경험을 나누는 데도 인색하지 않습니다. 어제는 쿠웨이트석유공사와 SK건설 간의 원유 집하시설 건설계약이 체결되었습니다. 앞으로도 어떠한 공사든 한국 기업에 맡기면 반드시 기대 이상의 성과를 얻게 될 것입니다.

에너지 분야의 협력 또한 빼놓을 수 없습니다. 에너지의 97%를 수입에 의존하는 한국경제가 지속적으로 성장하려면 안정적인 에너지 공급이 필수적입니다. 쿠웨이트는 원유의 12%, LPG의 15%를 공급하는 우리의 중요한 에너지협력 파트너입니다. 올해 1월 서울에서 열린 한·쿠웨이트 에너지협력위원회를 출발점으로 이 분야의 협력이 보다 다양하게 확대되기를 기대합니다. 지금 쿠웨이트는 IT산업을 경제 개발의 역점 과제로 선정해 집중적인 투자를 하고 있습니다. 한국은 이 분야에 있어 세계적인 기술력을 갖추고 있습니다. 집집마다 초고속 통신망이 깔려 있고 DMB와 와이브로도 상용화 단계에 들어섰습니다. 한국에 가면 지하철이나 승용차, 거리에서 TV를 즐기는 사람들을 쉽게 볼 수 있습니다. 이번에 체결된 IT협력 약정은 우리의 경험과 기술을 함께 나누고 쿠웨이트의 IT산업 발전을 촉진하는 좋은 계기가 될 것입니다. 아울러 한국은 장단기 연수 프로그램을 통해 쿠웨이트의 IT인력 양성도 적극 지원하고자 합니다.

쿠웨이트 경제인 여러분,

한국은 전쟁의 폐허 위에서 불과 반세기 만에 지금의 경제 발전을 이뤄 냈습니다. 뒤늦게 출발했지만 열심히 달려 자동차·조선·철강·석유화학 등에서 세계 최고 수준의 경쟁력을 갖추게 되었습니다. 또한 IT·BT 등 첨단산업을 육성하면서 혁신 주도형 경제로 빠르게 전환해 가고 있습니다. 우리가 가진 경험은 선진국과 같이 오래된 경험이 아닙니다. 바로 이 자리에 계신 한국 기업인들이 성공의 과정에서 직접 겪은 생생한 경험입니다. 걸프전의 아픔을 딛고 새로운 도약을 이뤄 가고 있는 쿠웨이트 경제에도 좋은 참고가 될 것으로 생각합니다. 오늘처럼 많은 양국 경제인이 한자리에 모인 것은 처음 있는 일이라고 들었습니다. 뜻 깊은 자리인 만큼 좋은 성과가 있을 것으로 기대합니다. 또한 KOTRA와 쿠웨이트 산업청 간에 협력의향서도 교환되었다니 앞으로도 지속적으로 만나 더 많은 협력의 기회를 만들어 가기 바랍니다. 저와 우리 정부도 열심히 뒷받침하겠습니다. 비즈니스포럼을 거듭 축하드리며, 여러분의 사업이 크게 번창하시길 기원합니다.

"슈크란 좌질란(대단히 감사합니다)."

한·카타르 경제인 오찬간담회 연설

2007년 3월 28일

존경하는 알 아티야 부총리 겸 에너지부 장관, 파이살 알 타니 기업인연합회장, 이희범 무역협회장, 그리고 양국 경제인 여러분,

안녕하십니까. 대한민국 대통령으로는 처음 카타르를 방문했습니다. 경제인 여러분과 자리를 함께하게 된 것을 기쁘게 생각합니다. 여러분 중에 많은 분들은 지난 1월 서울에서 열린 '한-카타르 경제포럼' 이후 두 달 만에 다시 만나는 것이라고 들었습니다. 오늘 오전에는 민간경제협력위원회 설립 양해각서도 체결한 것으로 알고 있습니다. 저는 이렇게 자주 만나는 것이 중요하다고 생각합니다. 앞으로 양국 경제인 간의 활발한 교류를 통해 성공적인 협력 사례들이 많이 나오게 되기를 기대합니다.

내외 귀빈 여러분,

카타르의 발전 속도는 참으로 놀랍습니다. 하마드 국왕의 탁월한 지도력을 바탕으로 매년 20%가 넘는 고도성장을 계속하고 있고, 1인당 국민소득은 세계 수위를 다투고 있습니다. 특히 WTO DDA 협상으로 널리 알려진 이곳 도하는 세계화의 상징도시로서 비약적인 발전을 거듭하고 있습니다. 지난해에는 아시안게임을 역대 어느 대회보다 성대하게 치러 냄으로써 카타르의 저력을 유감없이 보여주었습니다. 저도 어제 이곳에 도착했지만 '카타르는 하루하루가 다르다'는 말을 실감하고 있습니다. 앞으로 5년간 1,350억 달러를 투입하는 국가 개발 프로젝트가 성공적으로 추진되면 그야말로 세계가 부러워하는 '명품 국가'로 확실하게 자리매김할 것입니다. 카타르의 발전과 번영을 이끌고 계신 경제인 여러분께 깊은 경의를 표합니다.

경제인 여러분,

저는 이번 중동 방문을 계기로 한국과 GCC 간 자유무역협정 추진, 협력포럼 확대 등을 담은 '21세기 한·중동 미래협력 구상'을 밝힌 바 있습니다. 그리고 어제는 하마드 국왕과 정상회담을 갖고 전방위적 동반자 관계를 구축해 나가기로 발표했습니다. 이러한 구상과 동반자 관계 구축은 중동의 높아진 국제적 위상에 걸맞게 보다 다양한 분야에서 심도 있는 협력을 이뤄 가고자 하는 한국의 의지를 담고 있습니다. 특히 우리는 카타르와의 협력 확대에 큰 관심과 열의를 가지고 있습니다. 카타르는 1974년 수교 이후 국제사회에서 한국의 입장을 지지해 준 든든한 친구이자 소중한 경제협력 파트너입니다. 서로 윈-윈 하는 협력사업도 많이 만들고 있습니다. 대표적인 사례가 에너지·조선 분야입니다. 카타르는 한국이 사용하는 LNG의 최대 공급 국가입니다. 이번 저의 방문 기간에도 향후 20년간에 걸친 장기 LNG 도입 계약이 체결되었습니다.

한편 한국은 카타르 LNG선의 최대 공급 국가입니다. 저는 앞으로도 한국산 LNG선이 카타르 에너지산업 발전에 계속 기여할 수 있기를 바랍니다. 세계 LNG선 시장의 73%를 차지하고 있는 우리 조선업계는 최고의 안전성과 기술력으로 여러분의 신뢰를 더욱 두텁게 할 것입니다. 건설·플랜트·산업단지 분야에서도 성공적인 협력사례를 많이 만들어 낼 수 있을 것입니다. 지금 '라스라판 산업도시'를 비롯한 여러 인프라 건설 현장에서 한국 기업이 열심히 땀을 흘리고 있습니다. 이들의 경험과 기술력, 성실성에 대해서는 여러분이 더 잘 아실 것입니다. 제가 한 말씀만 덧붙인다면 우리 기업은 언제나 계약내용 이상의 프리미엄 서비스를 제공한다는 것입니다. 좀 더 책임 있게, 좀 더 신속하게, 그리고 하나라도 더 많은 서비스로 여러분을 만족시켜 드릴 것입니다. 에너지 생산설비, 신도시, 신공항, 도로, 항만, 하수처리시설에 이르기까지 지금 카타르가 역점적으로 추진 하고 있는 국가 개발 프로젝트에 더 많은 한국 기업이 참여한다면 그것은 프로젝트를 확실하게 성공시키는 길이 될 것이라고 믿습니다. 이번에 IT협력 약정을 체결한 것도 반가운 일이 아닐 수 없습니다. 이미 도하아시안게임 때 우리 기업이 핵심적인 정보 시스템 구축을 맡기도 했습니다만 IT 분야는 양국 협력 관계의 지평을 넓혀가는 데 있어서 매우 중요한 분야라고 생각합니다. 지금 이곳 호텔에서 열리고 있는 '건축 및 IT 전시회'에 가 보시면 와이브로, DMB 등 세계 최고 수준의 한국 IT기술을 만날 수 있습니다. 저는 한국이 가진 첨단 기술력이 카타르가 추진하고 있는 U-시티 사업에도 기여할 수 있기를 바랍니다. 한국도 인구 50만 명 규모의 새로운 행정도시 건설을 추진하고 있습니다. 건축과 환경·문화·정보통신 등 모든 분야에서 세계 최고의 기술을 집적시켜 도시건설의 새로운 모델을 제시하려고 합니다. U-시티 사업에 참여하면 이러한 기술과 경험도 함께 공유할 수 있을 것이라고 생각합니다.

경제인 여러분,

한국은 세계 경제의 중심으로 부상하고 있는 동북아 한가운데에서 착실하게 미래를 준비해 나가고 있습니다. 제조업과 IT 기반, 투명하고 개방된 시장, 물류 인프라, 경제자유구역과 같은 제도적 환경, 어느 하나 매력적이지 않은 것이 없습니다. 무엇보다 창의적이고 우수한 인력들을 갖추고 있습니다. 카타르 경제인 여러분, 한국경제의 미래를 믿고 적극적으로 투자해 주십시오. 여러분의 투자를 지원하기 위해 이중과세방지협약과 투자협력약정도 체결됐습니다. 선택은 빠를수록 좋습니다. 저는 양국 경제인 상호 간의 투자가 매우 수지맞는 장사가 될 것이라고 생각합니다. 오늘 이 자리가 양국 경제인 모두에게 새로운 기회를 열어 가는 소중한 계기가 되길 바라며, 여러분의 사업이 날로 번창하시길 기원합니다.

감사합니다.

불교중앙박물관 개관식 축하 메시지

2007년 3월 26일

불교중앙박물관의 개관을 진심으로 축하하며, 지관 총무원장 스님을 비롯한 불교계 지도자 여러분의 노고에 깊은 감사를 드립니다.

불교는 유구한 역사를 통해 우리 민족과 고락을 같이하며 찬란한 문화를 꽃피워 왔습니다. 또한 나라가 어려울 때마다 국민의 힘을 하나로 모아 국난을 극복하는 데 큰 역할을 해 왔습니다. 이처럼 자랑스러운 우리 불교의 전통과 유산을 잘 보전하고 발전시키는 일은 우리가 반드시 해야 할 일입니다. 그런 점에서 종단의 구분을 넘어 불교중앙박물관을 개관하게 된 것은 매우 뜻 깊은 일이 아닐 수 없습니다. 부처님의 가르침을 배우고 우리 불교문화의 우수성을 직접 보고 느낄 수 있는 산 교육장의 역할을 다하게 될 것으로 믿습니다.

우리는 곧 1인당 국민소득 2만 달러 시대에 들어서게 됩니다. 이제 신뢰가 높고 통합된 사회, 질병과 노후, 자녀교육에 대한 불안이 없고 성취의 기회가 열려있는 나라, 쾌적한 환경과 품격 있는 문화를 누리는 명실상부한 세계일류국가를 향해 더욱 힘차게 나아가야 하겠습니다. 언제나 나라와 중생을 먼저 생각하며 화합과 상생을 실천해 온 불교계가 이 길에 앞장서 주시기를 부탁드립니다. 다시 한번 불교중앙박물관의 개관을 축하드리며, 부처님의 대자대비하심이 여러분과 늘 함께하기를 기원합니다.

4월

한·미 FTA 협상 타결에 즈음하여 국민 여러분께 드리는 말씀

2007년 4월 2일

존경하는 국민 여러분,

오늘 한·미 FTA협상을 마무리 지었습니다. 지난해 2월 협상 개시를 선언한 이후 14개월 만이고, 정부 차원에서 준비한 지 4년 만의 일입니다. 참으로 길고 힘든 시간이었습니다. 그동안 정부를 믿고 성원해 주신 국민 여러분께 감사드립니다. 협상단 여러분도 고생 많았습니다. 참으로 침착하고 끈기 있게 잘해 주었습니다. 국민 여러분, 그동안 정부는 오로지 경제적 실익을 중심에 놓고 협상을 진행했습니다. 미국의 압력을 걱정하는 사람들이 많았습니다. 실제로 미국정부의 요구는 만만한 것이 아니었습니다. 미국 의회의 압력도 거셌습니다. 그러나 우리 정부는 결코 이를 압력으로 받아들이지 않았습니다. 철저히 손익 계산을 따져서 우리의 이익을 관철했습니다.

그리고 협상의 내용뿐만 아니라 절차에 있어서도 당당한 자세를 가지고, 협상에 있어서 지켜야 할 원칙을 지켜냈습니다. 이미 국제적으로 보편화된 규범과 선례를 존중하면서도 한편으로는 최대한 활용했습니다. 그리고 당장의 이익에 급급한 작은 장사꾼이 아니라 우리 경제의 미래와 중국을 비롯한 세계 시장의 변화까지 미리 내다보는 큰 장사꾼의 안목을 가지고 협상에 임했습니다. 협상의 결과로 우리는 세계 최대 규모인 미국 시장에서, 자동차·섬유·전자 등 우리의 주력 수출상품은 물론 신발·고무·가죽과 같은 중소기업 제품들도 경쟁국가에 비해 가격우위를 확보하게 되었습니다. 100조 원이 넘는 미국 조달시장의 문턱도 크게 낮아졌습니다. 이제 우리 기업들이 새롭게 도전해 볼 수 있을 것입니다.

미국의 반덤핑 조사 과정에서 우리 입장을 보다 적극적으로 반영하고 강화할 수 있는 수단도 확보했습니다. 이 점에 관해 우리의 요구를 다 관철하지 못한 아쉬움이 있습니다만 진일보한 것이 틀림없습니다. 활용만 잘하면 우리 수출기업들에게는 큰 도움이 될 것입니다. 개성공단 제품도 한반도역외가공지역위원회 설립에 합의하여 국내산으로 인정받을 수 있는 근거를 만들어 두었습니다. 앞으로 개성공단뿐만 아니라 북한 전역이 이 근거의 혜택을 받을 수도 있을 것입니다.

물론 어려움을 겪어야 하는 국민들도 있을 것입니다. 대표적인 분야가 농업입니다. 그러나 우리는 협상에서 농민들의 이익을 최대한 보호하려고 노력했고, 대부분 협상 결과에 반영되었습니다. 돼지고기는 최장 10년, 닭고기는 10년 이상, 쇠고기는 15년, 사과와 배는 20년, 오렌지는

7년에 걸쳐서 관세를 철폐 또는 인하하기로 함으로써 구조조정과 경쟁력 강화에 필요한 시간을 확보했습니다. 만일 수입 물량이 늘어 소득이 줄면 국가가 소득을 보전해 줄 것입니다. 부득이 폐업을 해야 할 경우에는 폐업 보상을 할 것입니다. 국가가 지원하여 기술을 개발하고, 경쟁력을 강화해야 할 품목은 세계를 상대로 경쟁할 수 있는 전업농을 육성할 것입니다.

이미 우리 농민의 60%가 60세 이상의 고령자입니다. 농사를 그만두고 전업이 불가능한 고령의 농민들에게는 복지제도를 강화하여 생활을 보장할 것입니다. 정부는 이분들에 대한 노후대책을 세우고 있고, 부분적으로는 이미 실시하고 있습니다. 제약산업도 적지 않은 어려움이 있을 것입니다. 그러나 시야를 달리해 보면 우리 제약업도 언제까지 복제약품에만 의존하는 중소업체로 남아 있을 수는 없는 일입니다. 이제 우리 제약업계도 새로운 환경을 기회로 삼아 연구개발과 구조조정을 통해 경쟁력을 높여 나가야 할 것입니다. 이 분야 또한 정부가 적극적으로 지원할 것입니다. 그 밖에는 지금보다 더 어려워질 분야는 없을 것으로 생각합니다만, 미처 예측하지 못한 분야가 있을 수도 있을 것입니다. 그런 경우에도 정부가 지원할 것입니다. 경쟁력을 보완해야 할 곳은 경쟁력을 강화할 수 있도록 지원할 것입니다. 그 과정에서 구조조정이 일어나고 실업이 생길 경우 일반적인 실업과는 별도로 실업급여, 전업교육, 고용지원 등에 특별한 서비스를 제공하여 FTA로 인해 국민들의 생활이 불안해지는 일은 없도록 제도화할 것입니다. 이것은 한·미 FTA뿐만 아니라 모든 FTA에 관해 그렇게 할 것입니다. 정부는 이미 제도적 근거를 마련해 놓고 있고, 일부는 이미 시행하고 있습니다.

FTA로 인해 양극화가 더 심화될 것이라고 주장하는 분들이 많이 있습니다. 그런데 저는 동의하지 않습니다. 농업과 제약 분야가 어려워진다는 것은 이미 말씀드린 것이고, 만반의 대비를 하고 있으므로 별도로 얘기할 일입니다. 저는 FTA를 반대하는 사람들을 만날 때마다 농업과 제약 분야 이외에 어느 분야가 더 어려워지고 실업자가 나온다는 것인지 물어보았으나, 아무도 분명한 대답을 해 주지 않았습니다. 정부 내외의 여러 사람들에게 물어보아도 결론은 마찬가지입니다. 그런데도 사람들은 근거도 밝히지 않고 막연히 양극화가 심해진다는 말만 되풀이하니 참으로 답답한 노릇입니다. 어떻든 이 문제는 앞으로 예상 못한 일이 생기더라도 대비가 가능하도록 만반의 제도적 장치를 마련해 두겠다는 약속을 드리겠습니다. 법률·회계 등 고급 서비스시장도 일부 개방되었습니다. 이 부분에 관해 저는 좀더 과감한 개방을 하라고 지시했습니다. 그래야 고학력 일자리도 늘릴 수 있고, 부가가치가 높은 고급 서비스업 분야의 경쟁력도 높일 수 있기 때문입니다. 교육·의료 시장은 전혀 개방되지 않았고, 방송 등 문화산업 분야도 크게 열리지 않았습니다. 이 역시 아쉬운 대목입니다. 문화산업도 이제 세계를 상대로 경쟁해야 합니다. 세계 중에서도 미국과 경쟁해서 살아남아야 세계 최고가 될 수 있습니다. 공공서비스와 문화적 요소는 보호하되 산업적 요소는 과감하게 경쟁의 무대로 나가야 합니다. 그런데 이들 분야에 관하여는 우리 협상팀이 방어를 너무 잘한 것 같습니다. 방어를 잘했다는 점에서 칭찬을 할 일이기는 하나 솔직히 저는 불만스럽습니다. 아마 비준의 어려움을 고려하여 그리한 것 같습니다만, 저는 좀 아쉽다는 생각을 지울 수가 없습니다.

쇠고기에 대한 관세 문제는 FTA협상 대상이지만, 위생 검역의 조건은 FTA협상의 대상이 아닙니다. 따라서 이 문제는 원칙대로 FTA협상과 분리하여 논의하기로 했습니다. 다만 저는 부시 대통령과의 전화통화를 통해 한국은 성실히 협상에 임할 것이라는 점, 협상에 있어서 국제수역사무국의 권고를 존중하여 합리적인 수준으로 개방하겠다는 의향을 가지고 있다는 점, 그리고 합의에 따르는 절차를 합리적인 기간 안에 마무리할 것이라는 점을 약속으로 확인해 주었습니다. 이렇게 한 것은 지난날 뼛조각 검사에서 한국정부의 전량 검사와 전량 반송으로 인해 미국이 앞으로의 쇠고기 협상과 절차 이행에 관하여 한국정부가 성실하게 임하지 않을 것이라는 불신을 가지고, 뼈를 포함한 쇠고기의 수입과 절차 이행에 관해 기한을 정한 약속을 문서로 해 줄 것을 요구한 데서 비롯된 문제를 해결하기 위한 것이고, 쌍방의 체면을 살릴 수 있는 적절한 타협이었다고 생각합니다.

우리 정부는 이 약속을 지킬 것입니다. 이 약속을 성실하게 이행하면 쇠고기 수입이 가능한 시기를 추정할 수 있을 것이나, 그것을 기한을 정한 무조건적인 수입 약속이라고 하거나 이면계약이라고 해서는 안 될 것입니다.

국민 여러분,

우리 국민들은 우리나라가 선진국이 되기를 간절히 원합니다. 그리고 열심히 노력하고 있습니다. 그런데 선진국은 그냥 열심히만 한다고 되는 것이 아닙니다. 도전해야 합니다. 도전하지 않으면 결코 선진국이 될 수 없습니다. 앞질러 가기 위해서뿐만이 아니라 뒤처지지 않기 위해서도 우리는 도전해야 합니다. 일부 집단만의 이익을 지키기 위해서 변화를 거부하거나 지금 우리가 누리고 있는 성공에 안주해서 우리 것을 지키려고만 하다가는 어느새 어느 나라에 추월당할지도 모르는 상황이 오늘날 세계의 엄연한 현실입니다. FTA는 바로 그 도전입니다. 그동안 우리는 열심히 도전해 왔고, 그리고 성공했습니다. 앞으로도 성공할 것입니다.

국민 여러분,

FTA는 한쪽이 득을 보면 다른 한쪽이 반드시 손해를 보는 구조가 아니라 각기 더 많은 이익을 얻을 수 있는 구조입니다. 우리 자동차와 섬유가 미국 시장에서 미국산 하고만 경쟁하는 것이 아니라 오히려 다른 나라와 경쟁하는 요소가 더 크기 때문에 자동차와 섬유로 인해 미국이 손해 보는 것보다 우리가 더 큰 이익을 얻을 수 있는 것입니다. 반대로 우리 시장에서 미국 농산물이 우리 농산물 하고만 경쟁하는 것이 아니라 다른 나라 농산물과 함께 경쟁하는 것이기 때문에 우리가 손해 보는 것보다 미국이 훨씬 더 큰 이익을 가져갈 수 있는 것입니다.

그동안 '미국의 압력'이라는 얘기가 난무했고, 길거리에서도 심지어 '매국'이라는 용어까지 등장했습니다. 분명히 말씀드리지만 우리 정부가 무엇이 이익인지 손해인지조차 따질 역량도 없고, 줏대도 없고 애국심도 자존심도 없는 그런 정부는 아닙니다. 저는 이번 협상 과정을 지켜보면서 다시 한 번 우리 공무원들의 자세와 역량에 관해 믿음을 가지게 되었습니다. 거듭 말씀드리지만, 한·미 FTA는 시작 단계부터 우리가 먼저 제기하고 주도적으로 협상을 이끌어 낸 것입니다. 저 개인으로서는 아무런 정치적 이득도 없습니다. 오로지 소신과 양심을 가지고 내린 결단입니다. 정치적 손해를 무릅쓰고 내린 결단입니다. FTA는 정치 문제도 이념 문제도 아닙니다. 먹고사는 문제입니다. 국가 경쟁력의 문제입니다. 민족적 감정이나 정략적 의도를 가지고 접근할 일은 아닙니다. 협상 과정에서 정부는 찬반 양쪽 의견을 협상에 최대한 반영하기 위해 노력했습니다. 찬반이 뜨거웠기에 협상의 결과가 더 좋아졌을 것이라고 생각합니다. 그 뿐 아니라 반대하신 분들의 주장이 우리의 협상력을 높이는 데 큰 도움이 되었을 것입니다. 그리고 전략적으로 그렇게 하신 분들도 있을 것입니다. 감사하게 생각합니다. 아울러 그분들께 이제부터는 국민의 뜻을 하나로 모으는 데 지혜와 힘을 모아 달라고 부탁드리고 싶습니다.

물론 앞으로도 치열한 반대가 있을 것입니다. 다만 저는 반대하는 분들에게 요청드리고 싶은 것이 있습니다. 객관적인 사실에 근거하여 합리적으로 토론에 임해 달라는 것입니다. 그동안 근거도 없는 사실, 논리도 없는 주장이 너무 많았습니다. 국민들에게 너무 많은 혼란을 주었습니다. 앞으로는 합리적인 토론이 이루어지기를 바랍니다. 이번 FTA협상이 반대론자들의 주장처럼 문제가 있는 것인지 국회에서 전문가들의 책임 있는 논의를 통해 객관적인 평가를 해 주기를 제안합니다. 정부도 국회에 나가 소상히 설명해 드리고 토론에 적극 응하도록 하겠습니다.

국민 여러분,

우리는 어떤 개방도 충분히 이겨 낼 만한 국민적 역량을 가지고 있습니다. 지난날 개방 때마다 많은 반대와 우려가 있었지만 한 번도 실패하지 않았습니다. 모두 승리했습니다. 결국 우리하기 나름입니다. 아무리 FTA를 유리하게 체결해도 노력하지 않으면 경쟁에서 앞서갈 수 없고, 협상의 내용이 다소 모자라더라도 우리가 노력하면 얼마든지 극복해 나갈 수 있는 것입니다. 우리 모두 자신감을 가지고, 미래를 향해 힘차게 도전합시다. 힘과 지혜를 모아 다시 한번 성공의 역사를 만들어 냅시다.

감사합니다.

피셔 오스트리아 대통령 내외를 위한 국빈만찬사

2007년 4월 2일

존경하는 하인츠 피셔 대통령 각하 내외분, 그리고 내외 귀빈 여러분,

오늘 저녁 귀한 손님을 모시게 되어 기쁩니다. 온 국민과 더불어 각하 내외분과 일행 여러분을 진심으로 환영합니다. 2005년 9월, 나는 뉴욕에서 각하와 정상회담을 가졌습니다. 그리고 한반도 문제에 대한 각하의 각별한 관심과 이해에 깊은 감명을 받았습니다. 당시 각하께서 가장 우려했던 북핵문제도 이제는 6자회담을 통해 해결의 길로 나아가고 있습니다. 그동안 우리의 노력을 지지해 주신 데 대해 감사드립니다.

각하께서는 '공정성과 정당성, 사회적 정의'를 국정철학으로 삼아 오스트리아의 발전을 이끌고 계십니다. 지금 오스트리아는 경제 성장을 지속하고 있을 뿐만 아니라 EU의 정치적 통합과 유엔평화유지군 활동을 통해 세계 평화에 기여하고 있습니다. 우리 국민도 오스트리아를 매

우 좋아합니다. 모차르트와 슈베르트를 배출한 문화예술의 나라, 아름다운 자연을 잘 가꿔 온 환경 선진국, 그리고 평화 애호국인 오스트리아에 대해 존경심을 갖고 있습니다. 우리는 앞으로도 오스트리아가 세계의 모범국가로서 더욱 발전해 나갈 것으로 확신합니다.

대통령 각하,

나는 오늘 정상회담을 통해 양국 간 실질협력의 잠재력이 매우 크다는 것을 거듭 확인했습니다. 우리는 정보통신과 첨단 전자제품에서, 오스트리아는 자동차 부품과 산업용 기계 등에서 높은 경쟁력을 갖고 있습니다. 협력할수록 서로에게 이익이 됩니다. 이번에 서명하는 '과학기술협력을 위한 공동선언'에서 보듯이 과학기술 분야에서의 협력 가능성도 매우 큽니다. 최근 들어 EU가 확대되면서 그 중심에 자리 잡은 오스트리아에 대한 우리 기업의 관심도 높아지고 있습니다. 지난주에는 서울과 비엔나 간 직항로가 열렸습니다. 나는 각하의 이번 방문이 우리 두 나라 간의 선린우호와 실질협력 확대의 새로운 이정표가 될 것으로 믿습니다.

내외 귀빈 여러분,

각하 내외분의 건강과 오스트리아의 무궁한 발전, 그리고 우리 두 나라의 영원한 우정을 위해 축배를 들어주시기 바랍니다.

"쭘 볼(건배)!"

제59주년 제주 4·3사건 희생자 위령제 추도사

2007년 4월 3일

존경하는 제주특별자치도민과 유가족 여러분,

오늘은 불행한 역사 속에서 무고하게 희생당하신 분들을 추모하는 자리입니다. 4·3사건 희생자들의 영전에 깊은 애도의 뜻을 표하며 삼가 명복을 빕니다. 그날의 상처를 가슴에 안고 통한의 세월을 견뎌 오신 유가족 여러분께 충심으로 위로의 말씀을 드립니다. 59년 전 4·3사건은 냉전과 분단이 가져온 우리 현대사의 커다란 비극이었습니다. 무력 충돌과 진압 과정에서 평화로운 섬 제주는 폐허가 되었고, 반세기가 넘도록 억울하다는 말조차 못하고 살아야 했습니다.

참여정부는 이 불행한 사건을 매듭짓기 위해 그동안 많은 노력을 기울여 왔습니다. 4·3사건의 진실을 규명하고, 대통령이 과거 국가권력이 저지른 잘못에 대해 사과했습니다. 희생자와 유가족의 명예회복 조치도 착실히 추진해 왔습니다. 지금까지 모두 1만 3,564명이 희생자로 인정되었고 유가족도 2만 9천여 명으로 확대되었습니다. 4·3평화공원 사업과 내년 4월에 개관할 4·3사료관 건립공사도 순조롭게 진행되고 있습니다. 특히 올해 1월에는 4·3특별법이 개정되면서 희생자와 유가족의 범위가 더욱 확대되었고, 유해 발굴의 근거도 마련되었습니다. 앞으로도 정부는 추가적인 진상조사, 4·3평화인권재단 설립 지원 등 여러분의 명예를 회복하고 4·3사건을 역사의 교훈으로 삼아 나가는 일에 최선을 다하겠습니다.

제주도민 여러분,

과거사 정리는 밝은 미래를 향해 나아가는 디딤돌입니다. 역사의 진실을 규명해서 억울하게 고통 받은 분들의 맺힌 한을 풀어야 진정한 용서와 국민통합을 이룰 수 있습니다. 국가 또한 과거의 잘못을 밝히고 사과함으로써 훼손된 국가권력의 도덕성과 신뢰를 다시 세울 수 있습니다. 이미 제주도민 여러분께서는 아픈 역사를 용서와 화해로 극복하는 모범을 보여주고 계십니다. 나아가 특별자치도 출범을 계기로 세계적인 국제자유도시를 향해 힘차게 달려가고 있습니다. 제주도민의 역량이라면 반드시 큰 성공을 거둘 것이라고 믿습니다. 다시 한번 4·3영령들을 추모하며, 유가족 여러분께 깊은 위로의 말씀을 드립니다.

감사합니다.

장애인차별금지법 서명식 축사

2007년 4월 4일

안녕하십니까?

정말 뜻 깊은 자리입니다. 여러분의 밝은 표정을 보니 참 기분이 좋습니다. 방금 전 저도 기쁜 마음으로 '장애인차별금지법'에 서명했습니다. 오늘이 있기까지 앞장서 헌신해 오신 장애인차별금지법 제정추진연대 여러분, 진심으로 축하드립니다. 법 제정에 각별한 노력을 기울여 오신 장향숙, 정화원 의원님께도 감사드립니다. 정부 관계자 여러분도 수고 많았습니다. 더욱이 여러분께서는 민관공동기획단을 만들어 대화와 토론을 통해 합의를 이끌어 내는 모범을 보여 주셨습니다. 거듭 축하의 말씀을 드립니다.

참석자 여러분,

장애인차별금지법 제정은 장애인정책의 패러다임을 바꾸는 역사적인 일입니다. 앞으로는 장애인이 사회에 적응해야 하는 것이 아니라 장애인이 적응할 수 있도록 사회가 변해야 한다는 취지입니다. 다양한 영역에서 차별이 금지되는 것은 물론 여러분이 배우고, 일하고, 이동하는 데 있어 정당한 편의를 제공받게 될 것입니다. 문화·체육 등 수준 높은 삶의 질을 누리는 데도 더 많은 기회가 보장될 것입니다. 그러나 하루아침에 모든 것이 이뤄지기는 어렵습니다. 물론 이 법에는 차별금지를 의무화하고 이를 지키지 않을 때 처벌하는 규정도 있습니다만, 더 중요한 것은 우리 사회의 인식과 태도를 바꾸어 나가는 일입니다. 그동안 우리는 역경을 극복한 장애인에게 많은 찬사를 보내 왔습니다. 이제는 극복해야 할 역경이 없는 사회를 만들기 위해서 힘을 함께 모아야 합니다.

장애인도 일을 할 수 있어야 합니다. 일을 하는 것은 사회 구성원으로서의 권리이자 의무입니다. 그러기 위해서는 충분한 교육이 필요합니다. 교육을 통해 능력을 키우고, 자신의 능력을 발휘할 수 있는 일을 만들어 내기 위하여 노력하고 또 요구해야 합니다. 기업도 장애인 고용을 부담이 아니라 기업에 도움이 되는 인적 자본 투자라고 생각하고 보다 적극적으로 나서 주길 당부드립니다. 정부도 적극 뒷받침하겠습니다. 장애인차별금지법을 제대로 알리고, 후속조치를 철저히 추진해서 법의 실효성을 높여 나가도록 하겠습니다.

참석자 여러분,

저는 지난 대선 때 '장애인의 인권과 자립이 실현되는 사회'를 공약했습니다. 장애인차별금지법 제정, 장애수당과 장애아동 부양수당 확대, 의무고용 2% 달성, 지하철 엘리베이터 의무화 등을 약속했습니다. 이 중

장애수당 등 대부분의 과제가 완료되었고, 장애학생 특수교육 등은 계속 추진하고 있습니다. 장애인 복지지출이 2002년 1조 2천억 원에서 올해 2조 6천억 원으로 두 배 이상 확대되었습니다. 특히 장애수당을 획기적으로 개선했고, 올해부터 시작된 중증장애인 활동보조인 서비스도 계속 늘려 나갈 것입니다. 의무고용은 정부부터 독려해서 공공 부문 의무고용률 2%를 초과 달성했습니다. 민간 부문도 좋은 모범사례들이 나오고 있고 앞으로 꾸준히 나아질 것으로 기대합니다. 우리나라가 적극적으로 참여해서 채택된 유엔 장애인권리협약도 조속히 비준될 수 있도록 최선을 다하겠습니다. 오늘 발표하는 제2차 장애인종합대책도 책임 있게 추진해 나갈 것입니다. 다시 한번 장애인차별금지법 제정을 축하드립니다.

감사합니다.

EBS 영어교육 채널 개국행사 축사

2007년 4월 6일

여러분, 반갑습니다.

EBS 영어교육 채널의 개국을 진심으로 축하드립니다. 구관서 사장과 임직원 여러분, 그동안 수고 많았습니다. 이 자리에 함께 한 홍천 반곡초등학교 선생님과 어린이 여러분도 반갑습니다. 방송국도 보고 대통령도 직접 만나니까 좋으시죠? EBS에는 지난 대선 기간에 토론회 참석차 왔었습니다. 당시 저는 공영방송 EBS가 좀더 독립적이고 내실 있게 운영되도록 지원하겠다는 말씀을 드렸습니다. 다행스럽게도 그동안 EBS가 혁신에 힘써서 많은 발전을 이뤄 냈습니다. 특히 EBS 수능강의는 사교육비 경감과 지역 간 교육격차 해소에 크게 기여해 왔습니다. 오늘 영어교육 채널의 개국도 EBS가 국민에게 사랑받는 방송으로 또 한번 큰 걸음을 내딛는 일이라고 생각합니다. 어린이부터 중·고등학생, 학부모,

교사에 이르기까지 다양한 시청자층을 대상으로 프로그램도 잘 짜인 것 같습니다. 저도 자주 들어가서 보도록 하겠습니다.

내외 귀빈 여러분,

우리는 지금 세계와 호흡하지 않으면 발전도 생존도 어려운 시대에 살고 있습니다. 그리고 세계와 함께 호흡하기 위해서는 영어가 꼭 필요합니다. 핀란드 등 최근 선진국으로 급성장한 나라의 가장 큰 경쟁력은 영어 잘하는 국민입니다. 그런데 각종 평가에서 세계 최고 실력인 우리 학생들이 유독 약한 부분이 영어입니다. 지난해 어학연수와 유학 비용으로 해외에 지출된 돈이 4조 4천억 원에 이르고, 영어 사교육비만 10조 원이 훨씬 넘는다고 합니다. 비용도 비용이지만, 이 과정에서 생기는 교육기회의 불균등이 계층 이동을 가로막고 사회적 통합을 어렵게 하지는 않을까 우려스럽습니다. 그런 점에서 국가가 체계적으로 영어교육 인프라를 구축하는 일은 우리의 미래를 위해서 반드시 해야 할 선제적인 투자라고 하겠습니다.

정부는 글로벌 시대에 맞는 영어교육 혁신방안을 마련하고 이를 적극 추진해 나가고 있습니다. 우선 2009년까지 전국 1,300개 초등학교에 영어체험센터를 설치할 것입니다. 이를 위해 내년에만 2,400억 원을 투입할 예정입니다. 또한 2010년까지 모든 중학교에 원어민 교사를 배치하고, 2015년까지는 영어교사라면 누구나 영어로 수업할 수 있는 역량을 갖추도록 할 것입니다. 교과과정 개편도 말하기·쓰기 등 영어 표현능력을 높이는 방향으로 지금 열심히 준비해 나가고 있습니다. 제주영어타운은 올 상반기 중에 기본 구상을 확정하고 본격적인 준비에 들어

가게 됩니다. 앞으로 9천 명 규모의 영어타운이 조성되면 서민과 중산층 자녀들도 해외연수 못지않은 영어교육을 아주 저렴한 비용에 제공받게 될 것입니다. 그러나 가장 기대가 큰 것은 역시 EBS 영어교육 채널입니다. 국민 누구나 각자에게 필요한 교육내용을 안방에서 편안하게 학습할 수 있기 때문입니다. 특히 같은 내용을 인터넷을 통해 다시 볼 수 있다고 하니 더욱 좋은 것 같습니다. 산간벽지와 같은 취약 지역에서도 저렴하게 영어교육 방송을 시청할 수 있도록 정책적 지원을 강구해 보겠습니다. 우리 다 함께 노력해서 영어도 잘하는 나라가 됩시다. 그래서 세계는 우리 안에 들어오고 우리는 세계를 향해 당당하게 나아가는 대한민국을 만들어 갑시다. EBS 영어교육 채널의 큰 발전을 기원합니다.

감사합니다.

EBS 특강 '본고사가 대학자율인가'

2007년 4월 8일

모두말씀

여러분 반갑습니다. 제가 오늘 EBS 대담에 나왔습니다. 뜻밖의 일로 생각되시지요. 저는 오늘 매우 중요한 문제에 대해서 제 생각을 좀 얘기하고 싶어서 이 프로그램에 나왔습니다.

국가정책 중에서 가장 중요한 정책이 뭐냐고 물으면 아마 첫 번째로 교육정책이라고 말씀드릴 수 있겠습니다. 교육이 성공하면 나라도 국민도 성공하고, 교육이 성공하지 못하면 나라도 국민도 성공하지 못합니다. 실제로 역사상 선진국이 된 나라들을 보면 모두 다 교육에 성공한 나라들입니다. 처음에는 엘리트 교육으로 시작하고 나중에 국가가 전체적으로 영향이 커질 때는 교육이 보편화될 때부터, 보편 교육이 실시되고

부터 국가가 아주 크게 발전합니다. 이것은 증명돼 있는 것입니다. 국가 정책 중에 가장 중요한 것이 교육이다, 그러면 한국은 어떠냐. 대부분 교육하시는 분들도 그렇고 학부모들도 그렇고 '한국 교육이 위기입니다.' 이렇게 얘기하시는데 사실은 다릅니다. 한국 교육은 그동안 성공해 왔고 그리고 지금도 성공하고 있습니다. 만일 한국의 교육이 성공적이지 않았다면 오늘의 성공은 없는 것이거든요. 제가 해외에 나가 보면 우리 한국에 대해서 찬사가 대단합니다. 대통령 대접 잘 받고 다닙니다. 그것은 우리 한국이 성공했기 때문입니다. 민주주의에 성공하고 경제에 성공하고 다 성공했기 때문에 대통령이 나가면 대통령이 나가면 목에 힘주고 대접받고 다니는 것입니다. 그것은 우리 교육이 성공했기 때문입니다.

지금 중등학생들에 대한 OECD 학력평가에서도 과목별로 다 5위 안에 들어가지요. 대단한 성과입니다. 성공하고 있습니다. 그럼에도 불구하고 지금 실제로 교육이 위기에 처해 있습니다. 많은 분들이 지금 교육이 위기라고 생각하는데 그 위기의 원인을 잘못 생각하고 있는 것이 위기입니다. 그 다음에 제가 보는 두 번째 위기는 우리의 대학입시 교육제도입니다. 입시제도가 우리 교육의 미래를 상당히 위험하게 하고 있습니다. 3불정책이 말하자면 대학 입시제도에서 세 가지는 하지 마라는 것인데, 이름은 누가 붙였는지 모르겠어요. 어쨌든 이름은 별로 안 좋지만 내용은 아주 중요하고 좋은 것입니다. 그런데 여기에 대해서 끊임없이 문제가 제기되고, 이것을 무너뜨리려는 사회적 흐름들이 계속 있는데, 이 점을 우리가 잘 방어해 나가지 못하면 진짜 우리 교육의 위기가 올 수 있다는 말씀을 드리고 싶습니다.

질문과 답변

질문 : 3불정책이 과연 뭔지 그 내용을 잘 모르겠다는 분도 계시거든요. 그것부터 대통령께서 설명을 해 주셨으면 좋겠습니다.

대통령 : 대학입시에서 대학별 본고사를 치는 것을 하지 말아 달라, 금지하는 것이죠. 두 번째로 학생을 평가하는 데 출신 학교를 고려하겠다, 즉 고등학교에 등급을 매겨서 학생의 학업성적 평가하겠다는 게 고교 등급제이고, 나머지 하나는 기여 입학제라는 것인데, 기여 입학제라는 것이 미국 같은 나라에도 일부 있기는 한데 우리가 말하는 것하고 아주 다르죠. 우리나라에서 말하는 기여 입학제는 보기에 따라서는 돈 주고 입학하는 그런 제도로 이해되고 있는데 그런 것은 안 된다, 그래서 전체적으로 우리는 기여 입학제 안 된다는 것이지요.

그래서 세 가지, 본고사 안 된다, 고교 등급제 안 된다, 기여 입학제 안 된다. 해서 3불이라고 부르는 거죠. 다시 말하면 안 되는 것이 세 가지이니까 대입 제도에서 '세 가지 규제인' 셈이죠. 대입 제도에 대한 정부의 세 가지 규제, 다른 것은 다 자유이고 세 가지는 규제한다는 것인데 그것을 편의상 누군가가 3불정책이라고 한 모양입니다.

질문 : 대통령께서도 3불 가운데서 본고사를 제일 먼저 말씀하셨는데, 사실은 3불정책 가운데서도 본고사만큼은 부활해야 되지 않느냐는 의견이 많습니다. 본고사는 왜 못 보게 하는 것인가요?

대통령 : 대학교가 왜 본고사를 보려고 하느냐, 학생들의 변별력을 높이겠다는 것이거든요. 변별력을 높이겠다는 것이니까 학교마다 각기 어려운 시험을 내게 됩니다. 어려운 시험을 내게 되니까 되도록이면 학교에서 안 가르친 것도 많이 나오고, 또 수능방송에도 안 나온 것 계속 나오고, 그렇게 해서 가르치면 점점 시험이 어려워지고 따라서 학부모들은 학교에서 교육 수요가 충족 안 된다고 해서 자꾸만 학원으로 아이들 보내게 되지 않겠습니까? 과외 시켜야지요.

그래서 첫째는 공교육이 완전히 붕괴돼 버릴 텐데 그렇게 했을 때 결국 우리 아이들을 어디에서 공부를 시킬 것인가, 학원에서만 공부를 다 시키는 것이 궁극적으로 우리 교육 목적에 맞느냐, 한국의 교육 수준을 높일 수 있느냐, 과연 아이들은 제대로 된 학원에서 제대로 된 교육을 받을 수 있느냐, 이거 한번 생각해 보자는 것이지요. 결론은 '아니다'입니다. 사교육만 넘치게 되면 학부모들은 등이 휘고 아이들은 코피가 터집니다. 여러분 기억나시지요. 사당오락. 네 시간 자면 합격하고 다섯 시간 자면 불합격하고, 이게 초등학교 기준이었습니다. 옛날에 중학교 입시 때 얘기거든요. 그 시기에 다 겪어 본 일이지 않습니까? 그래서 중학교 입시를 없애고, 고등학교 입시도 없애고 이렇게 해 왔는데 그게 전부 다 되살아나지요.

그러면 아이들은 뭘 배우냐. 대학교에서 본고사 하는 방식은 주로 주입식 암기 중심으로 갈 수밖에 없지요. 교육의 목표라는 것이 창의력 교육 하자는 것인데 학원에서 창의력 교육이 되겠습니까? 인성 교육을 한다는데 학원에서 인성 교육이 되겠습니까? 그 다음에 건강한 민주주의 시민 교육도 해야 되는데 시민교육이 되겠습니까? 그러니까 학부모도 죽어나고 학생도 죽어나고, 그 결과 교육은 제대로 안 되고, 경쟁력 있는 학생을 못 키우는 것이지요. 그 다음에 결국 학원에 돈 많이 갖다 주는 사람이 대학교 들어가고, 그것도 모자라 독선생 붙이는 사람이 좋은 대학교 들어가게 되니까, 결국 우리 사회가 어떻게 되겠습니까? 지금도 그렇지 않습니까? 지금도 학부모의 학력과 소득 수준에 따라 대학교 가는 숫자가 달라서 이걸 해소하려고 노력하고 있는데, 모든 나라에서 이거 해소하려고 노력하고 있고 우리 나라는 특별히 심하기 때문에 이걸 해소해야 되는데, 오히려 지금 본고사로 가버리면 해소는커녕 이제 부잣집, 많이 배우고 돈이 많은 사람은 대학교를 보내고 아닌 사람은 못 보내고, 그렇게 해서 몇몇 일류대를 나온 사람만이 한국 내의 모든 요직은 독점하는데, 국제적인 경쟁력은 뚝 떨어져 버리고, 이런 식으로 가지 않겠습니까?

질문 : 현재 전형 방법으로도 우수한 학생을 뽑을 수 있다는 거지요?

대통령 : 그렇습니다. 지금 우리가 가지고 있는 방법으로도 충분히 우수한 학생을 뽑을 수 있습니다. 그 다음에 변별력 얘기하고, 대학 자율을 얘기하지요. 변별력 얘기만 조금 더 하겠습니다. 지금 우리 수능이 9등급인데 언어영역, 수리영역, 사회영역, 과학영역이 있거든요. 그러면 언어·수리·사회 쪽이 사회 계열인데, 세가지 분야에 다 1등급을 받은 사람은 1%도 안 됩니다. 0.15%입니다. 역시 언어·수리·과학 세 가

지 다 1등급을 받은 학생은 역시 0.15% 수준밖에 안 됩니다. 0.15라는 것은 천분의 1.5입니다. 만분의 15거든요. 만 명 중에 15명, 거기서 벌써 변별력이 나타나지요. 그것만 가지고 하는 것이 아니고 내신기록을 보지 않습니까? 그렇기 때문에 변별력이 없다는 것은 이론상 맞지 않습니다.

실제로 변별력이 필요한 것은 우수한 학생을 뽑겠다는 것 아니겠습니까? 우수한 학생 뽑겠다는 것은 대학교를 일류로 만들겠다는 것 아니겠습니까? 우수한 인재를 양성하겠다는 것인데 실제로 세계적인 대학교 등급을 보면 세계에서 100등 안에 들어가는 많은 대학교들, 그중에서도 10위 안에 들어가는 많은 대학교들이 본고사를 가지고 학생을 뽑느냐 하면 아니거든요. 말하자면 내신평가라고 하는 생활기록을 가지고 주로 뽑습니다. 그 다음에 우리의 수능시험처럼 국가가 시행하는 학력고사, 수능고사를 가지고 뽑습니다. 그렇게 해서 세계 최고 수준의 대학교가 되고 인재가 양성되고 있습니다. 결과적으로 본고사가 있어야 변별력이 있다든지, 우수한 학생을 뽑는다는 얘기는 이론적으로 봐서도 안 맞고, 현재의 방법으로도 충분히 여러 가지 조합을 통해서 아마 천분의 일까지의 변별력까지도 만들어 낼 수 있을 것입니다. 보통 백분의 일 정도이면 충분하지 않습니까? 저는 십분의 일 정도도 우수한 학생이라고 생각합니다. 너무 욕심 부려서 천분의 일, 백분의 일 뽑으려고 하지 말고 십분의 일 정도 뽑아서 그 사람들을 세계 최고의 인재로 만드는 것이 대학교의 사명이 아니겠느냐, 그렇게 생각합니다.

질문 : 그럼 3불정책에 대한 불만의 원인이 어디에 있다고 생각하십

니까?

대통령 : 대학자율을 얘기하는데 실제로 입시에서 정부의 규제 관여는 많은 선진국에서도 하고 있습니다. 독일, 프랑스, 영국도 다 하고 있습니다. 학생들을 마음대로 뽑는 것이 자율이라고 생각하는데, 대학의 자율이라는 것은 역사적으로나 우리 헌법이나 민주주의의 정신에 비춰봐서도 입시를 마음대로 하는 것이 대학자율은 아닙니다. 진정한 대학자율은 의미에서 교수 연구의 자유라고 하는 또 다른 차원의 철학적 가치를 담고 있는 것이지, 입시의 자율이 아닙니다.

문제는 가장 쉽게 뽑겠다는 것이지요. 과거의 입시제도를 보면 전국 학생들을 학력고사 하나만으로 1등부터 맨 마지막 등수까지 (동점은 좀 있지만) 한 줄로 쫙 세웁니다. 그러면 학생들은 자기 숫자 맞춰서, 머릿수 맞춰서 1등부터 4천 등까지 딱 끊어서 서울대학교 가고, 그 다음 4천 등부터 만 등까지 끊어서 연·고대가고, 이런 방식으로 학생들을 뽑아가겠다는 것이거든요. 그렇게 하면 대학에서 가르치지 않아도 항상 가장 우수한 사람을 데리고 가는 결과가 됩니다. 실제로 그런 결과로 우리 대학이 세계적인 대학이 됐느냐, 지금은 많이 나아지고 있습니다만 그 시절 우리 대학교가 교육에서 세계적으로 우수한 대학은 아니었습니다.

그 이후 본고사 아닌 방법으로 선발 과정에 다양성을 많이 반영했습니다. 예를 들어 수시 모집도 하고 지방 학생들 우대도 하고, 그 밖에 학력고사를 수능으로 바꾸고 수능에서 여러 가지 평점에 가중치를 두어 다른 방식으로 하고 있습니다. 이렇게 다양화하고 나니까 오히려 대학교의 등급은, 또 다른 이유가 많이 들어있지만, 또 올라가고 있습니다. 학생들의 우수성도 높아지기 좋은 학생들을 뽑아 가려는 욕심을 부리는 것만이 좋은 방법은 아닙니다. 그래서 뽑기 경쟁하지 말고 가르치기 경쟁하라는 것이거든요. 그리고 이 문제 한 가지 더 말씀드리고 싶은데, 실제로 선진국 일류 대학들은 어떤 가치를 가지고 어떤 방법으로 학생을 선발하는지 우리 부총리께 여쭤 보겠습니다.

부총리 : 유럽의 대학들은 공통적으로 대학 자체가 시험을 내서 학생을 뽑아 가는 것이 아니고 고등학교들이 졸업시험을 칩니다. 고등학교들이 출제해서 채점하고 정리한 졸업시험 결과를 가지고 '이 학생은 제대로 고등학교를 졸업한 실력이다.' 그러면 그것이 대학입학 자격이 됩니다. 그것이 우리하고 아주 다른 점입니다. 말하자면 고등학교가 뽑아서 보내는데, 우리는 고등학교는 뭘 가르쳤느냐에 상관없이 대학이 기준을 세워서 뽑아 가려고 하니까, 고등학교가 입시교육에 매달릴 수밖에 없습니다. 미국은 고등학교에 졸업 자격시험은 없고 우리가 얘기하는 학생 생활기록부를 주로 활용합니다. 미국은 워낙 넓은데다가 학교마다 교육과정이 다르기 때문에 우리 같은 통일된 교육과정이 없는 나라입니다. 그래서 전체 학생의 수준을 알기위해 여러분이 잘 아시는 SAT시험을 치릅니다. 고등학교가 제공하는 학생기록부가 중심이고, 거기에다 SAT를 보는 것입니다. 그 밖에 여러 가지 면접을 본다든지 수필을 쓰게 한다든지 다양한 방법을 이용합니다. 그런 점에서 외국의 대학들은 고등학교가 제공해 주는 정보에 주로 의존해서 뽑는 것이 우리하고 아주 다른 점입

니다. 또 한 가지는 미국이나 유럽이나 마찬가지입니다만, 학생 입학 선발 때보다 일단 받아들인 뒤에 가르치는 과정에서 계속 선발을 합니다. 말하자면 성적이 모자라면 입학 등록을 받고도 결국 학교에서 밀려나기도 합니다. 그러니까 오히려 입학하고 난 뒤에 열심히 가르치고 학생들은 그야말로 코피 나게 죽어라 하고 밤새워 공부를 하니까 그 대학들은 아주 우수한 인재를 길러 내고 국제 경쟁력이 좋은 것이지요.

질문 : 여러 가지 기준을 가지고 학생들을 뽑는다고 하셨는데, 대학에서 학생들이 고등학교 과정에서 어떤 것을 배우는지, 또 실제로 학생의 수준이 어느 정도 되는지를 어떻게 정확하게 측정하고 파악할 수 있습니까?

대통령 : 지금 우리나라에서 소위 내신이라고 얘기하는 고등학교 자체 평가에 대해서도 대학교에서는 계속 학력을 기준으로 평가를 하려고 합니다. 자체 평가해주는 기록에는 학업성적뿐만 아니라 그 사람이 친구와 어떻게 사귀며, 가정환경이 어떠하며, 공동체 봉사활동이나 이런 것은 어떠하며, 성격은 어떤지 등의 많은 기록들이 있거든요. 그 사람의 특기나 적성 또는 어떤 가능성이 어느 방향으로 열려 있는가, 이런 것들에 대한 많은 기록이 있는데, 그중에서도 유독 학업성적 평가만 중심으로 평가를 하려고 하니까, 자꾸만 성적을 믿는다, 못 믿는다는 얘기가 나오는 것이지요. 결국 역시 공부 잘하는 학생을 뽑겠다는 것입니다.

그런데 우리가 두 가지 문제를 제기할 수 있는 것이 공부 잘하는 학생만 계속해서 합격시키겠다는 것이 교육적으로 과연 효율적인 것인가, 공부만 잘하는 학생들 자꾸 뽑아다가 시키면 반드시 교육적으로 성공하는가, 그 점에 대해서 문제를 제기해 볼 수 있고요.

두 번째로는 공부를 잘하는 원인은 여러 가지 환경적인 요인들이 함께 작용하게 돼 있거든요. 환경이 나쁘고 또 가정환경과 학교, 교육환경 이런 것들을 전부 고려해서 성적이 나쁠 수도 있는데, 그런 환경적인 요인들은 무시하고 결과적으로 환경이 좋은 학생들만 뽑아서 대학에서 교육시키는 것이 윤리적으로 정당한가, 사회의 미래를 생각했을 때 적당한가 하는 문제가 있습니다. 고등학교에서 시험만 잘 치는 학생의 성적만 가지고 대학교에서 평가를 하는 것은 적절하지 않고 교육적으로도 효율적이지 않습니다. 시험 점수만 가지고 뽑으면 결국 그 사람의 여러 가지 다양한 인성도 반영할 수 없을뿐더러 환경이 나쁜 사람의 경우 교육을 통해서 계층 이동을 도와줄 수 있는 기회를 전부 봉쇄해 버리는 것이거든요.

그래서 학생부를 가지고 볼 때 가난한 학생들이기 때문에 뽑아야 되고, 소수민족이기 때문에 뽑고, 지방 학생이기 때문에 뽑고, 이런 다양한 상황을 고려할 수 있습니다. 성적순으로 학생을 끊으려고 내신을 보는 것이 아니라 성적으로 반영할 수 없는 다른 여러 가지 사회적 가치, 본인의 역량이라든지 취향, 다양한 능력 등을 반영하기 위해서 학생부를 가지고 입학 사정을 하는 것이거든요.

그런데 한국은 유독 성적만 보겠다는 거 아닙니까? 그러면서 자구 성적 변별력 내라고 하거든요. 고등학교 학생기록에 성적 외의 많은 변별력을 우리가 드릴 테니까 좀 다양하게 학생들을 뽑아 달라고 그렇게 부탁드리고 싶습니다. 그래서 보다 더 가난한 사람들, 지금 성적은 나쁘지만 앞으로 가능성이 매우 높은 사람들, 그런 사람들을 좀 뽑아서 교육시켜 달라고 부탁드리고 싶은 것이지요. 우리 사회가 많이 배우고 성공한 사람들만 사는 사회는 아니지 않습니까? 또 그들만이, 그들의 자식들만 앞으로 계속 성공해야 하는 사회가 아니지 않습니까? 지금 여건이 나쁘더라도 그 아이들에게 보다 많은 기회를 제공해서 그들이 나중에 성공하고, 그래서 우리 모두가 함께 성공하는 사회를 지향하는데 대학들도 도와주면 좋겠어요. 우리 대학이 욕심만 자꾸 부리지 말고, 그것도 고작해야 열 개 대학 아닙니까? 열 개 대학이 '제일 잘하는 아이들 싹쓸이해 뽑아 가겠다.' 그것도 '시험 잘 치는 아이들 상위 3만 명만 싹쓸이해 가겠다.' 3만 명이 아니라 2만 명 정도입니까? 그렇게 '싹쓸이해 가겠다.' 그런 방식으로 대학교의 목표를 잡으면 안 되죠.

질문 : 지금 말씀하시는 내용이 고교 등급제하고 바로 직결되는 얘기로 들립니다. 이를테면 성적만 줄을 지어서 상위 학생 몇 명 뽑는 방식, 그래서 고교 등급제를 해야 된다는 요구, 그게 옳지 않다고 생각하시는 거지요?

대통령 : 그렇습니다. 말하자면 본고사라는 자체가 시험 선수만 다 뽑아 가겠다는 얘기이고, 본고사를 말리니까 이제 내신평가를 하는데도 계속해서 학력 중심으로 평가하고, 거기다가 등급을 계속 부여하겠다고

하니까 이게 고교 등급제로 나가게 되는 것이지요.

질문 : 실제로 그런 의견이 있거든요. 특목고의 경우도 있고요. 또 일반학교와 뭔가 좀 수준이 다른 듯하고 농어촌하고 도시하고도 차이가 있는데, 그렇기 때문에 고교 등급제가 필요하지 않나 하는 의견들이요. 여기에 대해서는 어떻게 생각하시는지.

대통령 : 그 또한 선진국이라고 하는 어느 나라에서도 하지 않는 제도입니다. 고등학교 교육이 우리 한국에서는 대부분 획일화돼 있지요. 고등학교 교육이 학교마다 서로 다른 개성을 가지고 다양성을 가질 때 그 고등학교가 어떤 교육목표와 교육이념을 가지고, 어떤 교육을 했느냐 하는 다양성을 어떤 대학교가 다소 고려하는 것은 별개 문제죠. 그것은 고교 등급제가 아니고 그야말로 내신평가 과정에서 자율적인 선택으로 학교를 좀 다르게 평가하는 것이죠. 어떤 특성이 있는 학교에 대해서 특별한 평가를 해 주는 경우가 선진국에서 전혀 없는 것은 아닙니다만, 학교를 전부 일률적으로 등급제를 매기는 것은 없습니다.

그리고 그 등급제가 조금 전에 말씀드린 대로 학력 중심의, 시험 중심으로 사회를 자꾸 만들려고 하는데, 그것은 우리 사회에 창의력 교육을 붕괴시키고, 주입식 교육, 암기식 교육, 시험밖에 못하는 것이 되어서 결국 교육 목적에 맞지 않고, 인성 교육에도 맞지 않습니다. 등급제라는 것이 자꾸 시험 중심의 사고인데 그건 안 맞다는 것입니다. 그 다음에 하나 더 생각해 보면, 지금 고등학교는 평준화 정책을 통해서 학교를 강제 배정하지 않습니까? 고등학교 등급제가 되면, 학부모들이 결국 고등학교 1등급 학교에 내 아이를 보내고 싶은데 국가에서 강제 배정하는 데 대해 불만을 가지겠죠. 그러면 어떻게 해야 됩니까? 아무리 공부를 시켜도 일류 고등학교를 보낼 수 없으니까 결국은 고교입시 제로를 부활시킬 수밖에 없지 않습니까? 다른 방법 있습니까, 여러분?

고등학교가 등급이 생기면 중학교 학부모들은 일류 학교를 보내고 싶은데 정부가 못 보내게 하니까 부득이 입시를 부활시켜 줘야 되거든요. 고등학교 입시를 부활시키면 중학생들이 어떻게 되겠습니까? 입시 공부 해야지요. 중학교가 입시 공부를 하면 거기 또 등급이 생길 거 아닙니까? 일류 중학교가 생기지요. 1등급 중학교, 2등급 중학교, 3등급 중학교로 나뉘고, 초등학교에서 또 중학교 입시 공부를 해야 되지 않겠습니까? 1967년에 우리가 중등학교 입시 제도를 없애고 무시험 제도를 만들고 나서 아이들이 신체도 좋아지고 집에 가서 잠도 마음대로 자고 놉니다. 그리고 실제로 초등학교 교육은 다양성 교육을 하거든요. 그리고 열린교육이라는 것도 하고 창의력 교육을 많이 하지 않습니까? 실험 실습하고, 입시 제도가 부활하면 다 없어지고 다시 우리 할 때처럼 외우기 교육 해야지요.

우리가 학교 다닐 때는 실험 실습 기구가 없어 책 보고 외울 수밖에 없는 시대였지만 지금은 학교 형편도 좋아지고 아이들도 다양한 교육을 받을 수 있는 환경이 돼 있는데, 왜 지금 초등학교 학생들을 시험선수로 만들어야 되느냐는 거지요. 그렇게 됐을 때 폐해 아시겠지요? 아이들이 또 코피 터지는 일부터 시작되는 악순환의 반복이지요. 고등학교가 등급제 됐는데, 내 아이 1등급 보내고 싶은 학부모의 욕구를 어떻게 충족시켜 주겠습니까? 시험 말고 어떤 방법이 있습니까?

질문 : 한 가지 더 질문을 드려야겠습니다. 기여 입학제에 대해서는 어떻게 생각하십니까?

대통령 : 돈 많은 사람이 학교에 돈 좀 많이 내 정원 외로 학생 몇 명 더 다니면 그 돈으로 학교에 비싼 실습 기자재도 사고, 가난한 학생들 뽑아서 장학금도 좀더 주면 좋지 않겠느냐 하는 생각도 들어서, 제가 후보 때 토론 나가서 괜찮지 않겠느냐고 했는데 항의가 빗발쳐요. '노무현 후보 당신은 진보적인 인사인 줄 알았는데, 약한 사람들을 함께 끌어올려서 우리 사회가 모두 함께 가는 사회, 그런 사회를 지향하는 줄 알았는데, 돈 있는 사람은 대학에 돈만 주면 들어가게 그거를 외치냐'고. 그래서 제가 취지를 쭉 설명했죠. 그런데 저희 참모들이 얼굴이 새파랗게 변합니다. 그 질문 나올지 모르고 저한테 미리 교육을 안 해서 저한테 다시 가르쳐 줘요.

'이게 그렇게 되는 것이 아니고, 기여 입학제를 해서 학생을 뽑을 수 있는 사립대학교가 몇 개 되겠느냐. 국립인 서울대학교가 할 수는 없는 일이고 사립 대학교 몇 개인데, 돈 내고 들어오려는 사립학교가 몇 개 되겠느냐, 안 그래도 대학교가 특성화, 다양화돼야 되는데 그냥 서열화되고 있다. 그래서 입시경쟁을 더욱더 심하게 만들고, 우리 사회를 서열화하고, 사람들의 사고방식도 서열화하고, 또 서열화 속에서 사고방식도 획일화되고 있는데, 사립학교도 서열화되는 결과를 생각해 봤느냐', 그래서 제가 뜨끔 했어요. 그 후로 저는 기여 입학제 하면 아무 말도 안 합니다. 그런데 이 문제는 아무리 생각해도 뛰어넘을 수가 없어요.

또 하나는 국민들의 정서도 중요한 것입니다. 좋은 것이든 나쁜 것이든 국민들이 충분히 설명을 듣고 수용할 수 있어야 되는데, 아무리 설명해도 우리 국민들은 이것을 용납하려고 하지 않아요. 우리나라 중산층과 중산층보다 조금 못한 서민들은 '내 아이도 대학교 보내야 하는데, 누구는 돈 주고 들어가는, 말하자면 돈 있으면 들어가고 돈 없으면 대학 못 보내는 이런 제도는 절대 받아들일 수 없다'는 정서를 가지고 있는 것 같아요. 그런데 그게 맞는 것 같아요. 그 부모가 얼마나 애가 타겠습니까? 그렇지요? 그래서 기여 입학제에 대해서는 실용적으로 이런저런 설명이 가능하겠지만 우리 국민들이 좋아하지 않는 것인데, 굳이 한두 개 대학을 위해서 그런 엄청난 사회적 갈등이 생기는 제도를 우리가 채택할 필요가 있겠느냐? 또 실제로 그거 요구하는 대학교는 거의 없는 것 같아요.

질문 : 3불정책이라는 것은 우리 교육의 형평성·공정성을 지켜 준다, 그런 말씀을 쭉 하셨고, 충분히 공감이 갑니다. 그런데 한편으로 대학이 자율성을 가져야 하지 않느냐, 그런 것도 필요하지 않느냐는 생각도 드는데요.

대통령 : 거꾸로 좀 생각해 주시면 좋겠습니다. 이 세 가지 말고는 다 자율이다. 지금 대학교수들 정부 비판하는데 마음대로 하지요? 또 자

기들이 교육을 뭘 하든 다 마음대로 하지요? 대학교 연구에 대해서 누가 방해할 수 있습니까?

대학자율이라는 것은 역사가 있지 않습니까? 옛날에 종교를 이유로 자유로운 학문을 할 수 없게 하고, 연구도 못하게 하고, 발표도 못하게 하고, 가르치지 못하게 했습니다. 그것이 사람의 능력을 제한하고 자유를 제한하기 때문에, 그래서 민주주의 인권 의식이 발생하면서부터 교육의 자율이 나온 것이지요. 대학교 자율을 가지고, 대학교가 자기들 살림살이까지 내 마음대로 하겠다. 등록금도 자율이고 입시도 자율이다. 말하자면 교수 사회에서 서로 경쟁도 평가도 안 받고 자율이다, 그런데 평가 안 받는 나라가 어디 있습니까? 그런 식으로 자율이라는 것을 그렇게 확대하면 안 됩니다.

우리도 모두 자율을 가지고 있지만, 지금 당장 나가면 좌측통행부터 해야 되지 않습니까? 자동차 타면 우측 통행을 해야 되지 않습니까? 저도 자율 시민이지만 자유라는 것은 질서 유지와 공공 복리를 위해서 제한할 수 있는 것이 자유이고, 그 자율은 그것의 하나입니다. 자율을 너무 확대하고 남용해서는 안 됩니다. 10개 대학의 선발 자율을 위해서 우리나라 공교육을 다 무너뜨리고, 우리 교육이 거두고자 하는 목표, 창의성 교육이라든지 교육의 효율도 다 무너뜨리고, 학부모들이 밤 1시, 2시까지 과일 깎아 공부하는 아이들 방에 들락날락하는 그런 상황으로 몰고 갈 수 있는 것은 아니지 않습니까?

그래서 자율도, 자율의 개념부터가 다르고, 또 자율도 한계가 있습니다. 다른 이익과의 충돌에서 더 큰 이익, 그것을 우리가 선택할 수 있는 것이라고 생각해야지요.

변별력 문제는 좀전에 제가 자세히 말씀드렸고요. 본고사를 두고 하향평준화라는 말을 많이 합니다. 지금 제도를 하향평준화라고 얘기하는데, 이거야말로 굉장히 왜곡한 것입니다. OECD에서 하는 학력평가 대상은 시골에 있는 학생까지 포함해서 평가한 것이지, 서울의 우수한 학생 일부만 뽑아서 평가한 결과가 아닙니다. 우리나라의 지방 다 포함한 평균으로 해서 제일 나쁜 과목이 세계 4위 들어가고 5위 들어갑니다. 어쨌든 전체적으로 평균 5위 안에 들어 있고, 해마다 조금 들쭉날쭉하더라도 10위권 아래로 어떤 과목도 떨어지는 일이 없습니다. 우리 한국의 교육, 중등 교육은 그만큼 성공시켜 놓았는데, 고등학교 가면 차차 무너집니다. 왜냐하면 대학 입시에 가까우니까요. 그래서 대학 입시가 우리 교육의 경쟁력을 오히려 가장 떨어뜨리는 요인인데, 자꾸 대학 입시에서 본고사치고 싶어서 하향평준화라는 말을 자꾸 하는데, 말은 그럴 듯하지만 한국에 하향평준화된 교육이 없다는 것입니다. 평준화되고 난 다음에 하향평준화된 것이 아니라 상향평준화됐다는 것은 이미 다 나와 있습니다. 우수한 학생 순서가 아니라 다른 방법으로, 오히려 교육 여건이 나쁜 고등학교 학생들을 전부 배정해서 뽑은 사람들이 있기에 학업 성적이 좋아졌다는 것은 이미 연구 결과로 검증된 것입니다. 오히려 변별력의 기준을 바꿔 줬으면 좋겠다, 시험 성적에만 너무 매달리지 말고 그 사람의 인간적 폭이나 가능성, 그리고 우리 사회가 좀 끌어올려야 될 사람들에 대한 배려, 이런 것까지를 다 포함해서 좀더 윤리적이고 미래 지향적인, 좀 공동체적인 그런 변별력을 기준으로 삼아 줬으면 좋겠고, 하향평준화와 같은 있지도 않은 얘기 제발 안 했으면 좋겠다. 그렇게 말씀드리고 싶습니다.

질문 : 어느 사회나 요즘 무한경쟁사회라고 하지 않습니까? 국가 간의 경쟁력이 치열해지고 있고, 인재를 양성하는 게 대단히 중요한데요. 프랑스 같은 경우에는 그랑제꼴이 있어서 따로 엘리트를 육성하고 있는 것으로 알고 있거든요. 우리나라에도 이런 제도는 필요하지 않느냐는 생각이 드는데요.

대통령 : 얼마 전에 어떤 회사 사장을 만났더니 '우리 회사 사원이 3천 명이 있는데, 핵심 인력은 15명이다. 그래서 이 사람들에 대한 인적사항까지 전부, 이건 대외 기밀이다'라고 하던데, 이렇게 얘기할 만큼 우수한 사람들이 있나 봐요. 흔히들 한 사람이 1만 명을 먹여 살리는 그런 첨단기술이 필요하고, 또 그런 인재가 필요하다, 그런 점에서 우리나라도 그런 사람들에게 길을 열어 주기 위한 영재 교육 코스가 있어야 되는 것이지요. 영재 교육 코스는 우리나라가 많이 열려 있습니다. 예를 들면 과학영재고도 있고 수학영재고도 있고요. 이름을 고등학교로 붙이는지 어쩌는지 모르겠습니다만, 여러 가지 제도들도 있고요. 그 다음에 대학교도 그런 코스를 가지고 있고요.

또 하나 우리가 좀 오해하고 있는 것이 얼른 보면 서울대학교가 영재 대학교지요. 그렇지 않습니까? 그러면 지금 선발제도 위에서 영재 대학교라고 말할 수 있는데, 실제로 서울대학교 나온 사람이 꼭 영재가 필요한 데 가서 일하고 있습니까? 서울대학교 나온 사람이 고시를 제일 많이 보는 것 같은데, 영재가 고시 합격해서 판사 하면 조금 곤란한 사회가 됩니다. 판사는 보통 사람이라야 되거든요. 의사 선생님도, 아주 우수한 선생님도 필요하지만 대부분의 의사 선생님들은 영재 아니라도 하는데, 지금 우리나라에서 영재급 수준으로 시험 성적이 잘 나오는 사람들은 1차적으로 고등고시를 치는 쪽으로 가고, 그 다음에 의과대학 가고 그 다음에 취직 잘 되는 순서대로 가지요. 영재 교육은 지금의 입시 제도, 지금의 본고사 제도 가지고 할 수 있는 것이 아니고, 우리가 별다른 교육 제도를 가지고 있습니다. 구체적인 내용은 우리 부총리님이 좀 알고 계시지요.

부총리 : 대통령님께서 말씀하신 대로 고등학교 수준의 과학고등학교, 그 다음에 예술 분야의 학교들이 있습니다. 그런 특별 분야의 영재들은 대학에 갈 때 소위 동계 진학에 합격률을 높일 수 있도록 제도적 장치를 마련해 두고 있습니다.

그런데 흔히 영재 교육 얘기할 때 프랑스의 그랑제꼴을 얘기하는데, 그랑제꼴은 나폴레옹이 프랑스의 교육 제도를 아주 철저한 정예주의 교육 제도로 만들면서 시작된 것입니다. 그러나 그것을 영국에서도 독일에서도 미국에서도 그대로 받아들여서 하지는 않습니다. 그러니까 프랑스가 그랑제꼴을 한다고 해서 그것이 반드시 영재 교육의 특별한 방식은 아니라는 거죠. 다른 나라들은 기본적인 제도를 가지고도 우수한 인재, 특별 분야의 인재들을 기르지요.

아까 대통령님께서 말씀하신 대로 서울대학교와 그 밖에 우수한 몇몇 대학들, 우리나라 최고 인재들을 확보합니다. 거기에서 그들을 제대로 기르면 그것이 영재 교육이지, 꼭 그들을 특별한 학교에 따로 모았다고 해서 영재 교육이 되는 것은 아니라고 봅니다.

질문 : 그랑제꼴 같은 경우는 그러니까 보편적인 게 아니고 특수한 것이다, 그런 말씀이네요. 아무도 그랑제꼴을 참고하지 않는다는 말씀이신 것 같은데.

대통령 : 그 문제와 관련해서 제가 한 가지 더 지적하고 싶은 것이 있습니다. 영재 교육과 유사한 것으로 특별히 한 분야를 미리부터 배우는 특수 교육이 있습니다. 오늘도 EBS 영어교육방송 채널이 개국했듯이 이제 영어 교육은 보편적인 것입니다만, 옛날에는 어학 교육을 좀 특별한 것으로 봐서 외국어 고등학교 만들어 놨었습니다. 그런데 지금 외국어 고등학교가 외국어 전문가를 양성하기 위한 교육을 시키고 있습니까? 아니면 입시 기관화되어 있습니까?

외국어 전문가를 기르는 교육 제도로 만들어 놓으니까 전문가 양성할 생각을 안 하고 입시학원처럼 입시 학교가 되어 가지고, 그 사람들이 지금 본고사 하자고 자꾸만 흔들어서 우리 학교의 근간을 오히려 흔드는 세력이 되어 있단 말이지요. 그래서 영재 교육이라는 것이 잘못 왜곡되면 이런 결과가 나와 버리기 때문에 그런 것입니다. 영재는 제가 아까 특별 코스를 말씀드렸습니다만, 그 코스는 그 코스대로 가지만 또 전체적으로 이렇게 가는데, 영재는 일반 대학의 교육과정 속에서도 스스로 드러나게 됩니다. 그런 사람들을 교수님들이 잘 선발해서 아주 우수한 연구과정에 투입하면 우리 정부가 얼마든지 거기에다 지원해 주는 제도를 가지고 있습니다. 예를 들면 BK21이라든지 그 외에 많은 장학 제도들이 있어서 우리나라 영재는 본고사 부활하지 않아도 영재 교육에 아무 지장 없다. 그렇게 말씀드리겠습니다.

질문 : 자꾸 말씀 나눠 보니까 3불이라는 말 자체가 어감이 부정적인 것 같아요. 그래서 이름을 바꾸면 좋지 않을까 하는 생각이 드는데요.

대통령 : 사실은 이 정책을 하게 된 이유가 창의력 교육을 하자는 것이거든요. 그리고 공교육 살리자는 것인데, 연구를 해 봐도 이름을 붙이기가 힘이 들어요. '창의력 교육을 위한 세 가지 원칙.' 이렇게 하려니까 좀 이상하고, '공교육 발전을 위한 세 가지 원칙', '대학 입시 세 가지 원칙', 모두 말이 길어서 사람들이 외우려고 하지 않을 것 같아요.이미 한 번 이름을 붙어놓으면 바꾸기도 힘들지요. 어쨌든 불(不)자가 들어 있기는 하지만 아주 좋은 정책입니다. 불자 든 것 중에서 좋은 게 많거든요. '불굴의 투지' 이런 것도 있지 않습니까? '불편부당' 이런 것도 있고요.

질문 : 인하대학교 입학처장입니다. 최근 대학은 지역 사회의 낙후된 지역의 발전까지 고려해서 다양한 인재를 뽑는 데 최선을 다하고 있습니다. 이와 같은 노력은 양질의 강의, 연구 등으로 이어지면서 대학 경

쟁력의 출발점이 되고 있는 것입니다. 최근 3불정책이 대학의 경쟁력을 떨어뜨리고 있다고 저는 판단합니다. 이에 대해서 대통령님께서 의견을 말씀해 주셨으면 감사하겠습니다.

대통령 : 지금까지 제가 쭉 얘기를 했던 것이 전부 포괄적으로 대학의 경쟁력을 떨어뜨리지 않는다고 말씀드린 것입니다. 저는 그랬다고 생각하거든요. 거듭 말씀드리지만 세계 일류대학교 중에서 본고사 보는 곳이 한 군데도 없습니다. 그럼에도 불구하고 그 대학교들을 경쟁력을 가지고 있습니다. 그래서 그 점에 대해서 깊이 한번 생각해 봐 주시면 좋겠습니다. 세계 최고 수준의 대학교들이 다 본고사 안 보고 세계 최고가 되고 세계 최고의 인재를 길러 내고 있는데 왜 한국에서는 꼭 본고사를 봐야 세계 최고 경쟁력 있는 대학이 되겠느냐, 그렇게 여쭤보고 싶습니다.

질문 : 일본은 본고사를 보고 있는 것으로 알고 있는데요.

대통령 : 일본은 그렇습니다. 일본 것도 최근의 것은 본받을 것이 좀 있는데, 옛날부터 내려오던 것, 일본식 중에서도 일본 구식은 되도록이면 우리가 모르는 척하는 것이 좋습니다.

질문 : 요즘 언론 보도를 보면 대학 내부 비리 문제나 재단의 분규 문제들이 가끔 보도되고 있습니다. 이제 대학도 사회적 책임을 함께 져야 될 책임과 의무가 있다고 생각합니다. 대통령님께서는 이 내용에 대

해 어떻게 생각하고 계십니까?

대통령 : 내부 비리는 어디에나 다 있는 것입니다. 그런데 어물전 망신 꼴뚜기가 시킨다고 하듯이 극히 소수의 일부 대학이 비리를 자꾸 저질러서 전체 대학 망신을 자꾸 시키고 있는 것이지요.

그래서 국회에서 사학법이라는 것을 만들어서 대학 경영의 내부 통제를 해 보자, 그동안 외부 통제는 여러 가지를 우리가 해 봤지만 충분하지 않아서, 외부 감사만 가지고는 비리를 완전히 뿌리 뽑기 어려우니까 그래서 내부 통제를 해 보자 해서 소위 사외이사 또는 공익이사 제도를 한번 해 보자 했는데, 이걸 반대를 하지요. 그런데 비리가 있는 학교도 물론 반대하겠지만 비리가 없는 학교도 사학이라는 데가 신성시 되는, 자존심을 가지고 있는데 왜 자꾸 넣으려고 하느냐 하는데, 저희 생각엔 일종의 공적 성격을 가지고 있는 조직 중에서 내부에 통제 제도가 들어 있지 않은 조직은 없습니다. 일반 기업에서도, 심지어는 영리 그리고 기업비밀이 필요한 일반 기업까지도 사외이사 제도를 도입하고 있지 않습니까? 그런데 그것이 지금 국회에서 통과가 됐는데, 자꾸 그걸 갖고 옥신각신하고 있습니다. 어떻든 비리 문제에 관해서는 지금까지 해 오던 외부 통제, 외부 감사 철저히 하고, 내부감사 제도가 잘 발달해 줘야 됩니다.

그 다음에 우리 사회의 문화를 좀 바꿔야 합니다. 우리 한국사회, 지성사회 문화를 좀 윤리적으로 바꿔야 한다는 것이지요. 자기의 이익을 주장하는 것이야 당연한 것이지만 자기의 이익을 주장할 때도 사회 공익을 먼저 생각하고 국민들의 눈치를 볼 줄 아는 염치 같은 것이 우리 사회에서 자꾸 높아져야 됩니다. 보통 우리가 보면 자기 이익을 주장하는데 좀 염치없다 싶은 일들이 좀 있거든요. 지금 물론 사학이 그렇다는 것은 아니고요.

사회 여러 분야에서 전체 공익을 생각하지 않는 자기 주장만 나오는 것이 많습니다. 이런 것은 법으로 금지할 수 없고 우리 사회의 문화가 성숙하게 바뀌어야 하는데, 이것을 선도할 곳이 어디냐 하면 결국은 대학교, 대학교수, 정치 지도자 등입니다. 요새 정치 지도자도 좀 안 그런 것 같아서 죄송스럽고요. 그러나 학교에 대해서 부탁드리고 싶은 것은 성숙한 시민의식 같은 것을 학교나 학교 경영하는 분들이 좀 솔선해서 외부감사, 내부감사 가지고 옥신각신하지 말고, 내부감사 제도 같은 것도 수용하고 투명하게 개방적으로 가는 것이 좋지 않겠습니까? 하나 예를 들면 제가 처음에 모든 것을 개방하고 권력도 전부 아래로 내려보내고, 하방이라고 말할 수 있겠지요. 하방하고 하니까, 정치 어떻게 할 것이냐고, 그렇게 해서 5년 어떻게 견뎌 갈 거냐고 사람들이 그랬는데, 잘 견디고 있지 않습니까? 지지율이 좀 낮은 게 탈이지만, 내려오라는 사람 없잖아요? 그래서 열고 나면 별거 아닙니다. 한·일회담 협정 기록들, 수만 페이지가 되는 엄청난 분량의 기록인데, 그거 공개 안 하고 있으니까 마치 그 당시 한·일회담 한 사람들이 나라 팔아먹은 것처럼 많은 의심들이 있었는데, 공개를 해 놓고 보니까 별로 없어요. 심지어는 베트남 파병한 군인들 봉급 떼먹었다는 소문까지 있었는데, 공개해 놓고 보니까 봉급 떼먹은 흔적도 없고요. 그런 것을 보면서 공개하고 나면 별거 아닌 것을, 하는 생각을 했습니다. 그래서 좀 과감하게 우리나라 지성사회가 이런 데 있어서 먼저 모범을 보여 주셨으면 좋겠다, 그런 말씀드리고 싶습니다.

질문 : 고3 학생을 둔 학부모입니다. 현실적으로 특목고와 일반고, 그 다음에 대도시와 농어촌계 학교 간의 학력차가 엄연히 존재하는데, 그런 점을 대학 입시에 반영하는 것이 합리적이지 않을까요?

대통령 : 우리가 국가 제도를 운영할 때는 당장의 답답함, 또 소수의 답답함도 다 돌봐야 하지만 크게는 공동체 전체의 미래를 내다보고 가는 것이 옳습니다. 그래서 특목고 학부모님들이 지금 현재 답답한 것은 사실일 것입니다. 또 세칭 일류 고등학교라고 하는 데 다니는 학생들의 어머님들은 뭔가 손해 보는 느낌이 있을 것입니다.

그러나 국가 전체의 교육의 미래를 봐서 그래서는 안 된다는 말씀을 제가 지금까지 드린 것입니다. 사실 모두를 만족시킬 수 있는 정책은 없습니다. 이해관계가 서로 많이 부닥치고 있는 사회에서, 전체적으로 그렇습니다.

그렇기 때문에 국가의 정책과 제도가 좀 불편하더라도 따라 주셔야 됩니다. 말하자면 보다 높은 교육 목적, 교육 결과에 있어서 보다 높은 성과를 거두기 위해서, 그리고 그 교육의 결과가 국가의 발전에 이바지하고 또 교육의 결과가 계층을 고착화시키지 않도록, 교육이 말하자면 누구에게나 신분 상승, 계층 상승의 가능성을 열어 주는 교육이어야

지 그걸 자꾸 막아 버리는 교육이 됐을 때 우리 사회는 나중에 하나로 갈 수 없고, 결국은 두 개로 쪼개질 수밖에 없지요. 그렇게 해서 가야 하기 때문에 좀 불편하더라도 좀 참으시고요. 제가 권해 드리고 싶은 것은 욕심을 좀 줄이셔도 괜찮다는 것입니다. 서울대학교 안 가도 아드님께서 따님께서 자기 스스로 여러 가지 노력을 하면 얼마든지 성공할 수 있습니다. 자기 자신에게 매우 성실하고 친구들이나 이웃들에게 크게 환영받는 사람이 되고, 그 다음에 공동체에 대해서 뚜렷한 어떤 기여, 헌신성이라 할까 책임, 의무 이런 것을 뚜렷하게 하면서 열심히 살면 서울대학교 안 나와도, 연대 고대 안 나와도 얼마든지 기회가 있습니다.

사회가 계속 사람들을 불안하게 몰아붙이는 것은 사실입니다. 지금 저도 인사를 해 보지만 역시 서울대·연대·고대가 많은 것은 사실이지만 지방대학 출신들, 지금 쟁쟁한 자리에 다 있습니다. 지금 건설교통부 장관 하는 분은 국세청장 했는데, 국세청장 하고 청와대 혁신수석 하다가 거기서 또 일 잘해서 행정자치부 장관 갔다가, 거기서 또 일 잘해 자기 임기도 못 채우고 건설교통부로 또 발탁되지 않았습니까?

사람이 성실하고 항상 창의적인 생각을 가지고 끊임없이 의문을 제기하고 끊임없이 불편을 해소해 나가려는 창의적이고 창조적 자세, 도전적 자세를 가지고 있으면요, 설사 대학교 좀 이름 없는 데 가도 얼마든지 성공할 수 있어요. 저는 단언할 수 있습니다. 얼마든지 성공할 수 있습니다. 그리고 반드시 모두가 지도자가 돼야 하는 것은 아닙니다. 지도자의 삶도 삶이고 지도자 아닌 보통 사람의 삶도 삶입니다. 사람의 행복이라는 것은 획일적인 기준으로 자를 일은 아니지요. 옛날에는 정말 낙오하면 못 먹고 살았어요. 그런데 지금은 어지간한 사람들은 먹고살 걱정 안 합니다. 아이들도 자기 하고 싶은 거 하라고 좀 해 주세요. 하고 싶은 거 하고 사는 사람이 제일 행복한 사람입니다.

국회의원 해 보니까 정말 힘들고요, 욕만 얻어먹고 꼭 행복한 것은 아닙니다. 이 길로 들어섰으니까 이 자리에서 내가 회피하지 않고 역사가 준 책무에 정면으로 대결해 나가겠다는 생각으로 하는 것입니다. 그렇게 마음을 넓게 욕심을 줄이는 쪽으로 해결하지 않으면, 대학교 입학 진학률이 84%가 되는 나라에서 무슨 교육정책 내놓는다고 교육정책이 될 수가 있겠습니까? 사람마다 요구가 있는데 다 어떻게 모두 충족시킬 수 있겠습니까? 그래서 국가는 보편적인 목표를 가지고 결국 크게 보고 나갈 수밖에 없습니다.

마무리 말씀

옛날에는 국민이 백성이었습니다. 백성이 자각해서 시민으로 성장하니까 민주주의 사회가 된 것이지요. 이제 제왕이나 일반 국민들이나 가진 권리가 특별히 차이가 나지 않습니다. 지배와 속박의 관계 속에서 고통 받는 일들은 거의 없지요. 이제 시민이 주권자죠. 주권자로서 역량을, 지도자에 가까운 역량을 갖추어 나가게 되었을 때 우리 민주주의가 아주 성숙한 민주주의가 될 수 있는 것이지요.

그러나 시민은 공공의 이익을 생각할 줄 알아야 합니다. 내 이익도 중요한 것이지만 공공의 이익을 생각하고, 그 다음에 의무와 책임도 다 함께 할 줄 알 때 우리 사회가 모두 더불어 살기 좋은 사회가 되는 거 아니겠습니까? 누구라도 내 자식을 일류 대학교 보내고 싶고, 누구라도 우리 대학이 좋은 아이들 뽑아서 또 일류하고 싶고, 같은 값이면 좋은 아이들을 뽑으면 가르치기 쉽죠. 쉽게 일류 대학이 되고 싶겠지만, 그러나 우리가 좀 모자라는 사람도 뽑아서, 힘이 들더라도 뽑아서 인재를 만들고, 내 자식만이 아니라 '우리들의 자식'이 모두 함께 어우러져서 평등하게 서로 대화를 나누고 의지하고 돕고 살 수 있는 사회로 만들어 가도록 어른들이 지도해 줘야 돼요.

오늘날 '서울대·연대·고대'라고 하면 우리 사회에 엘리트들 배출해 온 학교이고, 지금도 엘리트를 배출하고 있는 학교인데 이 엘리트 교육 기관이 자꾸 내 학교만 좋은 학생들 뽑아서 쉽게 일류 학교가 되겠다고 자율이라는 이름하에 본고사를 주장했을 때 결국 우리 사회가 힘 있고 잘된 사람만 점점 더 잘되고, 힘없고 약한 사람은 점점 낙오하는 사회로 갈 수밖에 더 있겠습니까? 더불어 함께 가고, 사회 갈등의 문제가 생기지 않도록 함께 가는 사회를 구상해야 대한민국이 세계 일류가 될 수 있고 경쟁력 최고의 나라로 갈 수 있습니다.

교육제도도 점점 더 개혁되어 가고 있습니다. 우리 대학교들이 지금 점차 특성화하고 있고, 굉장히 노력하고 있습니다. 아무 대학이나 넣어도 우리 아이들이 앞으로 자기들 먹고사는 것뿐만 아니고 세계 일류의 인재가 되는 데 아무 지장 없습니다. 공부는 또 자기가 하는 것이고요, 너무 그렇게 조그만 차이에 급급해하지 말고 세계를 크게 내다보고 그렇게 배포 있게 해 나가면 다 할 수 있습니다. 대한민국이 잘되면 우리 아이들 다 함께 잘되는 겁니다. 이번에 제가 사우디아라비아·쿠웨이트·카타르에 다녀왔는데, 카타르의 정유공장 짓는 현장에 갔더니 한국 사람들이 일하고 있어요. 한국의 기업이 컨소시엄을 형성해서 정유 공장 원청을 받았어요. 원청을 받아서 6억 8천만 달러짜리 공사를 하고 있는데, 그러니까 6,500억 원짜리 공사라는 것이지요. 한국 사람 180명, 외국인 노동자 3천 명이 컨테이너 같은 숙소를 만들어 놓고 땡볕에서 일을 하고 있어요. 그런데 탱크 위에서 일하던 어떤 사람이 손을 흔들어요. 저도 손을 흔들었죠. '저 사람 한국 사람이 맞느냐?' 이러니까 '흰 모자 쓴 사람 한국 사람입니다.' 흰 모자 쓴 사람이 누구냐 하면 그 현장을 지휘하는 사람인 것이지요. 1970년대 중동에 우리 한국 사람들이 나가서 필리핀 기술자 밑에서 파란 모자 쓰고 막노동 비슷한 작업을 했어요. 그런데 지금 최고 높은 자리에서 외국 노동자들을 지휘하고 있습니다. 그 지휘하는 사람 중에는 일부 파란 모자 쓴 사람보다 재능이 조금 모자란 사람도 있지 않겠어요? 경우에 따라서이지만 그건 대한민국 국민이니까 한국의 기술자니까 그런 흰 모자를 써야 하는 겁니다. 흰 모자 당당하게 쓰고 지휘하거든요. 그 공사를 맡았다는 것도 한국이 지금 눈부시게 빠른 속도로 발전해 가고 있다는 뜻이고요. 또 그런 과정을 통해서 한국은 계속해서 성공합니다. 그러기 때문에 한국에서 좀 이름 없는 대학교 나와도 마음먹기에 따라 성공하고 행복하게 살 수 있습니다. 또 지도자가 되고 최고 기술자가 될 수도 있지만, 또 아닌 곳이라도 한국 사람은 한국 사람으로 대우를 받게 되어 있습니다. 그래서 우리가 함께 힘을 모아 나가는 것이 아주 중요합니다. 경쟁은 있어야 되지만 지금보다 조금 낮은 경쟁으로도 충분히 한국은 최고의 국가가 될 수 있습니다.

원자바오 중국 총리를 위한 만찬사

2007년 4월 10일

존경하는 원자바오 총리 각하, 그리고 내외 귀빈 여러분.

오늘 저녁, 아주 가까운 나라의 귀한 손님을 모시게 된 것을 매우 기쁘게 생각합니다. 각하께서는 대한민국을 처음 찾아주셨습니다. 좀 늦었다 싶은 방문이라 더욱 반갑습니다. 총리 각하와 일행 여러분을 진심으로 환영합니다. 총리와의 만남은 이번이 아홉 번째입니다. 만날 때마다 저는 각하의 폭넓은 식견과 한국에 대한 깊은 이해에 큰 감명을 받습니다. 각하께서는 우리 국민에게도 아주 인기가 높은 지도자이십니다.

총리께서는 그동안 개혁·개방에 대한 확고한 소신으로 매년 9%가 넘는 경제성장을 이끌고 계십니다. 그뿐이 아니라 '평민총리'라 불릴 만큼 검소하고 겸손한 성품, 그리고 서민의 안녕을 최우선으로 여기는 '위민정치' 철학은 중국은 물론 세계 여러 나라 정치인들의 귀감이 되고 있습니다. 우리는 각하에 대한 중국 국민의 애정과 신망이 결코 근거 없는 거품이 아니라는 사실을 잘 알고 있습니다. 저는 각하의 지도력과 중국 국민의 역량이 중국을 더욱 풍요롭고 '조화로운 사회'로 발전시켜 나갈 것으로 확신합니다.

총리 각하,

우리 두 나라의 우호협력에 대해서 잠시 말씀드리겠습니다. 중국은 이미 우리의 최대 교역 대상국이자 투자 대상국입니다. 우리 또한 중국의 세 번째 교역 대상국입니다. 하루 1만 3천 명 이상이 양국을 오가고, 중국에 있는 우리 유학생만 5만 명을 넘어설 만큼 인적 교류도 크게 늘었습니다. 특히 2003년 '전면적 협력 동반자 관계'로의 격상 이후 양국 관계가 비약적으로 발전하고 있는 것을 매우 기쁘게 생각합니다. 오늘 각하와의 회담은 이러한 양국의 긴밀한 우호를 거듭 확인하는 자리였습니다. 교역과 투자·IT·과학기술은 물론 노동·환경 분야에 이르기까지 실질협력을 더욱 강화해 나가기로 했습니다. 또한 '한·중 교류의 해'를 맞아 문화·학술·체육 등 다양한 분야에서 국민 간의 교류를 확대해 나가기로 했습니다. 중국정부는 그동안 6자회담 의장국으로써 북핵문제의 해결과 한반도 평화를 위해 적극적인 노력을 해 주었습니다. 이 자리를 빌려 중국정부에 거듭 감사 인사를 드립니다. 그리고 지속적인 역할을 당부드립니다. 앞으로도 우리 양국이 그동안의 선린우호를 더욱 두텁게 하고, 협력에 장애가 되는 요인들을 제거해 나감으로써 평화롭고 번영된 동북아 시대를 열어 가는 동반자가 되기를 희망합니다.

귀빈 여러분,

총리 각하의 건강과 우리 양국의 영원한 우의를 위해 축배를 들어 주시기 바랍니다.

건배!

알 말리키 이라크 총리를 위한 환영사

2007년 4월 12일

존경하는 알 말리키 총리 각하, 그리고 내외 귀빈 여러분,

각하와 일행 여러분의 방한을 진심으로 환영합니다. 이라크의 안정과 통합을 실현하기 위한 각하의 노력에 깊은 경의를 표합니다. 지금 추진하고 계신 '국민 화해정책'과 '신 바그다드 안정화정책'이 반드시 성공해서 이라크의 힘찬 도약을 이끌 것으로 확신합니다. 오늘 정상회담은 양국 관계 발전의 획기적인 전기가 되었다고 생각합니다. 에너지와 건설·IT·교육 등 여러 분야에 걸쳐 실질협력이 크게 확대될 것으로 기대합니다.

저는 2004년 12월 자이툰부대를 방문한 적이 있습니다. 우리 젊은이들의 노력이 이라크의 평화와 재건에 도움이 될 수 있기를 바라며, 앞으로도 최선을 다해 지원할 것입니다. 각하의 건강과 이라크의 평화와

번영, 그리고 우리 두 나라의 영원한 우정을 기원합니다.

프로디 이탈리아 총리를 위한 오찬 건배사

2007년 4월 18일

존경하는 로마노 프로디 총리 각하, 그리고 내외 귀빈 여러분,

지난 2월 이탈리아에서 뵙고 두 달 만에 다시 각하를 만나게 되었습니다. 한국을 찾아 주신 각하와 일행 여러분을 진심으로 환영합니다. 각하께서는 적극적인 개혁정책을 통해 이탈리아에 새로운 활력을 불어넣고 계십니다. 또한 EU의 통합화 발전을 이끌어 오신 탁월한 지도력으로 이탈리아의 위상을 한층 높여 가고 있습니다. 한반도 평화와 안정을 위한 각하의 변함없는 지지에도 거듭 감사드립니다.

오늘 정상회담은 매우 만족스러웠습니다. 교역과 투자는 물론 IT·해운·중소기업·과학기술 등 다양한 분야에서 협력을 더욱 확대해 나가기로 했습니다. 유엔을 비롯한 국제무대에서 긴밀히 협력해야 한다는 데에도 의견을 같이 했습니다. 앞으로 우리 두 나라가 평화와 번영의 동반

자로서 크게 발전해 나갈 것으로 믿습니다. 각하의 건강과 이탈리아의 번영, 그리고 우리 두 나라의 영원한 우정을 위해 건배를 제의합니다.

건배!

제47주년 4·19혁명 기념사

2007년 4월 19일

존경하는 국민 여러분, 4·19혁명 유공자와 유가족 여러분,

오늘은 4·19혁명 마흔일곱 돌이 되는 날입니다. 뜻 깊은 이날을 맞아 저는 먼저 정의와 민주주의를 위해 거룩한 희생을 바치신 분들의 영전에 머리 숙여 감사와 존경의 마음을 표합니다. 그리고 옷깃을 여미고 고인의 명복을 빕니다. 아울러 그날의 상처로 지금까지 슬픔과 고통을 겪고 계신 유가족과 부상자 여러분께 충심으로 위로의 말씀을 드립니다.

저는 그동안 4·19가 되면 기념식과는 별도로 아침 참배만 했습니다. 4·19의 역사적 의의와 비중에 비추어 이상한 일이라는 생각을 하면서도 관행으로만 알고 몇 해를 그렇게 했습니다. 그런데 지난해 유가족 대표로부터 기념식에 참석해 달라는 요청을 받고 보니 그동안 정통성 없는 정권이 해 오던 관행을 생각 없이 따라 해 왔던 일이 무척 부끄럽

고 미안했습니다. 그리고 뒤늦게 오늘 이 자리에 참석했습니다. 너그럽게 양해해 주시기 바랍니다. 저는 앞으로도 4·19 기념식이 역사적 의미에 맞는, 격에 맞는 행사로 계속 치러지기를 바랍니다.

국민 여러분,

4·19혁명은 갑오년 동학농민혁명, 기미년 3·1독립운동과 함께 우리나라 민권운동과 민주주의 역사에 큰 발자국을 남긴 역사적인 사건입니다. 4·19혁명은 또한 승리의 역사입니다. 임진왜란 이후 수백 년 동안 이어진 좌절의 역사를 넘어서, 우리 민중이 처음으로 이루어 낸 승리의 역사입니다. 정의를 위한 투쟁과 헌신은 성공과 실패를 넘어 그 자체로써 고귀한 것입니다. 그중에서도 승리의 역사는 더 많은 씨앗을 퍼뜨리고 더 큰 열매를 맺게 하므로 더욱 값진 것이라고 생각합니다. 4·19혁명은 참으로 값진 승리의 역사입니다. 4·19혁명은 우리나라 민주주의 역사에서 끊임없는 영감의 원천이자 믿음의 뿌리입니다. 4·19의 정신이 있었기에 우리는 투쟁을 멈추지 않았고, 4·19의 승리가 있었기에 우리는 좌절하지 않았습니다. 10·16부마항쟁, 5·18광주민주화운동, 그리고 6·10항쟁이 모두 4·19정신을 이어받았고, 마침내 승리를 이루었습니다.

존경하는 국민 여러분,

우리는 이 자랑스러운 역사를 영원히 기념할 것입니다. 4·19의 숭고한 정신을 실천하고, 이를 후세에 물려줄 것입니다. 안타깝게도 4·19혁명의 승리는 1년여 만에 5·16군사쿠데타로 짓밟히고 말았습니다. 민주주의도 그와 함께 짓밟혔습니다. 나라 살림을 일으켜 민주주의의 효용과 가치를 증명할 기회마저 도둑맞았던 것입니다. 그 이후 30년 동안 5·16쿠데타는 '혁명'으로 불리고, 4·19혁명은 '의거'로 낮추어 불리는 세월을 보내야 했습니다. 오랜 세월을 다시 싸운 끝에 1993년이 되어서야 4·19는 다시 '혁명'으로 부활하여 정당한 평가를 받게 되었습니다. 이제 다시 그런 수모의 역사는 없을 것입니다. 4·19는 우리 역사 속에, 그리고 우리 국민의 가슴 속에 영원히 살아 있을 것입니다. 그래서 불의한 세력이 이 땅을 범하려 할 때 다시 일어날 것입니다. 그리하여 부마항쟁과 광주민주화운동, 1987년 6월항쟁이라는 민주화의 대장정을 이뤄냈듯이 이 땅의 자유와 정의, 민주주의를 영원히 지켜 줄 것입니다.

국민 여러분,

아직 우리 민주주의는 완성되지 않았습니다. 민주주의에 완성이 있을 수 있는 것인지는 알 수 없지만, 분명한 것은 우리 민주주의는 아직 더 발전해야 한다는 것입니다. 한 단계 더 성숙하고 진보해야 한다는 것입니다. 우리 국민은 오랜 세월 반대를 용납하지 않고, 자유를 짓밟고, 자존심을 짓밟고, 사람의 양심을 짓밟고, 언론마저 망치고, 급기야 고문과 투옥, 살인마저 마다하지 않았던, 그야말로 잔인한 독재정권에 맞서 결코 타협할 수 없는 투쟁을 이어 왔습니다. 많은 사람들이 목숨을 바쳐서 참으로 힘겨운 투쟁의 시대를 걸어왔습니다. 1987년 6월항쟁 이후 지금까지는 권력의 남용과 권위주의, 특권과 반칙, 정경유착과 부정부패와 같은 독재의 잔재를 청산하는 일에 매진해 왔습니다. 많은 저항과 갈등이 있었으나 민주주의와 투명하고 공정한 사회로의 진전에 상당한 성과를 거두었다고 생각합니다. 이른바 개혁의 시대를 성공적으로 이끌어

왔습니다.

그러나 아직 갈 길은 멉니다. 우리는 성숙한 민주주의에 이르지 못하고 있습니다. 아직 많은 과제가 남아 있는 것입니다.

보다 성숙한 민주주의를 위해서는 관용과 책임의 정치문화가 필요합니다. 관용은 상대를 인정하는 것입니다. 그동안 부당하게 박해를 받아 온 사람들은 받아들이기 어려운 일일 것입니다만, 이제는 평화적 정권교체를 이룬 지 10년, 민주적 선거로 정권을 수립한 지 20년이 되었습니다. 상대를 존중하고 대화와 타협으로 문제를 풀어야 합니다. 협력의 수준을 연정, 대연정이 가능한 수준으로 끌어올려야 합니다. 타협이 되지 않는 일은 규칙으로 승부하고 결과에 승복해야 합니다. 승자에게 확실한 권한을 부여하여 책임 있게 일하게 하고 선거에서는 확실하게 책임을 묻는 것이 책임정치입니다. 이렇게 해야 인권이 신장되고, 보다 공정하고 효율적인 민주주의를 할 수 있습니다. 그리고 국민통합을 이룰 수 있습니다. 우리 다 함께 힘을 모아 대화하고 타협하는 상생의 사회, 신뢰와 통합의 수준이 높은 선진한국을 만들어 갑시다. 그것이 4·19의 정신을 올바로 살려 나가는 길이 될 것입니다. 4·19 민주영령들이 이 길을 환하게 밝혀 주실 것입니다.

감사합니다.

알리예프 아제르바이잔 대통령 내외를 위한 국빈 만찬사

2007년 4월 23일

존경하는 일함 알리예프 대통령 각하, 그리고 귀빈 여러분,

오늘 저녁, 아제르바이잔 대통령으로는 처음으로 한국을 방문하신 각하 내외분을 모시게 되어 기쁩니다. 온 국민과 더불어 진심으로 환영합니다. 저는 지금도 아제르바이잔을 방문했을 때의 감동을 기억하고 있습니다. 수많은 사람들이 희생을 바쳐 나라의 독립과 자유를 이뤄 냈고, 그 위에서 온 국민이 함께 땀 흘려 번영된 나라를 만들어 가고 있습니다. 아름다운 바쿠의 바다와 도시 곳곳의 건설공사도 매우 인상적이었습니다. 아제르바이잔은 2005년에 26%, 지난해에는 35%라는 경이적인 성장률을 기록하면서 2년 동안 GDP가 두 배나 늘었습니다. 국가 인프라를 확충하는 것은 물론 에너지에서 건설·전자·관광 등으로 산업을 다변화하면서 미래를 착실히 준비해가고 있습니다. 아제르바이잔이 코카서

스의 중심국가로 더 힘차게 도약해 나갈 것으로 믿으며, 각하의 지도력과 국민의 역량에 경의를 표합니다.

대통령 각하,

지금 양국은 협력의 새로운 지평을 열어 가고 있습니다. 정상 간의 상호 방문이 이루어지면서 협력의 폭과 깊이가 이전과는 확실히 달라지고 있습니다. 지난해 '양국 관계와 협력 원칙에 관한 공동 선언'을 채택한 데 이어 오늘 '한·아제르바이잔 공동 성명'에 서명했습니다. 각하의 방문을 계기로 '투자보장협정'과 여러 분야의 양해각서도 체결됩니다. 많은 우리 기업들이 아제르바이잔에서 새로운 협력의 기회를 찾고 있습니다. 전자정부 구축과 같은 IT 협력사업도 구체화되고 있습니다. 에너지 분야뿐만 아니라 도로·철도·항만 등 건설 분야도 협력의 잠재력이 큽니다. 특히 각하께서 역점적으로 추진하고 있는 신행정수도 건설에 우리의 행정도시 개발 경험이 많은 참고가 되기를 기대합니다. 오는 6월에는 서울에서 아제르바이잔 문화주간 행사가 열리는 등 국민 간 교류도 더욱 확대되고 있습니다. 양국 상주대사관도 최근에 개설되었습니다. 앞으로 우리 두 나라가 좋은 친구로서 더 큰 번영을 향해 함께 나아가게 될 것으로 확신합니다.

귀빈 여러분,

각하 내외분의 건강과 아제르바이잔의 무궁한 발전, 그리고 두 나라의 우정을 위해 건배를 제의합니다.

건배!

제39회 국가조찬기도회 연설

2007년 4월 26일

존경하는 기독교 지도자 여러분, 그리고 귀빈 여러분,

대단히 반갑습니다. 그리고 감사드립니다. 조찬기도회에 올 때마다 여러분의 기도와 찬양에 저는 큰 감동을 받습니다. 이 자리에 가득한 하나님의 은총이 몸으로 느껴집니다. 그리고 큰 힘을 얻습니다. 교회 지도자와 해외동포, 외교사절을 비롯한 여러분 모두에게 감사드립니다.

저는 기도의 힘을 믿습니다. '의인의 간구는 역사하는 힘이 크다'는 말씀처럼 하나님께서 우리의 기도를 들어 주시고 이 땅에 큰 축복을 내려 주실 것으로 믿습니다. 여러분께서 해 주신 기도의 제목은 저의 소망과 크게 다르지 않은 것 같습니다. 우리나라가 평화롭고 정의로운 나라가 되기를 바랍니다. 그리고 보다 경쟁력 있고 넉넉한 나라, 건강하고 따뜻한 사회가 되기를 소망합니다. 이런 역사가 이루어질 수 있도록 저도 함께 기도하겠습니다.

참석자 여러분,

그동안 우리 모두가 걱정이 참 많았습니다. 물론 지금도 걱정이 없는 것은 아니지만 지난날 걱정이 더 많았던 것 같습니다. 걱정 중에는 혹시 대통령이 나라를 망치지 않을까 하는 걱정도 많았던 것 같습니다. 국민들 사이에 그 같은 걱정이 많은 동안 저는 정말 힘이 들었습니다. 나라를 망칠지도 모르는 대통령, 얼마나 조심스럽고 힘이 들었겠습니까? 요즘은 조금 나아진 것 같습니다. 어쩐 일인지 공격이 좀 멈추어졌습니다. 그러나 저는 방심하지 않습니다. 곧, 또 언젠가 어느 때인가 무슨 일이 있으면 공격은 다시 시작될 수 있을 것이라고 생각합니다.

그러나 중요한 것은 제가 공격을 받든, 받지 아니하든 간에 대한민국은 지금 올바른 방향으로 가고 있다는 것입니다. 세계적 흐름과 그에 맞는 전략, 그리고 우리 인류가 보편적으로 추구하는 가치를 놓고 볼 때 우리 대한민국은 바른 방향으로 가고 있다고 믿습니다. 우선 보다 공정해지고 보다 투명해지고 있습니다. 반칙과 특권, 유착과 부패가 점점 더 설 땅이 없어지고 있습니다. 정경유착, 권언유착, 이런 얘기들도 그리고 서로 결탁해서 이익을 챙기는 일도 점차 어렵게 돼 가는 것은 사실인 것 같습니다. 자유롭고 공정한 경쟁으로 창의를 꽃피워 가고 있습니다.

좀 늦었다는 아쉬움은 있지만 사회투자도 활발하게 이루어지고 있습니다. 복지를 단순한 소비 지출이 아니라 장기적으로 경쟁력을 높이는 투자로 인식하고 보육, 고용지원, 직업훈련 등 사람에 대한 투자를 확대해 나가는 데 사회적 공감대가 점차 높아지고 있습니다. 저는 무척 다행스러운 일이라고 생각합니다. 그러나 우리나라 복지투자를 서구 복지국가에 비추어 보면 아직 절반 또는 3분의 2 수준에 머물러 있다는 것은 매우 가슴 아픈 현실입니다. 우리 모두 이것을 극복하기 위해서 노력해야 될 것이라고 생각합니다. 저는 그동안 의심과 시샘 때문에 감히 입 밖에 내지 못했던 얘기를 이 자리에서 한 말씀 드리고 싶습니다. 한국은 분명히 민주복지국가로 가야 합니다. 그렇지 않고는 장기적인 발전을 기약할 수 없습니다. 오늘 많은 분들이 기도하는 중에 걱정해 주셨던 고통 받고 어려움에 처한 우리 국민들을 함께 껴안고 갈 수가 없습니다. 민주복지국가로 가야 합니다.

개방과 같은 세계적 추세에도 한 발짝 앞서가고 있습니다. 분명한 것은 개방에 대한 인식을 바꾸지 않으면 낙오할 수도 있다는 것입니다. 앞으로 미국에 이어서 EU와 FTA협상이 성공적으로 마무리되면 세계 3대 경제권이 우리를 통해서 연결될 것입니다. 그리되면 한국은 명실상부한 동북아의 경제 허브로 도약할 수 있을 것입니다. 경제를 걱정하시는 분들이 많습니다. 그러나 저는 그분들에게 우리 경제를 좀 더 자세히 들여다봐 달라고 말씀드리고 싶습니다. 미움과 사심과 편견을 버리고 보다 책임 있게 우리 경제를 보아 달라고 말씀드리고 싶습니다. 지나친 우려는 경제에 결코 이롭지 않습니다. 우리 경제는 원칙대로 가고 있습니다. 원칙적 이론대로 진행되고 있습니다. 기술과 인재 중심으로 질적 발전전략과 자유롭고 공정한 시장을 바탕으로 성장 잠재력을 높이고 경쟁력을 강화해 나가고 있습니다. 특히 정보통신 분야는 세계 최고의 경쟁력으로 지구촌 정보화를 주도하고 있습니다. 저는 지금 이와 같은 사실을 숫자와 지표로 국민들에게 제시하려고 준비하고 있습니다.

개혁의 속도도 결코 늦지 않습니다. 국방개혁, 용산 미군기지 이전, 전시작전 통제권 전환, 방사성폐기물처리장 선정, 항만인력 공급체계 개편, 연금개혁, 사법개혁, 과거사 정리, 미루어졌던 일은 다시 뒤로 넘기지 않았습니다. 지금 처리해야 될 일을 결코 뒤로 넘기지 않겠습니다. 수십 년 밀려 온 과제들을 하나하나 마무리 짓고 있습니다. 무엇보다 중요한 것은 많은 분들이 기도하셨듯이 평화입니다. 북핵문제에도 불구하고 평화는 한 발 진전했다고 생각합니다. 국가신인도는 조금씩 높아지고 있습니다. 북핵문제가 해결되면 훨씬 좋아지리라고 믿습니다. 앞으로도 평화와 협력의 기조는 흔들림 없이 지켜 나갈 것입니다. 이 모두가 우리 국민의 역량에 기초한 것입니다. 여러분의 기도의 힘입니다. 하나님께서 우리 국민을 사랑하고 계시다는 증거라고 생각합니다. 다시 한번 국민 여러분과 여기 계신 여러분께 감사의 말씀을 드립니다.

참석자 여러분,

그렇다고 걱정이 없는 것은 아닙니다. 가장 큰 걱정은 아직도 우리 사회에 관용과 책임의 문화가 뿌리내리지 못하고 있다는 것입니다. 반대를 용납하지 않고 심지어는 목숨까지 빼앗았던 독선과 독재의 시대는 이미 과거의 일이 됐습니다. 그러나 그 시대에 만들어졌던 불신과 대결, 불관용과 타도의 문화는 아직도 극복하지 못하고 있습니다. 이제는 이것을 뛰어넘어야 합니다. 상대를 인정하고 존중하면서 대화와 타협으로 문제를 풀어 가야 합니다. 조금 전에 박 목사님께서 심포니 사회를 말씀하셨습니다. 그렇습니다. 그렇게 해야 심포니 국가가 만들어질 수 있다고 생각합니다. 항상 타협이 될 수는 없습니다. 원칙 없는 타협 또한 정의로울 수 없습니다. 따라서 규칙이 필요합니다. 그리고 그 규칙에 승복해야 합니다. 규칙이 없으면 어떤 화합도 이루어질 수 없습니다. 규칙 없이는 국가적 통합도 이루어질 수가 없습니다. 규칙을 만들어야 하고 지켜야 하고 그리고 승복해야 합니다. 그래서 승자는 책임 있게 일하고 패자는 승복하고 협력하면서 다음을 기약하는 성숙한 민주주의를 정착시켜 나가야 합니다. 저는 규칙이 승리보다 더 높은 가치라고 생각합니다.

이와 함께 사회적 자본의 수준도 높여 가야 합니다. 좀 어려운 말씀인 것 같습니다만 신뢰와 통합과 같은 것을 저는 사회적 자본이라고 얘기합니다. 올해 국민소득 2만 달러로 들어서고 여러 지표에서 선진국 기준을 충족하고 있지만 아직 신뢰의 수준이나 사회적 통합의 수준은 낮은 수준에 머물러 있습니다. 이 문제를 극복해야만 선진경제, 그리고 선진사회로 올라설 수 있습니다. 그러자면 우리 사회 지도층이 책임 있는 자세를 가져야 합니다. 진실을 말해야 합니다. 그리고 가치를 말해야 합니다. 나의 이익을 말하기 전에 공공의 이익을 먼저 말해야 합니다. 나의 자유, 나의 이익이 아니라 우리의 자유, 우리의 이익을 말해야 합니다. 말한 바를 실천해야 합니다. 내가 먼저 실천해야 합니다. 그리고 성찰하고 책임을 져야 합니다. 기독교 지도자 여러분께서 이 같은 문제에 더 큰 관심을 가지고 더 많이 기도해 주시기를 당부드립니다.

오늘 이 자리를 마련해 주신 여러분께 다시 한번 감사드리며 하나님의 은혜가 여러분과 함께하시기를 기원합니다.

감사합니다.

제6회 한국수산업경영인대회 축하 메시지

2007년 4월 27일

제6회 한국수산업경영인대회를 축하드립니다. 수산업 발전을 위해 땀 흘리고 계신 여러분께 감사와 격려의 말씀을 드립니다.

한·미 FTA협상이 타결되었습니다. 정부는 주요 품목에 대해 충분한 유예기간을 확보하는 등 수산인 여러분의 이익을 최대한 반영하고자 노력했습니다. 앞으로도 품목별 상황에 맞게 보상할 것은 보상하고, 지원이 필요한 곳은 적극적으로 지원해서 수산업의 새로운 길을 열어 가는 데 최선을 다해 나갈 것입니다. 무엇보다 중요한 것은 수산인 여러분의 의지와 노력입니다. 개방을 기회로 삼아 세계를 향해 힘차게 도전해야 합니다. 그래서 수산업의 경쟁력을 높이고 선진수산국가로 나아가야 하겠습니다.

이미 긍정적인 변화들이 많이 나타나고 있습니다. 자율관리어업 공동체가 지난 3년 동안 4배 가까이 늘었고, 어업인 스스로 불법 어업을 규제하고 자원관리에 나섬으로써 수산자원이 빠르게 회복되고 있습니다. 도저히 정리가 불가능하다고 여겨졌던 소형 기선저인망 어선과 이제 완전히 근절되었습니다. 특히 어촌 체험관광 등 새로운 아이디어와 혁신을 통해 큰 성공을 이뤄 낸 수산업 경영인이 늘어나고 있습니다. 앞으로도 여러분의 역량이라면 그 어떤 어려움도 이겨 낼 수 있을 것입니다. 희망과 자신감을 가집시다. 함께 힘을 모아 우리 어촌과 수산업의 밝은 미래를 열어 나갑시다.

이번 대회의 큰 성공과 수산업 경영인 여러분의 건승을 기원합니다.

원불교 대각개교절 봉축 메시지

2007년 4월 28일

오늘은 소태산 대종사께서 큰 깨달음을 이루신 뜻 깊은 날입니다. '원불교 열린 날, 대각개교절'을 진심으로 봉축드립니다.

원불교는 '물질이 개벽되니 정신을 개벽하자'는 말씀대로 정신과 물질의 조화로운 발전을 추구하는 생활종교로 우리 국민들 사이에 깊이 뿌리내렸습니다. 특히 종교 간의 대화에서 다양한 봉사활동에 이르기까지 화합과 상생의 사회를 만드는 일에 모범을 보여주고 있습니다. 이번 대각개교절에도 '모두가 은혜입니다'라는 주제로 어려운 이웃과 함께하는 나눔의 잔치를 베풀고 있습니다. 우리는 지금 선진국 진입을 눈앞에 두고 있습니다. 이제 곧 국민소득 2만 달러 시대를 열고, 보다 경쟁력 있고 넉넉한 나라, 더 건강하고 따뜻한 사회로 나아가게 될 것입니다. 그러나 그러기 위해서는 반드시 해야 할 일들이 있습니다. 선제적인 복지투자를 통해 양극화를 해소하고 저출산·고령화 같은 미래 불안요인에 적극 대비해 나가야 합니다. 또한 필요한 변화를 제때 이뤄 낼 수 있도록 우리 사회의 신뢰와 통합의 수준을 한 단계 더 높여야 하겠습니다. 화합과 나눔의 정신을 실천해 온 원불교가 이러한 일에 계속 앞장서 주실 것으로 믿습니다. 그리고 그것이 소태산 대종사께서 말씀하신 '광대무량한 낙원사회'를 이 땅에 구현해 가는 길이 될 것이라고 생각합니다.

다시 한번 대각개교절을 봉축드리며, 여러분 모두 큰 깨달음을 얻으시길 기원합니다.

개헌발의 유보와 관련하여 국민 여러분께 드리는 글

2007년 4월 29일

존경하는 국민 여러분,

저는 각 정당이 18대 국회 개헌을 당론으로 결정하고 국민 여러분께 약속함에 따라 지난 4월 14일 헌법 개정안 발의를 유보하였습니다. 아쉬운 마음이 크고 여전히 풀리지 않는 의문도 적지 않지만, 각 정당의 합의와 대국민 약속을 존중하여 이를 수용하기로 결정했습니다. 그동안 어려운 환경에서도 개헌문제의 공론화를 위해 노력해 주신 분들께 깊은 감사의 말씀을 드립니다. 지난 1월 9일 개헌을 제안한 후 4월 14일 개헌안 발의 유보 결정을 하기까지 저는 참으로 힘든 시간을 보냈습니다. 불과 얼마 전까지 개헌의 필요성을 강조하며 개헌의 적기는 2006년, 2007년이라고 주장하던 사람들이 제가 개헌을 제의하자 일제히 개헌을 반대하고 나섰습니다. 한나라당은 그냥 반대를 하는 데 그치지 않고 함구령을 내려 논의 자체를 봉쇄하고 심지어는 저의 개헌 제안을 정략이라거나 '재집권을 위한 음모'라고 뒤집어씌우기까지 했습니다.

신뢰를 저버린 수준을 넘어서 민주주의 자체를 부정한 처사를 저는 도저히 납득할 수가 없었습니다. 상식을 벗어난 일을 그냥 보고만 있을 수밖에 없는 저의 처지가 참으로 견디기 힘들었습니다. 더욱 저를 힘들게 한 것은 언론들의 태도입니다. 그들 역시 개헌을 주장하던 사람들입니다. 그러나 그들도 개헌 논의를 외면했습니다. 외면한 데 그치지 않고 노골적으로 개헌 논의를 덮었습니다. 소위 진보를 자처하는 언론도 마찬가지였습니다. 민주주의가 이렇게 왜곡되고 짓밟힐 수도 있구나 생각하니 참으로 고통스러웠습니다.

이런 상황에서도 저는 개헌을 위한 노력을 접지 않았습니다. 대의명분의 힘을 믿고 있었기 때문입니다. 설사 제 임기 중에 개헌이 성사되지 않는다 할지라도 개헌의 명분은 살아서 다음 정부에서라도 개헌을 할 수 있는 동력으로 축적될 것이라고 믿었기 때문입니다. 그러나 또한 현실은 현실이었습니다. 그래서 저는 지난 3월 헌법 개정 시안 공개와 함께 새로운 제의를 했습니다. '각 정당이 당론 등의 신뢰할 수 있는 수준으로 합의하거나 약속한다면 개헌안 발의를 유보할 수 있다.'는 타협안을 제시했습니다. 하지만 한나라당은 저의 제안을 또다시 거부하고, 심지어는 대통령의 명령을 수행하는 장·차관을 검찰에 고발까지 했습니다. 그래서 저는 개헌 발의를 결심하고, 국무회의 절차를 준비하면서 국회연설을 요청하였으나 한나라당은 이 또한 거부하겠다는 의사를 밝혔습니다. 그럼에도 불구하고 저는 연설문을 완성하였습니다. 한자 한

자 제 손으로 직접 작성하였습니다. 그리고 참모들에게 한나라당이 대통령의 국회연설을 끝까지 반대하여 국회연설이 불가능해질 경우 국회 앞 계단에서라도 연설을 하겠다는 결심을 말하고 만반의 준비를 하도록 지시하였습니다.

이런 우여곡절 끝에 지난 4월 11일 열린우리당을 비롯한 6개 정당의 원내대표들이 18대 국회에서 개헌할 것을 합의하고 저에게 개헌 발의 유보를 요청했습니다. 저는 각 당이 당론 확인 등을 통해 국민이 신뢰할 수 있는 책임 있는 약속을 해 줄 것을 요구하였고 한나라당이 이를 받아들였습니다. 그리고 저는 개헌 발의를 유보하였습니다. 물론 국회에서 부결되더라도 끝까지 개헌의 대의를 고수하는 것도 가치와 명분이 사는 정치행위이고, 다음 정부에 개헌의 부담을 지우는 효과도 있을 것입니다. 그러나 이번 저의 개헌 제안의 목적인 정치적 명분을 살리고 생색을 내자는 것보다는 어떻게든 개헌의 가능성을 높이자는 것이었으므로, 명분의 이익을 죽이고 개헌의 가능성을 좀더 높이는 쪽을 선택한 것입니다. 그래도 무척 아쉬운 일입니다. 그리고 지금까지 개헌을 지지하고 또 지지 여론을 만들기 위하여 노력해 주신 분들께도 면목이 없습니다. 그러나 어쩔 수 없는 현실입니다. 정치의 요체는 대의명분과 세력, 그리고 전략입니다. 대의명분이 뚜렷해도 세력이 없으면 일을 이룰 수가 없습니다. 저는 이번 일로 세 부족의 비애를 뼈저리게 느끼고 있습니다. 다만 타협은 훌륭한 전략의 하나입니다. 저는 이렇게 정리를 하는 것도 훌륭한 타협의 정치이겠거니 하고 스스로를 위로하고 있습니다. 여러분께서도 너그럽게 받아들여 주시기 바랍니다. 생각을 달리해 보면 여기까지 온 것도 참으로 다행스러운 일입니다. 국민 여러분의 지지와 성원이 없었더라면 여기까지도 오지 못했을 것입니다.

개헌을 둘러싼 정치권의 압력과 언론의 외면 속에서도 개헌 관련 국민 여론은 지속적으로 상승하였습니다. 개헌 내용에 대한 찬성은 60~70%를 상회하였고, 대통령의 개헌 발의권 행사에 대해서는 60% 이상이 찬성하였습니다. 또한 제가 재출마할 수 없음을 알려준 경우에는 연내 개헌 찬성이 56%까지 이르기도 했습니다. 진심으로 감사드립니다. 이제 아쉽다는 생각은 떨쳐버리고 이번 약속이 다시 무산되는 일이 없도록 이를 지켜 나가는 데 힘을 모아주시기 바랍니다. 혹시나 속을 것이 두려워 정치인들이 엄숙히 한 약속을 믿는 데 주저할 일은 아닙니다. 약속이 지켜지는 사회를 만들기 위해서는 믿어야 할 일은 믿고, 약속을 한 사람들이 그 약속을 무겁게 느끼도록 요구해야 합니다. 이 일에 함께 힘을 모아 주시기 바랍니다.

이렇게 정리를 해 보아도 풀리지 않는 의문이 있고 안타까움이 있습니다. 어느 정당이 정권을 잡더라도 다음 국회에서 개헌을 하자면 당선된 대통령의 임기를 1년 가까이 단축해야 합니다. 반면에 지금 개헌을 하면 그런 부담이 없습니다. 그럼에도 왜 굳이 다음 국회에서 개헌을 하겠다고 고집하는 것인지 이해할 수가 없습니다. 참으로 기가 막히는 의문이 아닐 수 없습니다. 정치가 죽어가고 있습니다. 정치는 공익을 추구하는 행위입니다. 그럼에도 이번 개헌을 둘러싼 정치권의 태도를 보면 대의는 간 곳이 없고 오로지 정략과 타산만 있었습니다. 명분 없이 세력만 가지고 이익을 쫓는 정치는 오래가지 못합니다. 더욱 놀라운 것은 언론도 다르지 않았다는 사실입니다. 참으로 안타까운 현실입니다. 이제라도 돌이킬 수 있는 길이 있으면 좋겠습니다. 돌이키지 못하면 아무리 어렵더라도 정치권이 반드시 약속을 지켜야 할 것입니다. 그 길만이 의문과 부조리를 넘어서는 길일 것입니다. 이 짧은 글로 그동안 개헌에 관심을 보여 주셨던 국민 여러분께 개헌 발의를 거두어들인 저의 취지가 다소나마 해명이 되기를 바랍니다.

국민 여러분, 감사합니다.

第31회 가야문화축제 축하 메시지

2007년 4월 29일

第31회 가야문화축제의 개막을 축하하며, 김해시민과 참가자 여러분께 따뜻한 인사 말씀을 드립니다.

가야문화는 김해의 자랑이 아니라 우리 민족의 소중한 자산입니다. 수로왕릉을 비롯한 여러 유적마다 가락국의 찬란했던 5백 년 역사와 문화가 살아 숨쉬고 있습니다. 이번 축제를 통해 우리는 선조들이 남긴 문화유산의 우수성과 관광 김해의 위상을 다시 한번 확인하게 될 것입니다. 특히 올해는 더욱 다양한 프로그램이 마련되어 관람객의 즐거움도 한층 더 클 것으로 기대합니다. 김해시의 창의적인 역량과 시민 여러분의 참여가 어우러진다면 머지않아 국제적인 문화축제로 자리매김하게 될 것이라고 믿습니다. 정부도 이곳 김해의 발전은 물론, 보다 쾌적한 환경과 문화적 품격을 갖는 대한민국을 만드는 데 최선의 노력을 다할 것입니다.

가야문화축제의 큰 성공을 기원하며, 여러분 모두 즐거운 시간 보내십시오.

국민화합을 위한 기원대법회 연설

2007년 4월 30일

존경하는 불교계 지도자 여러분,

대단히 반갑습니다. 뜻 깊은 법회에 초대해 주셔서 감사합니다.

저는 오늘 법회를 통해 국가와 국민을 먼저 생각하는 우리 불교의 자랑스러운 전통을 다시 한 번 실감합니다. 불자 여러분의 기도와 노력이 번영하는 나라, 더 따뜻한 사회를 만드는 데 큰 힘이 되고 있다고 생각합니다. 자리를 함께해 주신 모든 분들께 거듭 감사의 말씀을 드립니다. 앞서 지관 스님과 영담 스님의 말씀 잘 들었습니다. 서로 다툼 없이 화합하는 세계가 불국정토이고, 상생은 우리가 한 몸임을 깨닫는 데서 시작한다는 말씀이 특히 가슴에 와 닿습니다. 그런 사회를 만드는 데 더욱 최선을 다하겠습니다.

존경하는 불자 여러분,

우리는 지금 선진국 문턱에 바싹 다가와 있습니다. 올해 안에 국민소득 2만 달러를 넘게 되고, 수출·경제 규모·제조업 경쟁력 모두에서 이미 선진국 수준에 들어섰습니다. 이제 새로운 가치와 전략으로 한 단계 더 도약해야 합니다. 참여와 통합의 정치, 개방과 혁신의 경제, 복지와 기회의 사회, 평화와 협력의 외교 안보를 통해 명실상부한 선진한국으로 거듭나야 합니다. 이미 우리 경제는 원칙대로 가고 있습니다. 자유롭고 공정한 시장 위에서 기술과 인재 중심의 혁신 주도형 경제로 방향을 잡고 성장 잠재력을 착실히 쌓아 가고 있습니다. 기술 경쟁력과 국제특허출원 건수에서 지난해 우리는 세계 6위를 기록했습니다.

개방이라는 세계적 흐름에도 적절하게 대처해 가고 있습니다. 미국에 이어 EU와 FTA가 체결되면 우리나라는 세계 3대 경제권을 연결하는 동북아 경제 허브가 될 것입니다. 국방개혁, 용산 미군기지 이전, 전시작전통제권 전환, 방사성폐기물처리장 선정, 연금개혁, 사법개혁, 과거사 정리 등 수십 년 동안 미루어 왔던 개혁과제들도 점차 마무리되어 가고 있습니다. 남북관계도 한발 한발 전진하고 있습니다. 개성공단을 비롯한 교류협력이 착실히 계속되고 있고, 북핵문제도 6자회담을 통해 평화적 해결의 가닥을 잡고 있습니다. 화해와 협력의 큰 흐름이 되돌려지는 일은 결코 없으리라고 확신합니다.

참석자 여러분,

그러나 아직 크게 뒤처져 있는 부분도 있습니다. 그것은 복지투자와 균형발전입니다.

복지 예산은 국민의정부 시절부터 꾸준히 늘려 왔습니다. 참여정부 들어서는 복지 예산을 정부 예산의 20% 수준에서 28% 수준까지 끌어올렸습니다. 그러나 아직도 우리의 국내총생산 대비 복지투자는 북유럽 복지국가의 1/3, 미국·일본의 1/2를 넘지 못하고, OECD에서 최하위 수준에 머물러 있습니다. 그래서 정부는 지난해 복지투자를 중심으로 한 중장기 국가발전전략을 담은 '비전 2030'을 내놓았습니다. '함께 가는 희망한국'을 만들자는 것입니다. 주권자인 모든 국민이 더불어 잘 사는 균형이 잡힌 사회, 이것이 진보의 본뜻입니다. 민주주의의 궁극적인 목표입니다.

아울러 복지에 대한 우리의 생각도 바꾸자는 것입니다. 복지는 경쟁력을 떨어뜨리는 단순한 소모적 지출이 아니라 사람에 대한 투자를 통해 우리 경제의 장기적인 경쟁력을 높이는 일입니다. 다시 말하자면, 국민 누구나 건강하고 안정된 삶을 누리고 질병과 노후, 주거에 대한 불안이 없고, 자라나는 아이들 누구에게나 교육의 기회가 공평하게 열려 있어서 미래에 대한 희망을 가질 수 있는 사회라야 창의와 활력이 넘치는 경제를 만들 수 있습니다. 경쟁력 있는 복지국가를 만들자는 것입니다. 균형발전 또한 함께 가는 사회를 위한 과제이자, 경쟁력 있는 한국을 만들기 위한 희망 한국의 전략입니다. 행복도시, 혁신도시, 기업도시, 공공기관 이전, 지역혁신전략 등 1단계 사업은 차질 없이 진행되고 있습니다. 모두가 국토 공간을 다시 편성하는 대역사입니다. 지금은 2단계 정책을 마련하고 있는 중입니다. 확실한 효과를 낼 수 있는 정책이 나올 것입니다.

참석자 여러분, 선진한국으로 가기 위한 또 하나의 과제는 원칙과 상식이 통해 예측 가능성이 높은 사회, 약속과 책임을 존중해 신뢰성이 높은 사회, 서로를 인정하고 규칙을 존중하는 대화와 타협의 문화를 통해 통합력이 높은 사회를 만드는 것입니다. 우리 국민은 독재 권력을 물리친 데 이어 정경유착, 반칙과 특혜와 같은 특권구조를 이미 청산하고, 보다 투명하고 공정한 사회를 위한 개혁에도 착착 성공을 거두고 있습니다. 그러나 원칙과 신뢰, 통합과 같은 사회적 자본은 아직 낮은 수준에 머물러 있습니다. 독선과 독재의 시대가 남긴 불신과 대결, 불관용과 타도의 문화가 정치, 경제, 사회 곳곳에서 우리의 발목을 잡고 있는 것입니다.

이제 이것도 뛰어넘어야 합니다. 그러자면 우리 민주주의를 한 단계 더 성숙한 민주주의로 발전시켜 나가야 합니다. 가장 중요한 것은 관용의 문화입니다. 관용의 문화를 뿌리내려야 합니다. 상대의 생각이 옳을 수도 있다는 원리를 인정하는데서 출발해야 합니다. 대화와 타협으로 서로 설득하고 설득이 되어 의견을 모으고, 양보와 타협을 통해 이익을 서로 교환할 줄 알아야 합니다. 물론 대화와 타협으로 모든 문제를 다 풀 수는 없습니다. 그래도 남는 문제는 규칙으로 풀어야 합니다. 민주적이고 효율적인 규칙을 만들고, 규칙에 따라 승부하고, 결과에 승복해야 합니다. 그래서 승자는 책임 있게 일하고, 패자도 협력하면서 다음 기회를 기약할 수 있어야 합니다. 그래야 공동의 목표를 향해 우리 국민 모두의 힘을 결집할 수 있습니다. 이것이 성숙한 민주주의입니다. 선진 민주국가입니다. 이를 위해서는 사회 지도층이 좀더 책임 있는 자세를 가져야 합니다. 주권자로서 책임의식을 가지고, 진실을 말하고 가치를 실현해야 합니다. 나의 자유, 나의 이익이 아니라 우리의 자유, 우리의 이익을 말해야 합니다. 말한 바를 반드시 실천하고, 규칙과 규범을 존중하고, 스스로 절제하고 상대를 존중하여 신뢰와 통합의 수준을 높여 가야 합니다.

화합과 상생을 앞장서 실천해 오신 불교계 지도자 여러분께서 이 같은 문제에 더 큰 관심을 갖고 적극적인 역할을 해 주신다면 우리는 큰 희망을 가질 수 있을 것이라고 확신합니다. 오늘 저녁 귀한 자리를 마련해 주신 여러분께 다시 한번 감사드리며, 부처님의 대자대비하심이 여러분과 함께하길 축원합니다.

감사합니다.

5월

한국 정치 발전을 위해 국민에게 드리는 글

-정치, 이렇게 가선 안 됩니다-

2007년 5월 2일

최근의 우리 정치를 보면 가슴이 답답합니다. 기본도 없고, 원칙도 없고, 대의도 없는 듯이 보입니다. 여야의 질서, 가치와 신념에 대한 믿음, 정치 신의에 따른 도리, 국가와 국민에 대한 최소한의 책임 등이 모두 실종된 느낌입니다. 오로지 대선 승리와 국회의원 선거만을 계산한 얄팍한 처신이 정치판을 지배하고 있는 것처럼 보입니다. 격돌과 이합집산의 변화무쌍을 지켜보며 안타까운 심정을 금할 수 없습니다. 정치가 이렇게 가서는 안 된다는 마음에 걱정이 태산입니다. 저에게 유·불리도 없고 득실과 관계되는 일도 아니지만, 한국정치가 다시 불신과 증오의 늪에 빠져 퇴행하지 않을까 걱정하는 마음에서 저의 생각을 말씀드리고자 합니다.

요즈음 지도자가 되겠다고 하는 분들의 행보를 보면 어쩐지 가슴이 꽉 막히는 느낌이 듭니다. 정치는 그렇게 하는 것이 아니라고 생각합니다. 정치는 정치답게 해야 하는 것입니다. 저도 대통령이 되기까지 많은 시련을 겪었습니다. 제가 직접 겪은 경험, 이전 지도자들의 경험에 비추어 정치다운 정치를 위한 몇 가지 생각을 말씀드리고 싶습니다. 주위를 기웃거리지 말고 과감하게 투신해야 합니다. 권력 자체를 목적으로 하는 경우든 헌신과 봉사를 목적으로 하는 경우든 마찬가지입니다. 권력의 자리든 지도자의 자리든 둘 다 그리 만만한 자리는 아닙니다. 평생을 걸고 죽을힘을 다한다고 되는 일이 아닙니다. 하늘이 도와야 하는 자리입니다. 나섰다가 안 되면 망신스러울 것 같으니 한 발만 슬쩍 걸쳐 놓고, 이 눈치 저 눈치 살피다가 될 성 싶으면 나서고 아닐 성 싶으면 발을 빼겠다는 자세로는 결코 될 수 없습니다. 저울과 계산기일랑 미련 없이 버려야 합니다. 정치는 남으면 하고 안 남으면 안 하는 장사가 아닙니다. 공익을 위해 헌신하고 봉사하는 일입니다. 대가를 바라고 하는 일이 아니라 그 자체로 보람을 찾아야 하는 일입니다. 먼저 헌신하고 결과는 그 다음에 따라오는 것입니다.

소신을 말해야 합니다. 무엇을 이루려 하는지 뜻하는 바를 국민 앞에 분명하게 밝혀야 합니다. 나라를 위해 이루고자 하는 간절한 소망이 무엇이고, 어떻게 이룰 것인지를 분명하게 밝혀 국민의 선택을 받아야 합니다. 그중에서도 오늘날 시대정신이 무엇이고, 우리가 도전하고 해결해야 할 역사적 과제가 무엇이라고 생각하는지가 중요할 것입니다. 지나온 인생 역정을 투명하게 밝히고 왜 자기가 비전을 이루는 데 적절한 사람인지를 설명해야 합니다. 잘못한 일은 솔직히 밝히고, 남의 재산을 빼앗아 깔고 앉아 있는 것이 있으면 돌려주고, 국민의 지지를 호소해야 합니다. 자신의 소신과 정책을 말해야 합니다. 반사적 이익만으로 정치를 하려고 해선 안 됩니다. 대통령의 낮은 인기를 바탕으로 가만히 앉아서 덕을 본 사람도 있었고, 너도 나도 대통령을 몰아붙이면 지지가 올라갈 것이라고 생각해서 대통령 흔들기에 몰두한 사람들도 있었습니다. 그러나 그것으로 국민의 지지를 오래 유지할 수는 없습니다. 자기의 정치적 자산이 필요합니다. '경제가 나쁘다.' '민생이 어렵다.' 이렇게만 말하는 것은 정책이 아닙니다. 아무 대안도 말하지 않고 국민들의 불만에 편승하려 하거나 우물우물 국민들의 오해와 착각을 이용하려고 하는 것은 소신도 아니고 대안도 아닙니다.

대통령이 되고자 하는 분은 정당에 들어가야 합니다. 정치는 개인이 하는 것이 아니라 정당이 하는 것입니다. 책임정치의 주체도 개인이 아니라 정당입니다. 거저먹으려 하거나 무임승차를 해서는 안 됩니다. 먼저 헌신해서 기여하고 이를 축적해 지도자의 자격을 만들어 가야 합니다. 이미 있는 당들이 마음에 들지 않는다면 당을 만들거나 당이 갈라져 있어서 곤란하다 싶으면 당을 합치는 데 기여하거나 당이 합쳐지지 않으면 스스로 후보 단일화를 이루어 내야 하는 것입니다. 여러 당이 통합하여 자리를 정리해 놓고 모시러 오기를 기다리는 것은 지도자가 되고자 하는 사람의 자세가 아닙니다. 현대의 정치는 군왕의 정치가 아닙니다. 오늘날 민주주의에 삼고초려 같은 것은 없습니다. 또한 경선을 회피하려고 해서는 안 됩니다. 그것은 민주주의 원리와 규칙을 부정하는 것입니다. 경선에 불리하다고 해서 당을 뛰쳐나가는 것이나 경선 판도가 불확실하다고 해서 당 주변을 기웃거리기만 하는 것 모두가 경선을 회피하기 위한 수단으로 비칩니다. 역시 지도자가 되려는 사람이 할 일은 아닙니다. 정치는 공익을 추구하는 일입니다. 공익을 대의명분으로 내세우고 헌신해야 하는 것입니다. 정치적 이익만을 셈하여 정치를 해서는 안 됩니다. 정치는 정정당당하게 해야 합니다. 그것이 민주주의의 본질입니다. 민주주의는 마치 운동경기와 같이 규칙으로 하는 것입니다. 국민의 심판입니다. 투명하고 알기 쉽게 해야 합니다. 복잡한 정략과 권모술수로 국민의 판단을 흐리게 해서는 안 됩니다. 콩이면 콩, 팥이면 팥이지 애매하고 혼란스럽게 해서는 안 되는 일입니다.

4·25 재·보궐 선거를 둘러싸고 납득하기 어려운 평가와 해석들이 난무하고 있습니다. 정치현상에 대한 개념 규정이나 평가가 잘못되면 정치가 왜곡됩니다. 먼저 왜 한나라당의 참패라고 하는지 모르겠습니다. 국회의원 선거가 치러진 세 곳 중 지역성이 강한 두 곳에서는 각기 특정 지역에 기반을 둔 정당이 승리하였고, 지역성이 강하지 않은 곳에서는 한나라당이 이겼습니다. 이번 선거에서 민주당과 국민중심당 후보, 그리고 지방 선거의 무소속 당선자들은 한나라당과 전국적 차원의 경쟁 구도를 형성하지 않았습니다. 정치의 큰 판으로 보면 한나라당은 경기도 화성에서 이겼으니 참패한 선거라고 볼 수는 없습니다. 그런데도 한나라당이 전국 모든 선거를 석권하지 못했다고 해서 이를 참패라고 하는 것을 보면, 언제부터인가 한나라당이 대한민국 유일당이 되기라도 한 모양입니다. 참으로 이해할 수 없는 전제라고 하지 않을 수 없고, 걱정스러운 현실이 아닐 수 없습니다. 오히려 열린우리당의 사실상 패배라고 볼

수 있는 측면이 간과되고 있는 건 아닌가 싶습니다. 열린우리당은 경기도 화성에서 졌습니다. 다른 지역에선 쌍방 간의 합의에 근거한 연대인지 일방적인 연대인지 알 수 없지만, 연대를 한다며 후보도 내지 않았습니다. 더구나 막상 당선된 사람들은 열린우리당을 우습게 대하니 그야말로 쓰라린 패배를 맛본 것입니다. 대의도 없고 실속도 없는 연대를 한 것이 선거에서 참패한 것보다 정치적으로 더 큰 패배일 것입니다. 선거 후유증을 겪는 한나라당 처지를 덮어 주기 위해서이거나 비켜 서 있는 것처럼 보이는 열린우리당 상황을 일방적으로 책망하려는 게 아닙니다. 우리 정치권이 본질을 솔직하게 봐야 한다는 점을 지적하는 것입니다. 그게 국민들 앞에 책임 있는 모습입니다.

현재 열린우리당은 4·25 재·보궐 선거의 책임을 물을 대상조차 모호한, 기이한 처지에 빠져 있습니다. 책임이 가장 크다고 할 대통령은 이미 당에 없으니 대통령 책임을 들고 나오기도 어려운 일입니다. 당 지도부는 곤경에 빠진 정당을 수습하기 위해 억지로 짐을 진 사람들입니다. 게다가 당 한쪽에서는 통합 아니면 당을 나가겠다고 하는 마당에 일방적인 연대라도 안 할 수 없었을 것이니 그들에게 책임을 묻기도 어려울 것입니다. 책임을 따진다면 이미 당을 깨고 나간 사람들도 있을 것이고, 또 당을 이 지경으로 만들어 놓고도 여전히 통합 노래를 부르며 떠날 명분을 만들어 놓고 당을 나갈지 말지 저울질하고 있는 사람들에게도 있다고 해야 할 것입니다. 그러나 이 또한 책임 이야기를 꺼냈다가는 당장 당이 깨질 판이니, 책임 이야기는 꺼낼 형편도 아닙니다. 마치 솔로몬 재판에서 아기를 내준 어머니와 같은 심정으로 말을 아끼고 있는 사람들도 있을 것입니다. 정치, 참 어려운 일입니다. 저는 비록 당적을 정리했지만, 열린우리당이 지금 처해 있는 난관을 어떻게 극복하느냐는 것은 정치 상황과 맞물려 중요한 문제입니다. 대통령 선거에서 각 정치세력이 기본을 갖춘 조직을 형성해 건전하게 맞서는 구도가 형성돼야 수준 높은 정책 대결이 가능합니다. 그 이전에, 산적해 있는 민생법안 개혁법안이 표류하고 있는 것도 한나라당을 견제할 정치세력의 부재에서 기인한 측면이 큽니다. 그래서 드리는 제언입니다.

현재 당 상황이든 재·보궐 선거의 책임이든 분석이 정확해야 합니다. 진단이 정확해야 적절한 처방이 가능할 것입니다. 그러나 부석보다 더 중요한 것은 대책입니다. 대책 중에서 가장 중요한 대책은 기본을 지키는 것입니다. 끈기 있게 기초체력과 기량을 연마하는 것입니다. 기본이 있어야 전략이 있습니다. 기본이 없으면 전략도 소용이 없습니다. 가장 나쁜 대책은 서로 책임을 미루고 싸우는 것입니다. 운동선수들은 한 번 졌다고 그대로 주저앉지 않습니다. 다시 시작합니다. 패배의 원인을 분석하고, 다시 체력을 보강하고, 기량을 연마합니다. 그중에서도 원인의 분석보다는 이후의 훈련에 주력합니다. 책임을 따지고 싸우는 일은 여간해서는 하지 않습니다. 결정적인 잘못이 있고 더 좋은 대안이 있을 때에만 합니다. 5년 전 민주당은 지방 선거와 보궐 선거에서 패배하자 패배감에 빠진 당의 주류라는 사람들이 민주주의 원칙을 팽개치고 정체성도 가능성도 모호한 다른 후보와 접촉하면서 자기들의 선출한 당의 후보를 흔들었습니다. 승리에 급급하여 한 일이겠지만 자칫 그 때문에 승리를 놓칠 뻔했습니다. 분석도 대책도 다 잘못되었던 것입니다. 열린우리당은 2년 전 보궐 선거에서 패배한 후 결과에 대한 책임을 놓고 당이 시끄러웠습니다. 대통령이 공격을 당하고 지도부가 교체되었습니다. 1년 전 지방선거에서 패배한 이후에도 그랬습니다. 이번에는 아예 당을 깨자는 주장이 대세를 이루었습니다. 말로는 통합을 내세웠으나 실은 당을 깨고 정치 구도를 지역으로 재편하여 살 길을 찾자는 주장이었습니다. 대선 승리를 위한 것이라고 내세웠으나 대선이 목적이라면 당을 합치지 않고도 후보 간 연대가 가능한 일이니 굳이 당을 깨자고 할 일이 아닙니다. 그럼에도 통합에 대한 아무런 전망도 없이 당부터 깨자고 한 것을 보면 각자 살 길을 찾자는 속셈이 아니었는가 싶습니다. 어떻든 열린우리당으로 당선된 사람들이 열린우리당의 창당 정신을 포기한 것입니다. 열린우리당은 지역 간 대결을 극복하고 전국에서 경쟁이 있는 정치를 하자는 뜻으로 세운 정당입니다. 지역 간 대결만 있는 국회는 정책에 의한 정치를 불가능하게 하고, 정당 간 경쟁 없이 안방에서 손쉽게 당선되는 선거는 정치를 부패와 독선에 빠뜨리기 때문입니다.

지금 열린우리당은 심각한 위기 상황에 처해 있습니다. 창당 당시의 대의와 결단에 비추어 보면 너무나 참담한 모습이 아닐 수 없습니다. 물론 열린우리당의 연이은 패배 책임은 대통령에게 있습니다. 그러나 이후 당이 책임을 놓고 그렇게 싸우지만 않았더라면, 어렵더라도 신념을 가지고 끈기 있게 국민을 설득해 왔더라면, 비록 선거에서 이기지는 못했을지라도 당의 존립 자체가 표류하는 지경이 되지는 않았을 것입니다. 이 또한 잘못된 진단과 처방의 결과입니다. 기본을 소홀히 한 결과입니다. 지금부터라도 기본을 바로잡고 다질 때입니다. 이해관계에 몰두하는 정치는 성공할 수 없습니다. 정치의 기본은 원칙과 대의입니다. 정치에서 후보보다 중요한 게 정당입니다. 정당은 정체성과 가치를 함께하는 사람들이 신념으로 뭉친 집단입니다. 정당은 원칙과 대의에 따라 행동해야 국민들의 신뢰를 쌓아 갈 수 있습니다. 지역주의에 기대려는 정치는 상생과 통합이 아니라 대결과 분열의 정치이며, 민주주의를 후퇴시킵니다. 나라와 국민의 미래를 위한 책임 있는 행동보다 당부터 깨고 보자는 것은 창조의 정치가 아니라 파괴의 정치입니다. 가치와 노선보다 정치인의 이해관계에 몰두하는 정치는 선거에서도 역사에서도 성공할 수 없습니다.

어린이날 행사 축하 메시지

2007년 5월 5일

어린이 여러분, 좋지요? 저도 약속을 지킬 수 있어 좋고, 또 여러분과 같은 미래의 희망을 만날 수 있어 참 좋습니다. 오늘 청와대에 놀러 왔고, 또 1일 대통령도 되었으니 여러분도 좋고 나라도 좋고 국민도 좋은 다짐도 한번 하면 좋지 않겠어요?

앞으로 여러분이 제일 하고 싶은 것이 뭔가요? 사람마다 꿈은 다를 수 있습니다. 여러 가지 꿈을 가질 수 있지요. 그러나 모든 사람이 다 함께 가져야 되는 꿈도 있어요. 저는 여러분이 각자 가지고 있는 꿈도 소중하고 우리가 함께 가져야 되는 꿈도 소중한데 그중에서 함께 가져야 되는 꿈에 대해 얘기를 좀 해보고 싶습니다. 제가 부탁드리고 싶은 것은 여러분 한 사람 한 사람이 모두 훌륭한 사람이 되고, 더 좋은 세상을 만들기 위해서 함께 노력해 달라는 것입니다. 어떤 세상이 더 좋은 세상일까요? 많은 사람들이 항상 기쁘고 아름답고 보람되게 살 수 있는 세상이 좋은 세상 아니겠어요? 저는 여러분이 항상 그 꿈을 가지고 노력해 주시기를 바랍니다. 어떻게 하면 모두가 즐겁고 아름답고 보람 있는 세상이 될 수 있을까요? 오늘 여러분 기분 좋지요? 왜 좋지요? 어린이날이라서 그렇지요. 모든 사람이 여러분을 기쁘게 하기 위해 노력하니까 오늘 기쁜 거예요. 그러면 여러분도 아버지, 어머니를 기쁘게 해 드리고, 형과 아우도 기쁘게 해 주고, 친구들도 기쁘게 해 주고, 또 직접 보지 못하지만 함께 살고 있는 많은 사람들을 기쁘게 할 수 있는 방법이 있겠지요? 여러분이 친구를 기쁘게 하면 그 친구도 기뻐지고 그 친구가 여러분을 기쁘게 하기 위해서 노력해야 하는 것입니다. 그것을 우리가 '이웃을 사랑한다'라고 말합니다. 서로 사랑하고 살면 서로 기쁘게 해 줄 수 있습니다.

그런데 또 어려운 일이 있지요. 어떤 친구가 다른 친구를 괴롭게 할 때, 어떤 사람들이 다른 사람들을 집단적으로 괴롭게 할 때, 그럴 때는 어떻게 해야 할까요? 다른 사람을 괴롭히는 친구를 내가 어떻게 사랑할 수 있을까요? 아주 어려운 문제겠지요. 앞으로 여러분은 이런 문제를 풀어야 해요. 많이 공부하고 많이 생각해야 이런 문제를 풀 수 있습니다. 나와 내 친구가 남으로부터 괴롭힘을 당하지 않으려면 적당히 힘이 있어야 하고, 또 나쁜 일을 하는 사람들이 나쁜 일을 하지 못하게 하려 해도 힘이 있어야 됩니다. 이런 여러 가지 문제들이 앞으로 여러분 앞에 놓이게 되거든요. 그런 문제들을 해결하기 위해서 나와 이웃 모두들 함께 사랑하면서 살아가되, 어떻게 모두가 공평하게 즐겁고 보람된 세상을 만들 수 있을까에 대해서 많은 생각을 해야 합니다. 생각할 줄 아는 어린이가 되어야 합니다. 대통령도 아직까지 그 방법을 다 알고 있다고 말할 수 없어요. 그만큼 어려운 문제지만 우리는 그러한 문제를 풀기 위해서 계속 생각하고 공부해야 합니다.

그 다음에는 아는 것만으로 해결이 안 되고 실천해야지요. 그런데 실천한다는 것이 말로는 쉬운데 하기 싫거든요. 참아야 하고, 어떤 때는 하기 싫은 일을 해야 합니다. 자기를 끊임없이 극복하면서 실천하는 사람이 되어야 합니다. 그것을 고통스럽게 하지 않고 즐겁게 할 수 있는 능력을 가진 사람이 앞으로 크게 성공하는 사람이 되고, 훌륭한 사람이 되는 것입니다. 아버지, 어머니를 기쁘게 하기 위해서 노력할 줄 아는 연습을 계속하고 자기를 이겨 내는 어린이가 되어야 해요. 대통령 말이 맞지요? 오늘 여러분 대통령 취임식을 연습해 봤지만, 세상에는 대통령뿐만 아니라 훌륭한 사람이 많아요. 남을 가르치고 지도하는 것이 참 어려운 일인데 그 일을 하는 선생님들도 훌륭한 분들이지요. 여러분, 훌륭한 사람이 되기 위해 끊임없이 노력하는 겁니다.

오늘, 축하해요

최근 정치 상황과 관련하여 드리는 글
-정치인 노무현의 좌절-

2007년 5월 8일

'성공한 대통령'. 당선자 시절부터 수많은 사람들이 덕담으로 이 말을 해 주었으나 저는 한 번도 시원하게 대답을 하지 못했습니다. 참으로 어려운 일로 느껴졌기 때문입니다. 그러나 저는 이 희망을 버리지 않고 있습니다. '실패한 대통령'. 참으로 싫은 말입니다. 그래서 저는 최선을 다했고, 누가 실패한 대통령이라거나 국정 실패라는 말만 하면 논란거리가 되더라도 그냥 넘어가지 않았습니다. 그동안 참 어려웠으나 다행히 이제 한 고비를 넘기는 것 같습니다. 그런데 이제는 '대통령 노무현'이 아니라 '정치인 노무현'이 좌절에 빠지고 있습니다. 열린우리당이 표류하고 있기 때문입니다.

대통령이, 그것도 당적을 정리한 대통령이 왜 자꾸 정치에 대해 얘기하느냐고 합니다. 지지율이 좀 올라 교만해진 것으로 보이지 않겠느냐고 걱정하는 얘기도 들었습니다. 정치인 노무현의 심정을 모르고 하는 얘기입니다. 지금처럼 절박한 때가 없었습니다. 지난해 가을, 지지율이 한 자릿 수까지 떨어졌다는 잘못된 언론보도가 나온 적이 있습니다. 그때도 이처럼 절망적이지는 않았습니다. 정치인 노무현의 꿈이 흔들리고 있습니다. 대통령이 되고 성공하는 것 말고 정치인 노무현이 무슨 다른 꿈이 있다는 말인가, 그것이 열린우리당과 무슨 관계가 있다는 말인가, 이렇게 묻는 분이 있을지 모르겠습니다.

며칠 전 한 전직 기자를 만났더니 그 기자가 당선자 시절의 이야기를 했습니다. 당선 직후 저를 인터뷰했는데, 대통령으로서 가장 하고 싶은 일이 무엇이냐고 저에게 물었더니, 저는 한 30초나 생각하고 나서 "정-계-개-편" 이 한마디를 하고 집으로 들어가더라는 것입니다. 그동안 저도 잊고 있었던 일입니다. 그러나 얼마나 간절한 소망이었습니까? 1987년 통일민주당의 분열과 1990년 3당 합당으로 일그러져 버린 한국의 정당 구도, 그 이후 지금껏 한마음으로 매달려 왔던 지역주의 극복과 국민통합, 이것이 정치인 노무현의 간절한 소망이었습니다. 굳이 저만의 소망이었을까요? 목이 터져라 국민통합을 외치고 박수를 치던 지지자들의 모습이 지금도 눈에 선합니다. 제가 말한 정계 개편은 그동안 우리 정치에 자주 있어 왔던 정계 개편과는 그 뜻이 전혀 다른 것입니다. 선거에 이기기 위하여, 국회의 다수를 만들기 위하여 원칙 없이 편의에 따라 정치를 왜곡시킨 그런 이합집산이 아니라 일그러진 우리의 정당 구도를 바로잡자는 것이었습니다. 그렇게 하여 우리 정치를 정치답게 해 보자는 것이었습니다. 그리고 이 소망은 2003년 11월, 열린우리당의 창당으로 나타났습니다. 그런데 지금 열린우리당이 다시 표류하고 있으니 정치인 노무현의 꿈이 다시 표류하고 있는 것입니다. 단지 정치인 노무현의 꿈이 표류하고 있는 데 불과한 것일까요? 아닙니다. 역사의 대의가 표류하고 있는 것입니다.

1988년 4월의 총선에서 통일민주당과 평화민주당의 모든 후보들은 야당 통합을 공약으로 내걸었습니다. 그냥 공약의 하나로 내건 것이 아니라 핵심 공약으로 내걸었습니다. 연설 때마다 외쳤습니다. 그 결과 13대 국회 시절은 초반부터 야당통합이 언론과 국민의 화두가 되었고, 양당의 일각에서 통합운동이 일어났습니다. 1990년 3당 합당으로 통합이 물 건너 간 후에도 영호남 정치권의 통합은 끊임없이 논의되고 시도됐고, 선거 때마다 지역주의를 규탄하는 언론과 국민의 목소리가 높았습니다. 역사의 대의가 아니고 어찌 이런 일이 있을 수 있었겠습니까? 16대 대통령 선거에서 저는 '개혁과 통합'을 대표 구호로 내세웠고, 대통령에 당선되었습니다. 40명이 넘는 국회의원들이 정치 생명을 걸고 열린우리당을 창당했고 17대 국회의원 총선에서 대승했습니다. 역사의 대의가 아니고 어찌 이런 결단을 할 수 있고, 어찌 이런 결과가 나올 수 있었겠습니까? 선거 결과에 대해 탄핵이라는 돌발 변수 때문이라고 말하는 사람들이 있으나 저는 동의하지 않습니다. 열린우리당을 창당한 사람들의 결단은 정치 생명을 건 역사적 결단이었습니다. 제가 창당을 주도하지는 않았지만, 저는 그 결단을 전적으로 지지했습니다. 1985년 2·12총선을 앞두고 한 신민당 창당 이래 없었던 결단이었고, 동원비 없이 치러진 전당대회는 우리 정치의 역사를 새로 써야 할 만한 혁명적인 사건이었습니다. 탄핵사건 이전부터 열린우리당의 지지가 급상승하기 시작한 것은 이런 결단과 참여의 결과입니다. 탄핵사건이 아니었더라면 열린우리당의 창당이 성공하지 못하였을 것이라는 가정은 옳은 가정이 아닙니다. 거듭 말하거니와 열린우리당의 창당은 역사의 대의에 기초한 결단이었고, 우리 정치의 새로운 희망이었습니다.

그런데 그 당이 오랫동안 흔들리고 표류하더니 이제는 와해 직전의 상황입니다. 일부 사람들은 당을 깨고 나갔습니다. 남아 있는 대선 주자 한 사람은 당을 해산해야 한다고 주장하고, 또 한 사람은 당의 경선 참여를 포기하겠다는 말을 하고 다닙니다. 그 사람들에게 묻고 싶습니다. 당신들이 말하는 통합신당은 무슨 당입니까? 과연 지역당이 아니고 창당 선언에서 다섯 번이나 강조했던 국민통합당이 맞습니까? 통합신당이 무슨 당이든 당신들이 하는 대로 하면 과연 통합신당이 되기는 하는 것입니까? 그렇게 하면 과연 대선에서 이길 수 있는 것입니까? 과연 그렇게 하는 것이 열린우리당 창당의 정신에 맞는 일입니까? 2003년 11월 11일 열린우리당 창당대회에서 당신들은 많은 국민들이 지켜보는 가운데 엄숙한 목소리로 창당선언문을 낭독했습니다. 그 선언문은 낡은 정치를 청산하고 새로운 정치를 할 것을 엄숙히 선언한다는 말로 시작하여 국민 통합과 정치 개혁이라는 역사적 소명을 다할 것을 결의한다는 말로 끝을 맺고 있습니다. 그리고 한 쪽 정도의 내용에 지역주의를 타파하고 국민통합의 정치를 하겠다는 말이 다섯 번씩이나 나옵니다. 과연 당신들이 이 선언문을 낭독한 사람들이 맞습니까? 과연 그렇게 하는 것이 도리에 맞는 정치입니까? 제가 보기에는 구태 정치로 보입니다. 대통령이 되고 국회의원이 되기 위하여 당을 깨고 만들고, 지역을 가르고, 야합하고, 국회의 다수당이 되기 위하여 정계 개편을 하고, 보따리를 싸들고 이 당 저 당을 옮겨 다니던 구태 정치의 고질병, 당신들이 열린우리당을 창당하면서 엄숙한 표정으로 국민들에게 청산을 약속했던 그 구태 정치의 고질병이 다시 도진 것으로 보입니다. 당이 어려우면 당을 살리려고 노력하는 것이 당원에 대한 도리이자 국민에 대한 도리입니다. 가망이 없을 것 같아서 노력할 가치도 없다 싶으면 그냥 당을 나가면 될 일입니다. 그러면 끝까지 창당정신을 살리고 싶은 사람들이라도 남아서 노력이라도 해 볼 수 있을 것입니다. 그런데 왜 굳이 당을 깨려고 합니까? 당을 깨지 않고 남겨 두고 나가면 혹시라도 당이 살아서 당신들이 가는 길에 걸림돌이 될 것 같아서 두려운 것입니까? 설사 그렇더라도 일부는 당을 박차고 나가서 바깥에 신당을 조직하고, 일부는 남아서 당이 아무 일도 할 수 없도록 진로 방해를 하면서 당을 깨려고 공작하는 것은 떳떳한 일이 아닙니다. 정치는 잔꾀로 하는 것이 아닙니다. 복잡한 분석과 수읽기, 거기서 나오는 잔꾀는 한계가 있습니다. 적어도 지도자라면 그런 것에 기대는 정치를 하지 말아야 합니다.

대통령보고 대단한 전략가라고 말합니다. 무슨 치밀한 분석과 수읽기를 가지고 말하고 행동한다고 믿는 모양입니다. 그러나 정치인 노무현은 그렇게 정치하지 않았습니다. 오히려 그런 것에 의존해서는 안 된다고 생각하는 사람입니다. 정치는 양심의 명령에 따라 성실하게 해야 합니다. 그렇게 하는 것이 정도이고, 그래야 국민의 지지를 받을 수 있습니다. 한·미 FTA를 추진하기 시작할 때 참모들 중에는 몇 년 후에 있을 대선을 걱정하기도 했습니다. 만일 타결이 된다면 대선이 치러지는 2007년에 타결이 될 텐데, 열린우리당에 치명적 피해를 줄 수도 있다고 본 것입니다. 열린우리당의 지지자들이 떠나고 내부가 분열되면서 대선에 최대의 악재가 될 것이라는 분석이었습니다. 그런 분석을 듣고 보니 대통령도 걱정이 됐습니다. 걱정이 된 정도가 아니라 그야말로 노심초사했습니다. 특히 한·미 FTA에 대한 반대가 거세지고 지지층이 떠난다고 할 때, 협상에 영향을 미칠 수 있어 참모들에게도 내색은 못했지만 속은 타들어갔습니다. 만일 대선 유·불리를 놓고 복잡한 분석을 하고 수읽기를 했다면 아마 적당한 명분을 찾아서 포기했을 것입니다.

그러나 지도자라면 그런 식으로 중요한 결정을 내려서는 안 된다고 생각했습니다. 일시적으로 어려운 상황을 겪더라도 국가를 위해 해야 할 일이라면 국민을 믿고 밀고 나가야 한다고 생각했습니다. 그러면 길이 열릴 것이라고 생각했습니다. 아직 끝난 것은 아니지만, 그런 식의 복잡한 분석과 수읽기에 의존하는 정치를 하지 않은 것이 옳았다고 생각합니다. 어떻든 정치인 노무현의 갈 길이 난감한 상황입니다. 열린우리당의 창당정신은 정치인 노무현이 지난 20년 동안 온갖 희생을 무릅쓰고 일관되게 매진해 왔던 가장 소중한 가치입니다. 하도 간절하여 정치적 목표를 넘어서 삶의 가치가 되어 버렸습니다. 그런데 열린우리당이 무너지려고 합니다. 어떻게 해야 하는 겁니까? 대통령의 지지가 낮은 죄가 있어서 고개를 숙이고 기다렸습니다. 당을 나간 사람들이 대통령의 실패를 말하고 당에 남은 일부 사람들이 또 당을 나갈 것이라 하여 황급히 당적을 버렸습니다. 책임 있는 정치를 위해서는 임기 마지막 해에 대통령이 당적을 버리는 악순환을 끊어야 한다는 게 소신이었지만 당을 위해서 소신을 접었습니다. 그런데 그들은 또 당을 해산하자고 하고 당을 나가겠다고 합니다. 지난 20년간 국민에게 약속해 온 국민통합과 정치 개혁이 물거품이 되어 가고 있습니다. 정치인 노무현의 정치 인생에서 가장 심각한 좌절이자 절망입니다.

지난 20년 동안 온갖 우여곡절을 겪으면서 정치를 해 왔던 경험을 바탕으로 열린우리당 정치인들에게 간곡히 충고드립니다. 정치는 가치를 추구하는 행위입니다. 대의를 높이 받들고 원칙을 좇아야 합니다. 그래야 이길 수 있습니다. 가치와 노선에 따라 당을 같이하는 것이고, 각 당은 그 가치와 노선에 맞는 후보를 내는 것입니다. 특히 대선에서는 당과 후보의 가치와 노선이 분명해야 합니다. 설사 가치와 노선이 맞아서 통합신당을 하더라도 당을 가지고 통합을 하는 것이지 당을 먼저 해산하고 통합을 할 수는 없는 것입니다. 저는 동서고금에 그런 통합을 본 일이 없습니다. 당을 해산하고 누구와 통합을 한다는 말입니까? 어느 당에 입당을 한다는 말입니까? 굳이 당을 해체하자는 것은 희생양 하나 십자가에 못 박아 놓고 '나는 모른다. 우리와는 관계없다.'고 알리바이를 만들어 보자는 것 아닙니까? 스스로를 속이고 국민을 속이는 일입니다. 아무리 열린우리당에 대한 여론의 지지가 낮다 해도 이런 식으로 정치하면 안 됩니다. 정말 당을 해체해야 할 정도로 잘못했다고 생각한다면 깨끗하게 정치를 그만두는 게 국민에 대한 도리입니다.

열린우리당 해체는 곧 열린우리당의 존재 의미, 창당정신, 그 역사가 훼손되고 정치적으로 좌절되는 것을 의미합니다. 우리 정치에서 국민

통합과 정치 개혁의 맥이 좌절되는 것을 의미합니다. 비록 당적을 정리했지만 우리 정치에서 통합주의의 맥이 끊기고 지난 20년 정치인생 내내 쌓아 온 소중한 가치가 무너지는 것을 보면서 침묵할 수는 없습니다. 대통령 때문에 통합이 불가능하다고 하는 사람이 있습니다. 변명일 뿐입니다. 열린우리당의 진로에 대한 저의 생각을 다시 한번 분명히 해둡니다. 저는 지역당과의 통합에 반대한다는 소신을 밝혔고, 개인적으로는 당을 정비해서 가면 희망이 있다고 생각했습니다. 그러나 지난 전당대회를 앞두고 당 중진들과 대화를 해 보니, 당의 다수가 통합이 필요하다고 해 그 흐름을 존중했습니다. 지도부가 당의 공론을 모아서 질서 있게 추진하는 통합이라면 어떤 통합이든 지지하겠다고 했습니다. 그 입장은 그때나 지금이나 변함이 없습니다. 대통령이 부담스럽다고 해서 당적마저 정리했습니다. 열린우리당의 당명이나 형식을 고집하고 이대로 사수하자는 것이 아닙니다. 다만, 통합을 하더라도 열린우리당의 창당정신과 역사를 지키면서 해야 한다는 것입니다. 변화든 통합이든 구체적인 내용과 과정은 제 생각과 다르게 갈 수도 있을 것입니다. 그러나 당이 합법적이고 정당한 절차를 거쳐 결정하면, 그것이 자신의 의견과 다르더라도 따르는 것이 당연합니다. 그것이 정치인 노무현의 원칙입니다. 만일 제가 당원이라면 제 의견과 다른 결정이 내려져도 그것이 규칙에 따른 정당한 결정이라면 결정된 바에 따라 당원의 도리를 다할 것입니다. 열린우리당을 통째로 이끌고 지역주의 정치에 투항하자는 것이 아니라면 대통령이 걸림돌이 될 일은 없습니다.

어떤 사람들은 '대통령은 이번 대선에서 열린우리당이 져도 된다고 생각한다.' '내년 총선을 위해 영남신당을 만들려고 한다'고 하는 모양입니다. 대통령이 그래서 통합에 반대한다고 말을 만들어 내는 듯합니다. 한마디로 모함입니다. 대통령의 얘기를 함부로 왜곡해서는 안 됩니다. 그런 발상은 지난 20년 간 일관되게 고수해 온 정치인 노무현의 원칙이나 실제 정치 행위와 배치되는 것입니다. 지역주의가 나라를 망치고 정치를 망쳐 왔다는 것을 누구보다 잘 알고, 그 피해를 가장 처절하게 체험한 정치인이 노무현입니다. 아무리 정략적 모함을 하더라도 도를 넘어서는 안 됩니다. 정치인 노무현이 살아온 정치 인생 전체를 송두리째 부정하는 모함은 그만두길 바랍니다. 지역주의는 나라 정치를 망칩니다. 지역 정치는 경쟁 없는 정치를 만듭니다. 경쟁이 없는 정치는 정치의 품질을 낮추고 정치를 부패하게 합니다.

지난 지방선거에서 나타난 공천헌금이 그 증거입니다. 지역 정치는 호남의 소외를 고착시킬 것입니다. 호남-충청이 연합하면 이길 수 있다는 지역주의 연합론은 환상입니다. 상대가 분열하지 않는 한 호남-충청의 지역주의 연합만으로는 성공할 수 없습니다. 지난 두 번의 선거를 정확하게 따져보면 분명해집니다. 현실의 승부에서도 역사에서도 승리할 수 없는 길입니다. 열린우리당의 창당정신으로 돌아가야 합니다. 그것이 정치의 정도입니다. 결국은 정도로 가는 것이 사는 길입니다. 국민들이 달라지고 있기 때문입니다. 열린우리당의 창당 선언문, 지금 읽어 보아도 감동이 있습니다. 그 안에 많은 사람들의 용기와 결단, 희생과 헌신, 열정이 엉겨 있습니다. 인생을 바쳐 이루어 내야 할 가치가 있고 희망이 있습니다. 후손들에게 자랑스럽게 물려주어야 할 도도한 역사가 있습니다. 여기에 그 글을 붙입니다. 이 글은 '대통령 노무현'이 아니라 '정치인 노무현'으로서 쓴 글입니다.

※원문에는 열린우리당 창당선언문이 붙어 있었으나, 여기서는 생략합니다.

마그누스 노르웨이 왕세자 내외를 위한 오찬 건배사

2007년 5월 8일

존경하는 호콘 마그누스 왕세자 내외분, 그리고 귀빈 여러분,

노르웨이 왕실을 대표하여 한국을 찾아주신 왕세자 내외분과 일행 여러분을 진심으로 환영합니다. 노르웨이 왕실은 화합과 독립의 상징으로서 국민의 큰 존경을 받고 있습니다. 또한 국제평화유지 활동과 난민, 개도국 지원 등 국제적인 문제에도 많은 관심을 기울이고 있습니다. 노르웨이 왕실의 숭고한 노력에 경의를 표합니다.

우리 두 나라의 인연은 매우 각별합니다. 노르웨이는 한국전 당시 병원선을 파견하고, 전후에는 의료원을 설립하는 데 많은 도움을 주었습니다. 지금도 북한에 대한 인도적 지원을 통해 한반도의 평화와 안정에 기여하고 있습니다. 양국 간 경제협력도 작년 9월, 한·EFTA 자유무역협정이 발효된 이후 빠르게 확대되고 있습니다. 왕세자께서 이번에 많

은 경제사절단과 함께 방한하신 것은 양국 간 교류협력을 더욱 강화하는 좋은 계기가 될 것입니다.

하랄 국왕 내외분의 건강과 왕세자 내외분의 건승, 그리고 우리 두 나라의 영원한 우정을 위해 축배를 제의합니다.

스승의 날 사랑의 사이버 카네이션 메시지

2007년 5월 15일

선생님, 고맙습니다. 스승의 날을 축하드립니다.

세월이 흐를수록 선생님들이 더 고맙고, 더 많이 보고 싶습니다. 불의에 굴하지 않고, 대의와 가치를 지키고, 신뢰와 약속을 중히 여기라는 선생님의 가르침이 지금도 가슴속에 생생하게 살아 있습니다. 학교가 희망입니다. 우리 아이들이 창의력과 인성을 키우고, 민주시민으로서의 자질을 익힐 수 있는 곳은 역시 학교밖에 없습니다. 학교가 살아야 교육이 살고, 교육이 살아야 미래가 있다고 생각합니다. 지금 우리 아이들은 세계 최고의 역량과 자질을 인정받고 있습니다. 국제학업성취도평가 전 분야에서 세계 1위부터 4위까지를 휩쓸고 있습니다. 우리 교육의 힘이고, 선생님 여러분의 헌신과 노력 덕분입니다. 거듭 감사의 말씀을 드립니다.

그럼에도 이런저런 걱정이 없는 것은 아닙니다. 무엇보다 큰 걱정은 교육 현실에 대한 잘못된 진단을 가지고 우리 교육에 진짜 위기를 불러올 수 있는 주장을 하는 분들이 있다는 것입니다. 최근 논란이 되고 있는 대입 3원칙, 이른바 '3불정책'은 반드시 지켜져야 합니다. 현재의 대입 제도만으로도 우수한 학생을 선발하기에 충분합니다. 본고사나 고교등급제가 시행되면 학생들은 초등학교 때부터 입시지옥에 시달리고, 학부모들은 사교육비 부담으로 허리가 휘고, 공교육은 뿌리부터 흔들리게 될 것입니다. 뿐만 아니라 가난하고 힘없는 사람들이 계층 이동의 기회를 상실함으로써 사회 통합마저 어렵게 될 것입니다.

저는 다 잘돼 갈 것으로 믿습니다. 긍지와 사명감 하나로 참다운 스승의 길을 가고 계신 우리 선생님들이 계시기 때문입니다. 지금 다양한 교육 수요를 학교 안으로 끌어들여 공교육을 더욱 내실 있게 만들어 가는 많은 노력들이 이루어지고 있습니다. 머지않아 학교가 다시 지역사회의 구심점이 되고, 교권이 제자리로 올라서는 날이 반드시 오게 될 것입니다. 그렇게 될 수 있도록 저와 정부도 더욱 최선을 다하겠습니다. 다시 한번 선생님의 노고에 감사드리며, 가정에 늘 건강과 행복이 가득하길 기원합니다.

5·18민주화운동 27주년 기념사

2007년 5월 18일

존경하는 국민 여러분, 광주시민과 전남도민 여러분,

바로 엊그제 일 같은데 벌써 스물일곱 돌이 되었습니다. 먼저 자유와 정의, 민주주의를 위해 고귀한 목숨을 바치신 임들의 영전에 머리 숙여 경의를 표하고 삼가 명복을 빕니다. 고문과 투옥, 부상의 후유증으로 지금 이 순간까지 고통 받고 계신 피해자 여러분, 사랑하는 가족을 가슴에 묻고 통한의 세월을 살아오신 유가족 여러분께 충심으로 위로의 말씀을 드립니다. 아울러 성숙한 시민의식으로 역사의 고비마다 시대적 사명을 앞장서 실천해 오신 광주시민과 전남도민 여러분께 깊은 존경과 감사의 말씀을 드립니다.

국민 여러분,

5·18은 역사에 많은 의미를 남기고 있습니다. 무엇보다도 정의는

반드시 승리한다는 진리를 확인해 주었습니다. 1980년 광주에서 타오른 민주화의 불꽃은 꺼지지 않는 횃불이 되어 1987년 6월항쟁으로 이어졌고, 마침내 군부독재를 물리쳤습니다. 군부와 언론에 의해 폭도로 매도되어 무참히 짓밟혔던 5·18 광주는 민주주의의 성지로 부활했습니다. 5·18 그날의 광주는 목숨이 오가는 극한 상황에서도 놀라운 용기와 절제력으로 민주주의 시민상을 보여 주었습니다. 너와 내가 따로 없이 부상자를 치료하고 주먹밥을 나누었습니다. 시민들의 자치로 완벽한 민주질서를 유지했습니다. 그리고 마지막 순간까지 대화를 위한 노력을 멈추지 않았습니다. 참으로 세계 시민항쟁의 역사에 유례가 없는 민주시민의 모범을 보여주었습니다. 이제 이 같은 비극이 다시는 없을 것입니다. 불의한 권력이 국민의 자유와 인권을 짓밟는 역사가 되풀이되지 않을 것입니다. 역사의 큰 물줄기는 모든 사람들이 자유롭고 평등하며 평화로운 삶을 누리는 방향으로 흘러갈 것입니다. 그리고 그 어느 누구도 이 도도한 진보의 흐름을 가로막거나 되돌리지 못할 것입니다. 4·19혁명, 10·16부마항쟁, 5·18민주화운동, 6월항쟁의 역사가 우리들의 가슴속에 우리들의 피 속에 살아 있기 때문입니다.

국민 여러분,

모든 것이 다 해결된 것만은 아닌 것 같습니다. 요즈음 다시 민주주의의 역사를 냉소하고 비방하는 사람들이 있습니다. 민주세력이 무능하다거나 실패했다는 말을 하는 사람들이 있습니다. 민주세력임을 자처하는 사람들 중에도 그런 사람들이 있으니 참으로 민망하기 짝이 없습니다. 그분들에게 한번 물어보고 싶습니다. 이 나라 민주세력이 누구보다 무능하다는 얘기입니까? 언제와 비교해서 실패했다는 얘기인지 정말 물어보고 싶습니다. 군사독재가 유능하고 성공했다고 말하고 싶은 것이냐 물어보고 싶습니다. 민주세력은 새로운 역사를 쓰고 있습니다. 정치·경제·사회·문화·외교안보, 모든 면에서 1987년 이전과는 뚜렷이 구분되는 새로운 대한민국의 역사를 쓰고 있습니다. 독재 정권을 퇴장시키고 민주주의 시대를 활짝 열어가고 있습니다. 약 10년간 정권의 성격을 말하기 어려웠던 과도기가 있었습니다만, 우리는 1997년 마침내 완벽한 정권 교체를 이루어 냈습니다. 그리고 독재체제에서 구축된 특권과 반칙, 권위주의 문화를 청산해 가고 있습니다. 정경유착과 권력형 부패의 고리를 끊어내고 있습니다. 권력기관은 제자리로 돌려보내고, 권력과 언론의 관계도 다시 정리하고 있습니다. 더 이상 유착은 없을 것입니다. 과거사 정리로 역사의 대의를 바로잡아 가고 있습니다. 투명하고 공정한 사회로 가고 있습니다. 국민들은 자유와 인권을 누리고 창의를 꽃피우고 있습니다. 진정한 국민주권 시대를 열어 가고 있습니다. 이보다 더 큰 일이 무엇입니까? 이 큰 일을 민주세력보다 누가 더 잘할 수 있다는 것입니까?

군사정권의 경제 성과를 굳이 깎아내리지는 않겠습니다. 그러나 군사정권의 업적은 부당하게 남의 기회를 박탈하여 이룬 것입니다. 그리고 그 업적이 독재가 아니고는 불가능한 업적이었다는 논리는 증명할 수 없는 것입니다. 그런 논리는 우리 국민의 역량을 너무나 무시하는 것입니다. 실제로 1987년 민주화 이후부터 우리 경제는 체질을 전환하기 시작했습니다. IMF 외환위기는 개발독재의 획일주의와 유착경제의 잔재를 신속하게 청산하지 못한 데서 비롯된 것입니다. 국민의정부는 신속하고 과감한 개혁과 구조조정을 통해 이 위기를 극복해 냈습니다. 이후 우리 경제는 인재 중심의 지식기반 경제, 혁신 주도의 경제로 빠르게 전환되고 있고, 개방을 통해 세계적 흐름에도 한 걸음 앞서가고 있습니다. 1987년보다 나라의 경제적 역량이 훨씬 더 성장하고 있지 않습니까? 세계 선진국 속에서의 순위도 훨씬 더 올라가고 있지 않습니까? 경제 규모, 과학기술, 산업 경쟁력, 환경, 문화 등 이 모든 분야에서 그 이전과는 비교도 할 수 없을 만큼 세상이 달라지고 있습니다. 수출 4천억 달러, 국민소득 2만 달러 시대를 눈앞에 두고 있습니다. 이제 누구도 의심 없이 3만 달러 시대를 공약하고 있습니다.

자유와 창의가 꽃피는 사회, 투명하고 공정한 사회라야 의욕 넘치는 시장, 혁신하는 경제를 만들 수 있습니다. 민주정부가 아니고는 할 수 없는 일들입니다. 국민의 정부 시절 기초생활보장제도가 도입되고 전 국민 국민연금 시대가 열렸습니다. 그리고 이제는 복지투자를 사회투자전략으로 발전시켜 나가고 있습니다. 사람에 대한 투자를 통해 나라의 경쟁력을 높이고 모두에게 기회가 열려 있는 더불어 잘 사는 균형사회를 만들자는 전략입니다. '함께 가는 희망한국 비전 2030'이 바로 그것입니다. 이 또한 민주정부가 하는 일입니다.

평화주의를 확실한 대세로 굳혀 가고 있습니다. 남북관계가 오랜 냉전의 굴레에서 벗어나 화해협력의 길로 확실하게 방향을 잡아 가고 있습니다. 핵심적인 군사 요충지였던 개성공단이 한반도 경제협력의 중심으로 거듭나고 있습니다. 반세기 이상 끊어졌던 남북한의 철길도 어제

전 국민이 지켜보는 가운데 감격스럽게 열렸습니다. 이렇게 가면 한반도의 평화와 안정이 더욱 굳어지고 한국경제에 새로운 기회도 열릴 것입니다. 또한 한·미관계가 일방적인 의존 관계에서 상호 존중의 협력 관계로 바뀌어가고 있습니다. 자주국방도 착착 진행되고 있습니다. 한·미동맹은 여전히 견실합니다. 노벨 평화상을 수상하고, 유엔 사무총장을 배출했습니다. 국제사회에서의 위상이 이렇게 달라지고 있는 것입니다. 민주정부가 아니고는 결코 거둘 수 없는 성과입니다. 민주세력이 이룬 성취입니다. 민주세력이야말로 한국의 미래를 새롭게 열어 가고 있습니다. 우리 스스로를 깎아내리지 맙시다. 역사의 가치를 함부로 폄훼하지 맙시다. 지금 이 시간에 민주, 반민주로 편을 갈라서 서로 헐뜯고 싸우자는 말이 아닙니다. 정당하게 평가받아야 될 역사적 가치가, 정당하게 평가받아야 할 역사적 세력이 그렇게 훼손되어서는 안 된다는 것입니다. 다시 한번 민주주의를 위해 헌신해 오신 분들께, 그리고 희생하신 분들께 깊은 감사와 존경의 말씀을 드립니다.

존경하는 국민 여러분,

그러나 아직도 남은 일이 있습니다. 정말 입에 올리기도 가슴 아픈 일이지만 그러나 우리 정치에 지역주의가 아직 남아 있습니다. 이것은 숨길 수 없는 사실입니다. 5년 전 이곳 광주시민들은 참으로 훌륭한 결단을 해 주셨습니다. 영남 사람인 저를 대통령이 될 수 있도록 만들어 주셨습니다. 저는 여러분의 결단에 보답하고자 혼신의 노력을 다해 왔습니다. 이제 국정운영과 정부 인사에서 지역차별, 편중인사, 이런 비판들은 점차 사라져 가고 있는 것 같습니다. 말을 해도 설득력이 없기 때문일 것입니다.

영남의 국민들도 화답하고 있습니다. 지난 대통령 선거와 그 이후의 선거에서는 영남에서도 30% 내외의 국민이 지역 당을 지지하지 않았습니다. 기대를 걸어 볼 만한 의미 있는 변화 아니겠습니까? 만일 선거제도가 합리적인 제도로 되어 있었더라면 영남에서도 아마 30% 가까운 지역당에 반대하는 정당이 생겼을 것입니다. 그래서 서로 경쟁하는 정치가 이루어졌을 것입니다. 그러나 유감스럽게도 제도는 바꾸지 못했고, 지금 정치는 다시 후퇴의 조짐이 나타나고 있습니다.

존경하는 국민 여러분,

지역주의는 어느 지역 국민에게도 이롭지 않습니다. 오로지 일부 정치인들에게만 이로울 뿐입니다. 지역주의를 극복하지 않고는 정책과 논리로 경쟁하는 정치, 대화와 타협으로 국민의 뜻을 모아 가는 정치, 정치인의 이익이 아니라 국민에게 봉사하는 정치, 그런 아름답고 수준 높은 정치를 보기가 어려울 것입니다. 욕설과 몸싸움, 태업과 공전을 일삼고 공천헌금과 정치부패를 반복되는 정치를 벗어나지 못할 것입니다. 지난해 지방 선거에서는 공천헌금 비리가 118건에 이르렀습니다. 이대로 가면 부패정치가 되살아날지도 모릅니다. 여러분이 제게 대통령의 중책을 맡긴 것은 제가 일관되게 지역주의에 맞서 왔기 때문일 것입니다. 그러나 저는 아직도 책임을 다하지 못했습니다. 물론 앞으로도 끝까지 책임을 다하기 위해 노력할 것입니다. 그러나 제게 더 남은 힘이 별로 있는 것 같지 않아서 무척 안타깝습니다. 이제 다시 국민 여러분의 몫으로 돌아가는 것 아닌가 생각됩니다. 국민 여러분의 깊은 헤아림이 필요한 때입니다.

국민 여러분,

문제가 있고 어려움이 있어도 역사는 앞으로 진전할 것입니다. 역사를 멀리 내다보고, 가치를 소중히 여기고, 바른 역사, 정의로운 역사를 위해 헌신하고 희생하는 사람이 있기 때문입니다. 우리 모두 5·18의 숭고한 정신을 다시 한번 새깁시다. 마음과 힘을 모아 성숙한 민주주의를 꽃피우고 선진한국의 밝은 미래를 함께 열어 나갑시다. 이곳에 계신 5·18 영령께서 우리를 이끌어 주실 것입니다.

감사합니다.

제2차 국제공항협의회 아·태 지역 총회 축하 메시지

2007년 5월 22일

안녕하십니까?

제2차 국제공항협의회 아·태지역 총회를 축하드립니다. 맥스 무어 월튼 아·태지역 회장, 밥 아론슨 세계본부 사무총장, 그리고 각국에서 오신 여러분을 진심으로 환영합니다.

국제공항협의회는 전세계 공항 간의 교류협력을 통해 공항과 항공산업 발전에 크게 기여해왔습니다. 특히 아·태지역 총회는 세계에서 가장 역동적으로 성장하는 지역답게 공항의 미래 발전 방향을 모색하는 좋은 자리가 되고 있습니다. 지금은 개방과 교류의 시대입니다. 서로 만나고 소통하고 협력하면서 더 큰 발전과 번영을 이뤄 가고 있습니다. 대한민국은 이러한 흐름에 적극 동참하고 있습니다. 미국·EU를 비롯해 세계 여러 나라와 자유무역협정을 추진하고 있고, 동북아 물류·비즈니스 중심을 향해 착실히 나아가고 있습니다.

또한 인천국제공항은 개항 6년 만에 세계적인 공항으로 발돋움했습니다. 화물운송 세계 2위, 여객운송 세계 10위를 기록하고 있고, 특히 국제공항협의회 서비스 평가에서 2년 연속 세계 1위를 차지했습니다. 여러분께 감사의 말씀을 드리며, 앞으로도 지속적인 인프라 확충과 서비스 혁신을 통해 공항 발전의 좋은 모범이 될 수 있도록 더욱 노력하겠습니다. 이번 총회가 '항공산업의 새로운 패러다임'을 열어 가는 소중한 계기가 되기를 바라며, 여러분 모두의 행복을 기원합니다.

불기 2551년 부처님 오신 날 봉축 메시지

2007년 5월 24일

'부처님 오신 날'을 온 국민과 함께 봉축드리며, 부처님의 높은 공덕을 기립니다.

부처님께서는 출가와 고행을 통해 큰 깨달음을 얻으시고, 만유불성과 동체대비의 가르침으로 중생들의 앞길을 밝혀 주셨습니다. 특히 불교는 우리 민족과 고락을 같이하며 찬란한 문화를 창조하고, 국난 극복과 국가 발전에 큰 힘이 되어주었습니다. 이제 선진한국을 만드는 일에 힘을 모아 가야 하겠습니다. 원칙과 상식이 통하고 특권과 차별이 발붙이지 못하는 투명하고 공정한 사회, 창의와 다양성이 꽃피고 경제가 활력이 넘치는 경쟁력 있는 나라, 질병과 노후, 주거에 대한 불안이 없고 공평한 기회가 보장되는 희망한국, 이것이 우리가 가고자 하는 선진한국의 모습입니다. 무엇보다 신뢰와 통합의 수준을 한 단계 더 높여야 합니다. 그러자면 상대가 옳을 수도 있다는 것을 인정하고 대화와 타협을 통해 문제를 풀고 결론에 대해서는 함께 협력해야 합니다. 약속한 것은 책임 있게 실천해서 예측 가능성이 높은 사회를 만들어야 합니다. 중앙과 지방, 노와 사, 정규직과 비정규직, 대기업과 중소기업이 더불어 발전하는 길을 찾아가야 합니다.

화합과 상생을 앞장서 실천해 오신 우리 불교계가 선진한국을 열어가는 데 중심적인 역할을 해 주실 것으로 믿습니다. 다시 한번 부처님 오신 날을 봉축드리며, 부처님의 자비광명이 온 누리에 가득하기를 기원합니다.

해군 이지스구축함 '세종대왕함' 진수식 축사

2007년 5월 25일

친애하는 해군 장병 여러분, 현대중공업 임직원 여러분, 그리고 이 자리를 함께 축하해 주기 위해서 오신 귀빈 여러분,

연설문을 잘 만들어 왔습니다. 그런데 가슴이 벅차 제대로 읽을 수가 없습니다. 오늘은 우리 해군이 세계 최고 성능을 가진 배를 가지게 된 날입니다. 이름도 누가 지었는지 '세종대왕함'입니다. 어떤 역사학자의 연구 결과에 의하면 세종대왕 시대, 15세기 전반에 전 세계에서 50여 개의 과학적 발명이 있었는데, 그중에서 우리 한국이 22개를 개발하고 중국이 3개, 일본이 한두 개, 전 세계가 나머지를 발명했다는 겁니다. 말하자면 세종대왕 시대의 과학기술 문명이 가장 발달했던 시기라고 말할 수 있지요. 우리나라 국력이 그 어느 때보다 융성했던 때였습니다. 그러므로 동북아시아의 평화가 유지됐던 때였습니다.

대한민국 최고 번영의 시대를 대표하는 위대한 지도자 세종대왕, 그분의 이름을 딴 배를 우리나라 해군이 갖게 됐습니다. 얼마나 좋은 일입니까? 정말 축하드립니다. 이제 세계 최고 수준의 해군이 된 것입니다. 이 배를 어디서 우리가 돈 주고 사온 것도 아니고 바로 이곳, 현대중공업에서 만들었습니다. 현대중공업은 지금 세계 최고의 조선 기술을 가진 세계 제일의 조선소 아닙니까? 지금도 그렇고 앞으로도 계속 세계 최고를 할 우리의 자랑스러운 기업 아닙니까? 지금 최고가 벌써 세 가지입니다. 이름도 최고고, 배도 최고고, 조선소도 최고입니다. 울산이 또 예사로운 곳이 아니지 않습니까? 우리나라 산업화를 가장 앞장서서 이끌었던 대표적인 산업 도시입니다. 울산의 기업과 시민들이 워낙 열심히 해서 아직도 한국 최고의 부가가치를 생산하는 지역으로 여전히 그 활력을 자랑하고 있습니다. 역시 일류 도시 아닙니까?

오늘 우리가 이곳에 있습니다. 4개의 일류가 겹쳐진 곳에 있습니다. 정말 자랑스럽고 가슴 뿌듯한 일이 아닐 수 없습니다. 싱거운 얘기 한 말씀 드릴까요? 1966년 울산이 산업도시로 처음 개발될 때 제가 이곳에 와서 몇 달 막노동을 했습니다. 저도 한몫을 한 것 아닙니까? 해군뿐만 아니라 우리 군 모두가 아주 기쁜 날입니다. 어찌 우리 군만 기쁘겠습니까? 오늘 이 순간을 우리 국민들이 함께 기뻐하고 기억할 것입니다.

정말 이 좋은 배가 우리에게 필요한 것인가, 곰곰이 생각해 보았습니다. 우리가 언제까지 북한하고만 아옹다옹하고 있을 일은 아니지 않습니까? 장차 저는 동북아시아의 질서가 화해와 협력, 그리고 통합의 질서로 나아가리라고 믿고 있습니다. 전 세계의 질서가 그와 같은 방향으로 가고 있기 때문에 동북아시아도 따라가지 않을 수 없으리라는 확고한 믿음을 가지고는 있습니다. 그러나 아직도 동북아시아에 멈추지 않는 군비 경쟁이 있기 때문에 우리도 구경만 하고 있을 수 없습니다. 우리가 힘을 가지고 있더라도 스스로 힘을 함부로 쓰지 않으면 평화를 유지할 수 있습니다. 아무리 평화를 지키고자 해도 스스로 평화를 지킬 능력이 없으면 평화를 유지할 수가 없습니다. 지난날 역사에서 우리가 얻었던 경험대로 이제 우리 스스로를 확실히 지킬 수 있는 능력을 갖춰 가야 합니다. 가장 상징적인 전투 능력이 바로 이지스구축함으로서 표현되는 것 아닌가, 저는 그렇게 생각합니다. 앞으로 해군력뿐만이 아니라 모든 영역의 전투력에서 우리 스스로를 확실하게 방어할 수 있는 능력을 갖추어야 할 것입니다. 전쟁을 확실하게 억제할 수 있는 광의의 방위력을 확고하게 갖춰 나가야 할 것입니다.

국민 여러분께 오늘 이만한 준비를 갖출 수 있도록 밀어 주신 데 대해서 다시 한번 함께 감사드립시다. 그리고 앞으로도 더욱 노력해서 해군력뿐만이 아니라, 또 군사력뿐만 아니라 경제력을 포함한, 문화력을 포함한, 더 나아가서는 민주주의 수준을 포함한 모든 영역에서 세계 최고가 되기 위해서 우리가 함께 노력해 나갑시다. 다시 한 번 세종대왕함의 진수를 축하드리며, 여러분 모두의 건승을 빕니다.

감사합니다.

엥흐바야르 몽골 대통령 내외를 위한 만찬사

2007년 5월 28일

존경하는 엥흐바야르 남바르 대통령 각하 내외분, 그리고 귀빈 여러분,

꼭 1년 만에 서울에서 각하를 다시 뵙게 되어 기쁩니다. 각하와 일행 여러분을 진심으로 환영합니다. 지난해 몽골 방문은 마치 고향집을 찾은 것처럼 친근하고 편안했습니다. 우리 두 나라가 형제의 나라임을 실감했습니다. 또 이번에 오시는 길에는 훌륭한 게르까지 선물해 주셨습니다. 다시 한번 감사의 말씀을 드립니다. 각하께서는 몽골 부흥의 새로운 역사를 만들어 가고 계십니다. 지난해에도 몽골은 수출이 40% 이상 증가하는 등 높은 경제 성장을 지속하고 있습니다. 개방·개혁에 대한 각하의 의지와 추진력이 몽골 발전의 힘찬 동력이 되고 있다고 생각합니다. 각하께서 수립하신 '2021 국가발전전략'을 토대로 몽골이 칭기즈칸

시대의 영광을 재현해 갈 것으로 믿습니다.

대통령 각하,

오늘 각하와의 정상회담은 매우 유익하고 만족스러웠습니다. 지난해 서명한 '선린 우호협력 동반자 관계'가 구체적인 성과로 발전해 가고 있는 것을 확인할 수 있었습니다. 자원·과학기술·농업·환경 등 여러 분야에서 협력을 강화하기로 한 것도 뜻 깊은 일입니다. 특히 세계 10대 자원 부국인 몽골의 광산 개발에 우리 기업이 참여한다면 양국 간 협력을 한 차원 더 높이는 좋은 계기가 될 수 있을 것입니다. 무엇보다 양국 관계의 미래를 밝게 하는 것은 활발한 국민 간 교류입니다. 지난해 3만여 명의 우리 국민이 몽골을 방문했고, 한국에서 일하고 있는 몽골 근로자는 지금 3만 명을 헤아리고 있습니다. 이달 초에는 몽골의 국민작가 차드라발 로도이담바의 「맑은 타미르강」이 한국어로 소개되기도 했습니다.

특히 지난 3월 서울의 화재현장에서 네 사람의 몽골인이 열한 명의 동료를 구한 미담은 우리 국민에게 큰 감동을 주었습니다. 앞으로 성실하고 역량 있는 몽골 국민들이 더 많이 한국에서 일할 기회를 갖게 될 것으로 기대합니다. 나와 한국 정부는 한국에 와 있는 몽골 국민들이 생활에 불편을 느끼지 않도록 최선의 배려를 다할 것입니다.

귀빈 여러분,

각하 내외분의 건강과 몽골의 번영, 그리고 우리 두 나라의 영원한 우정을 위해 건배를 제의하겠습니다.

포스코 파이넥스 공장 준공식 축사

2007년 5월 30일

존경하는 국민 여러분, 경북도민과 포항시민 여러분, 그리고 국내외 기업인과 귀빈 여러분,

포스코 파이넥스 공장 준공을 온 국민과 더불어 축하드립니다. 앞서 영상물에서 보았듯이 파이넥스는 우리가 세계 최초로 개발한 혁신적인 기술입니다. 이곳 영일만에 철강산업의 불을 지핀 지 40년 만에 세계 철강사를 새롭게 쓰는 쾌거를 이뤄 낸 것입니다. 오늘이 있기까지 밤낮없이 애써주신 포스코 임직원 여러분의 노고에 큰 감사와 격려의 박수를 보냅니다. 아울러 경북도민과 포항시민 여러분께도 축하의 말씀을 드립니다.

국민 여러분,

포스코는 우리 국민들이 매우 자랑스럽게 생각하고 있는 기업입니

다. 우리 국민에게 스스로의 역량에 대한 자신감을 일깨워 준 자랑스러운 기업입니다. 도전하고 혁신하는 기업의 좋은 모범을 보여 주고 있습니다. 끊임없는 기술 개발과 경영 혁신으로 세계 철강산업을 주도하고 있고, 인도·중국·베트남 등 해외투자에도 적극 나서서 한국경제의 지평을 세계로 넓혀 가고 있습니다. 동반성장 전략의 모범도 보여 주고 있습니다. 중소기업과 함께 품질을 높이고 성과를 나누는 상생협력에 앞장서고 있고, 이곳 포항을 우리나라의 대표적인 혁신클러스터로 발전시켜 지역 경제와 주민들의 삶의 질 향상에 크게 기여하고 있습니다. 앞으로도 계속 노력해서 세계 초일류 기업으로 더 큰 도약을 이뤄 가길 바랍니다.

국민 여러분,

오늘 파이넥스 공장의 준공은 우리 경제가 나아가야 할 방향을 잘 보여 주고 있습니다. 바로 도전과 혁신입니다. 세계가 달라지고 있습니다. 세계화, 정보화의 시대, 혁신 경쟁의 시대로 가고 있습니다. 우리 경제의 위치도 달라졌습니다. 국민소득 2만 달러 시대로 들어가고 있습니다. 경쟁 상대가 달라졌습니다. 따라가는 전략만으로는 성공할 수 없는 시대가 된 것입니다. 끊임없이 혁신하고 한발 앞서 도전해야 살아남고 앞서 갈 수 있습니다.

이미 우리 경제는 혁신 주도형 경제로 체질을 바꾸어 가고 있습니다. 정부도 기술 혁신과 인적 자본 육성을 우리 경제의 핵심전략으로 채택하고 지원에 박차를 가하고 있습니다. 2002년 6조 원이던 연구개발 예산을 올해 10조 원 규모까지 늘렸습니다. 집중적으로 투자해 온 10대 성장동력산업에서 하나둘씩 가시적인 성과가 나오고 있습니다. 포스코는 앞장서서 새로운 전략의 모범을 보여 주고 있습니다. 참으로 감사하게 생각합니다. 정부는 앞으로도 연구개발 투자를 확대하는 등 기업의 혁신 역량을 높이는 데 최선을 다해 나갈 것입니다. 또한 시장을 넓히는 일도 꾸준히 해 나가야 합니다. 세계 여러 나라와의 자유무역협정을 통해 보다 넓은 시장을 열어 가겠습니다. 혁신과 개방을 통해 도전해 나간다면 우리 경제의 성공신화는 앞으로도 계속 될 것입니다. 포스코가 그 선두를 계속 이끌어 줄 것으로 기대합니다.

한 가지 덧붙여 말씀드리면 포스코 성공은 단기 업적주의에 급급한 경영이 아니라 장기적인 전략을 갖고 투자하는 기업이 성공할 수 있다는 모범을 보여 준 것이라고 생각합니다. 비단 기업뿐만이 아니라 모든 영역에서, 특히 국가 경영의 영역에서도 이와 같은 장기적인 안목과 전략적인 비전을 가지고 경영해 나가야 한다는 교훈을 저는 오늘 이 자리에서 다시 한번 확인하고 돌아가고 싶습니다. 거듭 파이넥스 공장 준공을 축하드리며, 여러분 모두의 건승을 기원합니다.

감사합니다.

6월

2007 전국 국민생활체육 대축전 축하 메시지

2007년 6월 1일

대한민국 경제 발전의 요람, 울산에서 전국 국민생활체육 대축전이 열리게 된 것을 진심으로 축하합니다. 대회 준비를 위해 애써 오신 관계자와 자원봉사자 여러분께 감사드리며, 일본 선수단 여러분께도 따뜻한 환영의 인사를 전합니다.

건강한 국민은 우리 사회의 가장 중요한 자산이자 핵심적인 성장동력입니다. 국민이 건강하고 의욕이 넘쳐야 나라의 경쟁력이 높아지고 더 큰 발전을 이룰 수 있습니다. 정부는 체육시설 확충과 다양한 프로그램 보급 등을 통해 생활체육 진흥에 최선을 다하고 있습니다. 우리 국민 누구나 건강과 노후에 대한 걱정 없이 쾌적한 환경과 품격 있는 삶을 누리는 명실상부한 세계일류국가를 만들고자 합니다.

이러한 길에 생활체육인 여러분이 중심적인 역할을 해 주실 것으로 믿습니다. 다음 달이면 2014년 동계올림픽 개최지가 선정됩니다. 이 또한 반드시 유치될 수 있도록 함께 힘을 모읍시다. 정부도 확고한 의지를 갖고 할 수 있는 모든 노력을 다해 나갈 것입니다.

국민생활체육 대축전의 큰 성공과 여러분 모두의 건승을 기원합니다.

참여정부 평가포럼 강연

2007년 6월 2일

여러분 감사합니다. 여러분은 참여정부를 만들어 주신 분들입니다. 그리고 이후에 참여정부에 참여해 주신 분들입니다. 그러지 않고도 뒤늦게 참여정부를 지지해서 오신 분들이 있는지는 모르겠습니다만 아마 적을 것입니다. 제가 여러분을 만나면 가슴이 자꾸 벅차오릅니다. 그래서 손짓 발짓도 크게 하고 목소리도 크게 하게 되는데 나중에 TV 화면에서 그 모습을 보면 조금 민망스러울 때가 있습니다. 며칠을 쓰고 어젯밤 12시까지 쓰고 조금 전 12시 10분까지 썼습니다. 차분하게 말씀드리고 싶어서 썼습니다.

여러분, 왜 모였습니까? 자신을 사랑할 줄 아는 사람은 세상을 사랑합니다. 세상을 사랑하는 사람들은 불의에 대해 분노할 줄 알고 저항합니다. 세상 돌아가는 이치를 탐구해서 좋은 세상을 만들기 위한 방도를 찾고 뜻을 세우고 이를 실행하기 위해서 행동합니다. 사람을 모으고 설득하고 조직하고 권력과 싸우고 권력을 잡고 그리고 이렇게 정책을 실행하는 것입니다. 여러분은 보다 나은 세상을 위해서, 보다 좋은 세상을 위해서 참여정부를 만들었습니다.

그런데 참여정부가 그동안 많이 흔들렸습니다. 지금도 흔들리고 있습니다. 끊임없이 참여정부를 흔들고 깎아내리는 사람이, 언론이 있습니다. 여론이 또 그런 언론을 따라갑니다. 참여정부에 참여했던 사람들 중에도 여기에 동조하는 사람들이 있습니다. 그러니까 흔들리는 것이지요. 정말 참여정부가 실패했는가, 과연 무능한 정부인가, 정말 한번 따져 보고 싶습니다. 설사 실패라는 평가가 나오더라도 남은 기간 동안 참여정부의 성공을 위해서 최선을 다할 생각입니다. 여러분도 함께 도와주시면 고맙겠습니다. 성공 여부를 떠나서 살려 나갈 만한 가치가 있고 전략이 있다면 이것을 실현하기 위해서 우리 계속 노력합시다. 가치와 전략에 깊이가 있고 체계가 정연해서 능히 좋은 세상을 만드는 데 쓸 만한 이치가 된다면 저는 이것을 사상이라고 부를 수 있다고 생각합니다. 사상을 가진 사람은 역사에 가치와 전략의 뿌리를 내리게 하려고 노력합니다. 참여정부에 그만한 가치와 전략이 있다면 역사에 뿌리를 내리도록 노력해야 할 것입니다.

저는 5년 동안 어느 정부라도 실천해야 할 국가의 운영이라는 보편적 사명과 참여정부가 특별히 구현해야 할 가치를 실현할 사명을 받고 대통령직을 수행해 왔습니다. 이제 마무리 할 시점입니다. 저는 국정 운영이라는 보편적 사명은 다음 정부에 넘길 것입니다. 참여정부가 실현하고자 했던 특별한 사명은 이제 여러분에게 도로 넘겨드리려고 합니다. 함께 힘을 모아 나갑시다. 물론 저도 함께 할 것입니다. 더 좋은 세상을 위해서, 더 훌륭한 역사를 위해서 계속 노력할 것입니다.

경제 얘기를 하겠습니다. 제일 시비가 많은 분야이지요. 지난 4년 내내 위기·파탄·실패란 말로 흔들었습니다. 제 대답은 '증거로 말합시다' '지표로 말합시다' 입니다. 오늘 여러분들이 「있는 그대로 대한민국」이라는 책자를 보셨을 것입니다. 지표를 모은 책입니다. 보니까, 올라가야 할 것은 다 올라가고 내려가야 할 것은 다 내려가고 있었습니다. 그 사람들이 그렇게 흔들었던 부동산도 이제 안정될 것 같습니다. 기초체력이 강해지고 경쟁력도 높아지고 있다고 저는 판단합니다. 2003년의 위기를 극복하고 유가 상승, 환율 하락을 흡수하면서 거둔 성과라서 자랑할 만 하다고 생각합니다.

우리 경제가 앞으로도 잘 갈 것인가, 저는 잘 갈 것이라고 생각합니다. 멀리 보면 보입니다. 지금까지 경제가 이만큼이라도 살아난 것은 참여정부 정책이 원칙에 충실했던 결과라고 생각합니다. 접대비 50만 원 신고, 성매매특별법, 부동산 정책 등 이런 정책 하나하나에 저항이 만만치 않았습니다. 경제가 어려울 때 단 한 푼이라도 경기에 부담을 주는 일은 하지 말아야 한다는 주장이 있었습니다. 참여정부는 그러나 원칙을 붙들고 바위처럼 버티었습니다. 지금 그 분야는 진일보하지 않았습니까?

저는 참여정부의 전략이 적절하고 충실하기 때문에 앞으로도 잘 갈 것이라고 생각합니다. 제목만 몇 가지 말씀드리겠습니다. 산업정책을 보면 성장동력산업과 부품소재 육성, 금융·물류·비즈니스 허브 전략, 서비스산업과 중소기업 육성, 환경·보건·문화·교육의 산업적 육성 등이 있습니다. 종합적인 국가발전전략으로서 혁신 주도형 경제, 과학기술 혁신, 경영 혁신, 교육 혁신, 정부 혁신과 인적자원 육성, 투명하고 공정한 시장, 능동적 개방과 FTA, 해외투자, 노사안정, 동반성장, 균형발전, 사회투자, 민주주의, 평화와 안보, 이 모든 것을 '비전 2030'에 담았습니다. 지속가능한 성장전략으로 체계화 했습니다. 구체성이 없다, 재원 조달 계획이 없다고 말하는 사람들이 있는데, 보지도 않고 하는 얘기입니다. 비전 2030은 그 자체가 중장기 재정계획입니다. 재정계획을 보고 재원 조달 대책이 없다고 말하는 사람은 그 자료를 안 봤다는 말입니다. 참여정부가 계속 간다고 가정하면 우리 경제에 대해서 장담할 수 있습니다. 정권이 바뀌면 어떻게 될까. 그것은 제가 장담할 수 없습니다. 다만 저는 우리 국민의 역량을 믿습니다. 시원치 않는 정권이 우물쭈물해도 큰 위기만 오지 않으면 우리 경제는 잘 꾸려 갈 것입니다.

참여정부는 어떤 위기도 다음 정부에 넘기지 않습니다. 어떤 부담도 다음 정부에 넘기지 않습니다. 경제 파탄, 경제 실패를 말하는 사람들에게 물어보고 싶습니다. 어느 정부와 비교해서 실패라는 얘기입니까? 어느 나라와 비교해서 한국경제가 실패라는 얘기입니까? 성장률을 가지고 경제 파탄이라고 얘기하는 사람들이 있습니다. 잘못된 것입니다. 세계적 추세, 다른 나라의 경험 등과 비교해야 합니다. 실제로 성장률이 전부는 아닙니다. 1998년, 2003년 경제위기는 높은 성장률 뒤에 왔습니다. 그래서 높은 성장률이 사고의 원인일 수도 있습니다. 그렇게 주의 깊게 살펴보아야 합니다. 성장률은 보통 그 정부의 성과가 아닙니다. 6공화국 정부의 성장률은 대단히 높았습니다. 문민정부의 성장률도 꽤 높았습니다. 그렇다고 그 두 정부가 경제를 잘했다고 말하는 사람은 제가 보지 못했습니다. 결국 1998년 경제위기는 그때 원인이 축적된 것 아닙니까? 경제정책의 성과가 성장률로 나타나는 데는 오랜 시간이 걸리게 돼 있습니다. 우리가 지금 먹고살고 있는 반도체, 휴대폰, 그 밖에 여러 가지 수준 높은 기술들은 우리 정부에서 만든 것이 아닙니다. 지난해 수출 3천억 달러를 초과 달성한 것도 다 이전 정부에서 준비하고 성장시켜 온 것들을 저희 정부에서 열매를 따고 있는 것입니다. 다만 15년 정도 되면 어지간한 과수 나무는 제대로 수익이 있는데, 그것도 망쳐 버릴 수 있습니다. 그해 거름을 잘못 주고, 약도 잘못 치고, 관리를 잘못 하면 그만 낙과해 버릴 수 있습니다. 그러나 관리를 잘하는 것과 성장의 토대를 닦는 것은 구별해서 볼 필요가 있겠습니다.

그 정부의 정책성과는 주가를 보는 것이 훨씬 정확하다고 생각합니다. 주식의 가격은 정책 자체를 평가하고 미리 예측해서 투자하는 것이기 때문에 대체로 장차 발생할 성과를 앞당겨서 지금 표현하고 있는 것입니다. 지금 경제를 파탄이라고 얘기하고 7% 성장을 공약하는 사람들은 멀쩡하게 살아 있는 경제를 자꾸 살리겠다고 합니다. 걱정스럽습니다. 사실을 오해하고 있으니까 멀쩡한 사람한테 무슨 주사를 놓을지, 무슨 약을 먹일지 불안하지 않습니까? 무리한 부양책을 또 써서 경제위기를 초래하지 않을까, 좀 불안합니다. 잘 감시합시다.

3만 달러, 4만 달러 공약하는 사람들이 있습니다. 이거 당연한 얘기를 가지고 생색내고 있는 겁니다. 이미 2만 달러 시대로 들어서고 있지 않습니까? 올 연말이 되면 2만 달러 시대로 들어갑니다. 3만 달러를 하든, 5만 달러를 하든, 그거 5년 만에 하는 것 아닙니다. 조금 전에 말씀드렸습니다만, 지금 우리가 수출 잘하고 있는 것은 옛날에 씨앗을 다 뿌리고 가꾸어 놓은 것이고 우리는 관리만 하는 것이지요. 다음의 먹을거리는 우리 정부가 만들어야 합니다. 다음 정부, 그 다음 정부는 그거 따먹게 되는 것이거든요. 그래서 3만 달러, 4만 달러가 되면 그것은 참여정부의 성과다, 이렇게 적어 놓읍시다. 참여정부가 엉망을 만들어 놓으면 3만 달러 못 가거든요. 그렇지 않습니까? 문민정부가 막판에 외환위기를 초래하는 바람에 2만 달러 달성이 더디어졌지 않습니까? 그래서 앞으로 3만 달러, 4만 달러로 가면 그것은 참여정부의 공로입니다. 제가 근거를 한번 대보겠습니다. 연구결과에 의하면 한·미 FTA가 발효되면 연간 0.6%의 성장효과가 있다고 합니다. 한·EU 간에 무역 거래량은 한·미 간 거래량보다 더 많으니까 한·EU FTA를 하고 나면 최소한 0.6% 더 올라가니까 1.2%는 거저 갖고 들어가는 것 아니겠어요? 물론 경제이론을 잘 아시는 분들, 특히 일반 균형이론이나 특수균형이론에 밝은 분들은 제 이야기가 맞지 않다고 설명할 수 있을 것입니다. 사실은 그렇게 되는 것 아닙니다. 아니지만 이것 안 하면 성장이 유지되지 않을 수도 있다는 점을 놓고 보면 맞는 얘기이기도 합니다. 하여튼 1.2% 벌어 놓았습니다.

참여정부는 행정도시, 혁신도시, 기업도시 등의 균형사업을 위해서 2012년까지 기반시설에 56조 원, 지상 건축의 약 45조 원, 합계 101조 원을 투자하도록 계획을 세워 놓았습니다. 청계천 사업비 3,700억 원,

대운하 사업비가 14조 원이라고 합니다. 정부 계산은 17조 원인데 이명박 후보는 14조 원이라고 한다고 합니다. 17조 원이라고 계산하지요. 페리호 열차 얘기하는 분들도 있는데 이것은 100억 원이면 된다는 분들도 있고 또 1조 원 들어야 한다는 분들도 있지만 어쨌든 다 뭉뚱그려도 균형발전 투자의 5분의 1이 안 됩니다. 그런데 이 균형발전 투자사업이 우리 건설경기 그리고 경제 성장에 좋은 기여를 하지 않겠습니까? 이 공사가 시작됐을 때 혹시 노임이나 자재 파동이 있을까 하는 점을 우려해서 건설교통부가 대책을 잘 세우고 있습니다. 그런데 여기에 대운하 사업까지 같이 얹어 놓으면 틀림없이 자재 파동 일어납니다.

참여정부의 균형발전 투자는 마지막에 민간투자가 들어오기 때문에 청사 이전비 11조 원만 재정 부담입니다. 나머지는 다 회수되는 것이지요. 물론 대운하도 민자로 한다는데 누가 대운하에 민자 투자하겠습니까? 17조 원이든 14조 원이든 재정 투자를 하면 재정이 큰일 납니다. 그렇게 되면 복지 예산을 줄여야 되겠지요? 줄일 데도 없습니다. 세금 내리자는 것 말고는 아무런 전략도 없이 참여정부의 성과를 파탄이니, 실패니 공격하는 것만으로 우리 경제를 세계일류로 만날 수 없다는 것은 너무나 명백한 진실입니다. 앞으로 토론이 본격화되면 밑천이 드러날 겁니다. 우리 조기숙 교수님, 토론 한번 하고 싶지요? 저도 하고 싶습니다. 그런데 헌법상으로 토론을 못하게 돼 있으니까 단념해야지요. 어디 잘하는 분이 있지 않겠습니까? 참여정부는 경제를 파탄냈다며 경제대통령이 되겠다, 경제를 살리겠다고 하는 사람들에게 제가 물어보고 싶은 얘기가 있습니다. 참여정부의 어느 정책을 폐기할 것인지 확실하게 말해 주시기 바랍니다. 아마 폐기할 수 있는, 폐기해도 좋을 정책이 별로 없을 것입니다. 감세, 작은 정부, 이런 것 말고 다른 정책을 찾기가 정말 쉽지 않을 것입니다. 자꾸 없는 것을 새로 찾으려고 하지 말고 책 많이 써 놓았으니까 그냥 베껴 가십시오. 국가전략을 체계화한 책을 저는 국민의정부 시절에 처음 읽었습니다. KDI에서 만들어 놓은 것을 읽었습니다. 그런데 이제 우리는 세 권입니다. 또 꽉 있습니다. 우리 언론에게 거듭 거듭 당부드리고 싶습니다. 경제는 심리라고 하지 않습니까? 노무현은 흔들어도 우리 경제는 좀 흔들지 말았으면 좋겠다고 말씀드리고 싶습니다.

위기론, 파탄론 때문에 주식 안사고 눈치만 보았던 우리 투자자들, 그 때문에 입은 손해를 누구에게 배상받아야 됩니까? 제가 2004년에 주식형 펀드에 가입했습니다. 부동산이 이기나 주식이 이기나 해 보자, 그렇게 말했습니다. 보도자료를 통해 언론에 공개했습니다. 우리 국민들, 제발 좀 부동산 근방에 있지 말고 이쪽으로 오시라고 했는데, 저는 펀드로 이익을 좀 냈습니다. 좀 덜 남더라도 종합부동산세, 양도소득세, 이런 것들이 또박또박 나오면 그것 골치 아픕니다.

민생과 복지, 이것이 제일 어려운 문제입니다. 저는 우선 참여정부가 최선을 다하고 있다는 말씀을 드리고 싶습니다. 2003년은 정말 어려웠습니다. 그동안 고통 받은 분들께 위로의 말씀 드립니다. 지금도 여전히 어려운 분들에게 정부도 최선을 다하고 있고 또 점차 나아지고 있으니까 참고 함께 노력하자고 말씀드리고 싶습니다. 정부로서는 국민들에게 항상 송구스러운 마음이지만 그래도 두 가지 오해는 풀고 넘어가야 한다고 생각합니다. 참여정부에서 양극화가 심해졌다, 이렇게 말하는 사람들이 있습니다. 저도 그런 줄 알고 전전긍긍했습니다. 그런데 하나하나 지표를 조사해 보니까 그래도 참여정부가 어지간히 노력해서 더 나빠지는 것을 붙들어 놓았다, 이렇게 말씀드릴 수 있겠습니다. 그래서 양극화가 심해졌다, 이것은 사실이 아닙니다. 심해졌든 심해지지 않았든 양극화의 책임이 참여정부에 있다, 좀 구차한 말씀 같지만 경제 현상의 원인과 결과에 관한 인과관계를 이렇게 함부로 단정하는 논리가 너무 쉽게 세상에서 통용되면 앞으로 우리가 정책의 옳고 그름을 판단할 수 없는 사람들이 되어 버립니다. 그래서 항상 올바른 논리로 따질 것은 따지고, 올바르게 인식 할 수 있어야 합니다.

지금 가장 어려운 문제는 비정규직 문제, 영세자영업 문제 그리고 일자리의 품질이 점차 양극화되어 가고 있다는 것이지요. 전체적인 지표는 2004년을 정점으로 지금 개선되고 있습니다만, 이런 내막적인 문제에 있어서 하나하나는 더 나빠지는 곳도 있고 또 좀 좋아진 곳도 있고 복잡합니다. 참여정부의 일자리정책은 일자리 수를 늘리고 품위를 높이는 정책입니다. 그리고 복지정책에 최선을 다하고 있습니다. 일자리 정책을 잠시 소개해 드리면 중소기업 육성, 서비스 산업, 이전에 없던 새로운 영역으로 사회적 일자리를 발굴하고 늘리기 위해서 집요한 노력을 하고 있습니다. 고급 일자리 전략, 고급 일자리를 위해서 금융·물류·기업지원서비스 그리고 문화·산업·환경·건강·교육의 산업화를 추진해 오고 있습니다. 다만 환경·건강과 교육의 산업화 문제에 관해서는 우리나라의 복지 근본주의를 주창하는 사람들 때문에 진전이 매우 더딥니다. 공공서비스는 공공서비스대로 확충하되, 산업적 영역에서 국가 간 경쟁을 할 곳은 해야 하는데 이 부분의 산업적·시장적 원리의 도입을 강력 반대하는 사람들 때문에 좀 지지부진하고 있어서 매우 아쉽게 생각합니다.

복지정책이 매우 중요합니다. 그래서 복지정책은 재원 배분을 개혁하고 정책의 방법과 수단을 정비하고 전달체계를 확충하고, 그 다음 전체적으로 복지정책을 사회투자전략으로 전환하는 종합적인 전략들을 가지고 일을 추진해 왔습니다. 재원 배분에 대해서는 가장 많은 투입을 했다, 가장 많은 성장률을 실현하고 있다, 이렇게 말씀드리고 싶고요. 참여정부 들어 국가 재정에서 경제투자와 사회투자를 차지하는 비중이 역전됐습니다. 그리고 지방자치 교부금 가운데 복지·환경 쪽의 비중을 매우 높였습니다. 그래서 지방 재정 차원에서도 재원 배분의 큰 전환을 만들어 놓았습니다. 정책에 있어서는 돈을 지급하는 정책도 중요하지만, 서비스를 개발해서 서비스를 확충하는 방향으로 이렇게 여러 가지 전략을 바꾸었습니다. 그래서 영·유아에서부터 학생, 그리고 또 여성·노인·장애인 각 영역에서 새로운 서비스를 계속 발굴해 가고 있습니다. 사회적 일자리 발굴 사업은 바로 사회적 서비스 제공으로 이어지는 것이지요. 앞으로 군복무 제도를 재편하게 됐을 때 지금보다 훨씬 많은 사회적 서비스를 제공할 수 있을 것입니다.

복지전달체계에 관해서는 사회복지사를 충분하진 않지만 늘렸습니다. 동사무소를 국민의정부 때부터 복지센터로 한다, 문화센터로 한다, 무슨 자치센터로 한다 하면서 부처 간 옥신각신 싸우는 것을 기어코 이제 끝장을 봤습니다. 이런 것이 간단한 것 같았는데요, 이런 게 어렵다니까요. 한다고 보고받고 다음에 보면 그냥 있어요. 간다 간다 하는데 나중에 퇴근해서 보니까 그냥 있어요. 정리를 했습니다. 그래서 동사무소를 생활지원센터로 만들고 일반 공무원들에게 복지 교육을 시켜서 아주 전문적인 분야는 빼고 복지서비스를 담당하도록 전환시켜 가고 있습니다.

참여정부 들어 가장 중요한 것은 사회투자전략이라고 하는 새로운 전략을 채택하고 정리했다는 것입니다. 기존의 복지 지출은 단순한 소비적 지출이라고 해서 계속 반대가 너무 많았고 경제 성장에 지장을 준다는 이론이 있어 반대가 많았습니다. 그런데 결국 복지 지출을 잘하면, 방법을 바꾸면 지속가능한 경제를 위한 사회투자가 될 수 있다는 개념을 도입하고 우리 복지정책의 내용도 거기에 맞추어서 조정했습니다. 이것을 사회투자전략이라고 이름붙였습니다. 사회투자전략은 지속가능한 성장을 위한 전략입니다. 전략의 내용을 보면 인적 자본에 대한 투자를 중시하고, 기회의 균등을 보장하고, 그리고 예방적 투자를 하는 겁니다. 잘 교육시키면 생산성은 높아지고 사회적 부담은 줄어드는 것 아니겠습니까? 그런 취지입니다. 그리고 이것을 하자면 경제정책과 사회정책을 통합적으로 보고 통합적으로 운영해야 하는데, 지금 그렇게 하고 있습니다. 그리고 이제 그것과 관계있는 유사한 것으로 사회정책이 있습니다. 이것이 핵심적인 어떤 사상과 전략으로 구체화되어 있는 것이 '비전 2030'입니다. 비전 2030을 참여정부의 경제 부처에서 만들었다는 데 큰 의미가 있습니다. 기획예산처에서 만들었거든요. 청와대에서 만든 것이 아닙니다. 그래서 참여정부의 복지는 이제 경제 부처에서도 적극적으로 계획을 세우고 추동해 나간다는 데 의미가 있습니다.

그 다음 민생과 관련된 것 중 아주 중요한 것은 균형발전정책입니다. 동반성장, 균형발전, 부동산정책, 주거복지, 대학입시 제도 이 모두가 우리 국민들의 민생에 아주 중요한 요소들입니다. 이점에 관해서도 많은 노력을 하고 있습니다. 민생과 복지는 국민의정부, 그리고 참여정부의 정체성입니다. 예산과 정책에서 그 이전과 이후가 확연하게 구별됩니다. 그러나 국민의정부, 참여정부의 복지투자를 가지고는 선진국이 되기에는 아직 까마득합니다. GDP 대비 한국의 공공·사회 지출 내지 복지 지출 비중은 미국과 일본의 2분의 1, 유럽에서 조금 앞선 나라의 3분의 1 수준에 아직 머물러 있습니다. 비전 2030은 참여정부의 가치와 전략입니다. 추상적인 선언이 아니고 매우 구체적인 재정 계획입니다. 민생과 복지정책은 이후 정부의 성격에 관해서 핵심 쟁점이 될 것입니다. 보수냐 진보냐, 큰 정부냐 작은 정부냐, 감세냐 아니냐, 이런 것이 대통령 선거에서도 가장 핵심적인 쟁점이 되지 않겠습니까?

한나라당의 민생정책을 한번 대강 보면 이렇게 말할 수 있습니다. 선심성 정책은 팍팍 내놓는데, 그러나 재원 조달에 관해서는 아무런 방안이 없습니다. 오히려 감세를 주장해서 있는 재원마저 깎아 내리자고 합니다. 부동산과 주택정책을 끊임없이 흔들었습니다. 어느 후보가 종합부동산세, 양도소득세를 들먹여서 다시 부동산정책이 흔들리지나 않을까 걱정스럽습니다. 법 통과할 때엔 찬성해 놓고, 할 때까지 계속 애먹이고, 하고 나면 딴소리 하고 그래요.

균형발전에 관해 얼마 전에 행정수도를 반대했던 사람이, 대통령 후보를 하겠다는 사람이 참여정부의 균형발전정책이 실패했다고 그렇게 어디서 말을 했습디다. 이분은 균형발전 옆에 오면 안 되거든요. 행정

수도 반대해서 가지고 반 토막 내놓은 사람 아닙니까? 이것마저 해야 되는데 이 양반이 이거 하겠어요? 그건 그렇고 균형발전정책은 아직 법 절차와 계획을 세우고 법 절차의 단계에서 가고 있습니다. 그것만 해도 논 것이 아니고 엄청나게 많은 문제들을 해결하고 이제 삽을 딱 뜨게 되어 있지 않습니까? 삽도 안 뜬 사업을 놓고 실패라고 먼저 그렇게 깎아내리는 것은 무슨 심보일까요? 안 되면 좋겠다, 이 말 아니겠습니까? 어떻든 균형발전정책, 여러분 잘 지킵시다. 두 눈 딱 부릅뜨고 지킵시다. 대학 본고사 부활하자고 합니다. 대학 자율이라는 이름으로 포장해서 돈 많은 사람들에게 더 많은 기회를 주자는 주장이지요. 공교육을 망치고 기회 균등의 가치를 흔드는 것입니다. 자꾸만 우리 정부를 좌파 정부, 분배 정부, 작은 정부 해라, 국채가 어떻다, 감세, 계속 이런 주장하는데 결국 이 사람들 주장을 모아 보면 앞으로 그 사람들이 정권 잡으면 복지는 국물도 없다, 바로 이런 뜻입니다. 복지 하면 민주노동당이 있지요. 근데 그 분들 지난번 선거 때 부유세 부과를 주장했는데 같은 세금을 내더라도 부유세 하면 내기 싫거든요. 기분이 나쁘거든요. 종합부동산세 내자 하니까 내지 않습니까? 절대로 국회에서 통과 안 될 것만 계속 주장하고, 생색만 내고, 성과는 하나도 없는 그런 정책을 계속 써요. 반 재벌, 반 시장주의에 대해서는 강력히 대응하지만 복지나 사회투자라는 측면의 정책을 보면 쓸 만한 정책이 별로 없어요. 투쟁에는 강하지만 창조적인 정책에는 약한 것 같습니다. 사회정책에 대해서 그렇게 말씀을 드릴 수 있겠습니다. 경제, 사회 두 가지 말씀드렸습니다만, 대개 이쯤에서 종합해서 한 가지 덧붙이면 참여정부는 위기를 잘 관리하고 극복해 온 정부입니다. 『있는 그대로 대한민국』을 보시면 1998년, 2003년의 그래프는 급격한 하강 곡선을 그리고 골짜기를 이루고 있습니다. 1998년에 기업 부도가 났고, 2003년에는 가계 부도가 났습니다. 2003년의 위기가 1998년 위기의 연장선상에 있다는 것을 그래프는 잘 말해 줍니다. 1998년도에 나빠졌던 것이 지금까지 시정이 안 되고 있는 많은 지표들이 있지 않습니까? 그렇습니다. 신용불량자, 가계부채, 카드 남발 금융 위기, 중소기업 대출로 인한 금융 위기, 2003년도에는 정말 잠을 편히 잘 수 있는 날이 없었습니다. 아슬아슬하게 해서 다 넘겼고 민생 경제는 2004년부터 이제 회복되고 있습니다. 이 같은 회복이 북핵 위기라든지 유가 상승, 환율 상승, 이런 악조건을 안고 또 끊임없이 위기다, 파탄이다, 총체적 실패다, 온갖 저주와 악담을 이기고 극복한 것 아닙니까?

복지 지출의 증액 때문에 국채는 조금 늘었습니다. 몇 백조 원 하는 것은 사실이 아닙니다. 다른 용도입니다. 공적 자금 전환과 외평채, 그 채무는 우리가 물건을 가지고 있기 때문에 채무라도 괜찮은 채무입니다. 물건 사 가지고 있으니까요. 실제로 우리가 정부 지출, 일반 재정의 지출에 비해서 진 부채는 그렇게 많지 않습니다. 정확하게 기억을 못하겠는데요, 여하튼 그렇게 지금 견디어 왔습니다. 이 대목에서 저는 우리 국민들에게 감사하다는 말씀을 드리고 싶습니다. 참 우리 국민들이 잘해 주십니다. 국민들의 역량이 아니었으면 이렇게 잘 극복할 수 없었을 것입니다.

한나라당은 요즘도 계속해서 실패다, 무능이다, 참여정부를 흔들고 있습니다. 그 양반들이 1998년의 후유증이 아직까지 다 해소되지 않고 있다는 사실을 잘 모르는 모양이에요. 여러분 혹시 아는 분들 있으면 우리 책 한 권씩 사서 선물 좀 하세요. 1998년에 나빠진 지표를 회복하는데 지금 아주 고생이 많습니다. 참으로 무책임한 집단입니다. 청와대에서 매일매일 언론한테 얻어맞고, 한나라당 한마디 하면 톱기사로 올라가서 또 얻어맞고, 맞다가 오늘 저 혼자 아무도 안 말리는 데서 일방적으로 한번 해 보니까 기분 좋습니다.

참여정부는 평화와 안정을 확실히 지키고 그리고 증진하고 있습니다. 북핵문제에 관해서 대화에 의한 해결 원칙을 그야말로 뚝심 있게 관철해서 이제는 쌍방이 모두 확실하게 대화의 길로 들어가서 성의를 다하고 있습니다. 2005년도 9·19선언은 그야말로 참여정부의 작품입니다. 그런데 증거가 없어서 말을 할 수가 없습니다. 9·19선언 안에 동북아시아의 다자안보협의체라는 개념이 있는데, 그 개념은 그야말로 참여정부가 6자회담, 북핵 이후의 동북아 질서를 미리 내다보고 당사국들을 설득해서 만들어 놓은 것입니다. 뭔가 좀 비전이 있지 않습니까? 남북 간 신뢰가 많이 증진됐다고 봅니다. 이것은 우리가 인내하고 양보하고 절제했던 결과라고 생각합니다. 한마디 나쁜 소리 들으면 두 마디 쏘아 주고, 또 세 마디 돌려받고 네 마디 쏘아 주고 그렇게 하는 것이 상호주의라고 합디다.

미사일 발사 했을 때, 핵 실험 했을 때 그 당시의 우리 언론, 정치, 국민들 저를 죽사발 만들었습니다. 여론조사해 보니까 '잘못 했다'가 70% 이상 나왔습니다. '왜 아무 말도 안 하느냐, 한 대 때려야지.' '새벽에 왜 비상 안 걸었느냐.' 이런 것은 옛날에 안보독재 할 때 써먹던 겁니다. 걸핏하면 비상 거는 것, 안보독재 할 때 써먹던 것인데 그때 기억이 남아 있어 왜 안 하냐고 국회에서도 떠들고 통일부 장관이 벌겋게 닦달을 당했습니다. 그런데 국민들까지 섭섭하게 왜 그랬냐고 합니다. 우리가 절제하는 가운데 신뢰가 구축되는 것입니다. 저는 북한의 자세가 이전과는 많이 달라졌다고 생각합니다. 보면 확실히 다릅니다. 동북아 시대의 구상, 균형외교, 전략적 유연성, 동북아 다자안보체제 모두 적지 않은 성과입니다. 중요한 개념들입니다. 이 또한 국민의 정부와 참여정부의 정체성입니다. 한나라당은 친북 좌파정권, 퍼주기, 금강산·개성공단 중단하라, 그렇게 계속 주장해 왔습니다. 거기에 장단을 맞추어서 저를 성토하던 사람들, 특히 전시작전통제권 절대로 이양받지 말라고 하면서 서울 한복판에서 시위하던 분들 지금 다 어디로 가셨습니까?

웃고 말 수도 있는데, 우리 사회의 이 같은 수준의 인식을 가지고 소위 한반도 시대, 동북아 시대, 다민족 시대를 제대로 대응할 수 있겠는가, 우리나라가 과연 선진국 대열에 들어갈 수 있을 것인가, 이 대목에서 그 말씀을 하나 드리지요. 2020년이 되면 전 세계 경제의 5분의 1이 동북아로 집중된다, 그래서 세계의 경제 중심이 된다, 그렇게 말하지요. 맞습니다. 그러나 경제의 중심이 된다고 해서 결코 동북아시아 또는 동아시아가 세계의 중심이 될 수는 없습니다. 문명의 중심 요소를 단지 경제로만 보아서는 안 됩니다.

우리가 추구하는 문명의 핵심적인 요소는 공존의 지혜, 말하자면 평화와 공존 아니겠습니까? 평화와 공존의 전략과 정책이 앞서 있는 나라가, 앞서 있는 지역이 세계의 중심이 되는 것입니다. 오늘 세계의 중심은 미국도 아니고 유럽이라고 생각합니다. 동북아시아가 진정으로 세계 경제의 중심이 되고 세계 문명 중심으로 발전하려면 우리의 국가적 전략과 국민의식을 새로운 수준으로 향상시켜야 합니다.

참여정부는 안보를 정말 잘하고 있습니다. 국방 개혁을 이제 돌이킬 수 없도록 제도화해 놓았습니다. 이제 앞으로 갑니다. 윤광웅 장관님, 수고 많이 하셨습니다. 한다 한다 하면서 안 했는데 윤 장관이 들어오셔서 다 만들어 놓고 나가셨습니다. 법으로 만들어 놓았습니다. 국방비 투자 구조도 다 바꾸고, 군 구조도 근본적으로 개혁하고, 군의 전투력 개념도 바꾸고 그렇게 해서 국방력을 질적으로 향상시켜 나가는 정책이 국방개혁입니다. 20년 동안 말로만 해야 한다면서 미루어 왔던 것인데 이번에 확실하게 본궤도에 들어갔습니다. 국방조달체계, 군 사법제도, 군 의료서비스 이런 것들을 다 개혁해서 합리화, 효율화하고, 그래서 정예 강군을 만들어 국방력을 증강한다, 이것이 국방개혁의 논리입니다. 하나하나가 모두 저항이 만만치 않은 문제들입니다. 아무나 할 수 있는 일이 아닙니다. 저도 뚝심과 전략을 갖고 했습니다. 우리 귀한 자식들 병영 생활환경을 개선했습니다. 안보를 정치에 이용하지 않습니다.

나라의 위신을 높이고 국익을 증진하는 외교를 했습니다. 균형외교를 했습니다. 전시작전 통제권, 용산 미군기지 이전과 같은 일들, 미루어 왔던 숙제지요. 한·미동맹을 재조정해서 이런 일을 했습니다. 용산 미군기지에는 이제 세계적으로 아름다운 공원이 만들어질 것입니다. 돈은 좀 들지만 대운하 같은데다 돈 쓰지 말고 이런 데 돈을 써야 된다고 생각합니다. 유엔 사무총장이 한국에서 나왔습니다. 본시 그분이 훌륭하고 국제무대에서 신망이 있는 분입니다. 그러나 우리가 균형외교를 하지 않았다면 아무리 똑똑한 사람도 그 자리 안 시켜 줍니다. 하여튼 균형외교가 좀 기여했습니다. 한나라당은 균형외교 안 하거든요. 대미 일변도 외교를 안 한다고 저에게 얼마나 타박을 줬습니까?

자원 확보도 꽤 많이 했답니다. 그림 보니까 나와 있습디다. 그리고 좀 전략적인 해외투자 이런 것을 기획해서 작년 하반기부터 알제리, 아제르바이잔, 나이지리아, 그 밖의 동남아 여러 국가에 한두 개의 사업이 아니라 여러 분야의 정부 컨소시엄을 형성해서 패키지로 투자하고 협력하는 방향으로 전환했습니다. 이제는 한국도 본격적인 해외투자 국가가 될 것입니다. 요즘 경상수지 적자 얘기가 나오는데 우리나라는 정말 외국에서 과실송금이 들어오는 게 없거든요. 그 대신 과실송금은 많이 나가지 않습니까? 우리도 앞으로 투자를 통해 과실송금 들어오는 나라로 그렇게 갑니다. 참여정부에서 확실하게 그 방향으로 전환되는 것입니다. 파병 문제, 전략적 유연성을 잘했느냐, 못했느냐 시비가 좀 있었고요, 한·미 FTA 문제, 이 부분은 타당성에 대해 따로 설명드리지 않겠습니다. 기회가 있으면 질문을 받고 답변하도록 하겠습니다. 해외 다니면서, 외교하면서 제가 받은 느낌으로는 한국이 국제무대의 당당한 일원으로 등장한 때는 국민의정부부터입니다. 지도자의 정통성이 국가 위신에 미치는 영향이 굉장히 크다는 것을 많이 실감했습니다.

어느 정부의 성과를 얘기할 때 가장 중요한 것은 공약입니다. 공약은 그 시기 국민의 요구를 담아 놓은 것이기 때문입니다. 많은 국민들의 수많은 요구 중에서 국민들의 공감대가 가장 높은 것이 핵심공약 아니겠습니까? 핵심공약은 보통 그 시대의 역사적 과제, 바로 시대정신을 응축한 것이라고 합니다. 그래서 공약은 중요합니다. 참여정부의 공약을 보겠습니다. 핵심공약만 보면 '국민이 주인 되는 나라' '떳떳한 국민, 당당한 나라' 이런 말을 많이 썼습니다. 제일 많이 썼던 것이 개혁과 통합이었습니다. 그 다음에 새로운 정치, 이것이 국민들한테 가장 많이 받아들여졌던 것 같습니다. 여러 소리 말고 정치 개혁해라, 이런 뜻이었던 것 같습니다. 말하자면 독재와 권위주의의 잔재를 청산하고 정치부터 똑똑히 하라는 것이었습니다. 요즘 후보들이 들고 나오는 공약하고 비교해 보면 조금 차원이 다른 것 같습니다.

공약의 구체적인 내용과 이행 과정을 점검해 보십시다. 우선 개혁의 공약입니다. 저는 후보 시절에 『노무현이 만난 링컨』이라는 책의 서문에서 '낮은 사람, 겸손한 권력, 강한 정부' 이런 공약을 했습니다. 그 뒤에 대통령 후보가 돼서는 '친구 같은 대통령' 이렇게 공약했습니다. 정치권력을 개혁하겠다는 것이었습니다. 권위주의, 가신정치, 측근정치 등도 개혁하겠다는 것이었지요.

'특권과 반칙이 없는 사회', 이것은 정치권력, 권력기관, 언론권력의 횡포를 염두에 두고 한 공약이었습니다. 정경유착, 권언유착, 부정부패, 연고주의를 다 청산하겠다고 얘기했습니다. 그리고 투명하고 공정한 사회를 만들겠다고 했습니다. 정보의 평등, 기회의 평등, 조세행정의 투명화, 공정위 강화, 검찰권의 공정성, 이런 것들을 뜻하는 것이었습니다. 원칙과 신뢰를 얘기했습니다. 그리고 상식이 통하는 사회, 합리적인 사회를 얘기했었지요. 한마디로 말해서 예측이 가능한 사회로 가자. 그래야 우리 국민들이 떳떳하게 살 수 있다, 떳떳한 국민이 거기서 나오는 것 아니겠습니까? 더불어 잘 사는 균형발전사회. 복지는 그 자체가 가치이거니와 갈등 예방과 국민통합을 위해 매우 중요한 요소이기 때문에 균형발전사회가 필요한 것입니다. 지역주의 극복과 국민 통합은 잘 안 된 것 같습니다. 그러나 17대 총선에서 열린우리당 후보가 영남에서 득표한 것이 32%였습니다. 이것은 그 이전의 두 배에 해당되는 아주 막대한 표입니다. 아무리 마음대로 쓰는 신문도 요즘 지역차별, 인사편중 이런 것은 안 씁니다. 없나보죠. 그런데 다시 지역주의가 되살아날 조짐을 보이고 있습니다. 열린우리당이 흔들리고 있습니다. 어려워지면 지역에 기대려고 하는 기회주의가 다시 대두하고 있는 것입니다. 풀어야 할 숙제입니다.

새로운 정치, 그것은 대선 과정에서 이미 시작됐습니다. 여러분들이 시작하신 것입니다. 그리고 당선된 이후에 대선자금 수사로 우리나라에 정치문화의 천지개벽이 일어났습니다. 그런데 이 또한 요즘 부활할 조짐을 보이고 있습니다. 공천헌금과 같이 은밀한 거래가 이루어지고 있습니다. 일부 정치인들이 정상배로 타락하고 있습니다. 지역주의로 공천권이 이권화된 것입니다. 그런데 이번 대선을 미리 보면 개혁의 공약이 없습니다. 정치개혁의 공약이 안 보입니다. 언론도 대강 넘어가고 있는 것 같습니다. 108건이나 되는 공천헌금 사건을 수사했는데 보도는 별로 안 된 것 같습니다. 국무회의에서 법무부 장관이 보고까지 하도록 했는데 그래도 대충 보도하고 말아 버렸습니다. 공천헌금은 괜찮다, 자기들끼리 해먹으니까 국민은 손해 없다 이것인가요? 큰일났습니다. 정말 큰일났습니다.

그리고 과거사 정리를 공약했습니다. 지금 열심히 하고 있습니다. 정의로운 사회를 위해서 역사를 바로 세워야 합니다. 그리고 과거의 족쇄를 풀고 미래로 가기 위해서 과거사 정리를 해야 합니다. 미래를 위한 일입니다. 왜 과거에 집착하느냐고 비난하는데 그렇지 않습니다. 미래로 가기 위한 것입니다. 참여정부는 정부를 혁신하고 있습니다. 공직사회는 국가 발전의 핵심 역량입니다. 일하는 태도와 방법을 혁신하지 않으면 안 됩니다. 조직과 제도, 절차를 모두 혁신합니다. 엄청난 시스템의 혁신이 이루어졌습니다. 모든 업무를 매뉴얼로 만들고 또 표준화해 가고 있습니다. 정부정책의 품질관리제도를 도입했습니다. 행정제도의 기반을 재정비하고 있습니다. 예를 들면 정책의 결과를 예측할 수 없는 많은 정책들이 있는데 통계가 없어서 너무 불편했습니다. 다 정비하고 있습니다. 국가평가체계도 완전히 새롭게 만들었습니다. 이제 사전점검체제도 만들고 있습니다. 그리고 혁신하는 방법을 혁신했습니다. 혁신을 혁신했습니다. 그래서 많은 혁신 기법이 지금 공직사회에서 적용되고 있고 많은 성공사례가 나왔습니다. 책을 모으면 이 스크린 벽이 가득 찰 만큼 각 부처나 조직에서 사례들을 발표해 놓고 있습니다. 물론 그중에는 쭉정이도 좀 있습니다. 쭉정이라도 그게 어디입니까? 정부 혁신은 국제사회에서 주목을 받고 있습니다. 혁신 속도가 가장 빠른 나라, 혁신지수 세계 7위, 참여정부 대통령은 혁신 대통령입니다.

참여정부 대통령은 설거지 대통령입니다. 20년, 30년 묵은 과제들을 다 해결했습니다. 행정수도는 30년 묵은 과제이고, 용산 미군기지 이

전, 전시작전통제권, 국방개혁은 20년 묵은 과제이며, 방폐장 부지 선정, 장항공단은 18년 묵은 과제입니다. 사법개혁은 10년 이상 끌던 과제이고, 항만노무공급체계 개선은 100년이 넘는 과제인데 이것을 참여정부가 해결했습니다.

그냥 넘겨주는 것이 없었습니다. 하나하나 전부 갈등이 있고 저항이 있었습니다. 새만금, 천성산터널, 사패산터널, 공공기관 이전, 화물연대, 노사관계 제도 선진화, 비정규직 입법, 특수고용 문제, 부동산 보유세, 국세 투명화, 성매매특별법, 언론개혁, 과거사 정리, 그러니까 나라가 시끄럽지요. 분명히 말씀드리고 싶은 것은 어렵다고 회피하거나 결코 미루지 않았습니다. 소신과 뚝심, 그리고 치밀한 전략으로 정면 돌파하고 책임을 다했습니다. 묻혀버리기 쉬운 일까지 찾아내서 처리를 한 것도 있습니다. 철도공사 적자 문제, 항공우주산업 재무구조 문제, 이런 것들도 다 챙겨 가면서 했습니다.

앞으로 계속 추진해 나가야 할 것이 있습니다. 국민연금, 공무원연금, 방송통신융합, 4대 보험 징수 통합, 자본시장 통합, 이런 일들이 있습니다. 이 중에서 방송통신융합은 참 어려운 일입니다. 언론의 힘이 너무 셉니다. 국민연금도 손해가 많습니다. 하루 800억 원씩 손해가 난다고 하고, 1년에 14조 원씩 적자가 누적된다고 합니다. 어렵습니다. 국민연금과 관련해서 한 가지 사례가 있습니다. 연금을 받고 전체적으로 운영하는 기구하고 사업적으로 투자하는 기구를 나누려고 하는데 이게 참 어려웠습니다. 그 방안을 어렵게 마련해서 16대 국회에 제출했습니다. 그런데 한나라당이 공무원연금 투자운용체계를 개선하면 주식 투자를 해서 주가가 올라갈 경우 17대 총선에서 한나라당이 불리하다고 해서 뒤로 미뤄 버렸습니다. 적대적 언론 가운데에서, 여소야대 국회에서 그 많은 일들을 어떻게 해냈는지 정말 우리 장관들과 실국장들이 고마운 사람들입니다. 국회의원 타이르고, 달래고, 매달리고 그렇게 해 온 것입니다. 공무원들 칭찬을 자꾸 하는데 그게 이유가 있습니다. 제가 빚을 많이 졌으니까요.

기자실 논란이 지금 뜨겁습니다. 결론부터 말씀드리겠습니다. 폐해가 있어서 개혁한 것입니다. 1차 개혁을 했는데 시간이 흐르면서 옛날의 폐해가 되살아나는 것 같아서 2차 개혁조치를 한 것입니다. 이대로 넘겨주면 다음 정부에서는 기자실이 다시 부활되고, 사무실 무단 출입도 부활되고, 가판도 부활되고, 자전거일보가 다시 부활될지도 모른다는 우려 때문에 확실하게 정리해서 넘겨주기 위해 제2차 브리핑제도 개선을 한 것입니다. 왜 유독 언론만이 부당한 권리와 부당한 이익을 계속 주장하는 것입니까? 민주화 이후 모든 조직과 집단이 관행이란 이름으로 누리던 부당한 이익을 다 포기하고 있는데 왜 언론은 그렇게 못합니까? 국민의 알권리를 방패로 막강한 권력을 누리고 있으면서 왜 부당한 이익을 주장합니까? 언론의 이기주의가 너무 지나칩니다. 노블리스 오블리제는 말은 언론에게도 적용되어야 합니다. 왜 양심 없는 보도를 계속하고 있습니까? 전 세계 언론 선진국에는 다 기자실이 없다는 사실, 그리고 기자실이 있는 일본은 언론 자유 53위이고, 미국은 51위이고, 참여정부의 언론 자유는 31위라는 사실은 왜 보도하지 않습니까? 세계언론인협회의 성명은 사실과 다른 내용을 전제로 하고 있습니다. 누가 왜곡된 정보를 제공했는지 모르겠습니다만 유감스럽습니다. 걸핏하면 내놓는 입맛에 맞는 여론 조사도 왜 안 하는지 모르겠습니다. 설문을 조작하기가 어려운지, 그래도 일말의 양심이 있어서인지 묻고 싶습니다.

언론 자유, 언론 탄압을 말하는 사람들에게 묻고 싶습니다. 언론은 집단이기주의의 껍질을 버리고 정직하게 생각해 보기 바랍니다. 과연 언론 자유가 기자실에 있습니까? 유신 시절, 5공 시절은 기자실 전성시대였습니다. 그 기자실에 언론 자유가 있었습니까? 통제와 유착과 부당한 이익만 있었을 뿐 아닙니까? 정말 기자실에 국민의 알권리가 있습니까? 알권리는 기자실의 관급 정보 받아쓰기와 귀동냥에서 충족되는 게 아닙니다. 발로 뛰어서 기사를 써야 국민의 알권리가 충족되는 것 아닙니까? 그동안 국민의 알권리를 충족했다 싶은 좋은 기사들 중에서 기자실에서 나온 기사는 없습니다. 기자실에서는 좋은 기사가 나오지 않습니다. 출입처 기자실은 경쟁의 필요성을 줄이는 기능을 하기 때문입니다. 출입처 제도는 편견과 유착의 근원이 되고 기사를 획일화하는 백해무익한 제도입니다. 좋은 기사, 나만의 기사를 쓰기 위해서는 출입처 바깥으로 나가서 발로 뛰고 시야를 넓히고 공부하고 연구하면서 기사를 써야 합니다. 출입처를 없앤다고 언론 탄압이 되겠습니까? 1차 개혁 때도 언론을 탄압한다고 반발했지만 언론 자유도는 오히려 더 높아지지 않았습니까? 그리고 기사의 품질도 더 좋아지지 않았습니까? 가판도 없어지지 않았습니까? 온라인 브리핑과 온라인 질문답변 시스템을 이용하면 기자실보다 훨씬 편리하게 취재할 수 있게 될 것입니다. 기자수가 적은 언론, 경쟁력이 약한 언론에게는 훨씬 더 유리합니다. 다시 한 번 생각해 보시기 바랍니다. 가재는 게 편이라는 것도 어지간할 때 애교지, 무조건 초록은 동색이라고 하면 기자 다 함께 욕먹습니다. 대한민국 기자의 위신과 자존심을 그런 대로 유지하게 해 준 것은 유신 시절의 해직기자들이 있었기 때문입니다. 그렇듯이 지금 이 시기에도 기자실 폐지를 당당하게 주장하는 언론이 있어야 뒷날 우리나라의 언론인 전체가 부끄럽지 않을 것입니다.

저는 언론의 주장에 동조하는 사람들을 어느 정도는 이해하고 있습니다. 정치인들이야 언론의 밥 아닙니까? 볼펜 들고, 카메라 들이대고 묻는데 어쩌겠습니까? 그러나 국정홍보처 폐지, 기자실 부활을 대통령 공약으로 들고 나오는 사람들은 너무 심합니다. 이렇게 하는 것을 어떻게 불러야 합니까? 추파라고 부를까요? 영합이라고 부를까요? 굴복입니까? 참 어이가 없고 한심합니다. 뭘 좀 알고 말합시다. 엉터리 기사만 따라 읽지 말고 다른 나라 사례들도 알아보고 공부도 좀 하고 진정한 의미에서 민주주의의 미래, 우리나라의 미래도 생각하고 말합시다. 제가 지금 언론 탄압을 하면 무슨 영화를 얼마나 보겠습니까? 고작 서너 달입니다. 8월에 개혁하는데 9, 10, 11월 그때는 이미 무대가 정부를 떠나고 있는 때입니다. 저는 뒷방 아저씨 아닙니까? 언론 탄압 하고 말 것이 뭐가 있습니까? 뜻이 있어서 하는 것 아니겠습니까?

언론 탄압도 나쁜 일이지만 언론의 눈치를 보고 영합하는 것도 나쁜 일입니다. 언론에 영합하고 있는 사람들에게 묻고 싶습니다. 과연 진심입니까? 그렇게 하면 정권 잡습니까? 그렇게 정권을 잡아서 무엇을 하겠다는 것입니까? 지금은 여론과 언론의 눈치를 살피느라고 할 일도 제대로 하지 못하는 그런 정권, 언론권력에 영합해서 역사를 거꾸로 돌리려는 정권으로 치열한 국가 간의 경쟁을 감당할 수 있는 그런 어수룩한 시대가 아닙니다. 우리 국민들은 그런 정부를 원하지 않습니다. 영합도 정도가 있습니다. 국정홍보처 폐지까지 들고 나오는 것은 정말 지나칩니다. 국정홍보처가 불법이라도 했습니까? 설사 불법을 했다 치더라도 국가기관을 폐지할 일은 아닙니다. 차떼기 하고 공천헌금 받은 정당도 문을 닫지는 않았습니다. 마음에 안 든다고 국가기관을 폐지하자고 하는 사람들 보면 참 무책임한 사람들입니다. 저도 오늘 기분이 좋습니다만 신문 제목이 험악하겠지요?

민생은 정책에서 나오고 정책은 정치에서 나옵니다. 정치는 여론을 따르고 여론은 언론이 주도합니다. 언론의 수준이 그 사회의 수준을 좌우할 수밖에 없습니다. 나라가 선진국이 되려면 언론이 먼저 선진언론이 되어야 합니다. 우리도 선진국 한번 해 봅시다. 정치와 언론만 선진국 수준에 미달하고 있지 않습니까? 우리 정치와 언론이 각성해서 우리도 선진국 한번 해 봅시다. 갑시다. 부탁합니다. 최소한 있는 정책과 사실만은 제대로 전달해 주시기 바랍니다. 오죽하면 정부가 KTV와 국정브리핑에 그렇게 매달리겠습니까? 내용을 알고 정확하게 써 주시기 바랍니다. 오죽하면 정부가 보도점검 시스템을 만들어 놓고 기사를 일일이 점검까지 하겠습니까? 이제 모두 양심과 용기를 가지고 개혁에 동참합시다. 먼 후일 참여정부에서 가장 보람 있는 정책이 무엇이냐고 물으면 나는 언론정책, 언론대응이라고 말할 것 입니다. 물론 역부족이고 한계는 분명하지만, 그러나 매우 중요한 일이고 상당한 진보를 거둘 것입니다. 민주주의 진보에 꼭 필요한 과정입니다.

참여정부에 대한 제 총평을 하겠습니다. 참여정부는 험한 바다를 헤쳐 왔습니다. 거센 바람과 험한 파도 그리고 뜻밖의 암초를 수없이 만났습니다. 끊임없는 진로 방해와 발목잡기, 흔들기, 돌발사고에 시달려 왔습니다. 그러나 우리는 침몰하지 않았고 좌초하지도 않았습니다. 말년까지 레임덕 없이 잘하고 있습니다. 대통령 선거 당시에 노사모 사람들이 돈 없이 선거를 할 수 있도록 도와준 덕분입니다. 그분들이 저를 돈으로부터 자유롭게 만들어 주었기 때문에 그래서 대선자금 수사도 할 수 있었고, 그 많은 의혹 제기에도 무너지지 않고 견뎌 올 수 있었습니다. 감사합니다. 참여정부가 하고자 한 일은 대체로 다 실천이 되었습니다. 참여정부는 할 일을 제대로 하고 있는 것입니다. 집안은 끊임없이 시끄러웠지만 한국호는 잘 가고 있습니다. 방향도 괜찮고 속도도 괜찮습니다. 흔들지 않은 정책이 없었는데도, 그렇게 발목을 잡았는데도, 여소야대 국회인데도 이렇게 된 것은 참으로 신기한 일입니다. 이거는 정치학자들이 한번 연구해 볼 가치가 있는 현상 아닐까요?

종합적으로 봐서 5년 전 대통령 선거 때 여러분이 그리고 우리 국민들이 제게 기대했던 것이 무엇입니까? 그 기대 수준에 비교해 보면 한참 낫지요? 저는 기대 수준을 넘어섰다고 생각합니다. 그런데도 이렇게 시끄러운 것은 그 이후에 새로운 불만들이 생겼기 때문입니다. 공약한 것은 다 호주머니에 받아 넣고 '경제 내 놔라, 이 사람아.' 합니다. '예, 드리겠습니다. 조금만 기다려 주십시오.' 준비 안 된 대통령, 이런 말씀을 하시는 분이 계신데요. 지나고 보니까 그 말은 맞지 않는 것 같습니다.

그렇게 말하시는 분들에게 '이제는 그 말씀 취소해 주십시오.' 이렇게 말씀드리고 싶고요. 다만 준비되지 않은 것 한 가지가 있는 것 같습니다. 카메라가 있는 곳에서는 말을 고상하게 잘 다듬어서 해야 되는데 그 재주를 미처 준비하지 못했고 지금도 아직 그 재주가 부족합니다. 앞으로 한 번 더 시켜 주면 확실하게 하겠습니다.

제가 그동안에 몰랐습니다. 하도 시샘이 많고 시비가 많아서 노사모 있는 데는 잘 가지도 못하고 보고 싶어도 못 보고 그랬습니다. 고향 생가 바로 뒤에 집을 짓고 있습니다. 제 집은 '지붕은 낮은 큰 집'입니다. 왜 큰 집이냐면 규모가 작지 않으니까요. 선입견을 어떻게 갖고 보느냐에 따라서 달라지기 때문에 큰 집이라고 이름을 붙여 놔야 실제로 보고는 '별로 크지도 않은 데 뭔 큰 집이야.'라고 생각하겠지요. 그리고 지붕이 아주 높고 이러면 권위적으로 보일 것 같아서 지붕을 낮게 짓고 있습니다.그 앞에 조그마한 마당 하나 만들고 해서 이제 '노사모 마당'으로 이름을 붙일 생각이거든요. 노사모라고 이름을 붙이니까 그러면 노사모 참여 안 했던 사람은 어쩌라는 얘기냐, 저는 노사모라는 것을 고유명사로도 쓸 수 있지만, 그와 같은 사회참여 활동, 정치참여 활동을 보편적으로 그냥 노사모 활동이라고 보통명사화 할 수 있다고 생각합니다. 이제 참여포럼 하면 노사모도 다 들어가는 것이고요. 나중에는 참여포럼도 노사모로 이렇게 그렇게 서로 통합되는 과정으로 갈 수 있지 않느냐 생각합니다. 보편적 현상이니까요. 그러나 제가 일방적으로 결정한 문제도 아니고 여러분도 함께 한번 생각해 보십시다. 참여정부에 참여했던 많은 분들이 직접 노사모 활동에 참여는 안 하셨지만 관료생활 하다가, 학자하다가 참여하신 분 많지만, 그분들이 노사모라는 현상을 눈으로 지켜봤고 보통 1년 이상씩 저와 함께 일하면서 우리가 무엇을 어떤 방법으로 추구하느냐에 대해 공감대가 상당히 높이 형성되어 있다고 생각합니다.

참여정부 공무원은 보통 공무원과는 다릅니다. 참여정부 정무직에 장·차관 지낸 분들은 그 이전의 관료 출신과는 다른 의식을 가지고 있다고 생각합니다. 모두는 아니겠지만, 대체로 그런 공감대를 가지고 있기 때문에 저는 참여정부의 대통령 생활을 하는 동안에 굉장히 소중한 인적 자원을, 한국사회에 새로운 흐름을 주도해 나갈 수 있는 훌륭한 인적 자원을 확보했다고 생각합니다. 누가 누구를 양성하는 것이 아니라 스스로 양성해 나가고 있다고 생각합니다. 언론도 지금 그렇고, 정치도 그렇고 이런 사회에서 뭔가 변화를 추동해 나갈 수 있는 중요한 사람들이라고 생각합니다.

본론 들어가겠습니다. 대한민국, 정말 잘 가고 있는가, 저는 멀리 보아야 보인다고 생각합니다. 크게 보아야 보인다고 생각합니다. 그래서 통찰력과 전략적 안목을 가지고 보아야 한국이 잘 가고 있는지를 알 수 있다고 생각합니다. 그런 관점에서 적어도 참여정부의 전략은 그동안 적절했는가, 적절했다면 큰 위기 요인이나 부담 요인을 다음 정부에 넘기지 않는 한 대한민국은 당분간 잘 갈 수 있다, 그렇게 생각합니다. 더 계속 잘 가려고 하면 다음 정부도 좋은 정부라야 한다고 말할 수 있겠지만, 결론은 잘 가고 있습니다. 참여정부의 국가발전전략은 21세기형 국가전략의 모범이다, 그렇게 말씀드리고 싶습니다. 우선 사람들이 경제를 중심으로 항상 사고하기 때문에 저도 국가발전전략을 경제라는 목표를 중심에 두고 한번 설명해 보겠습니다. 국가발전전략의 핵심은 시장을 넓히는 전략, 기업하기 좋은 환경을 만드는 전략, 지속가능한 기업환경을 만드는 전략, 그리고 시장친화적인 사회, 크게 이렇게 말할 수 있다고 생각합니다.

우선 시장이 넓어야 기업들이 경제적으로 성공할 수 있지 않겠습니까? 그런데 시장을 그저 공간적 넓이로 인식할 것이 아니라 시장을 질적으로, 부가가치라는 측면에서 인식한다고 하면 똑같은 시장에서도 시장은 얼마든지 넓어질 수 있습니다. 기업의 경쟁력이 높으면 시장이 넓어집니다. 그런데 기술이 높으면 경쟁력이 높아지는 것이지요. 따라서 높은 경쟁력과 넓은 시장은 높은 기술과 넓은 시장, 이렇게 말할 수 있겠지요. 과학기술의 혁신, 미래 성장동력 육성, 혁신 주도형 기업지원 정책, 정부 혁신, 교육 혁신은 크게 보아서 다 혁신 전략이라고 말할 수 있을 것입니다. 동반성장과 상생경영도 역시 시장을 넓히는 전략입니다. 기업과 기업 간의 경쟁도 중요하지만, 기업 생태계와 기업 생태계 사이의 경쟁도 중요합니다. 우리가 흔히 도요타의 사례를 많이 드는데 도요타는 협력업체와의 기업 생태계를 아주 경쟁력 있게 구성하고 있기 때문에 경쟁력이 높습니다. 그래서 기업 생태계 간의 경쟁 시대를 생각하면 동반성장과 상생경영도 전략입니다. 동반이라는 개념을 보면 기업과 기업, 기업과 노동자, 그리고 기업과 지역사회, 이 모두가 하나의 생태계를 이루는 것 아니겠습니까? 그런 전략을 말씀드리는 것입니다.

그리고 개방은 시장을 넓히는 전략입니다. FTA와 적극적인 해외투자, 이런 것인데 개방도 이제는 단순히 소극적으로, 수동적으로 개방하는 것이 아니라 우리가 능동적으로 시장을 개척해 나가는 전략이 필요하다고 생각합니다. 이 점에 관해서 많은 논란이 있습니다만, 역사를 돌이켜 보면 교류하지 않은 문명은 전부 쇠약하고 소멸했습니다. 그리고 세계의 역사, 소위 물질적 측면의 세계 역사는 통상국가가 주도해 왔습니다. 물질문명을 주도하는 국가가 오늘날 세계를 지배하고 있습니다. 물론 한국이 세계를 지배하고자 하는 것은 아닙니다만, 그러나 지배받지 않으려면 지배력에 대항하려면 적어도 그 정도의 실력을 갖추고 있어야 됩니다. 우리도 통상국가가 되어야 한다는 것이지요. 선진적 통상국가가 되어야 한다는 것입니다. 그래서 개방하고, FTA도 하고 WTO도 해야 됩니다. 그런데 한 가지 인식의 오해가 있습니다. 자꾸 쇠고기를 FTA의 결과로 얘기하는데, 쇠고기는 FTA를 안 하더라도 수입을 거부하기 어려운 상황입니다. 세계 수십 개 국가가 미국산 쇠고기를 먹고 있는데, 미국 시장이 한국에 대단히 중요한 수출시장인데 우리가 미국 쇠고기를 안 먹겠다고 하면 우리 상품 미국에 팔아먹기 쉽지 않죠? 미국은 막강한 반덤핑, 수입규제 제도를 가지고 있습니다. 제도만 가지고 있는 것이 아니고 실제로 시장을 지배할 만한 막강한 힘을 가지고 있는데 그 시장을 우리가 포기하지 않는 이상, 합당한 명분 없이 어떻게 쇠고기 수입을 거부할 수 있겠습니까? 그 구체적인 내용과 절차에 있어서는 한국이 지킬 것은 다 지킬 것입니다. 그러나 어떻게 FTA의 결과는 아닙니다. 지난번 선결 조건에 쇠고기 문제가 들어가 있었습니다만 그것은 어차피 줄 것을 주는 것입니다. 생색낸 것에 불과하다고 보면 되는 것입니다.

제가 우리 국민들의 자존심을 그렇게 가볍게 생각하는 대통령은 아닙니다. 압력이라는 용어를 자꾸 쓰고 있는데, 이건 국가 상호 간의 통상 관계에서 여러 가지 요구조건들을 내걸고 주장을 하고 들어주지 않으면 우리도 상응하는 조치를 하겠다는 것이 보편적인 현상인데, 왜 하필 미국 얘기만 나오면 압력이나 콤플렉스라고 합니까? 미국 콤플렉스를 뒤집으면 일종의 사대주의적 사고입니다. 제가 대통령 후보였을 때 거의 모든 사람이 자꾸만 저더러 미국 갔다 오라고 그래요. 미국 가서 미국 사람한테 눈도장을 찍고 오지 않으면 한국에서 대통령 될 수 없다는 거예요. 그래서 되는가, 안 되는가 한번 해 보자. 진보 진영이라고 얘기하는 사람들 사이에서도 이와 같은 미국 콤플렉스가 있습니다. 이것은 벗어던져야 됩니다. 반미라는 것 자체가 적절하지도 않거니와 그것은 열등감의 표현이고, 그것을 거꾸로 뒤집으면 사대주의의 표현이기 때문에 벗어던져야 한다고 말씀드리고 싶습니다. 이제 우리 한국은 적극적 해외전략을 채택하고 추진하고 있습니다. 제가 체계적이고 조직적으로 정부에다 지시해서 기업과 함께 추진하고 있습니다. 해외에 나가 보면 한국이 엄청나게 실력을 인정받고 있습니다. 팔아먹을 것도 많습니다. 실력이 대단해서 정부가 가지고 있는 정보, 기업이 가지고 있는 정보들을 가지고 투자의 안정성도 전부 검증하고, 투자 자본을 결집하는 것도 함께 합니다. 앞으로 우리 한국도 해외에서 열심히 투자하고, 그래서 다른 나라들과 동반성장하고 상생하는 그런 모범적인 국가가 될 것입니다. 그러면 이제 GDP보다 GNI 성장률이 낮다는 것도 극복하게 되겠지요? 그렇게 갈 수 있을 것입니다. 자꾸 환율이 올라가는 것을 막는 데도 우리의 적극적인 해외투자가 꼭 필요한 전략입니다.

기업하기 좋은 환경이라는 것이 매우 중요합니다. 말하자면 기업 생태계를 잘 조성해야 된다는 것이지요. 투자와 금융·상품·노동, 이런 것을 잘 결합할 수 있는 좋은 환경이 필요합니다. 기업 생태계에서 가장 중요한 것은 자유로운 시장입니다. 그래서 관치경제를 버리고 시장경제로 가야 하는 것이지요. 그리고 규제는 적을수록 좋습니다. 투명하고 공정한 시장이 되어야 합니다. 자유시장을 말하는 사람들 중에는 그 자유를 시장에 참여하는 모든 사람의 자유로 생각하지 않고 일부 시장지배적인 강자의 자유로 인식하고, 시장에서 강자가 어떤 일을 하든 간섭하지 말라, 이렇게 주장하는 자유시장주의가 있습니다. 이것은 아닙니다. 공정한 경쟁이 보장되어야만 자유시장의 이점, 경쟁과 향상이라고 하는 성과를 거둘 수 있습니다. 강자가 약자를 지배하는 시장에서는 착취가 발생할 뿐이지요. 이것은 미국에서 1900년경에 루즈벨트 대통령이 극보수주의이면서도 카르텔을 전부 해체하는 결단을 내린 것을 보더라도 명백한 것입니다. 모든 규제가 악은 아닙니다. 필요한 규제는 해야 합니다. 필요하고 공정한 경쟁을 형성하기 위한 규제도 있습니다. 환경, 노동, 인권이라고 하는 소중한 가치를 보호하기 위한 규제도 있습니다. 그러나 그 규제는 합리적이어야 하고 통과하는 데 시간을 줄여주고 비용을 줄여주는 방향으로 가야 합니다. 그동안의 규제를 건수로 계속 계산했는데 하루밖에 안 걸리는 그런 규제는 아무리 수만 건이 있어도 지장이 되지 않는다는 것이지요. 그래서 건수의 문제가 아니고 규제의 통과시간을 줄여주어야 합니다. 구체적인 기업이 구체적으로 하고자 하는 행위에 걸리는 일련의 덩어리 규제들을 전부 개혁해 나가려고 참여정부는 노력하고 있습니다. 규제라고 볼 수도 있고 아니라고 볼 수도 있는데, 예를 들면 특허심사기간이 22개월에서 10개월로 줄었습니다. 화물 통관에 드는 시간이 참여정부 초기 9.6시간에서 2005년에 5.6시간으로 줄고 지금은 3.6시간으로 줄었습니다. 그래서 지금 정부의 정책도 하나의 정책을 입안하고 토론을 거쳐서 성원하고 법을 통과시키는 데 들어가는 시간을 전부 측정하고 있습니다. 그런데 참여정부 들어 국회에서 통과되는 데 걸리는 시간이 너무 많습니다.

제가 이런 소상한 말씀을 드리는 것은 제가 그렇게 큰 소리만 뻥뻥 치고 다니는 사람이 아니고 대단히 치밀하다는 것을 여러분께 자랑하고 싶어서 말씀을 드린 것입니다. 저는 제 스스로를 과장급 대통령일 때도 있고, 그러면서도 세계적인 대통령이라고 생각합니다. 지속가능한 기업환경에 대해 말씀드리겠습니다. 당장의 기업환경이 아니라 지속가능한 환경이 중요한 것이지요. 노사 간 신뢰의 문화가 있어야 되고 동반성장과 상생의 경영, 다 말씀드린 것입니다. 균형발전, 우리 사회가 세대·계층·지역·노사 간 균형 있는 발전을 하게 됐을 때 갈등이 예방되고 국민의 역량이 통합될 수 있습니다. 그래서 국민통합의 수단으로서도 균형발전은 필요하고 균형발전 자체가 가치이자 중요한 성장 전략입니다.

사회투자에 대해 말씀드리겠습니다. 사회투자는 우리 국민을 경쟁력 있는 국민으로 만든다는 것입니다. 말하자면 인적 자본 투자, 기회 균등, 예방적 투자, 경제·사회 정책의 통합을 통해 지속가능한 성장의 토대를 만들어 가는 국가전략입니다. 사람이 경쟁력이므로 경쟁력 있는 국민을 만들자는 것입니다. 어떤 사람이 경쟁력 있는 국민이냐? 건강하고

심적으로 희망이 넘치고 안정된 국민입니다. 오늘의 불안이 없고, 기회가 열려 있어서 내일에 대한 불안이 없는 사회에서 희망을 가지고 의욕이 넘치는 국민, 잘 교육받은 역량 있는 국민, 그것이 경쟁력 있는 국민이지요.

경쟁력을 저해하는 국민이 있을 수 있습니다. 낙오하는 국민들이 있을 수 있고, 낙오하는 국민들이 많을수록 우리 사회에 또한 부담이 되는 것이지요. 인도적으로도 옳지 않거니와 경제적으로 부담이 되기 때문에 예방적 투자를 하자는 것입니다. 어릴 때 많이 투자하고 불편하고 조건이 불리한 사람들에게 집중 투자해서 그 사람들에게도 사람다운 삶을 보장함과 더불어 우리 사회의 부담을 없애가는 것이 예방적 투자의 전략입니다. 그래서 경제정책과 사회정책의 통합이 필요합니다.

시장친화적인 사회, 계속 시장, 시장하니까 좀 웃기는 얘기 같지요. 요즘은 시장의 시대이니까요. 민주주의가 바로 시장친화적인 사회입니다. 민주주의가 소중하게 생각하는 자유는 창의를 자극하는 제도입니다. 민주주의는 경쟁의 정치이고 공정한 경쟁을 이상으로 하는 정치입니다. 따라서 시장의 자유롭고 공정한 경쟁은 민주주의와 딱 맞는 것이기 때문에 민주주의를 발전시키자는 것입니다. 그냥 발전시키는 것이 아니고 내용에 있어서 투명하고 공정한 사회를 만드는 그런 민주주의를 발전시키자는 것입니다. 사회적 자본이론이 있습니다. 기업하기 좋은 환경이 뭐냐 했을 때 원칙이 통하는 사회, 신뢰가 있는 사회, 투명하고 예측가능성이 있는 사회, 사회 통합성이 높은 사회, 대개 그런 것이지요. 이런 것을 사회적 자본이라고 합니다. 사회적 자본은 민주주의 사회에서 잘 축적되는 것이기 때문에 민주주의를 그저 이권 보장, 국민주권 사상을 실현하는 제도로만 보지 말고, 우리 경제가 성공하기 위한 관점에서 바라봐야 합니다. 기득권 가진 사람들이 민주주의 발전을 거북하게 생각해서는 안 된다는 말씀을 드리고 싶습니다. 민주주의가 잘 실현되고 평화가 정착되고 그래서 국민과 사회가 안정된 사회가 시장친화적인 사회 아니겠습니까? 이게 바로 참여정부 국가발전전략입니다.

참여정부는 비전 2030이라는 국가발전전략을 장기 재정계획으로 만들어 놓고 시행하고 있습니다. 전략 목표는 혁신적이고 활력 있는 경제, 안전하고 기회가 보장된 사회, 안정되고 품격 있는 국가입니다. 혁신, 활력, 안전, 기회, 쾌적한 환경, 품격 있는 문화 이런 정도로 생각합시다. 진짜 중요한 것은 핵심 전략에 있습니다. 제도 혁신, 선제적 투자, 이 개념은 기획예산처에서 만들어져 저한테 상납한 것입니다. 경제부처가 이런 전략을 기획한다는 것이 매우 중요한 것입니다. 국가발전전략을 여러 개 분산시켜 논리적 구조로 말씀드렸습니다. 비전 2030에서는 5가지 전략으로 정리해 놓고 있습니다. 성장동력을 확충하자, 사회복지를 선진화하자, 인적 자원을 고도화하자, 사회적 자본을 확충하자, 능동적으로 세계화하자. 그 안에 50개의 개별 과제가 있고 이것은 현재 진행 중이고 하나하나 진도를 점검하고 보고받고 있습니다. 마지막 순간까지 점검하고 추진해 나갈 것입니다. 왜 제가 막판에 이렇게 열심히 하느냐? 요즘 청와대는 초년도보다 힘들다고 불평이 있습니다. 왜 막판에 이렇게 하냐. 저희가 주택정책을 만들어서 국민주택 정책을 추진하고 있는데 가만히 거슬러 올라가 연혁을 보니까 2002년 5월에 입안해서 2003년 2월에 국회를 통과시켰어요. 그러니까 우리는 준비 없이 바로 정책집행에 들어갈 수 있는 것 아닙니까? 그래서 국민주택 연간 10만 호라고 참여 정부가 떠들었지만, 사실은 국민의 정부가 만들어 준 것입니다. 국민의 정부도 좋은 정부예요.

국가발전전략의 전환은 국민의정부에서 시작됐습니다. 변화의 요구는 1990년대 초부터 시작됐습니다. 세계가 변화하고 있고 한국은 개발독재의 잔재인 관치경제, 불균형 성장전략으로 인한 후유증, 요소투입형 경제에 발목이 잡혀 있었습니다. 그래서 대마불사의 신화, 과잉 투자, 권위주의, 독재의 잔재, 특권과 반칙, 정경유착 이런 것들이 우리 경제의 발목을 잡고 있었던 것이지요. 우리 한국경제가 변화를 수용하지 않았기 때문에 경제 위기를 맞이한 것입니다. 위기를 이기지 못한 것이지요. 그래서 경제 위기를 극복하는 과정에서 국민의 정부는 기업·금융·노사·공공 부문, 이렇게 4대 부문 개혁을 단행했고 혁신 주도형 지식기반 경제 전략을 내세웠습니다. 그것이 오늘날에 혁신 주도형 경제라는 비슷한 이름으로 쓰이고 있습니다. 그리고 경제 민주주의와 시장경제, 이렇게 했습니다. 실제로 관치금융이 완전히 청산됐고 자유와 인권이 신장되고 국가인권위원회, 국가청렴위원회 설치 등 많은 진보가 있었습니다.

그리고 국민의정부에서 복지정책의 토대가 구축됐습니다. 그리고 생산적 복지의 개념을 도입했습니다. 바로 국민의정부가 진보의 정책을 채택한 것이고, 시장경제를 강조함으로써 시장경제와 진보정책의 조화를 시도했습니다. 그리고 평화주의 전략, 포용정책을 통해 안정과 활력을 조화시켰지요. 그래서 라면 사재기, 방독면 사재기와 같은 얘기는 국민의정부 이래 지금까지는 없지 않습니까? 제가 국민의 정부의 정책을 다시 한번 평가해 보면서 과연 지도자의 자리는 머리를 빌려서 할 수 있는 자리가 아닌 것 같다, 해박한 지식, 지식과 정보에 대한 탐욕, 깊이 있는 사고력, 잘 정리된 가치와 철학이 꼭 필요한 자리인 것 같다. 그렇게 느끼고 있습니다.

그러면 참여정부의 정체성은 무엇인가? 민주주의의 정통성을 확실하게 가지고 있는 정부이고, 자주성을 가지고 있는 정부입니다. 분열주의를 극복하고 국민통합을 지향하는 정권입니다. 저는 1988년 분열된 민주세력에 참여한 이래 20년간 줄기차게, 일관되게 지역주의와 싸우고 있습니다. 국민통합을 내걸고 대통령에 당선됐습니다. 지역주의를 해소하는 것은 역사의 과제이자 참여정부에 부여된 역사의 소명입니다. 참여정부는 진보를 지향하는 정부입니다. 참여정부는 역시 평화를 지향하는 정부입니다. 국민의정부하고 똑같습니다. 좀 다른 게 있어야 되는데 통합주의를 하나 합시다.

지금도 사인을 해 달라고 하면 '사람 사는 세상'이라는 문구를 씁니다. 계속 애용하고 있습니다. 사람 사는 세상에 참여정부의 핵심 사상이 담겨 있다고 생각합니다. 사람이 사람으로대접받는, 이것은 자유와 평등, 인권과 민주주의를 포함하는 개념이라고 생각합니다.

더 중요한 것은 사람이 사람 노릇하고 사는 사회입니다. 도리를 다하는 인간, 주권을 행사하는 국민, 이것이 저는 사람 노릇이라고 생각합니다. 이렇게 말하니까 제가 제일 무서워하는 사람이 '그러면 지금은 대한민국이 사람 사는 세상이 아니요?' 이렇게 시비를 겁니다. 제가 무서워하는 사람이 누군지 아시죠? 지금도 우리 집에 있습니다. 조선일보 보고 매일 훈수하는 사람입니다. 이것은 시장경제를 강조하지만 그러나 시장만능주의, 경제제일주의에 대한 경계를 늦추지 말자는 뜻을 가지고 있는 것입니다. 시장은 사람을 위한 시장이어야 하고 경쟁은 사람을 위한 경쟁이어야 합니다. 성장도 마찬가지입니다. 그래서 공동체의 근본적인 지향점을 저는 그렇게 표현했습니다. 보수가 무엇이며 진보는 무엇인가. 보수는 강자의 사상, 기득권의 사상입니다. 각자의 삶은 각자의 노력의 결과이므로 강자의 기득권을 보호하고 강자의 자유를 보장하여 강자가 주도하는 대로 따라가면 모두 좋아진다는 생각이 보수의 기본적인 생각입니다. 경쟁시장을 넓히기 위하여 개방을 하자고 하면서 약자에 대한 국가의 보호나 지원에는 반대합니다. 힘에 의한 질서를 강조하여 갈등은 힘으로 제압하고자 합니다. 힘에 의한 평화를 주장하며 대외적으로는 대결주의를 주장합니다. 그래서 냉전적 정책을 좋아하는 것이지요.

진보란 무엇인가. 힘 있는 사람이 누리는 권력을 약자도 함께 누리도록 하기 위해서 힘 없는 사람의 연대와 참여를 중시하는 생각입니다. 시장경제를 필요한 것으로 인정하나 시장의 한계와 실패를 주목하고 이를 보완하기 위한 국가의 역할을 요구합니다. 개방을 반대하고 대외정책은 평화주의를 지향합니다. 보통 그렇다는 것입니다. 그러면 보수는 연대하지 않는가, 연대합니다. 은밀히 유착하지요.

국민의 정부, 참여정부의 진보는 민주노동당의 진보와 어떻게 다른가. 실현 가능한 대안이 있는 정부입니다. 현실에서 채택이 가능한 대안, 그리고 타협 가능한 수준으로 정책을 만들고 현실에 적용할 대안을 만

듭니다. 법으로 고용을 만들 수 있습니까? 법으로 정규직을 만들 수 있습니까? 만사를 법으로 해결할 수는 없는 것입니다. 세상 돌아가는 이치에 맞는 정책이라야 그 정책이 성공할 수 있는 것입니다. 현실 돌아가는 이치에 맞도록 진보적 정책을 쓰자, 이것이 민주노동당과 다른 것이지요. 재원조달이 가능한 정책이라야 합니다. 예산의 구조조정도 한계가 있고, 세금을 함부로 만들고 올릴 수도 없습니다. 그래서 현실에 적용 가능한 진보, 그러니까 실용적 진보입니다. 시장친화적인 진보입니다. 시장주의의 본질에 반하는 정책은 실현되기도 어렵고 억지로 실현하려고 해도 오래가지 못하고 왜곡이 발생해서 실패합니다. 그래서 시장친화적인 정책, 그리고 시장과 조화를 이룰 수 있는 정책을 제공합니다. 개방지향의 진보입니다. 개방의 문제를 이념의 문제로 볼 이유가 없다고 봅니다. 그래서 능동적 개방주의를 채택하고 있는 점이 기존의 진보와 좀 다릅니다. 배타하지 않는 자주입니다. 반미, 이것도 또한 사대주의라고 말씀드렸습니다. 미국을 배타적으로 배척할 이유는 없습니다. 바로잡을 것만 냉정하게 바로잡아가면서, 또 바로잡고 고칠 것은 고치되 한꺼번에 마음 상하게 해서는 좋은 일도 없고 또한 다 성취할 수도 없습니다. 힘도 없으면서 오기만 가지고 다 되는 일은 아닙니다. 그래서 합리적으로 대응해 나가는 자주의 노선이 필요합니다. 대화하는 진보, 타협하는 진보입니다. 대화와 타협은 민주주의의 요체입니다.

비타협 노선은 근본주의, 절대주의에 근거한 투쟁전략입니다. 절대주의 비타협 노선은 민주주의가 아닙니다. 상대주의와 관용의 원리에 반하는 것입니다. 그리고 비타협 노선이 가끔 승리에 집착해서 책략에 매몰되거나 극단적인 전향을 하기도 합니다. 지금 한나라당에 그런 사람이 꽤 있지요. 그래서 우리는 열린우리당의, 참여정부의 진보를 합리적 진보 또는 실용적 진보, 유연한 진보 등으로 표현하고 있습니다. 언젠가는 어느 것 하나를 적절하게 채택해야 될 것이라고 생각합니다. 국민들이 받아들이는 느낌이 맞아야 되는 것이기 때문에 써 보면서 채택해 가야 할 것입니다. 그래도 어느 때 결정해서 계속 반복해서 쓰면 그것이 국민들에게 정착될 수도 있습니다. 합리적 진보가 가장 포괄적인 용어가 아닌가 저는 그렇게 생각합니다. 중도와 실용은 뭐가 다른가. 중도라는 개념은 적절하지 않다고 생각합니다. 진보와 보수의 중간에서 어정쩡한 정책을 결정하는 것이 아니라 진보정책과 보수정책을 실용적으로, 필요할 때마다 적절하게 쓸 수 있는 것이 합리적 진보이기 때문에 중도라는 개념은 맞지 않는 것 같습니다. 다만, 진보지만 조금 극단적이지 않다는 뜻으로 중도 진보라는 말은 있는데, 그냥 중도라고 말하는 것은 좀 안 맞는 것 같습니다. 어떻든 고전적인 진보의 노선이 오늘날 사회투자 이론 등으로 발전했다고 해도 이는 여전히 진보일 뿐 중도의 길이라고 하는 것은 맞지 않은 것 아니냐 그렇게 생각합니다. 그래서 우리는 실용적 진보, 합리적 진보라고 표현하는 것이 적절하지 않을까 생각합니다.

논리적 설명을 위해서 부득이 쓸 수밖에 없는 가정으로, 만일 한나라당이 정권을 잡으면 어떤 일이 생길까. 민주주의의 일반 원리로 보면 정부는 왔다 갔다 해야 합니다. 그럴수록 민주주의가 점차 발전하는 것이지요. 그런데 그 막상 그렇게 되면 어떤 일이 생길까 생각해 보니까 이게 좀 끔찍해요. 한나라당이 무슨 일을 할까, 이것을 예측하자면 한나라당의 전략을 보아야 되는데 한나라당의 전략이 무엇인지 알 수가 없습니다. 책임 있는 대안을 내놓는 일은 거의 없고 앞뒤가 맞지 않는 주장과 행동, 말과 행동이 다른 주장이 너무 많아서 종잡을 수 없습니다.

그동안 참여정부의 정책 중에 한나라당이 반대하거나 흔들지 않는 정책은 거의 없습니다. 그러나 끝까지 반대한 정책도 거의 없습니다. 정부정책이 나오면 온갖 이유를 들고 나와서 반대하고 흔들고 하다가 막상 정책을 심의하고 표결할 때는 슬그머니 물러서서 찬성표를 던집니다. 그리고 아무 일도 없었던 것처럼 행동합니다. 반대를 위한 반대, 흔들기 위한 반대를 한 것이지요. 그 결과 대부분의 정책들은 참여정부의 정책대로 가고 있습니다. 결국 아까운 시간만 낭비하게 하고 정책의 효과만 죽여 버린 것이지요. 참으로 무책임의 모범을 보여 주고 있습니다. 요즘 그 당 후보들의 공약을 보아도 창조적인 전략이 별로 보이지 않습니다. 한마디로 부실하다는 생각이 듭니다. 막연하게 경제를 살리겠다, 경제 대통령이 되겠다, 이렇게 말하는 것은 전략이 없는 공허한 공약입니다. 공약이라 할 것도 없고 미사여구입니다. 대운하, 열차 페리 등의 사업들을 두고 옥신각신하고 있는데 두 사업의 사업비를 다 보태 보아도 참여정부 균형발전 투자의 5분의 1도 안 되는 사업입니다. 균형발전 투자는 정부청사 건설비와 일부 기관시설 외에는 다 회수되는 것이기 때문에 재정 부담은 11조 원 정도에 그칩니다. 대운하 건설비는 단기간에 회수되지 않는 투자입니다. 민자 유치를 한다고 하나, 참여할 기업이 있을 리 없으니 하나 마나한 싸움을 하고 있는 것이라고 할 것입니다. 열차 페리는 제가 2000년 해양수산부 장관 시절에 타당성 없다는 결론을 이미 내린 사업입니다. 한다고 해도 참여정부의 물류 허브 전략에 비하면 너무 작은 사업입니다.

과학도시를 한다는데 그것은 참여정부가 법까지 다 만들어 놨습니다. 추가할 것이 있으면 도시 하나 지정만 하면 되는데 그걸 또 들고 나와서 흔듭니까? 이 정도 사업을 국가적 전략사업으로 내놓은 것이라면 좀 초라하다는 생각이 듭니다. 지금은 경제정책의 기본 원칙과 방향에 관한 전략적 공약이 나와야 할 시기이지 한 두건 개별사업 꺼내 놓고 옥신각신, 왈가왈부 할 때가 아니지요. 그렇지 않습니까? 경제는 경제정책만으로 되는 것이 아닙니다. 종합적인 국가발전전략이 중요한 것입니다. 이 시기 한국이 추구할 가치와 역사적 과제가 무엇인지를 제시하는 전략적인 공약, 공약다운 공약이 나오기를 기대하겠습니다. 그런데 한나라당은 전략은 없어도 보수의 정체성은 뚜렷합니다. 그동안 말과 행동, 정책은 왔다갔다 일관성이 없지만 한 가지는 확실합니다. 보수와 수구의 정체성입니다. 요즘 후보들의 공약을 보면 보수의 정체성이 좀더 뚜렷해지는 것 같습니다. 강자의 권리를 제한하거나 약자의 권리를 강화하는 정책에는 일관되게 반대해 왔습니다. 복지와 사회투자는 분배정책, 좌파정책으로 일관되게 비난해 왔고 오히려 감세를 공약하고 있습니다. 법인세 감세를 주장하고 있습니다. 얼른 계산해 봤는데 법인세 세수가 연간 6조 8천억 원이 감소하게 되어 있습니다. 이 세금 어디서 거둘 것입니까? 이만큼 세출을 줄일 것입니까? 빚을 낼 것입니까? 저하고 토론 한번 해야 되는데 이게 자리가 있어야 물어보지요. 저는 그만큼 복지 재정이 어려워질 것이라고 생각합니다. 84%의 기업은 이 정책과는 아무 관계가 없고, 나머지 중에서 일부는 조금 도움이 될 듯 말 듯 하고 이익을 많이 내는 엄청나게 큰 기업들만 왕창 이익을 보게 되어 있습니다. 옛날에 미국에서 부시 대통령이 상속세를 폐지하겠다고 하니까 미국의 엄청난 부자가 참 혐오스럽다, 이렇게 말했다지요? 우리나라에도 그런 부자가 있기를 바랍니다. 부동산 세금까지 자꾸 건드려요. 1991년에 1억 8천만 원 주고 강남에 아파트를 사서 그것을 11억 원에 팔아 9억여 원을 남긴 사람에게 양도소득세가 얼마 나옵니까? 6,800만 원입니다. 9억 2천만 원이나 남긴 사람이 양도소득세 6,800만 원 낸다고 두려워서 '나 집 못 팔겠다.'고 합니다. 안 팔면 되는 거죠. 그거 팔 수 있도록 꼭 국가가 무슨 배려를 해 줘야 되는 것입니까? 세율 7.5%인데 그걸 해 줘야 됩니까? 참, 정책이라는 게 어렵지요. 어려우니까 자꾸 속인단 말이지요. 균형발전은 아까 말씀드렸고요. 자유시장의 개념이 다르다는 것도 제가 말씀 드렸습니다. 어떻든 공정한 경쟁과 투명성을 위한 개혁에는 반대하고, 출자총액제한제도 · 집단소송 반대하고, 사학법 개정도 반대합니다. 공정거래위원회가 중요하거든요. 출자총액제한제도를 완화했기 때문에 사후 감시를 철저하게 할 수 있어야 하는데 여기에 확실한 권한을 주어 감시를 할 수 있게 해 줘야 되는데 반대합니다. 지금도 한시적으로 조금 늘려 놨습니다. 금융정보요구권인가 해서 조금 늘려 놨는데, 확실하게 해 주면 좋지 않겠습니까? 참여정부는 공정위에 확실하게 하라고 인력을 많이 지원했습니다. 소비자보호원도 그 쪽에 붙여 주고 인력을 상당히 많이 늘려 줬습니다. 연구소도 만들게 했는데, 참여정부 와서 공무원 숫자만 늘린다고 합니다. 공정거래위원회 일이 늘어나는데 그럼 공무원 숫자 안 늘어나면 누가 공정위 합니까? 할 일은 해야지요. 그렇습니다. 회사가 커지면 사원이 많아지는 겁니다. 대신 이후 공무원 남는 곳에 공무원들 빈둥거리지 못하게 확실하게 조직 진단하는 수준 있는 연구와 비법 개발을 행정자치부에 지시해 놓고 있어서 앞으로 그런 것은 하게 될 것입니다. 필요한 구조조정은 근거를 가지고 해야 하는 것이고 교육훈련과 배치전환, 이런 것으로 갑니다. 서울시장이 공무원 퇴출 얘기하니까 그게 아주 좋은 정책인 것처럼 했는데, 그거 보면서 제가 바로 정부는 하지 말라고 메모를 보냈습니다. 반드시 법적 절차에 의해서 해야 하고 확실하게 객관적 사실을 조사하고, 확인된 사실을 근거로 징계를 해야지, 그렇게 하면 안 됩니다. 하기는 해야 되지만 방법이 그래서는 안 된다는 것입니다. 그래서 지금 우리 정부는 새로운 방법으로 완전히 인권도 보장하고 공무원의 권리도 보장하면서도 불성실한 사람들을 퇴출할 수 있는 제도를 지금 이미 하고 있습니다. 조용히 하고 있습니다.

한나라당의 민주주의에 대한 비전은 무엇인지 제가 잘 알 수가 없습니다. 민주주의의 미래에 대해서는 아무런 말도 하지 않기 때문입니다. 국가보안법, 사학법 등의 개정과 공수처의 설치, 과거사 정리 등을 반대하는 것 보면 어쩐지 민주주의에 대해서는 거부감이 있는 사람들 같이 보입니다. 참여정부더러 무능하다는 얘기를 자꾸 하고 있습니다만 그 말이 나오기 이전에 그 사람들이 했던 얘기를 가만 생각해 보십시오. 민주세력 무능론 했습니다. 지금 참여정부 무능론이라는 것은 민주세력을 싸잡아서 비하하기 위한 전술이지요, 책략입니다. 그러면서 무능보다는 부패가 낫다고 말합니다. 이런 망발이 어디 있습니까? 그런 생각을 하는 사람은 부패하고 무능한 정부를 만들 것이다, 이렇게 생각합니다. 어떻든 한나라당은 우리 민주주의가 너무 많이 왔다고 생각하고 있는 것 같습니다. 이건 확실합니다. 정치를 개혁하겠다는 공약도 없습니다. 정말 우리 정치에 개혁할 일이 없습니까? 참여정부가 다 해결해 버려서 너무 많이 와 버려서 돌아가자는 얘기입니까. 그렇습니다. 공천 헌금 예방을 위한 정책은 한나라당이 내놔야지요. 자기들이 저질렀으니까요. 이 사람들이 정권을 잡으면 지역주의가 강화될 것입니다. 공천헌금은 지역주의의 결과 아닙니까? 지역주의가 공천을 이권화해 놨기 때문 아닙니까? 그래서 지역주의가 강화하고 부패 정치, 낡은 정치가 되살아날 것입니다. 부패정치, 낡은 정치를 하는 정부는 볼 것 없이 무능한 정부가 될 수밖에 없는 것입니다. 일부 언론과 한통속이 되어 있습니다. 어제 한나라당 원내대표는 노 정권이 언론과 싸움을 벌여서 친노 세력을 결집하고 있다, 이렇게 논평했습니다. 이것은 며칠 전에 조선일보 1면 머리기사 제목 그대로입니다.

반대로 한나라당이 한마디 하면 그대로 신문 제목이 되는 경우는 부지기수입니다. 물론 일부 언론의 일입니다. 후보들이 화끈하게 언론의 역성을 들고 나왔습니다. 참으로 시대에 역행하는 공약을 이처럼 화끈하게 할 수 있을까, 참으로 용기 있는 사람들입니다. 무식한 사람이 용감하다고 했던가요? 정말 한나라당이 집권하면 우리 언론에는 어떤 일이 일어날까 눈을 감지 않아도 눈에 선합니다. 기자실이 살아나고, 돈봉투가 살아나고, 청탁이 살아나고, 띄워 주기, 덮어 주기, 권언유착이 되살아나고, 가판이 되살아나고, 공직사회는 다시 언론의 밥이 되고, 공무원의 접대 업무도 되살아나고, 자전거일보, 비데일보가 되살아날 것입니다. 그렇게 되면 언론 자유가 신장되고 국민의 알 권리가 보장되는 것입니까? 권언유착이 부활하면 민주주의는 후퇴합니다. 그러면 피해자는 국민이 됩니다.

한나라당이 개헌을 반대했습니다. 말을 뒤집은 것이지요. 논의조차 거부하다가 마지못해 개헌을 하겠다고 약속했는데 후보들은 아무 말도 하지 않고 있습니다. 당론으로 약속한 것을 깔아뭉개겠다는 심산인 것 같습니다. 그래도 언론들은 모른 척할 것입니다. 지난번에 언론도 개헌문제를 덮어 버리는 데 공모했으니까 새삼 들고 나오기가 민망스럽겠지요. 지켜볼 일입니다. 두 눈 부릅뜨고 지켜볼 일입니다. 지금이라도 개헌을 해 놓고 대통령이 되면 대통령다운 대통령직을 수행할 수 있을 것인데, 우선 대통령 되는 데 급급해서 대통령이 되고 난 이후의 일은 생각할 겨를이 없는 모양입니다. 적어도 노무현 대통령은 후보 때 그렇게 하지 않았습니다. 아무런 역사의식도 비전과 전략도 보이지 않습니다. 집권 가능성이 가장 높다는 당과 후보가 이 모양이니 그 사람들이 집권하면 나랏일도 걱정이고, 힘 없는 사람들의 일은 더욱 걱정입니다.

이제 민주세력의 당면한 과제는 무엇일까요? 당면한 일은 대통령 선거입니다. 선거에서 가장 중요한 것은 구도입니다. 일 대 일의 구도를 만들어야 합니다. 당은 합치지 않고 후보만 단일화하는 방법과 당을 하나로 합치는 방법이 있을 수 있습니다. 평가는 마찬가지입니다. 가능성이 높은 방안, 후유증이 없는 방안을 선택하는 것이 좋겠지요. 과거의 경험을 보면 선거 때가 되면 당이 갈라지는 것을 보았습니다. 같은 이유로

당을 합치는 건 참으로 어려운 일이라는 사실을 잘 알아야 합니다. 우리 역사에 그런 일이 있는지는 미처 조사해 보지 못했습니다. 제 기억에는 없습니다. 그래서 1997년과 2002년에는 당을 합치지 않고 그냥 단일화해서 선거에 승리했습니다. 후보를 단일화하기 위해서는 대세를 만들고 쏠림을 만들어야 합니다. 쏠림은 국민들이 만들어 줍니다. 쏠림이 생기지 않으면 이제 그때 후보가 결단을 내리는 것이지요. 2002년에는 제가 그렇게 한 거 아닙니까? 그런데 열린우리당 일부가 당 해체를 주장하고 탈당해서 세력을 갈라놓았으니 쏠림을 만들기가 참 어렵게 됐습니다.

앞으로 통합이 되고 호각을 이루는 양당의 후보가 각기 올라타는 일이 있다면 통합을 만들기도 어렵게 될 것이고 쏠림을 만들기도 어려워지지 않겠습니까? 당 해체를 주장해 온 사람들, 그리고 탈당한 사람들, 그리고 지금도 오로지 대통합에 매달려서 탈당으로 대세를 몰아가려는 사람들의 전략은 소위 외통수 전략입니다. 그런데 그다지 확률이 높지 않은 어려운 일을 외통수 전략으로 채택하는 것은 매우 위험한 것입니다. 외통수 전략은 실패할 경우에 다른 선택이 불가능합니다. 일반적으로 당의 통합이라는 것은 매우 어려운 얘기입니다. 더욱이 대선을 앞두고 후보가 되려는 사람의 복잡한 계산이 개입될 경우에 당의 통합은 더욱 어렵습니다. 이런 사실을 경험해 본 사람이라면 이런 어려운 일을 외통수 전략으로 채택하지는 않을 것입니다. 그런데 그들은 외통수 전략을 채택하고 밀어붙이고 있습니다. 그야말로 경험이 없는 탓이 아닌가 싶습니다. 잠깐 기다리십시오. 그렇다고 제가 대통합을 반대한다고는 듣지 마십시오. 그리고 쓰지도 마십시오. 다음을 읽겠습니다. 그러나 이제 엎질러진 물입니다. 다만 지금이라도 외통수만 믿고 시간을 다 허비해 버리는 어리석은 일을 피해야 한다고 생각합니다. 대통합과 후보 단일화를 병행하여 추진해야 합니다. 대통합을 위하여 노력은 하되, 빠른 시일 안에 통합이 되지 않으면 후보를 내세워서 대세 경쟁을 하면서 대통합과 후보 단일화를 계속 추진하는 것이 보다 안전한 전략이 될 것입니다. 시간이 그리 많이 남지 않았거든요.

이런 일을 하는 데는 후보가 되고자 하는 사람들이 중요합니다. 후보가 되기 위해서 당을 깨자고 하거나 탈당을 하는 것은 반칙입니다. 민주주의를 파괴하고 정치를 망치는 일입니다. 국민들이 보면 실격 처리가 될 만한 사례입니다. 마음을 비우라고까지는 하지 않겠습니다. 최소한 원칙은 지키라고 충고하고 싶습니다. 통합과 후보 단일화 다 중요한 일입니다. 그러나 아무리 바빠도 정책은 공부해야 됩니다. 이번 선거는 정책 대결이 될 가능성이 높고 정책 대결이 승부를 가를 가능성도 있습니다. 가능성이 대단히 높습니다. 정책 대결을 할 만한 중요한 쟁점이 점차 뚜렷하게 드러나고 있지 않습니까, 참으로 바람직한 현상입니다. 대통령과 각을 세우려고 하지 말고 한나라당과 각을 좀 세워 주시기 바랍니다. 저는 대통합에 찬성하고 받아들일 것입니다. 그러나 걱정이 하나 있긴 있습니다. 후보 단일화가 아니고 당이 대통합이 되었는데 혹시 그 당이 지역당 모습을 띄게 될 경우, 이후 총선이 다가오면 다시 영남과 호남에는 경쟁이 없는 안방 정치, 싹쓸이 정치가 될 것이고 수도권 또한 지역을 내세우고 표를 모으는 전략으로 지역주의 정치를 벗어나지 못하는 상황이 올 수도 있을 것입니다. 본시 당을 통합하는 것은 총선에 적합한 전략인데, 왜 대선에서 합당 전략이 대세를 이루게 되었는지 참으로 이해하기 어렵습니다. 어떻든 지역을 내세워 표를 모으고 싶은 충동은 우리 정치를 영원히 후진 정치에서 벗어나지 못하게 하는 족쇄가 될 것입니다. 그러나 이미 어쩔 수 없는 일입니다. 통합이 되더라도 지역당이 되지 않도록 노력합시다. 그리고 그 이후의 문제는 그 다음의 문제이니 총선 때 걱정합시다.

여러분을 친노 세력이라고 부르는 사람들이 있습니다. 이것은 악의적인 호칭입니다. 교묘한 상징 조작을 하고 있는 것입니다. 우리가 계보 정치에 대한 거부감을 가지고 있기 때문에 교묘하게 여러분을 계보 정치는 결합시켜 나가려는 것이지요. 계보 정치는 이렇게 하는 거 아닙니다.

여러분의 이름은 참여포럼입니다. 대선 조직이 아니라 참여정부에 대한 부당한 중상모략에 대응하기 위한 조직이라고 생각합니다. 당이 언론과 야당의 부당한 공세에 제대로 대응해 주기라도 한다면 굳이 왜 이런 조직을 또 만들겠습니까, 그런데 여권 안에도 차별화를 전략으로 삼고 화살을 거꾸로 겨누는 사람들이 있으니 스스로를 방어하기 위해서 조직을 만들지 않을 수 없게 된 것 아닙니까,

그리고 언론은 공식적인 명칭을 사용해 주시기 바랍니다. 하나를 지적해 두고 싶은 것이 있습니다. 범여권이라는 용어는 전혀 근거가 없습니다. 정부와 연대하거나 공조라도 해야 여권, 또는 범여권이라고 부를 수 있는 것입니다. 한나라당과 공조도 하고 참여정부를 흔들고 비난하고 있는 사람들 사람들까지 어째서 범여권이라고 부르는지 알 수가 없습니다.

부를 이름이 마땅치 않아서 그렇게 붙였다면 제가 이름을 하나 지어드리겠습니다. '반 한나라 세력, 반 한나라진영' 하면 될 것이지요. 이거 맞지 않습니까, 앞으로 연대가 형성되면 반 한나라 연대로 부르면 될 것입니다. 그리고 백보를 양보해서 다른 사람들은 과거의 인연이라도 있지만 손학규씨가 왜 여권입니까, 이것은 정부에 대한 모욕이라고 생각합니다. 정확한 용어를 사용해 주시기 바랍니다. 당장은 이번 선거가 중요하겠지만 멀리 보면 우리 역사의 과제가 중요한 것입니다. 선거 과제가 어디로 가든 우리 역사는 계속될 것입니다. 이기든 지든 역사를 위해서 우리 아이들이 누려야 할 보다 아름다운 세상을 위하여 우리는 할 일을 해야 할 것입니다. 그러면 우리는 무엇을 해야 할 것인가, 답은 하나입니다. 민주주의를 제대로 하는 것입니다. 아직 우리나라 민주주의는 성숙되지 않았습니다. 더 노력해야 합니다. 앞으로 우리나라는 민주주의가 발전하는 만큼 발전할 것입니다. 다른 여러 가지도 있지만 말이지요. 단임제 국가라는 것이 이게 민주주의 후진국이 하는 것이거든요. 이건 뭐 객담이고요,

왜 민주주의인가, 저는 그동안 많은 사상을 공부하고 연구도 해 보았습니다. 그리고 역사에서 많은 실험도 있었습니다. 그러나 근대 이후에 모든 사상은 결국 민주주의로 귀착된다는 결론에 도달했습니다. 민주주의는 인권 존중의 사상이자 기술입니다. 인간을 위한 사상, 사람 사는 세상을 위한 사상입니다. 민주주의는 경제 발전에도 가장 적합한 제도입니다. 앞서 말씀드렸습니다. 시장친화적인 제도입니다. 경쟁, 자유와 다양성, 창의성에 적합한 제도입니다. 아주 중요한 말씀을 드리겠습니다.

민주주의는 통합의 기술입니다. 민주주의는 분열과 투쟁으로 통합을 이루는 제도입니다. 이 모순된 얘기에 묘미가 있는 것입니다. 절대주의, 또는 전제왕권의 시대는 반대를 용납하지 않기 때문에 결국 죽고 죽이는 반란이 일어나고 혁명이 일어나고, 전쟁을 하고 해서 공존을 할 수 없는 것이지요. 그래서 결국 궁극적으로 통합이 이루어지지 않는다는 것입니다.

반면에 민주주의는 분열하지만 분열해서 규칙에 따라 싸우고 결국 같은 결론에 도달할 수 있기 때문에 그래서 분열로서 통합하는 기술이다. 이렇게 이름을 붙여, 명제를 한번 붙여 보았습니다. 민주주의는 상대주의 사상에 기초하고 있습니다. 상대주의는 관용과 다양성을 인정하고 존중하는 사상입니다. 민주주의 절차는 상호 인증과 토대 위에서 대화와 타협, 그리고 경쟁과 승복, 재도전의 기회보장을 통해서 이견과 이해관계를 통합하는 상생의 정치기술입니다. 통합의 실질적 조건은 갈등을 예방하고 해소할 수 있는 사회입니다. 그러자면 복지와 기회의 균등이 필요하고 이런 사회를 만들려면 연대의 사상과 계층 간, 집단 간 세력균형이 필요합니다. 지역 간 세력균형은 아닙니다. 왜냐하면 계층 간, 집단 간에 갈등은 대화와 타협으로 제3의 결론을 얻을 수 있습니다. 통합의 결론을 낼 수 있습니다. 그러나 지역 간 대결은 정서, 정서의 토대위에 있고 논리가 없기 때문에 중간에서 타협할 수 있는 방법은 없습니다. 그러므로 계층 간, 집단 간에 세력균형은 필요합니다. 어떻든 이와 같은 통합의 실질적 조건에 관한 인식은 진보의 사상과 일치합니다. 그래서 민주주의가 제대로 되려면 그것은 진보적, 진보주의라야 한다, 저는 그렇게 생각합니다. 결국 민주주의는 진보의 사상으로 귀결됩니다. 자유, 평등, 인권, 국민주권 사상을 명실상부하게 실천하면 그것은 결국 진보의 사상이 됩니다. 진보란 무엇인가, 왕과 귀족이 누리던 권리를 보통 사람들이 일반적으로 누리는 사회로 인권이 확대되어 나가는 그 과정을 진보라고 저는 항상 말해 왔습니다. 책에는 어떻게 쓰여 있는지 모르지만 저는 그렇게 말하고 있습니다. 다만 진보의 전략이 비타협적 투쟁만을 고집하는 근본주의로 가면 결국 극단주의로 되어서 민주주의의 궤도를 벗어나게 됩니다. 상대주의의 궤도를 벗어나게 되는 것이지요.

민주주의는 평화의 기술입니다. 이것은 칸트라는 분이 하신 말씀입니다. '민주주의는 국민의 의사를 존중하는 제도이고, 국민은 전쟁을 원하지 않는다. 그러므로 민주주의를 하면 평화가 이루어진다.' 이것이 칸트의 평화론입니다. 그런데 칸트가 생각했던 그 민주주의는 고도의 민주주의였다고 생각합니다. 아직 어느 나라에도 실현된 적이 없는 더 성숙한 더 고도화된 민주주의라야 바로 이것이 가능할 것이거든요. 우리 한국에서 한번 만들어 봅시다. 민주주의 사상의 기본은 인간의 이성, 박애사상에 기초한 공존의 지혜입니다. 사람 사는 세상의 가치와 전략을 포괄하고 있는 바다와 같은 사상입니다. 민주주의는 완전한 사상인가, 민주주의에 대한 반대는 허용되지 않는가, 예, 허용되지 않습니다. 민주주의는 완전한 사상이라고 말하는 것은 상대주의 사상 자체에 모순되는 명제입니다. 바로 그 상대주의가 민주주의의 완전성을 뒷받침 하고 있는 것입니다. 변화의 가능성을 내제하고 있는 관용성 때문에 민주주의는 완전할 수 있습니다.

신의 진리와 그 절대성을 주장하는 사람들이라도 신의 진리를 인식하고 해석하고 전달하는 사람의 능력과 품성이 완전하지 못하다는 사실만 인정하면 민주주의의 상대성을 주장하는데, 수용하는데 아무 지장이 없습니다. 그래서 하나님 믿는 분들께서 왜 자꾸 상대주의라고 하느냐, 이렇게 생각 안 하셔도 괜찮다고 생각합니다. 객관적인 진리는 존재할 수도 있고, 안할 수도 있습니다. 그러나 사람의 인식의 능력은 분명히 절대적이어야 한다는 것은 인정해야 또한 민주주의를 할 수 있는 거라고 생각합니다. 민주주의는 진화와 발전을 계속하고 있습니다. 당초 민주주의는 혁명과 쟁취의 시대에서 출발했습니다. 전제권력으로부터의 자유, 군주제 왕권과 독재에 맞서서 인권을 위한 투쟁, 민주주의를 위한 투쟁을, 투쟁이 민주주의에 본분인 시대였습니다. 이 시대는 자유와 평등의 사상, 국민주권 사상이 민주주의에서 가장 중요한 요소, 핵심적 요소이고 저항권 사상이 많이 존중되고 있습니다. 이 시기 민주주의 제도는 대의제도와 법치주의 정도였습니다.

그런데 그 뒤에 혼란과 공포 정치, 그리고 제정의 등장과 몰락, 프랑스에서 이와 같은 실험을 많이 거친 다음에 이제 민주주의가 승리했습니다. 그 이후에 시민민주주의와 대중의 소외가 발생했습니다. 이것은 공화정의 수립, 국민주권의 시대가 열렸지만 권력에 대한 불신, 또 권력으로부터의 자유 때문에 자유를 권력에 대한 불신에서부터, 불신에서부터 권력으로부터의 자유가 민주주의의 본질이 되었고 따라서 민주주의의 핵심은, 핵심사상은 사상이 아니라 권리장전 법치주의와 같은 인권의 제도화에 있었습니다. 그래서 권력 간의 견제와 균형, 권력분립 사법권의 독립 같은 제도가 중시되었습니다.

어쨌든 시민민주주의 시대에서 끊임없는 시행착오를 거치면서 제도가 발전해 왔습니다만, 유산계급의 지배와 대중의 소외 문제를 해결하지 못합니다. 그 이후 무산계급이 등장하고 그로 인한 한바탕의 또 소용돌이와 시행착오를 겪은 다음에 다시 민주주의가 확대 발전된 역사를 거쳤습니다. 유산계급의 지배와 계급투쟁이, 지배에 대한 계급투쟁이 등장했고 그에 따라 사회주의 혁명과, 한 쪽은 사회주의 혁명과 공산독재로 가고, 한 쪽은 사민주의 체제로 갔지만 그 혼란을 극복하지 못하고 파시즘의 등장을 허용할 수밖에 없었습니다. 그 이후 파시즘은 진작 몰락했고 공산주의는 한참 있다가 무너져 버렸습니다. 이런 과정에서 선거권은 확대되고 국민주권은 더욱 확대되었으며 민주주의는 아주 장족의 발전과 성장을 했습니다. 그래서 이제 보통 선거가 보편화 되고 보수와 진보가 각기 당을 만들어서 경쟁하는 비교적 성숙한 민주주의가 된 것입니다.

그런데 정당의 등장과 예를 들어, 이 시대의 변화, 정당의 등장과 견제의 원리에 변화가 있었습니다. 견제의 본질은 정당 간의 경쟁에 있는 것이고 임기가 있고 교대된다는 것이 가장 강력한 견제이기 때문에 오늘날 견제를 위해서 정부와 국회를 분리시켜야 된다. 이원화시켜야 된다. 말하자면 정부의 반대당에게 국회의 다수당을 만들어야 된다고 하는 것은 시기에 맞지 않습니다. 과거 근대 초기 민주주의 시대의 이론을 오늘 그대로 쓰는 것은 맞지 않습니다. 이것은 나중에 따로 또 우리가 논의를 해야 될 것입니다만 책임지고 일하게 하고 그 다음에 선거로서 심판하는 것이 가장 확실한 견제인 것입니다. 다시 돌아가서 이제 민주주의가 더욱 발전해서 대화와 타협의 민주주의가 실현되는 나라들이 성숙한 민주주의를 가지고 있다고 볼 수 있습니다. 지금 그 연정을 하고 있는 나라들의 민주주의가 대개 우리 민주주의보다는 한 단계 높은 민주주의라고 그렇게 말할 수 있을 것입니다. 민주주의 장래에는 어떻게 될 것인가 민주주의가 성숙하면서 국민들은 점차 정치와 민주주의에 무관심해 지기 시작하고 있습니다. 이런 현상을 이른바 '적이 사라진 민주주의'라고 합니다. 말하자면, 파시즘도 한물가고, 공산주의도 한물가고, 냉전도 한물가고, 따라서 안보적 대결도 한물가고 나니까 민주주의 적이 없고 국민정치에도 별 적이 없는 것 같습니다. 그래서 사람들은 오로지 먹고 사는 경제문제에 매몰되고 개인의 취미생활이나 소시민의 행복에 매몰돼 가고 있는 것이지요. 그러면 태평성대가 이루어졌는가, 그렇지는 않습니다. 아직도 민주주의의 위기는 여전히 존재하고 있습니다. 민주주의는 여론의 지배에, 실제로 여론의 지배가 될 가능성이 대단히 높습니다. 여론은 언론이 지배하고, 언론은 시장을 지배하는 세력이 지배하는 것입니다. 지금 민주주의는 가치의 위기에 처해 있습니다. 정치는 가치를 추구하는 행위이지만 시장은 이익을 추구하는 것입니다. 이 시장이 우리 정치를 지배하게 됐을 때 가치의 위기가 발생하는 것입니다.

시장을 지배하는 사람의 정통성은 어디서 비롯되는가, 어디에 근거하고 있는가, 언론의 정통성은 어디에 근거하고 있는가, 그저 돈이 많은 것 외에는 다른 정통성이 없지 않습니까, 그래서 민주주의의 정통성의 위기가 발생하고, 권력이 시장과 언론에게 분산되고 그 권력이 확대되면서 민주주의 정통성에 위기가 오고 있는 것입니다. 대안이 무엇입니까,

경제의 문제에 있어서 소비자주권을 뭐 얘기, 경제문제에 있어서 소비자 주권의 이론이 나와 있습니다. 참 되기 어려운 일이라고 포기해 버리는 사람들이 많은데 저는 결코 포기 할 일이 아니라고 생각됩니다. 소비자의 각성된 행동, 단결된 행동은 상당한 힘을 가질 수 있습니다. 시장에서 그와 같이 대처하듯이 정치의 영역에서는 역시 시민 민주주의, 시민 주권 운동을 해야 하는 것이라고 저는 그렇게 생각합니다. 어려운 일이기 때문에 다른 대안을 아무리 찾아보려고 노력을 해도 나오지 않습니다. 결국 시민의 행동, 시민의 참여, 시민의 행동밖에 없습니다. 그래서 참여 민주주의, 시민의 참여에 의한 참여 민주주의가 답이다, 일단 저는 그렇게 답을 내고 있습니다.

노사모와 같은 운동, 시민 주권 운동이라는 것이 과연 될 수 있는 것인가, 굉장히 고심을 많이 했는데 오늘은 제가 '된다.' 이렇게 결론을 내리고 가겠습니다. 역사적 경험도 중요하고 논리적 판단도 중요하지만, 여러분을 보면서 느낌으로 판단하는 것도 대단히 중요합니다. 직관이 중요한 것이지요. 될 것 같습니다. 그래서 민주주의는 노사모, 민주주의의 장래는 노사모에 있다, 노사모 안 하신 분들이 섭섭해 할지 모르니까 민주주의의 장래는 참여포럼에 있다, 이렇게 말씀드리고 싶습니다. 보다 정교하고 단단한 운동으로 발전시켜 나갑시다. 한국 민주주의는 투쟁의 시대를 걸어왔습니다. 그리고 지난 20년간 청산과 개혁을 통하여 민주주의를 적어도 형식적인, 제도적 민주주의를 공고히 만들어왔습니다. 이제 성숙한 민주주의, 그리고 내실이 있는 민주주의를 할 때입니다. 성숙한 민주주의는 대화와 타협, 그리고 통합의 민주주의를 말씀드리는 것입니다. 내실이 있는 민주주의는 바로 진보적 민주주의를 뜻하는 것입니다. 가장 중요한 것은 통합의 민주주의입니다. 지역주의를 극복하고 지역주의를 존중하고 그리고 협상 민주주의, 뭐 이런 여러 가지 이름이 붙는 그런 대화와 타협의 민주주의입니다. 통합의 전략이 또 필요할 것입니다만, 어떻든 지금 단계의 우리의 과제는 그렇습니다.

민주주의 위기, 일반적 민주주의의 위기에 대응해서 우리는 새로운 민주주의를 준비해야 합니다. 그 새로운 민주주의가 바로 노사모 얘기입니다. 조금 전에 말한 것은 세계적 차원에서 민주주의의 보편적 위기에 대한 보편적 대응으로 제가 노사모를 말씀드렸던 건데, 한국 민주주의의 과정에서 또 한 번 참여포럼을 한다, 이렇게 결론을 내리겠습니다. 무엇을 어떻게 하는가, 주권자로서의 책임을 다합시다. 옛날에는 왕이 똑똑해야 나라가 편했습니다. 지금은 주권자가 똑똑해야 나라가 편하지 않겠습니까, 추종하는 시민에서 참여하는 시민으로 스스로의 위상을 바꿉시다. 그리고 시민은 선택합니다. 선택을 잘하는 시민, 그래서 지도자를 만들고 지도자를 이끌고 가는 시민이 되어야 합니다. 여러분이 없으면 제가 구박을 엄청 받을 것입니다. 막판에도 대통령 짱짱하게 하고 가는 것이 다 여러분 덕분 아닙니까, 자, 이제 한걸음 더 나아갑시다. 지도자와 시민은 따로 있는 것이 아닙니다. 크고 작은 단위에 있어서의 많은 지도자가 있을 수 있습니다. 우리 모두 지도자가 됩시다.

지도자가 되기 위한 조건과 지도자의 자질을 잠시 한번 훑어보겠습니다. 우선 제일 나쁜 정치인이라도 정치인이 되는 조건, 그것은 정치력이 있어야 합니다. 말재주가 있어서 연설, 대담, 토론, 선전, 선동에 설득력이 있어야 합니다. 좋은 말이든 나쁜 말이든 잘하면 됩니다. 조직력이 있어야 하지요. 사람을 모으고 조직하고 이해관계를 나누기도 하고 대의를 나누기도 하고 조직하고 통솔해야 합니다. 두 사람이 모여도 한 사람이 통솔을 해야 하거든요. 세 사람이 모여도 통솔해야 하고 네 사람이 모여도 한 사람이, 통솔자가 있어야 합니다. 통솔해야 합니다. 통솔자의 조건은 뭐냐, 보스형,장악력 이런 얘기들을 하는데 조건은 여러 가지가 있습니다. 그러나 가장 중요한 것은 잘 아는 사람입니다. 이것만 있으면 일단 지도자인 척하고 지도자 자리에 갈 수 있습니다. 그런데 지도자 중에 사람을 죽이는 지도자도 있고 사람을 살리는 지도자도 있습니다. 지도자를 잘못 따라가면 낭패 보는 수가 있습니다.

그래서 판단력이 있는 지도자를 만나야 합니다. 여러분이 지도자가 될 때 판단력 있는 지도자가 되어 있습니다. 판단력 있는 지도자는 작은 지식에서부터 출발합니다. 지혜도 발전해야 되는 것이지요. 그래서 해박한 지식과 지혜가 있어야 합니다. 그 지혜를 가지고 그냥 관념적으로 강단 사회주의자처럼 관념적으로만 앉아서 판단할 것이 아니라 현실에 굳건히 뿌리를 내리고 전략적으로 사고할 줄 아는 소위 전략적 사고력이 있어야 합니다. 통찰력이 있어야 됩니다. 사물의 이치에 대한 사고를 통하여 자기 가치를 뚜렷이 할 수 있고 역사와 세기의 흐름을 읽고 전략적인 판단을 할 수 있는 능력, 이것을 저는 통찰력이라고 말하고 싶습니다. 이것은 때때로 예언의 능력으로 나타나서 민족을 구원하는 경우도 있지요. 판단력이 가장 높은 수준은 예언자적 능력을 가져야 되는 것입니다. 성격이 맞아야 됩니다. 성질 좋다, 이런 것이 아니고 지도자적 성격이 맞아야 합니다. 이거 안 가진 사람한테 줄 잘못 서면 이것도 또 낭패합니다. 이것은 남을 잘못 인도하는 것이 아니고 자기가 성공하지 못하기 때문입니다. 강한 소신과 신념을 갖추는 확신형 인간이라야 됩니다. 물론 절대주의는 안 됩니다. 지각없이 확신을 가지면 안 되고 통찰력 있는 확신, 용기, 타인의 위협, 타인의 유혹을 이겨낼 수 있는 용기, 마음속으로부터 솟구쳐 나오는 유혹을 이겨낼 수 있는 용기가 있어야 합니다. 그리고 적시에 결단할 줄 아는 결단력이 있어야 합니다. 결단만 하면 뭐합니까, 행동해야지요. 금방 결단했다 해 놓고 그 다음 날 '아이고, 안 하겠습니다.' 이러면 안 됩니다. 그런데 더 밑에 그야말로 정치인으로서의 합당한 품성이 있어야 합니다. 이 품성을 갖추면 좋은 지도자 되는 것이지요. 지금 제가 설명한 순서는 나쁜 지도자부터 점점 좋은 지도자로 가고 있습니다. 별 볼일 없는 지도자에서부터 점차 좋은 지도자로 가고 있는 것입니다. 성실해야 합니다. 정직하고 부지런한 것을 보통 우리가 성실하다고 얘기합니다. 정직한 사람도 성실하다고 말하고 부지런한 사람도 성실하다고 말합니다.

정치인에게, 지도자에게 가장 중요한 덕목은 공정입니다, 공정. 지휘자 또는 참모 또는 인사. 옛날에 성공한 지휘자는 노획물을, 전리품을 공정하게 나눌 줄 아는 사람이었습니다. 아무리 성질이 좋아도 공정하지 못하면 지도자로서 성공할 수 없습니다. 절대로 많은 추종자를 아우를 수가 없습니다. 헌신해야 합니다. 헌신적인 품성을 가지고 있어야 합니다. 물론 절제해야 됩니다. 왜냐하면 자루들은 칼을 쥐고 있기 때문에 절제해야 됩니다. 뭔가 좀 챙길 수 있는 기회도 있기 때문에 절제해야 되는 것입니다. 신뢰성이 있어야 됩니다. 남을 신뢰할 줄도 알고 또 남으로부터 신뢰받는 사람이어야 합니다. 신망이 아주 중요한 것입니다. 그러기 위해서는 일관성이 있어야 합니다. 사람을 딱 쳐다보면 믿음이 가는 사람이 있고 쳐다보면서 안 가는 사람이 있는데, 이게 얼굴 표정에 나타나거든요. 신뢰성, 책임성이 있어야 합니다. 끝까지 책임을 다해야 합니다. 지금 제가 언론 개혁 끝까지 하고 있지 않습니까.

이런 품성으로 다 설명할 수 없는 것이 있습니다. 설명할 수 없는 말을 한마디로 묶어서 사람이 되어야 됩니다. 따뜻한 사람이 되어야 합니다. 나하고 가까운 우리에게만 따뜻한 사람이 아니라 넓은 우리에게 따뜻한 사람이 되어야 합니다. 근데 이 점에서 저는 자신이 없습니다. 제 스스로가 사람으로서 얼마만큼 느낌으로 사람답다는 인정을 받고 있는 것인지 모르겠습니다. 사람이 되자는 것은 정말 어려운데, 저는 그런 노력을 하는 자세라도, 때때로 되돌아 보는 자세라도 우리가 가지고 자신을 다듬어 나가면 그래도 많은 사람을 모을 수 있는 사람이 되지 않을까 그렇게 생각합니다. 따뜻한 사람은 분노가 있는 사람이지요. 사람이 되기에 앞서서 바보가 됩시다. 제가 바보 전략으로 완전히 성공한 사람 아닙니까. 하여튼 여기 성공의 증명이 있으니까요. 누가 바보냐, 이해관계를 셈 할 줄 모르는 사람을 우리가 보통 바보라고 하거든요. 말귀는 잘 알아듣는데, 손해나는 일을 부득부득 하는 사람, 이게 바보지요. 당장 가까이 눈앞을 보면 이익이 따로 있고 대의가 따로 있습니다. 근데 멀리 쳐다보면 대의가 이익입니다. 그래서 눈앞의 이익을 볼 줄 모르는 바보가 되자, 앞으로 우리는 손해나는 일만 계속합시다. 그렇게 사람을 모아 봅시다. 함께 토론도 하고 공부도 합시다. 그리고 스스로 지도자가 되려고 노력합시다. 전략적 사고가 필요합니다. 대세가 반드시 나쁜 것은 아닙니다. 대의로 대세를 이룰 수도 있습니다. 때로는 이익이 대세를 이루는 경우도 있습니다. 그래서 대의와 대세가 서로 충돌할 때 어떤 선택을 할 것이냐 하는 것이 전략적 판단의 핵심입니다. 가장 중요한 것이지요. 어떤 때에는 대세를 거부하고 대의의 깃발을 외롭게 들고 관철하고 어떤 때는 대세를 수용하고 따라가는 것입니다. 이 판단은 민심이 합니다. 민심과 여론을 같은 것으로 생각하는데 민심은 두 가지입니다. 가까이 보는 민심, 이익을 따지는 영악한 민심이 있고, 역사와 대의를 수용하는 멀리 보는 민심이 있습니다. 용어의 혼동을 피하기 위해서 가까이 있는 것은 여론이라고 하고, 멀리 있는 것은 민심이라고 하면 좋을 것입니다. 여론 중에는 장래에 있어서 합당하다고 말할 수 있는 여론이 있고 지금은 나쁘지만 앞으로는 좋아지는 여론도 있습니다.

열린우리당이 참 안타까운 것이 이번 기자실 개혁에 관한 문제에서 딱 원칙의 입장에 딱 서서 버텨서 한나라당과 이 문제를 가지고 각을 세워서 나가면 당이 뭔가 의지가 있고 의지가 있는 당으로 보이지 않겠습니까, 왜 열린우리당 사람들 대의가 없겠습니까, 그러나 눈앞에 민심, 눈앞에 여론이 험악한 것 같으니, 모난 돌이 정 맞는다고 또 언제 한번 볼펜에 긁힐지 모르니까 적당하게 타협하고 간 것이라고 생각합니다. 저는 적어도 국정홍보처를 폐지한다거나 하는 악수는 두지 말라고 했습니다. 우리 국민들이 그렇게 허술하지 않습니다. 국민들 정말 우습게보면 안 됩니다. FTA, 소수로 갔다가 결국 다수로 돌아와 버리지 않았습니까, 전시작전통제권, 우리가 소수로 밀렸습니다. 밀렸는데 결국 다 돌아와 버리지 않았습니까, 그런 것이 상당히 많이 있거든요. 그래서 뚝심이 필요한 것입니다. 그래서 전략적 사고가 필요하고 민심의 해석을 잘해야 된다는 것입니다. 그리고 민주주의 훈련을 잘해야 됩니다.

무엇이 원칙이고 무엇이 전략인가, 원칙은 타협할 수 없는 것이고 전략은 타협할 수 있는 것입니다. 이론적으로는 그렇게 말할 수 있습니다. 그러나 타협할 수 없는 원칙이라는 것은 가치 그 자체를 말하는 것입니다. 적어도 민주주의 정도의 수준을 갖춘 가치 그 자체가 타협할 수 없는 원칙인 것이고 나머지 타협할 수 있습니다. 예를 들면 FTA 같은 경우는 타협할 수 없는 원칙이 아니라는 것입니다. 저는 뭐 이라크 파병까지 그렇게 봤습니다. 선택이 어려운 일이 있을 때 저는 그렇게 생각합니다. 타협하지 못할 원칙은 거의 없다고 생각합니다. 단지 우리가 반독재 투쟁할 때 독재와 타협할 수는 없는 것 아니겠습니까, 기본가치의 문제, 민주주의 가치에 관한 문제니까요, 인권 탄압, 공헌, 뭐 이런 건 타협할 수 없는 것이지요. 지난번에 우리가 상향식 민주주의를 하자고 그랬는데 당내에서 그것이 잘 받아들여지지 않고 싸움이 있었습니다. 당시에 참정연이 그 문제를 가지고 내공을 많이 익혔고 결국은 타협을 했습니다. 조금 전에도 제가 쭉 논리적으로 대통합을 할 이유가 아직은 없다, 그 부작용도 우려된다고 했지만 저는 타협했습니다. 결국 분열이라는 것이 굉장히 위험한 것이기 때문입니다. 우리 역사가 분열로 망한 것 아닙니까, 우리 역사의 비극이 있었던 모든 계기에 분열이 있었습니다. 그래서 민주주의 그 자체, 민주주의 원칙, 민주주의의 핵심적 가치 이외의 것은 타협을 가지고 적절하게 타협한 것을 매우 감사하게 생각합니다. 또 그것을 타협하고 여러분이 지켜 주기 때문에 적어도 대통령이라도 이 시점까지 어디 가서 초라하지 않게 일하지 않았습니까, 그 점에 대해서 고맙게 생각합니다.

당 해체라는 것이 말도 안 되는 얘기이지만 모든 것을 다 포기하고 적어도 전당대회라도 하고 합의라도 보자, 그런 수준으로 타협했기 때문에 대통합을 수용하기로 한 것입니다. 그렇습니다. 그렇게 통합하고 대세를 가지고 가야 합니다. 엘리트주의를 반드시 버려야 합니다. 여러분을 보면 저는 아무것도 불안하지 않습니다. 딱 한 가지 제가 옛날에 경험했던 엘리트주의를 여러분도 가지고 있을 가능성이 있다는 것이지요. 제가 초선 국회의원 하던 시절에 추호도 타협하지 않는 그런 원칙을 가지고 있었고 모든 사람들을 좀 우습게 보는 그런 자만심을 가지고 있었습니다. 어려움을 무릅쓰고 손해 보면서, 바보 노릇하면서 원칙을 관철하는 사람의 눈에 보통 사람들은 좀 우습게 보이지 않겠습니까, 맞습니다. 그것을 넘어서는 것이 사람이 된다는 것 같습니다. 지금 경선 조건을 가지고 살바 싸움을 하는데 작은 계산을 넘어서고 불리한 조건을 수용하고 있지 않습니까, 제가 그랬고 지금 이명박 씨도 그런 상황이 있었지요, 그런 것이 필요합니다. 그 모든 것이 전략이 될 수 있지만, 마음 속 깊이 그와 같은 전략일 때 전략을 뛰어넘을 수 있고, 원칙일 때 원칙을 뛰어넘을 수 있는 것입니다. 대신 사람을 끌어안을 수 있는 전략이 필요하다고 생각합니다. 저도 사실은 그동안 그런 역량을 발휘할 기회도 없었고, 그런 수련을 할 기회가 없었습니다. 저 같은 경우에도 갸우뚱갸우뚱하면서 저울질하던 사람들이 왜 없었겠습니까, 그런 사람들에 대한 불쾌감이나 불신, 이런 것들을 다 뛰어넘어야 합니다. 장관을 지내고 나가서 감정 상한 일도 아무것도 없는데 오로지 대선전략 하나만으로 차별화하는 사람들을 보면서 내가 사람을 잘 못 본 것인가, 내가 어리석은 사람인가, 그런 생각을 했는데 그렇지 않다는 것이지요. 저는 그냥 제가 할 도리를 다 한 것입니다. 제가 대통령이 됐기 때문에 적어도 국정운영에 대한 기호, 경험을 쌓을 수 있는 기회를 주는 것이 도리라고 생각했습니다. 많은 사람들의 지지를 모으고 있는 사람들인데 내가 그쪽으로 민심이 몰릴까봐 견제하는 것은 할 일이 아닙니다. 저는 도리를 다한 것입니다. 그 점에 있어서는 바보가 된 것도 아니라고 생각합니다.

제가 도덕적으로 나쁜 일을 한 일이 없고 또 국가전략, 국가정책에 크게 오류를 범한 일이 없는데 언론정책을 포함해서 민생을 하루아침에 쾌도난마로 해결하지 못했기 때문에 지지가 낮아서 그래서 지금 차별화를 하는 것 아닙니까, 그러면 지지가 그때보다는 조금 올랐으니까 다시 와서 줄 서야 되는 것 아닙니까, 남의 기회주의는 용납합시다. 그러나 우리 스스로는 절대 기회주의에 빠지지 맙시다. 제 아이가 초등학교 다닐 때 남에게는 관대하고 자신에게는 엄격한 사람이 되라고 했었는데, 저도 실천 못하는 사람이지요. 저도 집에 가서 아내하고 싸우는데요, 그렇기는 하지만 꾸준히 그런 의식을 가지고 갔으면 좋겠습니다. 능동적이고 창조적인 시민에 의한, 시민주권사회의 실현을 위한 참여운동을 가열차게 펼쳐 갑시다.

아시아협력대화 외교장관회의 만찬사

2007년 6월 4일

아시아 협력대화(ACD) 회원국 외교장관과 대표단 여러분, 그리고 내외 귀빈 여러분,

오늘 저녁 귀한 손님들을 모시게 되어 기쁩니다. 여러분의 한국 방문을 진심으로 환영합니다. 아시아는 일찍이 고대 문명의 발상지로서 찬란한 문화와 수준 높은 기술문명을 꽃피워 왔습니다. 우리 아시아인들 모두 이 같은 소중한 유산과 역사를 자랑스럽게 생각하고 있습니다. 또한 오늘날 아시아 지역은 역동적인 경제 성장으로 세계의 주목을 받고 있습니다. 역내 국가 간 경제적 상호의존도도 확대되어 21세기 세계 경제의 견인차 역할을 담당할 것으로 기대되고 있습니다.

귀빈 여러분,

우리 아시아 국가들을 이 지역의 공동번영과 협력 증진을 위해

2002년부터 매년 아시아협력대화 외교장관회의를 개최해 왔습니다. 참여국도 크게 늘어 18개국이던 회원국이 어느새 30개국이 되었습니다. 그동안 아시아는 각 지역별로 여러 협의체를 가지고 있었지만, 내일 개막되는 아시아협력대화 외교장관회의와 같이 전체 아시아 지역을 포괄하는 협의체는 없었습니다. 지금 유럽은 EU를 통해 통합의 수준을 높여 가면서 협력의 제도화를 이루어나가고 있고, 전 세계인들로부터 부러움과 찬사를 받고 있습니다. 다소 늦은 감이 있지만, 우리 아시아도 전체 지역을 포괄하는 협의체가 결성되어 내실 있게 발전하게 된 것을 여러분과 함께 환영하고 축하하고자 합니다.

귀빈 여러분,

거대한 대륙인 아시아는 다양한 민족, 문화, 종교와 언어를 가지고 있습니다. 아시아가 공동번영을 이루기 위해서는 서로의 다양성을 존중하고 이를 포용하는 개방적인 자세가 필요합니다. 개방성에 입각한 자유로운 인적,물적 교류의 확대는 서로의 발전에 크게 기여하게 될 것입니다. 아시아 국가들 간의 격차 해소도 해결해야 할 과제입니다. 특히 21세기 정보화 사회에서는 과학기술이 빠른 속도로 발전하고 있지만, 국가와 지역에 따라 과학기술이 불균형적으로 발전하고 있기 때문에 과학기술 문명의 혜택을 받지 못하는 소외지역과 계층들이 발생하고 있습니다. 그런 점에서 이번에 채택하는 '서울 IT 선언'의 의미는 매우 큽니다. 정보격차를 줄이고, 이 분야에서의 실질협력을 강화하는 좋은 기회가 될 것으로 기대합니다. 여러분들이 IT 선도국가로 지정해 주신 한국은 그동안 축적한 경험과 기술을 아시아 각국과 공유해 나갈 것입니다. 2003년부터 실시되고 있는 IT 전문가 연수 프로그램과 인터넷 청년봉사단을 더욱 확대하는 것은 물론 새로운 사업도 적극적으로 개발해 나가겠습니다. 이와 함께 기아와 질병, 각종 자연재해와 같이 아시아가 직면서 여러 도전을 극복하는 데도 우리의 책임과 역할을 다해 나갈 것입니다.

이번 회의에서 상호이해와 협력을 증진하는 건설적인 대화가 많이 이뤄지기를 기대하며, 한국에 머무시는 동안 좋은 시간 보내시기 바랍니다.

第52주년 현충일 추념사

2007년 6월 6일

존경하는 국민 여러분, 국가유공자와 유가족 여러분,

오늘 우리는 쉰두 번째 현충일을 맞아 선열들의 거룩한 희생을 기리기 위해 이 자리에 함께했습니다. 단지 기리는 데 그치지 않고 본받아 따르고 아들딸 손자손녀들에게 가르치기 위해 자리를 함께했습니다. 그리고 다시는 지난날과 같은 불행한 역사를 되풀이하는 일이 없도록 하자는 다짐을 위해 모였습니다. 저는 먼저 나라와 겨레를 위해 고귀한 목숨을 바치신 애국영령들의 영전에 삼가 머리 숙여 명복을 빕니다. 사랑하는 가족을 조국에 바치신 유가족 여러분께 깊은 위로와 감사의 말씀을 드립니다. 아울러 국가유공자 여러분께 충심으로 경의를 표합니다.

국민 여러분,

오늘날 우리가 누리는 자유와 평화, 민주, 번영은 순국선열과 호국영령, 그리고 민주열사들이 뿌린 피와 땀의 결과입니다. 이분들이 자자손손 추앙받고, 그 후손들이 명예와 긍지를 갖고 사실 수 있도록 예우하는 것이 국가의 당연한 책무입니다. 너무도 늦었지만, 일제강점기 강제동원 피해에 대한 진상조사를 2004년부터 시작했습니다. 미진한 청구권자금 지급에 대한 국가 차원의 지원법안을 마련하여 국회에 제출해 놓은 상태입니다. 친일 반민족행위의 진상을 밝혀 역사의 정의를 바로 세우고 먼저 가신 분들의 맺힌 한을 풀어드리는 일에도 최선을 다하고 있습니다. 6·25당시 나라를 위해 전사한 13만여 명의 호국용사들의 시신을 아직 다 찾지 못하고 있습니다. 정부는 이분들 모두를 현충원에 모실 수 있도록 유해 발굴사업을 계속해 나갈 것입니다.

그리고 이와 같은 사업을 통하여 자라나는 우리 아이들이 나라와 민족을 위해 헌신하는 것을 마땅하고 자랑스러운 일로 생각하도록 가르쳐야 할 것입니다.

국민 여러분,

이 자리에 잠들어 계신 우리의 애국선열들은 나라가 어려울 때마다 분연히 떨쳐 일어났습니다. 일제강점기에는 자주 독립을 위해, 6·25 때는 나라와 국민의 생명을 지키기 위해, 군사독재 시절에는 민주주의와 인권을 위해 온몸을 바쳐 헌신했습니다. 이러한 의로운 투쟁이 있었기에 우리 역사는 자유와 인권, 민주주의가 확대되는 방향으로 진보해 왔습니다. 그러나 그때마다 수많은 사람들이 고귀한 희생을 바쳐야 했습니다. 식민통치와 분단, 6·25의 수난은 말할 것도 없고, 이승만 독재는 4·19의 희생을, 5·16과 군사독재는 부마항쟁에 이어 5·18의 비극을 낳았습니다.

이제 이 같은 불행이 되풀이되는 일은 없을 것입니다. 우리는 스스로를 지킬 만큼 넉넉한 힘을 길러왔습니다. 다시 독재가 되살아나는 일은 상상도 할 수 없을 만큼 세계가 인정하는 민주인권국가가 되었습니다. 무엇보다 지금 우리는 올바른 전략과 비전을 가지고 보다 나은 내일을 향해 힘차게 전진하고 있습니다.

특권과 반칙, 부패의 유착구조를 청산하고, 투명하고 공정한 사회를 만들어 가고 있습니다. 개방과 혁신을 통해 세계화, 지식기반 경제 시대를 앞서 가고 있습니다. 평화를 최우선의 가치로 삼고, 나라의 자주적 위상도 한층 높여 가고 있습니다. 동반성장과 균형발전, 복지투자를 미래 발전전략으로 채택해서 함께 가는 사회, 경쟁력 있는 대한민국을 향해 한 발 한 발 나아가고 있습니다. 이렇게 가면 보다 자유롭고 공정한 시장이 뿌리내리고, 시민의 권리는 더욱 신장될 것입니다. 그 위에서 우리 국민은 창의와 다양성을 꽃피우며 더 큰 번영을 이뤄 갈 것입니다. 질병과 노후, 주거, 안보에 대한 불안이 없이 국민 누구나 건강하고 안정된 삶을 누리는 선진한국도 머지 않았습니다. 이제 조금만 더 분발합시다. 불신과 불법, 대립의 정치를 극복하고 관용과 승복, 대화와 타협의 민주주의를 실천해 나갑시다. 신뢰와 통합 수준이 높고 더불어 잘 사는 민주복지국가를 향해 힘과 지혜를 모아 나갑시다. 저는 이것이 선열들의 뜻을 받들고 그 희생을 값지게 하는 길이라고 생각합니다. 다시 한 번 국가유공자와 유가족 여러분께 감사드리며, 먼저 가신 임들의 명복과 영원한 안식을 빕니다.

감사합니다.

기자실 개혁과 관련하여 공무원에게 보내는 서신

2007년 6월 7일

참여정부 임기 5년차에 접어들었습니다. 돌아보면 지난 4년여 동안 편안한 날이 없었습니다. 개인적으로 또 정치적으로 힘든 날이었지만, 그래도 버틸 수 있었던 것은 우리 공무원들에 대한 믿음 때문이었습니다. 마음 깊이 고맙다는 말씀을 전합니다. 정부의 중심은 공무원입니다. 대통령도 여러 차례 바뀌고 수많은 정치적, 경제적 고비가 있었지만 대한민국은 제 길을 가고 있습니다. 이러한 성공은 우리 공무원의 역량을 빼놓고는 설명할 수 없습니다.

올해는 대통령 선거로 외부 환경이 그 어느 해보다 어수선할 것입니다. 그럴수록 정부는 국정의 중심을 잡고 할 일을 해야 합니다. 아무리 임기 말이라도 옳은 정책이고 해야 할 일이라면 끝까지 책임을 다해야 합니다. 최근 논란이 되고 있는 기자실 개혁 문제도 그런 맥락에서 추진하는 것입니다. 원칙에서 벗어나 있는 관행을 원칙에 맞게 바로잡아 다음 정부에 제대로 넘겨주려는 것입니다. 이번 '취재지원 시스템 선진화 방안', 즉 기자실 개혁의 핵심은 부처별 기자실, 부처 출입처 제도를 개선하는 것입니다. 그 목적은 한 가지입니다. 잘못된 관행을 개혁해 정책 기사의 품질을 높이기 위해서입니다. 부처에 고립된 기자실에서는 좋은 기사가 나올 수 없습니다. 정부정책 중에 한 부처에 국한된 정책은 거의 없습니다. 대부분의 정책이 국무조정실에서 조정하고, 관계 장관회의를 거치고, 민관이 함께 참여하는 각종 태스크포스의 검토를 거쳐 만들어집니다. 정부의 정책에 대해 수준 높은 기사를 쓰기 위해서는 부처 기자실의 울타리를 벗어나 정책의 현장을 발로 뛰고, 전문가들을 만나고 연구해야 합니다. 그래야 복잡한 정책의 핵심을 제대로 전달할 수 있고, 숨어 있는 문제점을 비판할 수 있습니다.

그러나 현재의 부처별 출입처 제도로는 한계가 있습니다. 대부분의 기자들이 부처 기자실에 상주하면서 부처의 브리핑 내용, 이른바 관계자의 비공식 견해, 기자실 내부에서 오가는 정보 등을 가지고 기사를 쓰는 것이 현실입니다. 이런 식의 취재 관행은 언론사와 기자들 간의 경쟁을 가로막고 비슷비슷한 기사를 만들어 내는 원인이 됩니다. 하루 종일 기자실 공간에서 함께 지내다 보면 어떤 사안에 대한 시각마저 부지불식간에 비슷해질 수도 있습니다. 이런 환경에서는 국민들에게 다양하고 깊이 있는 정보가 전달되기 어렵습니다. 이 문제를 언론계에서도 모르는 바가 아닙니다. 부처별 출입처 제도는 이미 오래 전부터 언론학자나 언론단체는 물론 기자들 스스로 그 폐해를 지적해 온 문제입니다. 몇몇 언론사는 자체적으로 출입처 제도를 없애려고 했지만 다른 언론사들이 동참하지 않아 포기했습니다. 누구나 그 폐해를 알면서도 뿌리 깊은 관행이어서 없애기가 쉽지 않았던 것입니다.

참여정부에서도 대통령의 중요 정책의 경우, 출입기자만이 아니라 관련 전문기자나 해당 부처 기자에게 취재를 개방하는 시도를 여러 차례 해 보았습니다. 그러나 부처별 출입처 관행이 유지되는 상태에서는 효과를 거두기 어려웠습니다. 실제로 정부가 할 수 있는 일은 많지 않습니다. 근본적으로 정부의 일이 아니라 언론 스스로의 일이기 때문입니다. 그러나 정부는 할 수 있는 범위 안에서 필요한 노력을 해야 합니다. 정부로서는 환경을 바꾸는 일밖에 할 수 없지만 그것이 정부의 책임이라면 그 일을 해야 합니다. 이 사안은 언론에 대한 호불호나 한두 건의 문제 사례 때문에 추진하는 일이 아닙니다. 우리 사회의 현실과 미래에 대해 오랫동안 생각한 끝에 근본적인 결단이 필요해 시작한 일입니다. 권력은 이동하고 있습니다. 이제 대통령과 정부가 마음먹은 대로 움직이는 세상이 아닙니다. 시장의 힘이 커지고 있고, 그 시장은 여론의 영향을 받습니다. 더구나 본격적인 지식정보화 시대입니다. 정보의 양은 하루가 다르게 늘어나고 정보의 속도는 빛의 속도만큼 빨라지고 있습니다. 관건은 정보의 질입니다. 그 사회에서 유통되는 정보의 품질에 따라 개인과 국가의 경쟁력이 판가름 나는 시대입니다. 한 사회의 여론과 정보의 수준을 좌우하는 것은 언론입니다. 이제 사회는 언론이 가는 쪽으로 갑니다. 언론의 수준만큼 갑니다. 지금은 언론이 정치권력의 압력이 무서워 할 말을 못하는 시대가 아닙니다. 언론 자유 못지않게 지금 우리 사회에서 중요한 과제는 언론의 수준과 기사의 품질입니다. 참여정부가 지난 4년 동안 언론과의 관계에서 일관된 원칙을 견지해 온 것도, 이번에 기자실 개혁을 추진하는 것도 이러한 인식 때문입니다. 과거의 낡은 관행을 깨고 정부와 언론이 건전한 긴장 관계 위에서 신뢰경쟁, 품질경쟁을 하자는 것입니다. 그 과정이 일시적으로 힘들고 고생스럽기는 하겠지만 그렇게 하는 것이 민주주의 발전과 지식정보화 시대에 반드시 필요한 과제이기 때문입니다. 다 좋은데 왜 하필 임기를 1년도 안 남긴 시점에서 추진하냐고 묻습니다. 대통령도 힘이 듭니다. 언론의 반대를 예상하지 못한 것도 아닙니다. 기분에 따라 하는 일 같으면 임기도 얼마 안 남은 지금 이 일을 누가 하고 싶겠습니까, 그러나 지금 하지 않으면 안 된다고 생각했습니다. 참여정부는 지난 2003년 출범과 함께 1차 기자실 개혁을 단행했습니다. 당시 개혁의 목적은 특권과 유착을 배제하는 것이었습니다. 폐쇄적인 부처별 기자실을 없애고 기자단에 대한 특혜를 폐지했습니다. 개방형 브리핑제를 도입하고 가판을 끊었습니다. 잘못된 보도에 대해서는 뒷거래가 아니고 공식적이고 공개적 절차를 통해 바로잡고 반론하는 시스템을 뿌리내렸습니다. 성과가 있었습니다. 정부와 언론은 '끈끈한 유착 관계'에서 '건전한 긴장 관계'로 바뀌었습니다. 언론의 비판과 공격이 거세졌지만, 특권과 유착은 사라졌고 보도의 책임성도 전에 비해 나아졌습니다. 공무원은 언론과의 비공식적 친분 관계에 신경 쓰거나 기사를 빼달라고 사정하는 일을 하지 않게 됐습니다. 거기에 쓰던 힘을 정책의 품질과 정책 홍보의 수준을 높이는 데 쏟았습니다.

그러나 시간이 흐르면서 옛날의 폐해가 되살아나는 조짐을 보였습니다. 일부 부처에서는 개방형 브리핑이 형식적으로 흐르고 기자실은 다시 폐쇄적 공간으로 되돌아갔습니다. 사무실 무단출입도 조금씩 되살아났습니다. 수많은 언론이 있지만 출입처 기자실의 좁은 시야를 벗어나는 다양한 보도는 좀처럼 찾기 힘들었습니다. 당시의 개혁이 불완전했던 탓도 있고, 시행 과정의 문제도 있었습니다. 이대로 가면 다음 정부에서는 과거의 폐쇄적 기자실이 다시 부활하고 개방형 브리핑제마저 무너질 가능성이 높습니다. 각 부처와 부처기자실 간의 끈끈한 인간관계가 정보의 흐름을 좌우하는 과거의 관행이 되살아 날 수도 있습니다. 그렇게 되면 부처별 출입처 제도의 폐해를 개선하는 것은 기대하기 어렵습니다. 힘들더라도 그간의 성과를 정리해 제대로 된 시스템을 다음 정부에 넘겨줘야 합니다. 그래서 어렵지만 결단을 한 것입니다.

정부나 언론이나 변화에 따르는 불편함이 있습니다. 지금까지 익숙했던 취재방식과 관행에서 벗어나 새로운 시스템에 적응해야 합니다. 그렇다고 해서 이를 언론 탄압이라고 주장하는 것은 정직하지 않습니다. 정부는 언론을 탄압할 의사도, 능력도 없습니다. 이번 조치로 정부에 대한 언론의 비판 보도가 줄어들 것이라고 생각하는 사람이 얼마나 되는지 반문하고 싶습니다. 또 준비기간을 감안하면 이 제도가 시행되는 것은 임기 중 불과 몇 달입니다. 그 몇 달 동안 무슨 탄압을 하겠다고 시스템을 바꾸겠습니까, 지난 2003년 개방형 브리핑제를 처음 도입할 때도 취재 제한, 언론 통제 발상, 신보도 지침이라는 언론의 반발이 있었습니다. 언론사가 브리핑에만 의존할 경우 정부의 홍보기관으로 전락할 우려가 크다는 비판도 있었습니다. 그러나 지나보니 모두 사실이 아니었습니다.

자유로운 취재와 국민의 알 권리를 제한한다는 주장도 있습니다. 그러나 기자실 전성시대였던 과거 독재정권 때 그 기자실에 자유로운 취재와 국민의 알권리가 있었습니까, 선진국 기자들은 우리나라 기자들이 부처 기자실에 하루 종일 상주하는 것을 이상하게 여긴다고 합니다. 선진국 언론은 부처별 기자실에 안주하지 않기 때문에 오히려 더 수준 높은 기사를 쓸 수 있는 것 아닙니까, 부처 기자실은 자유로운 취재와 국민의 알권리를 보장해 주지 않습니다. 하루종일 상주하면서 얻을 수 있는 정보는 해당 부처와 기자실이라는 좁은 공간의 한계를 벗어나기 어렵습니다. 상주 기자실에서 수많은 언론이 매일 비슷한 기사를 생산하는 낡은 관행이야말로 국민의 알권리, 언론의 품질에 도움이 안 됩니다. 정부의 정보 공개 수준이 낮다는 이유로 부처 기자실을 고집하는 주장도 있습니다. 이 또한 낡은 관행에 안주하는 사고입니다. 참여정부의 정보 공개는 과거와 비교해 양과 질 모두 빠른 속도로 발전하고 있습니다. 물론 앞으로도 정부의 정보 공개 수준은 계속 높아져야 하고 높아질 것입니다.

정확히 얘기하자면 정부의 정보 공개와 부처 기자실 문제는 별개입니다. 상주 기자실에서 정부가 공개하는 정보에 의존해서 기사를 쓰려는 것이 아니라면 생각을 바꿔야 합니다. 정보 공개는 그것대로 발전시키고 잘못된 취재 관행은 그것대로 고쳐 나가는 것이 옳은 길입니다. 어느 나라 공무원도 언론이 원하는 정보를 쉽게 내주려 하지 않습니다. 당연히 정부가 공개한 정보에만 의존해서는 깊이 있는 취재를 할 수 없습니다. 공개 정보를 단서로 삼아 관련된 현장을 발로 뛰고, 전문가를 만나고, 다른 기관을 취재하고, 연구를 해야 합니다. 그런 토대 위에서 공무원을 취재해야 공개 정보 이상의 깊은 정보, 공개하고 싶지 않은 정보를 내놓게 됩니다. 지금 우리 언론의 취재를 가로막는 것은 정부의 정보 공개 수준보다는 부처 기자실 중심의 낡은 취재관행입니다. 사무실 임의 출입을 허용하라는 주장도 사리에 맞지 않습니다. 부처의 사무실을 기자들이 임의로 출입하는 과거의 관행은 없어져야 합니다. 아무리 취재가 중요하더라도 공무원의 일상 업무를 방해하면서 할 수는 없는 일입니다. 대통령도 장관이나 차관에게 직접 전화할 일이 있을 때 웬만하면 절제합니다. 업무에 지장을 주지 않기 위해서입니다. 기자들이 무시로 출입하는 사무실에서 공무원들이 정상적으로 일하기는 불가능합니다. 대부분의 선진국 기자들은 사무실 임의 출입을 요구하지 않습니다. 정해진 절차를 거쳐 공무원을 만납니다. 그 선진국 기자들이 언론 자유에 대한 의지가 약해서, 취재에 게을러서 그런 절제를 받아들이는 것은 아닐 것입니다. 정부와 언론이 서로 존중해야 할 기본이 있기 때문입니다. 사무실 임의 출입 문제 역시 언론 자유나 취재 제한과는 관계없는 낡은 관행일 뿐입니다. 공무원 접촉을 막자는 것이 아니라 업무 중에는 업무에 방해되지 않게 정해진 절차에 따라 만나자는 것입니다. 그 외에 기자 개인의 역량에 따라 공무원을 취재하는 것은 누구도 막지 않고 막을 수도 없는 일입니다. 편한 방식이라도 잘못된 방식은 버려야 합니다. 아무리 옳은 일이라도 이렇게 모든 언론과 다음에 대통령이 되겠다는 사람들 대부분이 반대하는데 과연 성공할 수 있을까 걱정되기도 할 것입니다. 그러나 이번 개혁은 반드시 성공합니다. 당장은 시끄럽지만 이렇게 하는 게 옳고, 세계의 보편적 기준에 맞기 때문에 이 방향으로 가게 되어 있습니다. 지난 4년 내내 참여정부가 해 온 다른 일들도 그래 왔습니다. 궁극적으로 언론과 언론인 스스로의 미래를 위해 필요한 일이기 때문에 이 방향으로 갈 것입니다. 우리 사회의 정보 수준은 하루가 다르게 높아지고 있습니다. 부처별 출입처 관행에 안주하며 생산하는 기사로는 더 이상 급변하는 미디어 환경에 적응하기 어려울 것입니다. 언론 스스로 이런 문제의식을 가지고 있기 때문에 앞으로 이 제도가 시행되면 언론계 내부로부터 고민과 노력이 나타날 것입니다.

새로운 시스템을 정착시키기 위해 정부와 공무원 여러분이 노력해야 할 일도 있습니다. 더 수준 높은 정책을 만들고, 더 설득력 있게 정책을 설명할 수 있어야 합니다. 공식 브리핑의 수준을 높이고, 새로 도입할 온라인 브리핑제도를 정착시키기 위해 더 많은 역량을 쏟아야 합니다. 참여정부 들어 크게 나아졌지만 정보 공개도 더욱 확대해 나가야 합니다. 그래서 부처별 출입처 관행이 유지될 때보다 더욱 정확하고, 풍부하고, 깊이 있고, 책임 있는 정보가 흐르도록 해야 합니다. 업무도 늘고 새로운 일도 생기겠지만 감당해야 합니다. 우리가 할 일을 또박또박 챙겨 나가면 국민과 언론도 이러한 변화를 이해해 줄 것입니다.

이번 기자실 개혁은 정부와 언론 모두 선진화하기 위해 꼭 필요한 일입니다. 당장 부담스럽고 어려움이 있다고 해서 미룰 일이 아닙니다. 지난 4년 동안 가장 말이 많았던 것이 참여정부의 언론정책이었습니다. 그러나 우리가 추진한 것은 그냥 언론정책이 아닙니다. 우리 사회의 정보와 정책의 품질, 민주주의와 공론의 수준을 선진화하는 데 반드시 필요한 역사적 과제입니다. 훗날 보람이 있을 것입니다. 대통령은 임기가 있지만 정책은 임기가 없습니다. 공무원 여러분도 임기가 없습니다. 옳은 정책, 꼭 해야 할 일은 대통령의 일이 아니라 공무원 여러분 자신의 일로 만들어 주기 바랍니다. 흔들리지 말고 국민만 보고 앞으로 나아가기 바랍니다. 정부가 추진하는 정책이 대한민국과 국민의 삶을 한 단계 발전시킬 것이라는 자신감을 갖고 일해 주십시오. 대통령도 임기 마지막 날까지 공무원 여러분을 믿고, 여러분과 함께 책임을 다 하겠습니다.

감사합니다.

원광대학교 명예박사학위 수여식 강연

2007년 6월 8일

제 주변에도 원불교 종교를 믿고 또 중요한 직책을 가지고 있는 사람들이 몇 사람 있는데, 그 사람들의 공통적인 특징이 있습니다. 중심이 분명한데 그러나 어떤 주장이 과하지 않고 합리적입니다. 그렇고, 무슨 말을 하거나 이론을 말할 때도 독선적이거나 극단적이지 않습니다. 그래서 사람들한테 신망이 있지요. 그러면서도 종교 전체의 활동을 보면 우리 사회에 소리 없이 많은 봉사와 기여를 하고 있어서 굉장히 믿음이 갑니다. 제가 성격이 게으르고 해서 그러지 못합니다만, 믿는 거나 다름없이 존경심을 가지고 있습니다. 또 가르침은 다 비슷한 것이어서 저도 좋은 분들 영향을 받고 또 본받을 것 본받으면서 그렇게 삶을 진실하게 살도록 그렇게 노력하고 있습니다. 학문적 업적이야 좀 없더라도 현실에서 현장에서 정치라도 좀 똑똑히 해야 박사 값을 하는 것인데, 요즘 제가 인기가 좀 별로 시원찮아서 학위 주신 분들께 이래 부담을 드리는 거 아닌가 싶어서 무척 마음에 걸립니다. 저보고 자꾸 '국정 실패' 이렇게 말하는 사람들, 저는 어떻든 납득할 수 없습니다.

저도 비교적 솔직해서, 잘못이 있으면 잘못이 있다고 하고 '이건 뭐 잘못 생각했다' 말할 수도 있고, 또 '이건 한다고 했는데 결과가 좋지 않았다'라고 말할 수 있습니다. 그런데 실제로 별로 말할 게 없습니다. 제 욕심에는 부족함이 많이 있습니다. 국민들의 욕심에도 부족함이 많이 있을 것입니다. 그러나 사람이 한 행동과 이룬 성과는 다른 사람이나 다른 정권이나 다른 나라하고 비교해서 말해야 될 거 아니겠습니까, 사람의 능력을 절대적으로 측정한다는 것은 불가능한 것이고요. 비교해 보면 제가 민주주의를 어느 정권보다 잘못했습니까, 나라 경제가 어느 정권에 비해서 잘못됐다는 것입니까, 한 번 그렇게 꼼꼼히 따져 보면, 뭐 그리 크게 자랑할 일은 없을지 모르지만, 그렇게 실패라고 그렇게 매도될 만큼 그렇게 실패하지는 않았습니다. 제가 하도 억울해서 정책 투입이든 산출이든 정책의 성과를 평가할 수 있을 만한 모든 지표들을 다 모아서 「있는 그대로 대한민국」에 담아 봤습니다. 실제로는 이 2배 정도 되는 별도의 책이 만들어져 있습니다. 우선 움직일 수 없는 지표로서 우리가 평가해 보자, 국정이라는 것이 모두가 지표로 그렇게 측량되는 것은 아닙니다만 이걸로 한번 해 보자, 그렇게 해서 만든 것이 이 책입니다. 형편이 되시는 분은 꼭 한 권씩 사서 보시고 저의 억울한 심정을 풀어 주시면 고맙겠습니다.

여기 보면요, 성장률이 있습니다. 5%는 넘지를 못했습니다. 여러 얘기들이 있을 수 있습니다만, 성장률이 우리 경제 성과에 유일한 지표가 될 수 없습니다. 어떻게 보면 거의 의미가 없습니다. 한 시기 성장률이 높이 올라가는 것은 그 정권의 공적에 의해서 올라가는 것이 아닙니다. 노태우 대통령 때 성장률이 하늘 높은 줄을 모르고 치솟았죠. 그러나 노태우 대통령 시절에 경제를 잘했다는 평가를 할 수 있는 것은 또한 아닙니다. 경제에 대한 전망 전체를 가장 민감한 사람들이 측정해 놓은 것이 주가입니다. 지금의 우리 경제가 아니라 앞으로의 우리 경제가 어떻게 될 거냐, 우리 기업들의 수익이 어떻게 될 거냐 하는 데 대한 예측을 돈 걸고, 돈 걸고 예측을 말하는 것이 주식의 가격 아니겠습니까, 돈도 걸지도 않고 떠들어 쌌는 사람들 얘기는 소용없습니다. 자기 재산 딱 걸어놓고 올라간다고 생각하는 사람이 많을 때 주가가 올라가는 거 아니겠습니까, 근데 요새는 좀 너무 많이 올라가서 제가 좀 걱정입니다. 사실은 제가 올해 바랐던 것이 1500선 정도였습니다. 그러나 주가를 올리기 위해서 제가 한 것은 아무것도 없습니다. 원칙대로 했습니다. 저는 경제에도 원칙이 있다고 생각합니다. 정치에만 원칙이 있는 것이 아니라 경제도 원칙이 있고, 원칙이라는 말을 붙이기가 적절하지 않으면 바둑에 비유해서 정석이라고 말할 수 있는 모범적 정책이 있다고 생각합니다. 저는 그대로 했습니다. 남은 기간에도 그대로 할 것입니다.

자기를 사랑하는 사람이 성실한 사람이라고 생각합니다. 자기를 사랑할 줄 아는 사람은 세상을 사랑하는 사람이라고 생각합니다. 아직 세상을 사랑하지 않고 자기만을 사랑하는 사람이 있다면, 사랑하는 방법이 틀렸기 때문에 세상을 사랑하라고 그렇게 말씀드리고 싶습니다. 그런데 세상을 사랑한다는 것이 쉽지 않습니다. 세상 돌아가는 이치를 알아야 세상을 사랑할 수 있는 것이지요. 세상 사랑하는 이치를 읽고 배우고 경험하고 그리고 크게 보고, 또 깊이 생각해서 알아야 한다고 생각합니다.

가치가 무엇인가, 사상이 무엇인가에 대해 우리가 많은 고심을 하고 있습니다만, 모든 가치와 사상은 한 가지 공통성이 있습니다. 인간의 행복을 주제로 하고 있습니다. 근원에서는 각기 다르게 얘기하고 있지만 근원이 어디에 있든 바라보고 있는 목표는 인간의 행복입니다. 사람은 빈곤과 침략으로 인한 고통과 불안을 극복하고자 공동체를 만들고 그리고 권력을 부여했습니다. 권력이 생기고 나서부터는 지배와 억압이 생기기 시작했고 이제는 빈곤과 무질서 대신에 지배와 억압, 전쟁이라는 새로운 고통과 불안이 불행의 새로운 근원으로 등장하기 시작했습니다. 권력이 생긴 결과입니다. 빈곤과 전쟁, 지배와 억압으로 인한 고통은 인간의 역사가 시작된 이래 인간사에서 핵심적인 문제였고 이를 해결하기 위해서 많은 사상을 창안하고 실험을 해 왔습니다. 저는 그렇게 생각합니다. 그 결과 우리가 도달한 결론은 민주주의라고 생각합니다. 근대 이후의 모든 사상은 결국 민주주의로 귀착된다고 생각합니다. 민주주의는 모든 사람이 행복하게 사는 사회를 만들기 위한 최고의 사상이라고 저는 그렇게 생각합니다. 앞으로 우리 세상은 민주주의가 발전하는 만큼 발전할 것이다, 그렇게 생각합니다.

왜 민주주의인가, 다 아는 이야기인 것 같지마는, 실제로 가만히 따지고 보면 다 알지를 못합니다. 민주주의의 역사를 읽어 보면 소설보다 훨씬 재미가 있습니다. 깊이 들어가 볼수록 더욱 새로운 사실들을 많이 알게 되고 또 이치도 알게 됩니다. 민주주의는 씹을수록 더 맛이 있습니다. 왜 민주주의인가, 자유, 평등, 인간의 행복, 인간의 존엄 이것을 중심 가치로 하고 있기 때문에 가장 소중한 사상이다, 이런 정도로 말씀드리고 넘어가야겠습니다. 그 이후 1919년에 바이마르헌법에서는 인간다운 생활이라는 새로운 가치를 하나 더 추가했습니다. 민주주의에 있어서 가장 중요한 것은 기회의 균등을 보장하는 사상이라는 것입니다. 신분과 계급에 의한 지배구조에 근거한 특권을 철폐하고 모든 사람에게 공정한 기회를 보장한다, 이런 사상을 가지고 있기 때문에 민주주의가 소중하다고 생각합니다.

민주주의는 번영에 적합한 제도입니다. 돈의 폐해가 많아서 돈 얘기하면 입장이 난처해지기도 하는 것인데, 그러나 번영이라는 것은 인간의 행복에 결정적인 조건입니다. 이 번영에 적합한 제도가 민주주의라는 것이지요. 우선 경쟁의 정치는 경쟁의 시장을 뒷받침할 수 있는 적합한 제도라는 것입니다. 민주주의는 자유를 존중합니다. 자유와 다양성은 창의의 원천입니다. 오늘날 경제의 경쟁은 창의의 경쟁, 혁신의 경쟁이지 않습니까, 민주주의야말로 창의를 꽃피우고 다양성을 존중하는 그와 같은 사상이기 때문입니다. 사회적 자본 이론이 있습니다. 사회적 자본을 풍부하게 하는 제도가 민주주의입니다. 사회적 자본이란 무엇인가, 신뢰, 원칙, 연대, 개방, 이런 개념을 사회적 자본이라고 합니다. 2000년에 브라질에서 세계경영경제학회가 모여서 '경영, 경제에 성공하기 위해서 가장 좋은 사회적 조건이 뭔가,'라고 했을 때, 사회적 자본이 충분한 나라, 높은 나라가 경제와 경영에 성공한다, 이런 이론을 내놨습니다. 사회적 자본은 핵심이 되는 신뢰와 원칙, 규범과 원칙을 지킬 수 있는 그 사회의 역량을 말하는 것입니다. 연대는 타협과 양보를 통해서 공동체적인 합의를 이루어 갈 수 있는 역량을 말하는 것이지요. 개방은 FTA 하는 것이 아니고, 여기에서는 정보의 투명한 공개, 그것을 개방된 사회라고 일컫는 것입니다. 이 사회적 자본은 민주주의에서라야 충실해질 수 있습니다. 그러므로 민주주의는 번영에 가장 적합한 제도이다, 이 얘기는 자주 안 듣던 얘기지요,

민주주의는 평화의 기술이다, 이것은 칸트의 '영구 평화론'의 기초가 되고 있는 이론입니다. 근데 좀 현실에 있어서 잘 실현되고 있지는 않습니다만. 민주주의는 국민의 뜻을 받드는 정치이기 때문이고, 국민은 전쟁을 원하지 않으므로 따라서 민주주의는 평화의 제도이다, 요약하면 그렇게 됩니다. 평화는 아시다시피 번영과 행복의 기본 조건입니다. 전쟁, 즉 평화의 반대말을 생각해 보십시오. 전쟁이 나면 모든 것은 파괴되고 맙니다. 인간의 행복을 철저하게 파괴하고 경제의 토대도 철저하게 파괴하는 것이 전쟁이기 때문에 그야말로 평화가 행복과 번영의 기본조건입니다. 민주주의는 공존과 통합의 기술입니다. 민주주의는 사상과 이해관계를 달리하는 사람들 모두 포섭하고 그들을 하나로 통합하는 제도입니다. 다원적인 가치와 이익을 가진 사람들이 서로 집단을 이루어서 분파를 만들고 투쟁과 타협으로 분열을 극복하여 하나의 공동체를 이루어 가는 통합의 기술입니다.

민주주의는 상대주의 사상에 기초하고 있습니다. 상대주의는 다양성을 인정하고 존중하는 관용의 사상입니다. 관용이 없는 사회는 사생결

단의 사회가 될 수밖에 없습니다. 배제의 사회가 됩니다. 그래서 절대주의 또는 극단적 사상으로는 상대방을 억압하고 배제하기 때문에 그 사람들은 공동체 속의 하나로 통합할 수가 없습니다. 죽거나 살거나의 투쟁을 할 수밖에 없는 것이지요. 민주주의만이 서로 다른 생각, 다른 이해관계를 가진 사람들을 하나로 포섭할 수 있습니다. 그래서 민주주의는 가장 훌륭한 통합의 기술입니다. 민주적인 절차는 상호 존중의 토대 위에서 대화와 타협, 경쟁과 승복, 그리고 재도전의 기회 보장을 통하여 이견과 이해관계를 통합하는 정치 기술입니다. 재도전의 기회, 민주주의에서만 패자에게 부여하는 특별한 은혜입니다. 이것이 민주주의의 참 가치입니다. 그래서 민주주의야말로 상생의 정치 기술입니다. 민주주의에 대해서 가끔 염증이라든지 민주주의가 밥 먹여 주냐, 그렇게 말하는 사람들도 있는데, 이것은 정말 잘못 생각한 것입니다. 민주주의 이외에는 반대자를 이렇게 관용하는 사상이 없습니다. 민주주의는 권력과 지배를 정당하게 하는 제도입니다. 권력은 정당한 것입니다. 그러나 권력은 항상 사람의 인권을 침해해 왔습니다. 권력이 공공의 재산일 때 그것은 정당하고 정의이지만, 권력이 사유화됐을 때 특권이 되고, 지배 수단이 되고, 다른 사람에 대해서 억압의 수단이 되는 것이거든요. 정당한 권력은 정통성이 있을 때 정당한 것입니다. 정통성이 없는 권력은 사람을 불행하게 만드는 것이지요. 바로 민주주의는 국민 주권 제도에 의해서, 국민주권 사상에 의해서, 그리고 대의제도에 의해서 자기 지배의 원리를 실현할 수 있게 하는 제도이기 때문에 권력에 정통성을 부여하는 제도입니다.

아울러 권력은 항상 사유화되고 남용될 가능성이 있기 때문에 또

한 민주주의는 거기에 대해서도 대비를 해 놨습니다. 권력의 남용을 견제하는 제도, 권력의 적법성을 보장하는 제도로서 법치주의, 권력의 분립과 견제, 사법권의 독립, 적법 절차, 이런 제도를 준비해 놓고 있지요. 그래서 민주주의입니다. 민주주의가 중요하다, 저는 그렇게 생각합니다. 그런데 이제 우리 민주주의는 정말 어디까지 왔는가, 민주주의는 완성된 것인가, 여기에 대한 질문이 있을 수 있습니다.

민주주의의 이상은 아직 충분히 실현되지 않고 있습니다. 특권의 지배는 해체되었는가, 모든 사람이 자유와 평등을 누리고 있는가, 기회의 균등은 보장되고 있는가, 평화는 이루었는가, 국민적 통합은 이루어졌는가, 대화와 타협의 민주주의는 과연 실현되고 있는가, 아직도 갈등과 혼란을 계속하고 있지요. 아직 충분히 실현되지도 않았는데 이 시기에 또한 민주주의는 위기를 맞이하고 있습니다. 과거의 위기, 현재의 위기, 미래의 위기를 한번 생각해 봅시다. 당초의 민주주의는 제3계급의 지배였습니다. 아니 부르주아의 민주주의라고 얘기했었죠. 즉 유산계급의 민주주의였습니다. 대중은 소외됐고 그러면서 사회주의가 등장하고 여기에서 다시 혁명의 소용돌이에 빠졌습니다. 그리고 거기에 공산주의라고 하는 전체주의가 성립이 됐었죠. 아울러 이런 혼란에 대응해서 나치즘 같은 전체주의가 다시 등장했다가 몰락했습니다. 이때 민주주의가 위기에 처했습니다만, 또 사람들은 어떻게 이 고비는 넘어섰습니다. 오늘날에도 민주주의는 끊임없이 위협을 받고 있습니다. 결국 권력이 국민을 지배하는 수단은 정보와 돈, 무력입니다. 정보라는 것을 거꾸로 얘기하면 끊임없이 거짓정보를 생산해서 사람을 속이는 것이지요. 왕이 자기가 하늘의 아들이라고 주장했던 때부터 태초의 속임수가 시작됐던 것 아닙니까, 정보 조작, 이데올로기 조작이 그 때부터 시작된 것입니다. 매수, 협박도 있었습니다. 옛날에 군사정권 시절에 판사들이 독립이 돼서 말을 잘 안 들으니까 아이들 취직하는 데 불이익을 주는 방법으로 억압을 했던 시절이 있지요. 어떻게 보면 매수이고, 어떻게 보면 협박이지요. 시장은 인간사회에 불가피한 것이지요. 그러나 이 시장이 점차 비대해져서 사람을 위한 시장이 아니라 시장을 위한 사람의 삶을 만들어 내고, 공동체에게 시장을 위한 행동을 요구한다는 것이 또 하나의 문제이고요. 시장도 자유롭고 공정한 시장, 투명하고 공정한 시장이면 괜찮은데 그렇지 않은 시장의 독점적 독재적 지배자가 시장을 앞세워서 공동체를 지배할 가능성이 지금 대단히 강한 것 아닙니까, 현실적으로 그렇지요, 여기에 언론권력이 등장합니다. 언론권력은 가장 강력한 권력수단을 보유한 집단입니다. 독재 시대에는 독재와 결탁하고, 시장이 지배하는 시대에는 시장 또는 시장의 지배자와 결탁하고, 권력에 참여해서 버스럭지를 얻어먹던 잘못된 언론들이 많이 있었지요. 그리고 독재가 무너지고 나니까 스스로 권력으로 등장해서 누구는 대통령 된다, 누구는 안된다까지 결정하려고 했었죠, 92년에는 성공했고, 97년에 실패했고, 2002년에 또 실패했습니다만, 또 2007년에 그들은 또 성공하려고 하고 있지 않습니까,

우리나라만 그런 것이 아니고 세계 다른 나라도 그런 것이지요. 지난날의 민주주의에 대한 위협은 민주주의 외부로부터, 민주주의 아닌 힘으로부터의 위협이었습니다만, 이제는 이것은 민주주의 내부에 존재하는 위협입니다. 이것은 가치의 위기를 초래합니다. 정치는 가치를 추구

하는 행위입니다만, 시장은 이익을 추구하는 곳입니다. 그래서 가치의 위기가 발생하는 것이지요. 언론과 시장이 세상을 지배하게 됐을 때 그 정통성은 어디에 근거하는가, 시장의 정통성이, 시장이 공동체를 지배할 정통성이 어디서 나오느냐는 것이지요. 시장의 강자가 우리 사회를 지배해도 좋다는 정통성의 근거는 어디에 있는 것이냐, 언론의 정통성은 어디에 있습니까, 역사적으로 언론은 민주주의의 무기였습니다. 권력에 맞선 시민사회의 무기였기 때문에, 그리고 우리 헌법의 정치적 자유의 핵심적인 제도로 인정받고 있기 때문에 언론은 보호받고 있습니다만, 그것은 권력에 맞선 언론, 시민사회의 대변자로서의 언론일 때 그와 같은 특수한 지위를 우리가 인정한 것이지요. 그것이 수행하는 행위의 가치성 때문에 거기에 우리가 정통성을 부여했던 것인데, 어느덧 민중을 억압하는 기제로, 민중을 억압하는 편에 서서 민중을 속이는 데 앞장서 있다면 그 정통성은 어디서 인정할 수 있는 것인가, 이것이 우리 민주주의의 하나의 위기라고 생각합니다. 또 하나의 위기는 정치에 대한 불신, 냉소, 무관심, 우선 민주주의에서 결정한 대화와 타협의 결과가 나한테 불만이다, 이런 이기주의적 관점이 있을 수 있죠. 실제로 정치에서 과거 독재 같은 때 특권과 반칙이 있었지요. 그러니까 거기에 대한 불신이 생긴 것입니다. 사적 이익의 추구, 부정부패, 거짓말과 무책임과 불신, 권력의 사유화에 대한 그런 불신이 아직도 우리 국민들 가슴에 깊이 자리 잡고 있습니다. 민주주의가 비용이 많이 듭니다. 딱 한 번 결정하면 되는데 그걸 가지고 와글와글 시끄럽고요, 선거 한 번 하는데 정신이 없습니다. 지금도 시끄럽죠. 싫어하는 사람이 있거든요. 갈등과 혼란, 그리고 거기에 들어가는 경제적 비용에 대해서 국민들은 짜증스럽게 생각합니다. 사실은 당연히 들어가야 될 비용이지만 어떻든 정치가 제대로 보답을 못해 주고 있다고 생각하기 때문에 여기서 불신이 생기는 것입니다. 정치는 권력투쟁입니다. 권력투쟁은 필연적으로 어두운 모습을 보이게 돼 있습니다. 권력투쟁 없는 정치는 있을 수 없지만, 권력투쟁은 언제나 우리에게 부정적인 이미지로 다가올 수밖에 없습니다. 이것이 우리 불신이지요. 어떻든 갈등과 대결, 경쟁은 정치의 속성상 당연한 것이지만, 불가피한 것이지만, 아직 운동경기와 같은 수준의 경쟁으로 가지는 못하고 있습니다. 규칙과 절제 없는 대립과 투쟁, 언론과 여론은 불신과 혐오를 부추기는 경향이 있습니다. 왜냐하면 강자에 대해서는 어쩐지 나쁘게 말하는 것이 좋지요. 요즘 그것 갖고 한 몫 보려는 언론들이 있습니다. 제가 언제 강자입니까, 정부에는 옛날에는 강자가 있었지만 지금은 대한민국 정부에 강자가 없습니다. 제가 별로 그렇게 강자라고 생각하지 않는데, 여전히 정부라는 이유라 해서 정부를 비틀고 꼬집고 흔들면 한몫 보는 줄 아는 언론들이 있지요. 그래서 간판은 '할 말은 하는 언론', 이렇게 나오지요.

민주주의에 대한 무관심은 민주주의에 대한 외부의 적이 사라졌기 때문입니다. 전제왕권은 소멸했고, 파시즘은 패배하고, 공산주의는 붕괴했고, 그리고 독재 권력도 점차 붕괴돼 가고 있으니까, 국민들이 이제는 안심이다 하고 신경을 꺼버립니다. 이것이 민주주의의 또 하나의 위기가 되고 있습니다. 조금 전에 말씀 드렸듯이 민주주의에 새로운 지배구조, 즉 시장의 지배, 언론의 지배, 새로운 지배구조가 등장했음에도 불구하고 잊어버린 것이지요. 권태도 있는 것 같습니다. 무능한 정부보다 부패한 정부가 낫다, 이렇게 말하는 사람들이 있는데, 우리 국민들은 이런 무식한 소리 안 합니다. 이런 무식한 말을 하는 정당이 있는데, 그 정당에 또 박수치는 언론이 있고요, 그걸 옮기는 언론이 있고요, 박수치는 국민도 더러 있어요. 아주 위험하지요. 그래서 민주주의의 위기입니다. 그러나 민주주의가 그와 같음에도 불구하고 민주주의의 장래는 여전히 민주주의입니다. 앞으로도 모든 사상을 포섭해서 민주주의는 진보를 계속해 나갈 것입니다. 민주주의의 가치는 계속 유지되고 발전될 것입니다. 민주주의의 사상은 사상과 이론이 포용성이 있고 상대성이 있기 때문에 어떤 변화도 수용할 수 있고 어떤 사상도 그 안에 수용할 수 있습니다. 민주주의는 그 안에 변화의 가능성이 내재되어 있는 사상입니다. 그러므로 계속 진보할 것입니다.

민주주의는 그동안 진보해 왔습니다. 내용적으로는 선거권의 확대, 그리고 인간다운 생활이라는 새로운 가치에 추가해 왔습니다. 그럼에도 불구하고 민주주의에 완결은 없을 것입니다. 역사에는 완결이 없기 때문입니다. 그리고 지배와 억압, 전쟁이 생겨난 동기인 인간의 탐욕과 본성이 여전히 존재하고 있기 때문에 민주주의에 대한 위협도 영원히 사라지지 않을 것입니다. 민주주의는 영원히 투쟁하면서 발전할 것입니다. 시련과 투쟁, 진보는 계속될 것입니다. 지금 우리 이 시점에서 민주주의가 앞으로 발전해야 될 과제는 무엇인가 몇 가지 짚어 보겠습니다. 대화하고 타협하고 선거하고 그렇게 한다고 민주주의가 다 되는 것이 아니라는 것입니다. 내용에 있어서 진보성이 갖추어져야 합니다. 조금 전에 말씀 드렸듯이 제3계급의 민주주의와 대중의 소외를 말씀 드렸는데, 궁핍한 사람에게는 자유가 있는 것이 아닙니다. 궁핍해서 남에게 구속을 받아야 되는 사람에게 평등을 얘기하는 것은 무의미한 것입니다. 그래서 민주주의는 실질적 민주주의라고 하는 실질적 자유, 실질적 평등, 인간다운 삶을 보장하는 민주주의가 돼야 한다는 것이지요. 그래야 진정한 의미에서 민주주의가 될 수 있다는 것입니다. 진보란 무엇인가, 약자의 권리를 보장하자, 이런 것이지요. 약자도 같이 살자, 아주 쉽게 말해서 그렇습니다. 그래서 함께 가는 민주주의, 그것이 진보의 사상이고요. 그렇게 하기 위해서는 약자에게도 그들의 이익을 말할 수 있는 권리를 주어야 한다, 밥만 주는 것이 아니라 권리도 함께 주어야 한다는 것이지요. 더불어 살자는 사상을 연대의 사상이라고 얘기하지요. 또한 우리 사회의 여러 가지 경쟁의 장에서 권력 간의 경쟁 또는 투쟁의 장에서 기회 균등과 세력 균형을 보장해야 된다는 것입니다. 이것이 대개 진보적 사상이라고 말할 수 있지요. 진보 사상은 자유와 평등이라고 하는 민주주의 고유의 원리 속에 이미 내재되어 있는 가치입니다. 그래서 요즘 와서 진보하는 사람에게 '너 좌파냐, 너 공산주의자냐' 하고 갑자기 묻는 사람들은 민주주의의 본질적인 내용을 다 이해하지 못한 사람들이라고 생각합니다. 조금 전에 말씀 드렸듯이 진보적 민주주의는 통합의 조건입니다. 통합의 실질적 조건은 갈등을 예방하고 해소할 수 있는 사회라야 하는 것이지요. 그러자면 복지와 기회의 균등이 필요하고, 이런 사회를 만들기 위해서는 연대의 사상과 계층 간 집단 간의 세력 균형이 필요한 것입니다. 말하자면 균형사회로 가야 한다는 것입니다. 진보를 위해서 제도를 만들 때 시장의 기능을 완전히 죽여 버리자 하는 사상이 있습니다. 극단적으로 시장을 폐쇄하자는 것도 있었죠. 시장을 많이 규제하자. 가급적이면 시장은 적게 규제하고 시장은 시장대로 살려가면서 시장의 규제를 덜 하는 방법으로 우리가 말한 이 연대의 가치를 실현할 수 있는 방법을 찾아보자, 이런 의견들의 차이가 많이 있을 수 있겠죠. 시장과 조화되지 않는 진보의 정책은 성공하기가 매우 어렵습니다. 그래서 극단주의 좌파의 주장들이 성공하지 못하는 이유입니다. 근본주의 좌파의 주장이, 근본주의 진보의 주장이 성공하지 못하는 점이 바로 이 점입니다. 그래서 진보적 사상은 시장과 조화되어야 한다는 것이죠. 시장은 인간의 본성을 고려해서 만든 제도이기 때문입니다.

다음으로 대화와 타협의 민주주의입니다. 우리는 민주주의를 위한 투쟁의 단계를 넘어왔습니다. 그 민주주의가 제도화하는 단계를 우리는 지나왔습니다. 개혁, 청산, 많이 했었죠. 그런데 그래서 우리는 민주주의는 투쟁이 본질이다, 민주주의는 개혁이 본질이라고 생각하는데, 사실은 그것은 민주주의에 이르기까지의 과정이고 어느 정도 제도화된 민주주의 위에서는 대화와 타협이 민주주의의 본질입니다. 제가 조금 전에 상대주의 말씀 드렸지요, 민주주의의 핵심은 관용입니다. 관용의 제도는 서로 인정하는 것이고 대화와 타협을 통해서 문제를 풀어가는 것을 의미하는 것이지요. 부득이할 때 규칙을 적용하고 승복하고 하는 것이지요. 그래서 대화와 타협입니다. 그래서 우리 민주주의의 미래 과제이지요. 우리 민주주의의 과제입니다. 언론을 개혁해야 합니다. 언론은 여론을 지배하는 막강한 권력을 가지고 있습니다. 언론은 헌법상 특별한 대우를 받고 있습니다. 언론은 권리의 횡포로부터 국민의 자유와 인권을 보호하고 민주주의를 위한 투쟁의 깃발 역할을 해 왔기 때문에 특별한 보호를 받았던 것이고 또 앞으로도 받아야 하는 것입니다. 그러나 현실에서는 독재권력과 유착하여 독재권력의 앞잡이 노릇을 해 왔고, 새로운 지배구조 하에서는 시장지배 권력과 결탁하여서 시장지배 권력에 봉사하고 있고, 이제는 그 자신이 지배권력이 되려고 하고 있습니다. 우리의 많은 사람들이 언론 자유를 얘기하고 있는데 언론 자유는 정치권력으로부터의 자유만 말하고 있는데, 사실은 돈으로부터의 자유, 말하자면 금권으로부터의 자유가 대단히 중요한 것입니다. 오늘 언론 사주가 금권화돼 있는 사회에서는 언론 사주로부터의 자유가 진정한 의미에서의 언론의 자유입니다. 지금 가장 중요한 언론의 자유는 언론 사주로부터의 자유를 얘기해야지 난데없이 참여정부더러 자꾸 언론자유, 언론자유 합니다. 언론은 본래의 자리로 돌아와야 합니다. 국민의 편에서 국민의 권리와 이익을 대변하는 시민의 권력이 되어야 합니다. 약자의 권력이 되어야 합니다. 참여정부도 약자니까 좀 도와주시면 안 될까요, 좀 싱거운 소리 했습니다마는 한국의 경우 최소한의 기본도 지키지 않고 있습니다. 앞으로도 민주주의가 제대로 가기 위해서 우리는 이제 소비자 권력을 세워야 합니다. 우리는 시장주의를 채택하고 있습니다만 시장은 한계가 있습니다. 시장이 모든 것을 해결하지는 못합니다. 인간의 행복, 인간의 자유와 평등, 그 모든 것을 해결하지는 못합니다. 시장은 한계가 있고 실패도 합니다. 시장의 실패로 인해 낙오하는 사람들에 대해서 국민의 권익을 지켜낼 수 있는 뭔가가 필요한 것이지요. 시장 지배자의 부당한 지배도 있을 수 있습니다. 언론의 권력화, 누가 제어할 것이냐 저희가 정경 유착, 권언유착, 언론의 지배에 맞설 수 있는 사회적 힘과 제도는 무엇인가, 아무리 찾아봐도 없습니다. 결국 국민 개개인의 목소리, 그리고 국민들이 단결해서 대응하는 수밖에 없습니다. 시장권력이 문제가 될 때 소비자들이 서로 정보를 교환하고 조직하고 단결해서 시장의 지배권력에, 즉 시장지배 권력의 횡포에 맞서야 하는 것입니다.

언론도 마찬가지로 소비자가 결단해야 합니다. 내가 『메가트렌드 2010』이라는 책을 보니까 '깨어있는 소비자가 기업하는 사람들의 행동을 견제할 수 있다'는 내용이 나와 있었습니다. 어려운 일이지만 안 되는 것은 아니라는 것이지요. 조직하기 어려운 것은 정보네트워크로 더 보완하고, 오늘의 인터넷이 그런 기능을 해 줄 수 있을 것입니다. 그러나 소비자 권력이 할 수 있는 일은 그러나 한계가 있습니다. 불량품 추방은 가능하지만 독점과 불공정 거래라고 하는 시장의 구조를 제어하는 데에는 역시 한계가 있을 수밖에 없지요. 그래서 이제 소비자 운동은 한 단계 더 나아가야 합니다. 깨어있는 소비자, 더 나아가서 깨어있는 시민으로 가야 합니다. 시민은 전통적으로 권력의 주체입니다. 분산되어 있을 뿐이지요. 정치의 소비자는 분명한 주권자입니다. 주권자로서 시장을 제어하고 또 정치를 제어해야 하는 것이지요. 옛날에는 시민 하면 재산과 교양을 가진 제3계급을 의미했고, 그 사람들의 특성은 자유와 인권을 위해서 적극적으로 투쟁하는 시민, 그리고 권력을 지향하는 적극적인 투쟁, 깨어있는 시민을 말했습니다. 현대의 시민은 선거권의 확대로써 모든 국민을 포괄하게 됐습니다. 그러니까 여기에는 권리를 위해서 투쟁하지 않는 사람도 포함돼 버린 것이지요. 전 국민이 초기 민주주의시대의 시민과 같은 시민 자세로 무장이 됐을 때 제대로 된 민주주의가 될 수 있지 않겠는가, 행동하는 시민에 의한 민주주의, 이것이야말로 국민주권의 내실화 방법이라고 생각합니다. 대개 일반적으로 민주주의의 과제에 대해서 말씀을 드렸습니다. 우리나라뿐만이 아니고 어느 나라나 다 이런 문제를 가지고 있지요. 한국 민주주의의 과제도 비슷한 것인지 한번 보시지요. 민주주의를 위한 투쟁, 청산과 개혁은 상당 수준에 간 것 같습니다. 지금 특권을 주장하는 사람들은 과거의 권력기관이 아니고 오로지 언론 하나가 남아 있습니다. 시장지배 권력은 아직 잘 드러나지 않고 있을 뿐이지요. 부패정치도 일소됐다고 생각합니다만 부활할 가능성이 보입니다. 공천헌금, 후보 검증에 대한 언론의 무관심, 여론의 무관심, 부패가 났다고 하는 망발, 그리고 이와 같은 부패를 봉쇄하기 위한 제도 개혁이 가능한데, 제도 개혁에 대해서 언론도 국민도 무관심하지요. 정치자금 제도, 공천 제도를 고쳐서, 고칠 만한 대목들이 있는데 무관심하고 있습니다. 대개 이런 문제는 있지만 어떻든 청산과 개혁은 상당히 이루어진 것으로 봅니다. 그러나 대화와 타협의 민주주의는 아직 멀었다는 것입니다, 중요한 것은 민주주의가 이렇게 갈등과 혼란을 계속하고 국회에서 법안이 정체되고 이렇게 되었을 때 소위 속도의 시대, '경쟁의 속도가 국가의 성패를 좌우한다'는 말이 사실이라면 우리도 지금 좀 위기에 처해 있다고 말할 수 있지 않겠습니까, 사학법 등등이 지금 국회를 잡고 있습니다. 가장 중요한 것은 한국에서 분열주의를 극복하고 통합주의의 정치를 이루어내야 합니다. 한국에서 모든 좌절의 역사는 다 분열로부터 비롯되고 있습니다. 역사를 읽어보면 너무나 선명합니다. 지난날의 우리 역사가 수용 불가능한, 관용 불가능한 사상과 세력 간의 투쟁이었습니다.

아무리 민주주의가 관용이라고 하지만 친일과 관용할 수가 없지 않았겠습니까, 친일세력으로부터 반민특위 해체됐지요, 동존상존의 전쟁을 거쳤고요, 독재, 반독재, 어쨌든 상용하기 어려운 기나긴 투쟁이 있었기 때문에 오늘날에도 비타협 투쟁의 풍조가 남아있습니다. 아직도 극단주의가 많이 남아 있습니다. 넘어서야 하는 것이지요. 이 대결주의를 넘어서야 합니다. 6월항쟁을 혁명이라고 이름을 붙이면 좋겠는데 이름 붙이지 못하고 있습니다. 미완성의 혁명입니다. 절반의 승리이고 절반의 좌절 아닙니까, 분열 때문이지요. 정권교체를 못 했지요. 지역대결은 타협이 불가능한 구조입니다. 이익은 서로 교환할 수 있지만 지역을 어떻게 교환할 수 있습니까, 지역대결 정치가 경쟁이 없는 정치를 만들어내지요. 그러면 당연히 정치의 품질이 저하되고 공천이 이권화돼서 공천비리가 생기고 부정부패로 이어지는 것입니다. 지역주의, 반드시 극복해야 합니다. 어떻든 지난번 참여정부의 출범은 지역주의에 대항하는 정치세력의 정말 놀라운 승리였습니다. 영남사람 노무현과 그 일당에게 호남에서 몰표를 주셔 가지고 저는 지역통합이 이루어진 것으로 생각했습니다. 우선 감사합니다. 그런데 제가 그것을 다 지켜내지 못해서 무척 마음이 아픕니다. 16대 총선에서 민주당은 영남지역에서 13% 득표를 했습니다. 17대 총선에서 열린우리당은 영남에서 32%를 득표했습니다. 만약에 대통령선거에서 열린우리당이 영남에서 32%를 득표할 수 있다고 가정하면 무조건 이기는 것이지요. 그렇지 않습니까, 그런데 지금 좌절의 조짐이 나타나고 있습니다. 열린우리당이 분해되고 있는 것이지요. 차별화한다는 겁니다. 노무현 때문에 열린우리당 망했으니까 우리 나가겠다 이거지요. 보따리 싸 가지고. '무슨 정책이냐,' 물으면 대답이 없습니다. 당신, 인기가 낮지 않냐, 이것이거든요. 회사가 부도가 나려고 할 때 그 회사가 되려면 이사들이 나가서 자기 집이라도 잡히고 해야 그 회사가 사는 거 아닙니까, 죽을 때는 다 같이 죽더라도. 회사가 아직 부도도 나가도 전에 여유자금이 좀 바닥이 났다고 보따리 싸가지고 우수수 나가 버렸습니다. 이거 정치윤리에 관한 문제입니다. 정치를 제대로 훈련받지 못해서 입니다. 2001년에 차별화한 사람들의 지지도가 쑥쑥 올라갔지요. 그거 배신적인 행위 아닙니까, 2002년에 제가 그 때 후보였는데 후보가 좀 흔들리니까 바깥에 있는 누구하고 내통을 해요. 그랬지 않습니까, 바깥에 있는 후보하고 내통해 가지고 후보 바꾸려고 그랬어요. 그 후보가 만일에 와서, 왔으면 이겼을까, 만약에 그 후보가 이겨서 대통령이 됐더라면 대한민국의 오늘날 정책이 어디로 갈 거 같습니까, 지금처럼 갈 거 같습니까, 민주주의 제대로 할 것 같습니까, 얼마간의 진보정책을 할 거 같습니까, 남북대화 할 거 같습니까, 유엔 사무총장 나왔겠어요, 그 때 그 내통했던 사람들이 지금 조금도 반성하지 않고 참여정부 실패 얘기하고 있어요. 나는 참여정부 실패 얘기하는 사람들은 사실에 근거하지 않는 중상모략을 하는 사람이라고 단정합니다. 만일에 알고도 무슨 얘기를 한다면 정신이 이상한 사람들이지요.

한번 나와 얘기해 보자고요. 그 사람들이 믿는 게 있지요. 지역주의 하나만 부추기면 언제든지 안방에서 당선된다 이것입니다. 안방정치 하겠다는 거 아니겠습니까, 그래놓고 무슨 실패한 정부의 책임자는 오지 마라고 하고, 그 책임자는 차별화 열심히 하고 있습니다. 정치 그렇게 하면 안 된다는 것이지요. 지역주의를 우리가 극복하지 못하면 계속해서 호남은 고립됩니다. 1997년에 호남과 충청이 손잡아 이겼다고 하는데, 숫자가 알아요. 간단히 전자계산기로 두드려 보면 이인제 씨가 동쪽에서 5백만 표를 깨주지 않았으면 죽었다 깨어나도 이기지 못하는 거 아닙니까, 이인제 씨가 또 있습니까, 요행을 바라서는 안 되는 것이지요. 지역주의를 깨고 정책대결로 가야 하는 거 아닙니까, 지금 정책대결은 선명하지 않습니까, 그래서 정책으로 경쟁하는 정치를 해야지 지역으로 대결하는 정치를 절대 하면 안 됩니다. 반드시 극복해야 됩니다. 한국 정치의 진보적 민주주의는 정말 중요합니다. 우리나라의 복지지출은 미국, 일본의 절반, 유럽의 3분의 1, 즉 복지 후진국입니다. 우리나라는 정치 후진국, 언론 후진국, 복지 후진국, 세 가지 측면에서의 후진국, 이것만 벗어나면 우리나라 바로 선진국 갑니다. 작은 정부가 아니라 책임을 다하는 정부가 되어야 합니다. 책임을 다하자면 절대로 세금 깎으면 안 됩니다. 감세론 얘기하는 사람들이 보육예산 더 주고 또 어디 뭐 하고 무슨 복지 한다고 하는데, 도깨비 방망이로 돈을 만듭니까, 흥부 박씨가 어디서 날아온답디까, 이명박 씨가 내놓은 감세론은 6조 8천억 원의 세수 결손을 가져오게 돼 있거든요. 6조 8천억 원이면 우리가 교육혁신을 할 수 있고요, 복지 수준을 한참 끌어올릴 수도 있습니다. 감세론, 절대로 속지 마십시오.

정치에 대한 신뢰를 회복하기 위해서는 정치인들이 가치를 추구하는 대의의 정치를 해야 합니다. 원칙과 일관성을 가지고 가야 하고요, 기회주의를 청산해야 합니다. 정치인들이 보따리 싸들고 어디 유리한 데 찾아다니는 이런 정치는 이제 끝내야 합니다. 서울서 영남으로 떨어지러 내려가는 사람도 있는데 자기 지역이라도 지켜야 될 것 아닙니까, 자기 당이라도 지켜야 될 것 아닙니까, 왜 보따리 싸들고 오락가락 그래요, 그러니까 정치가 신뢰가 떨어지는 거 아니겠습니까, 우리 언론도 국민도 불신과 냉소주의를 극복하기 위해서 좀 책임 있는 대응을 해 줘야 합니다.

우리 정치가 책임정치로 가야 하는데요. 정치하는 사람도 책임을 져야 하지만, 정당 하는 사람들, 정당의 지도부, 그 국가의 지도자에 대해서 지도력을 좀 세워 주세요. 지금처럼 이렇게 흔들면요, 살아남을 정권 없습니다. 살아남을 정당 지도부도 없습니다. 하나도 도와주지도 않고 지도부 혼자서, 어디 국민들한테 나가도 지도부 하나만 딸랑 내보내고 따라가는 국회의원도 없고요, 그런 정당이 어떻게 지도력이 설 수 있겠습니까, 여소야대에다가 전 언론이 이렇게 흔들어 대는데 대통령이 어떻게 일어날 수 있겠습니까, 그렇게 흔들어놓고 국회에서 해줄 건 안 해주고 나중에 와서 그렇게 책임을 지우는 것이 아니고, 그렇게 하는 것이 견제가 아니고, 할 때 맡겨주고 할 수 있게 맡겨주고 그 결과에 대해서 책임을 물어야 될 거 아닙니까, 노무현 정책이 잘못된 거 있으면 그 결과에 대해서 책임을 물어라 이것입니다. 균형발전정책이 잘못됐으면 균형발전정책 책임 묻고, 혁신정책이 잘못 됐으면 그것 묻고, 10대 성장동력이니 뭐니 이런 것 잘못됐으면 거기에 책임을 물어라 이것입니다. 그래야 되는 거 아니에요, 하지도 못하게 해놓고 책임지라고 하는 법이 어디 있어요.

기본적으로 정치윤리에 관한 문제입니다. 대안을 가지고, 대안을 가지고 반대해야 하고요, 규칙으로 승부하고 결과에 승복하고 그리고 다음 선거에서 다시 승부를 해야지, 국민의 정부 시절에는 총리 인준해주는 데 7개월 걸렸습니다. 책임 있는 사회, 책임 있는 정치, 언론도 시민도 이제 책임 있게 행동하자는 것입니다. 후진적 제도 몇 개를 개혁해야 됩니다. 한국적 민주주의, 말하자면 후진적 제도를 몇 개 개혁해야 됩니다. 박정희 정권 초기에 한국적 민주주의라는 말이 나왔지요, 나왔지요. 유신시대에는 이 말이 우리 헌법에 들어갔습니다. 헌법 책에 나왔습니다. 오늘날에도 독재 시대에 대한 반동에서 유래한 후진적인 제도와 문화가 많이 있습니다.

대통령 단임제, 독재가 겁이 나서 단임으로 한 거 아닙니까, 이건 그 당시 각 정당의 득표 전략하고도 상관이 있는 것인데요, 전 세계에서 막 후진국을 벗어난, 독재국가를 벗어난 국가에서만 5년 단임제를 갖고 있지 선진 국가에서는 5년 단임제 하는 나라가 없습니다. 한 마디로 5년 단임제를 가지고 있는 나라는 민주주의 선진국 아니다라는 증명입니다.

당정 분리, 저도 받아들였고 또 그 약속을 지키기 위해서 노력했습니다. 그동안 그랬어야 할 이유가 있어서 당정 분리를 채택을 했습니다. 앞으로는 당정 분리도 재검토해 봐야 합니다. 책임 안 지는 거 보셨죠, 대통령 따로 당 따로, 대통령이 책임집니까, 당이 책임집니까, 당이 대통령 흔들어 놓고 대통령 박살내 놓고 당이 심판받으러 가는데, 같은 겁니까, 다른 겁니까, 어떻게 심판해야 하지요, 책임 없는 정치가 돼 버리는 것이지요. 정치의 중심은 정당입니다. 대통령 개인이 아니고요. 대통령의 정권은 당으로부터 탄생한 것입니다. 이제는 당정 분리라는 것도 재검토 해 볼 필요가 있습니다. 지난번까지는 부득이했지만 이제는 넘어설 때가 된 거 아니냐고 생각합니다. 당을 지배하는 제왕적 권력과 권력의 부작용은 이제 많이 해소됐다고 봐야 하지 않겠습니까. 대통령의 정치 중립론, 어떻게 대통령이 정치 중립을 합니까. 대통령은 가치를 가지고 전략을 가지고 정당과 함께 치열한 선거를 통해서 정권을 잡고 그 다음 정권을 지키는 데까지, 비록 내가 안 나오더라도 의무를 가지고 있는 사람 아닙니까. 참여정부 이후의 정부가 여전히 민주정부가 되도록 지켜야 될 의무가 있는 사람 아닙니까. 그 사람에게 정치 중립 하라고 합니다. 공무원법에서는 정치 활동은 괜찮다고 해 놓았거든요. 그런데 대통령의 정치활동은 열외로 한다, 이렇게 되어 있습니다. 정치에는 중립 안 해도 되고 선거에는 중립하는 방법이 있습니까. 차라리 선거운동은 하지 말라고 하면 어느 정도 이해가 가지요. 어디까지가 선거운동이고 어디까지가 선거 중립이고 어디까지가 정치 중립입니까. 모호한 구성 요건은 위헌이지요. 그렇지 않습니까.

오늘 제가 감세론 대로 되면 우리나라 복지 정책은 완전히 골병든다고 말했는데, 이것도 선거 운동입니까. 제가 선거 중립을 안 지킨 겁니까. 만일에 '이렇게 말하는 사람이 정권 절대로 잡으면 안 됩니다' 이렇게 말하면 선거 운동이고, '이런 사람이 정권을 잡으면 나라가 잘 되겠지요.' 이러면 선거 운동이 아닌가요. '이 정책은 옳지 않습니다', 말을 못해요. 증세냐 감세냐, 아니면 복지냐 감세냐 이걸 놓고 지난 2년 동안 치열하게 공방을 벌여 왔는데 거기에 대해서 대통령은 지금부터 입 닫아라, 그런 법이 어디 있습니까, 그래서 사실에 맞지 않는 이런 것도 앞으로는 바꾸어 고쳐 나가야 합니다. 공격하는 사람, 그 사람의 도덕적 신뢰성, 논리적 신뢰성, 정책적 역량의 신뢰성을 공격해 줘야 되는 거 아닙니까, 당연한 거 아닙니까, 대운하, 민자로 한다는데 그거 진짜 누가 민자로 들어오겠어요, 그런 의견을 말하는 것은 정치적 평가 아닙니까, 세계에 유례가 없는 위선적인 제도이거든요. 이건 어떻게든 앞으로 저희도 노력해 보겠습니다만, 정부가 무슨 선거법을 함부로 어떻게 할 수는 없고요, 참 난감해요. 어떻든 여러 가지 방도로 한번 찾아보겠습니다.

국회가 정부를 견제해야 된다거나 여소야대가 좋다는 것은 정당 정치가 있기 이전에, 미국 혁명 당시에 생긴 아주 원론적인 권력분립론이죠. 지금은 정당에 의해서 의회와 정부는 하나로 통합되고, 정당과 정당 간의 견제를 통해서 견제가 유지되고, 그 견제의 가장 좋은 방법은 아까 말씀드렸던 대로 다음 선거가 있다는 사실이 권력으로 하여금 대단히 조심스럽게 행동하도록 하는 것 아니겠습니까, 근데 여기에 잘못된 생각들이 있습니다. '여소야대가 좋다'라고 답하는 분들이 있는데, 잘못된 생각입니다. 그 다음에 연합에 대한 부정적 인식, 연대, 연합에 대한 부정적 인식이 있습니다. 정당과 정당 사이에는 연합하고 연대할 수 있습니다. 우리나라는 연정 제가 얘기를 한번 꺼냈더니, 그 시기에 연정 얘기를 꺼낸 것이 그렇게 적절하지는 않았다는 비판은 제가 얼마든지 수용할 수 있습니다. 그러나 연정이라는 의미 자체를 가지고 온 나라가 난리나 버렸어요.

전 세계에 선진민주주의 하는 나라가 연정을 하고 있습니다. 소연정, 대연정, 협력적 민주주의를 하고 있고, 그 나라의 정치들이 선진정치이고 효율이 높고 국민의 권리가 훨씬 더 신장되어 있다는 사실을 인정해야 되는 것이지요. 합당하는 것과 연정하는 것은 아주 다른 것이지요. 합당과 연정의 구별도 못하는 사람들이 저를 공격을 해대니 제가 얼마나 힘들겠습니까, 그래서 이제 앞으로 한국이 해야 되는 것은 참여민주주의로 가는 것입니다. 그동안 우리는 4·19, 10·16, 5·18, 6월 항쟁을 비롯해서 민주주의를 위한 투쟁을 할 만큼 했습니다. 잘했습니다. 청산과 개혁도 상당히 많이 했습니다. 이제 민주주의 안에서 민주주의를 내실화하는 운동으로 국민이 나가야 될 때가 됐다고 생각합니다. 그것은 바로 참여입니다. 선거에 참여에서 지도자를 선택하고 시민운동을 통해서 민생 정책, 정치의 개혁을 지속적으로 추진해 나가고 정치에 참여, 정당 운동과 정당 운동 그 밖의 여러 가지를 통해서 정치를 스스로 판단해 나가야 하는 것입니다. 돈 정치를 추방할 수 있었던 것은 노사모 덕분입니다. 노사모가 돈도 많이 모아 주었지만, 돈 없이 선거를 치를 수 있는 기반을 마련해 주었기 때문에 상대적으로 제가 돈을 적게 썼고, 그러니까 '좋다, 수사 한번 해 보자' 웃통 딱 벗고 나갈 수 있었지 않습니다, 10분의 1 안 되는 것 맞습니다. 자꾸 다른 돈을 넣어 가지고 자꾸 10분의 1 그러는데, 선거 때 썼던 것을 생각하면 10분의 1 안 됩니다. 어떻든 그렇게 해서 수사를 할 수 있는 가능성을 제가 만들어준 것입니다. 노사모가 없었으면 대통령이 못 됐거나 수사를 못 됐거나 둘 중의 하나일 겁니다. 민주주의 개혁 정권을 수립하고, 진보적 정권을 수립하고, 그리고 지금 제가 보수 언론과 맞서 싸우고 있습니다. 한국의 민주주의의 진보를 위해서, 선진 민주주의를 위해서 딱 남은 몇 가지, 소위 진보적 민주주의 해야 하는 것이고, 정치 선진화해야 하는 것이고, 그리고 언론 선진화해야 된다는 것을 알기는 알지요. 정치하는 사람이 언론의 밥인데, 대통령도 밥인데, 어떻게 감히 이 일을 할 수 있느냐, 충분하지는 않지만 저를 이해하려고 노력하고 지지하고 또 참여해 주는 사람들의 조직이 있기 때문에 이 일을 할 수 있는 것이지요.

두고 보십시오. 다음 정권 넘어가면 기자실이 되살아 날 것 같아서 제가 확실하게 대못, 대못으로 대못질을 해 버리고 넘겨주려고 합니다.

감사합니다.

6·10 민주항쟁 20주년 기념사

2007년 6월 10일

존경하는 국민 여러분,

정말 감회가 새롭습니다. 그날의 기억이 아직도 생생한데 벌써 20년이 흘렀습니다. 4·13호헌 조치는 서슬이 시퍼렜습니다. 그러나 국민의 소망은 간절했고, 분노는 뜨거웠습니다. 마침내 두려움을 떨치고 일어났습니다. 그리고 군사독재를 무너뜨렸습니다. 국민이 승리한 것입니다. 정의가 승리하고, 민주주의가 승리한 것입니다. 참으로 감격스러운 역사가 아닐 수 없습니다. 그러나 수많은 사람들이 땀과 피를 흘리고, 목숨까지 바쳤습니다. 이 자랑스러운 역사를 위해 목숨을 바치신 분들의 고귀한 희생에 경의를 표하며 삼가 명복을 빕니다. 항쟁을 이끌어 주신 항쟁지도부, 하나가 되어 승리의 역사를 이룩하신 국민 여러분께 깊은 존경을 표합니다.

국민 여러분,

6·10민주항쟁은 특별히 기억에 새겨두어야 할 의미가 있는 역사입니다. 6·10항쟁은 국민이 승리한 역사입니다. 그동안 우리 역사에는 자랑스러운 역사로 기록할만한 많은 투쟁이 있었고, 오늘날 우리는 이들을 엄숙하게 기념하고 있지만, 안타깝게도 아무런 주저함이 없이 승리한 투쟁으로 말할 만한 역사를 찾기는 어려운 것이 사실입니다. 그러나 6월항쟁은 승리했습니다. 항쟁 이후 20년간, 우리는 군사독재의 뿌리를 완전히 끊어내고 민주주의를 꾸준히 발전시킴으로써 6월항쟁을 승리한 역사로, 주저 없이 말할 수 있게 되었습니다. 승리한 역사는 소중한 것입니다. 국민에게 자신감을 심어주고, 그 위에 새로운 역사를 지어갈 수 있기 때문입니다. 6월항쟁은 자연발생적인 항쟁이 아니라, 잘 조직되고 체계화된 국민적 투쟁이었습니다. 항쟁의 지도부는 잘 조직되어 있었고, 각계의 지도자들이 두루 참여하여 국민들에게 신뢰를 주었습니다. 그리고 지향하는 가치와 목표를 뚜렷이 제시함으로써 국민 모두가 참여하는 대중적 투쟁을 이끌어 냈습니다. 그리고 승리했습니다. 잘 조직된 국민의 의지와 역량이 역사의 진보를 이루어낸 것입니다.

6월항쟁은 가치와 목표를 더욱 뚜렷하게 제시하여 국민을 통합하고, 잘 조직하면, 더 큰 역사의 진보를 이루어 낼 수 있다는 믿음의 근거가 될 것입니다. 6월항쟁의 승리는 축적된 역사의 결실입니다. 우리 국민은 오랜 동안 많은 항쟁의 역사를 축적하여 왔습니다. 부패하고 무능한 전제왕권의 학정에 맞섰던 민생, 민권 투쟁, 일본 제국주의 압제에 맞섰던 수많은 민족독립 투쟁, 그리고 군사독재에 맞선 꾸준한 민주주의 투쟁들이 그것입니다. 우리 국민은 수많은 좌절을 통하여 가슴에 민주주의의 가치와 신념을 키우고, 그리고 역량을 축적하여 왔습니다. 의미 있는 좌절은 단지 좌절이 아니라 더 큰 진보를 위한 소중한 축적이 되는 것입니다. 우리는 6월항쟁의 승리를 보고 일시적인 좌절을 두려워하지 않는 지혜, 당장의 성공에 급급하여 대의를 버리지 않는 지혜를 배워야 할 것입니다.

존경하는 국민 여러분,

6월항쟁은 그 역사적 의미로만 소중한 것이 아니라, 국가 발전의 획기적인 전기를 마련하였다는 점에서도 큰 의미가 있습니다. 1987년 이후 우리 경제는 개발 연대의 요소투입형 경제를 넘어서, 지식기반 경제, 혁신주도형 경제로 전환하고, 세계와 경쟁하여 당당하게 성공하고 있습니다. 국민총생산은 87년 세계 19위에서 2005년 12위로 상승하였습니다. 같은 기간 동안 1인당 국민소득은 63위에서 48위로 상승하였습니다. OECD 국가 중에는 24위입니다. 그 밖에도 많은 경제지표는 우리 경제가 87년 이후 장족의 발전을 하였다는 사실을 증명해주고 있습니다. 관치경제, 관치금융을 청산하여 완전한 시장경제를 실현하고, 투명하고 공정한 시장을 만들어 그 위에서 다양성을 존중하고, 자유와 창의로 경쟁할 수 있게 된 결과입니다. 6·10 항쟁의 승리와 정권교체, 그리고 지난 20년간 꾸준히 이어진 청산과 개혁이 없었더라면 이룰 수 없는 성과를 이루어낸 것입니다.

1997년 경제 위기 때문에 많은 지체가 있었습니다. 아직도 그 당시의 지표를 회복하지 못한 항목이 많이 있습니다. 97년 경제 위기는 관치

경제, 관치금융, 법치가 아닌 권력의 자의적 통치라는 독재시대의 낡은 체제를 신속히 개혁하고 정비하지 못했기 때문에 생긴 것입니다. 완전한 정권교체로 완전한 민주정부가 들어서서 신속하고 철저한 개혁으로 극복한 것입니다.

그럼에도 1997년 이후의 우리 경제의 지체를 빌미로 민주세력의 무능을 말하는 사람들이 있습니다. 참으로 양심이 없는 사람들의 염치없는 중상모략이 아닐 수 없습니다. 민주주의와 인권의 신장에 관하여는 굳이 설명이 필요 없을 것입니다. 저는 해외에 나가서 우리 한국이 단지 경제에만 성공한 나라가 아니라 민주주의에도 성공한 나라라는 말을 수 없이 들었습니다. 그리고 민주주의 정통성을 가진 지도자가 국제사회에서 제대로 대우받고 나라의 위상도 높인다는 사실도 실감하고 있습니다. 다시 한 번 민주주의를 위해 헌신해 오신 모든 분들께 깊은 존경과 감사의 말씀을 드립니다.

국민 여러분,

그러나 6월항쟁은 아직 절반의 승리를 넘어서지 못하고 있습니다. 6월항쟁의 정신을 아직 활짝 꽃피우고 결실을 맺지 못했기 때문입니다. 지난 20년 동안 우리는 정권교체를 이루고, 특권과 유착, 권위주의와 부정부패를 청산하고, 투명하고 공정한 사회를 만들어가고 있습니다. 뒤늦기는 하지만, 친일 잔재의 청산과 과거사 정리도 착실히 해나가고 있습니다. 제도의 측면에 있어서는 독재체제의 청산과 민주주의 개혁에 상당한 성과를 거두고 있다고 말할 수 있을 것입니다. 그러나 아직 반민주 악법의 개혁은 미완의 상태에 머물러 있습니다. 지난날의 기득권 세력들은 수구언론과 결탁하여 끊임없이 개혁을 반대하고, 진보를 가로막고 있습니다. 심지어는 국민으로부터 정통성을 부여받은 민주정부를 친북 좌파 정권으로 매도하고, 무능보다는 부패가 낫다는 망언까지 서슴지 않음으로써 지난날의 안보독재와 부패세력의 본색을 공공연히 드러내고 있습니다. 나아가서는 민주세력 무능론까지 들고 나와 민주적 가치와 정책이 아니라 지난날 개발독재의 후광을 빌려 정권을 잡겠다고 하고 있습니다.

지난날 독재권력의 앞잡이가 되어 국민의 눈과 귀를 가리고 민주시민을 폭도로 매도해 왔던 수구언론들은 그들 스스로 권력으로 등장하여 민주세력을 흔들고 수구의 가치를 수호하는 데 앞장서고 있습니다. 저는 그들 중에 누구도 국민 앞에 지난날의 과오를 반성했다는 말을 듣지 못했습니다. 군사독재의 잔재들은 아직도 건재하여 역사를 되돌리려 하고 있고, 민주세력은 패배주의의 늪에 빠져 우왕좌왕하고 있습니다. 이런 사정으로 아직 우리 누구도 6월항쟁을 혁명이라고 이름 붙일 엄두를 내지 못하고 있습니다. 이 모양이 된 것은 6월항쟁 이후 지배세력의 교체도, 정치적 주도권의 교체도 확실하게 하지 못했기 때문입니다. 민주세력의 분열과 그에 이어진 기회주의 때문입니다. 1987년의 패배, 1990년 3당 합당은 우리 민주세력에게 참으로 뼈아픈 상실이 아닐 수 없습니다. 지역주의와 기회주의 때문에 우리는 정권교체의 기회를 놓쳐버렸고, 수구세력이 다시 뭉치고 일어날 기회를 준 것입니다. 그 중에서도 가장 뼈아픈 상실은 군사독재와 결탁했던 수구언론이 오늘 그들 세력을 대변하는 막강한 권력으로 다시 등장할 수 있는 기회를 허용한 것입니다. 분열과 기회주의가 6월항쟁의 승리를 절반으로 깎아내린 것입니다. 그래서 우리는 나머지 절반의 승리를 완수해야 할 역사의 부채를 아직 벗지 못하고 있는 것입니다.

국민 여러분,

우리 앞에 놓인 과제는 자명합니다. 나머지 절반의 책임을 다하는 것입니다. 그것은 민주주의를 제대로 하는 것입니다. 반독재 민주화투쟁의 시대는 끝이 났습니다. 새삼 수구세력의 정통성을 문제 삼을 수는 없습니다. 민주적 경쟁의 상대로 인정하고 정정당당하게 경쟁할 수밖에 없습니다. 그렇게 하여 대화와 타협, 승복의 민주주의를 발전시켜 나가야 합니다. 이를 위해서는 87년 이후 숙제로 남아있는 지역주의 정치, 기회주의 정치를 청산해야 합니다. 수구세력에게 이겨야 한다는 명분으로 다시 지역주의를 부활시켜서는 안될 것입니다. 기회주의를 용납해서도 안될 것입니다. 이와 함께 눈앞의 정치에 급급할 것이 아니라 후진적인 정치제도도 고쳐서 선진 민주제도를 만들어야 합니다. 대통령 단임제와, 일반적으로 선거운동을 금지하고 대통령에 대한 정치적 중립을 요구하는 선거법, 당정분리와 같은 제도는 고쳐야 합니다. 여소야대가 더 좋다는 견제론, 연합을 야합으로 몰아붙이는 인식도 이제는 바꾸어야 합니다. 그래야 우리도 선진국다운 정치를 할 수 있습니다.

언론도 달라져야 합니다. 더 이상 특권을 주장하고 스스로 정치권력이 되려고 해서는 안됩니다. 사실에 충실하고, 공정하고 책임있는 언론이 되어야 합니다. 한국의 민주주의는 언론의 수준만큼 발전할 것입니다. 이것은 마지막 남은 개혁의 과제라고 생각됩니다. 주권자의 참여가 민주주의의 수준을 결정할 것입니다. 정치적 선택에 능동적으로 참여해서 주권을 행사하는 시민, 지도자를 만들고 이끌어가는 시민, 나아가 스스로 지도자가 되는 창조적이고 능동적인 시민이 우리 민주주의의 미래입니다. 저는 우리 국민의 역량을 믿습니다. 마음만 먹으면 못해낼 것이 없는 우리 국민입니다. 20년 전 6월의 거리에서 하나가 되었던 것처럼 이제 우리의 민주주의를 완성하는 데 함께 힘을 모아나갑시다. 지역주의와 기회주의를 청산하고 명실상부한 민주국가, 명실상부한 국민주권 시대를 열어갑시다.

감사합니다.

주한외교단을 위한 만찬사

2007년 6월 13일

존경하는 알프레도 웅고 외교단장님, 그리고 주한외교단 여러분,

대단히 반갑습니다. 해마다 녹지원에서 여러분을 맞이했는데, 오늘은 좀 더 편안한 자리에서 모시려고 이곳 영빈관으로 초대했습니다. 여러분을 진심으로 환영합니다. 저는 여러분께 늘 고마운 마음을 가지고 있습니다. 지금까지 52개국을 방문하고 국내외에서 167차례의 정상회담을 가졌는데, 여러분 덕분에 항상 기대 이상의 성과를 거둘 수 있었습니다. 그리고 그때마다 여러분이 얼마나 중요한 일을 하고 있는지 실감했습니다. 여러분의 노력이 국가간 협력과 국제사회 발전에 크게 기여하고 있다고 생각하며, 그런 점에서 다시 한번 깊은 감사의 말씀을 드립니다.

주한외교단 여러분,

4년 전, 여러분을 처음 모신 자리에서 저는 참여정부가 지향하는 바

를 말씀드린 적이 있습니다. 아마 좀 지루했을 것입니다. 민주주의 발전, 국민소득 2만 달러, 한반도의 평화와 안전 같은 과제였습니다. 그때만 해도 이런 목표들이 성공할 수 있을까 의문을 가진 분들이 계셨을 것이고, 저 또한 불안했습니다. 북핵위기가 고조되고 있었고, 카드채 사태로 인해 경제위기 가능성까지 제기되는 상황이었기 때문입니다. 우리 경제와 안보의 미래에 대한 비관적인 기사가 끊이질 않았습니다. 한국의 민주주의는 아직도 남은 과제가 있지만, 적어도 공정하고 투명한 사회라는 측면에서는 획기적인 진전을 이룬 것 같습니다. 이제 균형발전과 사회투자전략을 통해 보다 내실 있는 민주주의를 향해 가고 있습니다. 올해 안에 국민소득 2만 달러 시대에 들어서게 됩니다. 유가상승이나 환율하락에도 불구하고 주가, 수출, 외환보유액 같은 경제지표들이 모두 좋습니다. 경제의 기초체력이 튼튼해지고 경쟁력이 높아진 결과라고 생각합니다.

북핵문제도 6자회담을 통해 열심히 풀어왔고 이제 긍정적인 기대를 가질 만할 정도까지 온 것 같습니다. 개성공단, 철도연결 등 남북 교류협력사업도 착실히 추진되고 있습니다. 이제 한반도 평화는 확실한 흐름으로 자리 잡아가고 있습니다. 다음달에는 2014 동계올림픽 개최도시가 결정됩니다. 최선을 다해 준비해 온 만큼 여기서도 좋은 성과가 있기를 기대하고 있습니다. 여러분의 적극적인 관심과 성원을 부탁드립니다. 러시아 대사님과 오스트리아 대사님은 안 들은 걸로 해 주시죠.

내외 귀빈 여러분,

대한민국은 여러분의 나라와 좋은 친구가 되기를 원합니다. 지금의 민주주의와 경제 발전을 이루는 데 국제사회의 도움이 컸던 만큼, 우리도 국제사회에서 책임과 역할을 다해나가고자 합니다. 경제발전 경험 공유, 유엔평화유지활동 등 다양한 노력을 통해 국제사회가 평화와 번영의 길로 나아가는 데 적극 동참해 나갈 것입니다.

주한외교단 여러분,

앞으로도 한국과의 우호협력에 지속적인 노력을 기울여주시길 바라며, 여러분의 건강과 행복, 한국과 여러분 나라와의 영원한 우정을 기원하는 건배를 제의하겠습니다.

제8회 노사모 총회 축하 메시지

2007년 6월 16일

여러분, 안녕하십니까,

이렇게 영상으로나마 만나게 되니까 무척 반갑습니다. 노사모 총회를 축하드립니다. 노사모는 역사를 만들고 있습니다. 새로운 역사를 쓰고 있습니다. 7년 전, 여러분은 다시 일어설 수 없을 것 같았던 저를 일으켜 세웠습니다. 그리고 다시 도전하게 했습니다. 모두가 가능성이 없다고 저를 외면했을 때 여러분은 저를 지지해 주셨습니다. 세에 밀려 대의의 깃발을 접어야 될 상황에서 대의의 깃발을 다시 세울 수 있게 해주셨습니다. 그리고 대통령 후보가 되는 기적을 만들어냈습니다.

저의 실수로 지지도가 떨어졌을 때, 정권에 대한 실망으로 많은 지지자들이 돌아섰을 때, 기회주의 정치인들이 외부의 다른 후보와 내통하면서 저를 흔들었을 때, 그래서 후보인 저조차도 흔들리고 있을 때 여러분이 저를 다시 붙들어 주셨습니다. 그리고 후보단일화를 이룰 수 있는 자신감을 주셨습니다. 기지와 열정으로 마지막 순간의 위험한 고비까지 넘겨주었습니다.

마침내 저를 대통령으로 만들어 냈습니다. 돈도 조직도 없는 저를 이기게 했습니다. 끝까지 대의와 원칙을 포기하지 않고 이길 수 있게 해 준 것입니다. 새로운 역사의 드라마를 창조한 것입니다.

이 새로운 역사의 결과로, 저는 돈 정치로부터 자유로운 대통령, 몇몇 사람에게 빚진 대통령이 아니라 국민에게 빚진 대통령이 될 수 있었습니다. 그래서 대선자금 수사를 견뎌낼 수 있었고, 마침내 정경유착의 고리를 끊고 돈 선거를 몰아낼 수 있었습니다. 여러분이 우리 정치를 개혁하고 있는 것입니다. 저는 여러분과의 약속대로 낮은 자리로 내려왔습니다. 여러분을 믿고 권력을 내놓았습니다. 이를 통해 독재체제에서 구축된 특권과 반칙, 권위주의 문화를 청산하고 있습니다. 투명하고 공정한 사회를 만들어가고 있습니다.

참여정부는 청산과 개혁에서 과거사 정리까지, 6월항쟁 이후 우리에게 부여된 민주주의 2단계 과제를 착실히 수행하고 마무리하고 있습니다. 역사의 책무를 착실히 수행하고 있습니다. 여러분이 저를 대통령으로 만들어 낸 결과입니다. 여러분이 진보의 역사를 쓰고 있는 것입니다.

사랑하는 노사모 여러분,

저는 확신을 갖고 말씀드릴 수 있습니다. 참여정부는 어느 정부보다 더 민주적인 정부입니다. 법과 원칙에 가장 충실한 정부입니다. 가장 투명한 정부입니다. 참여정부는 평화를 확실하게 지키고 남북관계를 발전시키고 있는 정부, 자주국방을 실현하고 있는 정부, 균형외교를 통해 유엔사무총장을 배출한 정부, 그래서 나라의 자주권과 위신을 높이고 있는 정부입니다. 경제실패, 민생파탄, 총체적 위기라는 주장이야말로 악의적인 중상모략입니다. 그야말로 10년 전 우리 경제를 결딴낸 사람들의 염치없는 모략입니다. 적반하장입니다. 참여정부는 경제위기를 잘 관리하여 극복했고, 경제의 기초체력을 튼튼하게 만들고 경쟁력을 높이고 있습니다. 경제를 원칙대로 운영한 결과입니다. 주가가 세 배 이상 올랐다는 사실이 이를 뒷받침하고 있습니다. '경제는 참여정부처럼 하라'고 감히 말씀드릴 수 있습니다. 참여정부는 복지투자를 가장 많이 늘린 정부입니다. 양극화 해소를 위해 최선을 다하고 있습니다. 참여정부는 복지 정부, 진보의 정부입니다.

참여정부는 해야 할 일을 뒤로 미루지 않았습니다. 수십 년 동안 미루어 왔던 해묵은 과제들을 다 해결했습니다. 미국의 눈치를 보느라 미루어 두었던 자주국가의 숙제, 집단 이기주의의 저항에 밀려 미루어 두었던 갈등과제들을 다 풀었습니다. 참여정부는 소신을 가지고 할 일은 하는 뚝심 있는 정부입니다. 참여정부는 미래를 내다보고 미리 대비하는 국가 전략을 가지고 국정을 운영하고 있는 정부입니다. 저는 지역주의와 맞서 싸우고 있습니다. 언론개혁을 위해 싸우고 있습니다. 선진한국을 만들기 위한 역사의 과제입니다. 이 모두가 여러분이 요구한 것이고, 국민 모두가 바라고 있는 일입니다. 저는 국민이 바라는 것을 공약했고 그리고 약속을 지키고 있습니다. 역대 어느 정부, 세계 어느 정부와 비교해도 당당하게 말할 수 있는 성과입니다. 더욱이 여소야대 국회와 적대적 언론이 끊임없이 흔들고, 심지어 여당조차 차별화하고 나오는 상황에서 이룬 성과입니다. 여러분 모두 자부심을 가져도 좋을 것입니다.

이 일이 어떻게 가능했겠습니까, 여러분이 있었기 때문입니다. 저는 여러분을 믿고 옳은 일이면 과감하게 맞섰고, 부당한 저항에 대해서는 정면 돌파했습니다. 여러분을 믿고 언론에도 맞설 수 있었습니다. 탄핵을 이겨냈고, 여러 차례 여론의 역풍도 견디어 냈습니다. 지금은 레임덕을 모르고 대통령이 해야 할 일을 착실히 하고 있습니다. 깨어있는 국민, 하나의 대의로 뭉친 국민의 힘이 역사 발전에, 그리고 민주주의 발전에 얼마나 소중한 힘인지를 여러분이 증명하고 있는 것입니다.

노사모 여러분,

이제 내년이면 대통령의 임기는 끝이 납니다. 그러면 노사모가 할 일은 끝이 나는 것일까요, 저 노무현의 할 일도 끝나는 것일까요, 민주주의에 완성은 없을 것입니다. 그러나 역사는 끊임없이 진보합니다. 우리 민주주의도 선진국 수준으로 가야 합니다. 그리고 거기에 만족하지 않고 성숙한 민주주의를 이뤄가야 합니다. 민주주의의 핵심적 가치인 대화와 타협, 관용, 통합을 실천해야 합니다. 미래를 내다보고 민주주의의 완전한 이상과 가치를 실현하기 위해 끊임없이 노력해 나가야 합니다. 이미 우리는 거의 모든 부문에서 선진국 수준에 들어섰습니다. 그러나 아직 후진국 수준에 머물러 있는 것이 정치, 언론, 그리고 복지투자입니다. 정치개혁, 복지개혁, 언론개혁이 필요합니다. 정치개혁 중에 가장 중요한 것은 통합입니다. 이를 위해서는 균형사회를 만들어야 합니다. 정치적으로는 지역주의를 극복해야 합니다. 경제적으로는 동반성장, 균형발전, 입니다. 사회적으로는 복지투자를 선진국 수준으로 끌어올려야 합니다.

이것을 하자면 우리 언론이 달라져야 합니다. 현실을 정확하고 공정하게 전달하고, 우리가 가야할 방향을 책임 있게 제시하는 언론이 되어야 합니다. 구시대의 특권 구조 속에서 누리던 기득권이나 관행도 과감하게 포기해야 합니다. 언론 스스로 개혁하고 수준을 높여야 하는 것입니다.

민주주의 최후의 보루는 깨어있는 시민의 조직된 힘입니다. 이것이 우리의 미래입니다.

우리에게 역사의 과제가 남아 있는 한 노사모는 끝날 수 없습니다. 노사모는 노무현을 위한 조직이 아닙니다. 세상을 사랑하는 사람들이 보다 나은 세상을 만들기 위해 만든 모임입니다. 한국 민주주의, 새로운 역사를 위한 모임입니다. 저도 임기를 마치면 노사모가 될 것입니다. 여러분의 친구로 돌아갈 것입니다. 그때까지 저는 대통령으로서, 여러분은 깨어있는 시민으로서 최선을 다해 나갑시다. 제가 직접 참가하지 못하여 너무 아쉽습니다. 바빠서가 아닙니다. 시절이 하 수상하니 참석하지 않는 것이 좋겠다는 비서실의 만장일치 건의를 수용했습니다. 이것이 우리 민주주의의 현실입니다. 독재 시대에 만들어 놓은 대통령에 대한 위선적인 인식이 아직 남아 있고 이를 이용하고 있는 언론과 정치집단이 있기 때문입니다. 앞으로 우리가 고쳐나가야 할 낡은 정치입니다. 그러나 지금은 이 수준에 맞게 행동하는 전략적 사고가 필요한 때입니다.

내년 이맘때는 저와 여러분이 자유롭게 만날 수 있을 것입니다. 그때까지 깊은 이해가 있으시기 바랍니다. 여러분, 감사합니다.

국가암검진지원센터 완공 축하 메시지

2007년 6월 19일

국가 암검진 지원센터의 완공을 진심으로 축하합니다.

이제 우리도 선진국 못지않은 암진료 인프라를 갖추게 되었습니다. 특히 새롭게 도입된 양성자치료기는 암진료 수준을 획기적으로 끌어올려줄 것입니다. 그동안 애써주신 국립암센터 의료진과 공사 관계자 여러분께 깊은 감사의 말씀을 드립니다.

앞으로 암검진 지원센터는 조기진단과 전문인력 양성 등 국가적 암 관리 사업을 선도하는 견인차가 될 것입니다. 무엇보다 사전예방적 관리를 통해 우리 국민의 암 발병률을 줄이는 데 크게 기여할 것으로 믿습니다. 건강한 국민이야말로 우리 사회의 가장 소중한 자산입니다. 국민의 건강이 나라의 경쟁력입니다. 참여정부는 그동안 국민 모두가 평생 건강을 보장받는 시대를 만들기 위해 노력해 왔습니다. 특히 암과 같이 개인이나 가정이 혼자서 감당하기 어려운 질병에 대해서는 국가의 책임을 더욱 강화해나가고 있습니다. 암환자의 건강보험 급여율이 2004년 49%에서 지난해 70%수준으로 크게 높아졌고, 백혈병 환자에 대한 진료비 부담은 1/3로 줄었습니다.

정부는 앞으로도 5대 암에 대한 관리를 더욱 강화하고, 암 조기발견을 위한 국가 검진체계를 구축하는 데 최선의 노력을 다해나갈 것입니다. 국립암센터 의료진 여러분도 책임감과 긍지를 갖고 연구와 진료에 더욱 힘써주길 당부드립니다. 국가 암검진 지원센터의 무궁한 발전을 기원합니다.

2007 세계 한인회장대회 축사

2007년 6월 19일

한인회장 여러분, 대단히 반갑습니다.

고국에 오신 여러분을 진심으로 환영합니다. 올해 한인회장대회는 어느 해보다 더 기쁘고 뜻깊은 것 같습니다. 우선 대회규모가 역대 최대라고 들었습니다. 많은 분들이 새로 참석하신 만큼 더욱 건설적인 논의들이 이뤄질 것으로 기대합니다. 또 하나 뜻깊은 일은 올해 '세계 한인의 날'이 새로 제정된 것입니다. 앞서 한인회장님께서 정부에게 감사하다는 말씀을 하셨는데, 저는 오히려 우리 정부가 해외동포 여러분께 감사드릴 일이 참 많이 있다고 생각합니다.

여러분은 늘 고국의 일에 깊은 관심과 애정을 보여주셨습니다. 군사독재 시절에는 조국의 민주화를 위해 힘써주셨습니다. 외환위기를 비롯해 나라의 큰 일이 있을 때마다 팔을 걷어붙이고 끈끈한 동포애를 발휘해 주셨습니다. 제가 해외에 나갈 때마다 잘 대접받는 것도 동포 여러분 덕분입니다. 제가 만난 지도자들은 하나같이 우리 동포들이 현지 사회에서 큰 존경과 신뢰를 받고 있다고 칭찬이 입이 마를 정도입니다. 문화도 다르고 말도 잘 통하지 않는 이국땅에서 성공하기가 어디 쉬운 일이겠습니까, 온갖 어려움을 이겨내면서 남들보다 몇 배는 더 땀 흘려 노력한 결과라고 생각합니다. 이제 '세계 한인의 날' 제정을 계기로 동포사회의 발전사를 우리 역사의 자랑스러운 일부로서 기리고, 다양한 행사를 통해 동포 상호간에 이해와 교류의 폭을 더욱 넓혀나가면 좋겠습니다. 정부도 세계 한인의 날이 우리 동포들의 큰 축제가 될 수 있도록 적극적인 관심과 지원을 아끼지 않을 것입니다.

참석자 여러분,

우리 동포사회는 불행하고 아픈 역사에서 비롯되었습니다. 분열과 부패로 백성을 도탄에 빠뜨린 지배세력이 나라를 지킬 힘마저 없었던 상황에서 우리의 할아버지, 할머니들은 나라를 되찾기 위해, 그리고 먹고살 방도를 찾기 위해 만주로, 연해주로, 그리고 먼 이국 땅으로 떠나야만 했습니다. 끼니를 걱정하던 보릿고개 시절에는 광부와 간호사로 낯선 땅을 밟았고, 농사 한번 제대로 지어보자고 지구 반대편까지 가기도 했습니다. 독재정권의 탄압과 횡포에 맞서 싸우다가 많은 사람들이 돌아올 기약도 없이 정든 조국을 떠나야 했습니다.

그러나 지금은 달라졌습니다. 대한민국은 스스로를 지킬만한 충분한 힘을 가지고 있습니다. 세계 12위의 경제 규모를 자랑하는 나라가 되었습니다. 수출 4천억 달러, 국민소득 2만 달러를 이제 눈앞에 내다보고 있습니다. 아마 올해 넘기면 될 것입니다. 개방과 혁신으로 경쟁력을 높이고, 복지투자를 통해 미래를 착실히 준비해가고 있습니다. 민주인권국가로서 세계의 인정을 받고 있습니다. 아직도 가야할 길이 많이 남아있는 것은 사실이지만, 이제 적어도 독재, 고문, 공작정치, 언론탄압, 정경유착, 이런 부끄러운 말들은 모두 지난날의 일이 되었습니다. 이제 대한민국은 여러분이 어디 가서도 당당하게 자랑할 수 있고, 여러분이 하시는 일에 적으나마 도움이 될 수 있는 그런 나라가 되었습니다.

여러분이 걱정하시는 북핵문제는 9·19공동성명과 2·13합의를 통해 평화적 해결의 길로 들어서고 있습니다. 아마 확실히 들어선 것 같습니다. 4년 전에는 한국과 미국이 의견이 달라서 어려움이 많이 있었습니다. 그러나 이제는 의견이 같아졌습니다. 미국 하자는 쪽으로 의견이 같아진 것이 아니고 한국 정부가 주장하는 방향으로 미국정부가 의견을 조정했습니다. 남북관계도 실질협력을 확대하면서 신뢰를 쌓아가고 있습니다. 지난해 남북교역이 13억 달러를 넘어섰습니다. 개성공단을 방문해 보시면 남북교류협력이 어디까지 진전되고 있는지 생생하게 느끼실 수 있을 것입니다. 이렇게 가면 한반도의 평화와 안정은 물론 한국경제에 또다른 새로운 기회가 열릴 것입니다.

한미관계는 일방적인 의존관계에서 상호존중의 협력관계로 나날이 다르게 발전해가고 있습니다. 용산기지를 이전하면 그곳에는 역사공원, 세계평화공원이 들어설 것입니다. 세계에 자랑할 만한 아주 아름다운 공원으로 꾸며질 것입니다. 전시작전권 전환 같은 해묵은 과제들도 잘 풀어왔습니다. 전시작전권 전환에 대해서 걱정하시는 분들이 국내에는 많이 있었습니다만 걱정하지 마십시오. 조금도 안정이 흔들리는 일이 없이 안보역량에는 조금도 영향이 없이 잘 되어갈 것입니다. 균형외교를 통해 유엔 사무총장을 배출했습니다. 한국의 국제적 위상이 많이 높아졌다고 생각합니다. 이처럼 대한민국은 지금 모든 분야에서 좋은 방향으로 한발 한발 나아가고 있습니다. 앞으로도 여러분에게 더 든든하고 자랑스러운 조국이 될 수 있도록 국내에 있는 우리 국민들도 최선을 다해나갈 것입니다.

한인회장 여러분,

700만 해외동포는 우리 대한민국의 소중한 자산입니다. 인구대비로 세계 세 번째 규모, 전체 총규모로는 다섯 번째라고 들었습니다. 우리 동포사회를 세계적인 네트워크로 연결해서 유대를 증진해 나간다면 동포 여러분의 성공은 물론 대한민국 발전에도 큰 힘이 될 것입니다.

정부는 우리 동포의 권익을 보호하고, 모국과 동포사회 간, 그리고 동포사회 상호간에 긴밀한 연대가 이뤄질 수 있도록 정책적 노력을 계속해 나갈 것입니다. 특히 한민족으로서 정체성을 잃지 않도록 민족교육을 적극 지원하고, 방문취업제 등을 통해 경제발전의 혜택을 동포들과 함께 나누는 일에도 힘써나갈 것입니다. 동포 여러분이 고국을 왕래할 때 불편함이 없도록 법과 제도도 지속적으로 개선해 나가겠습니다. 여러분의 성공이 곧 대한민국의 성공입니다. 하시는 일마다 더욱 번창하시고, 고국에 반가운 소식 많이 보내주시기 바랍니다. 이번 대회를 거듭 축하드리며, 여러분 모두 즐겁고 보람된 고국방문이 되시길 바랍니다.

감사합니다.

제4회 병역이행명문가 시상식 축하 메시지

2007년 6월 20일

네 번째 맞는 병역이행명문가 시상식을 뜻깊게 생각합니다. 수상하신 가족 여러분께 축하와 감사의 말씀을 전합니다. 여러분께서 보여주신 모범이 우리 국방의 튼튼한 초석이 되고 있습니다. 국가 안보의 최전선에서 국민의 생명과 안전을 지키는 일만큼 값지고 자랑스러운 일은 없습니다. 또한 군 생활을 통해 쌓은 경험은 인생을 살아가는 소중한 자산이 됩니다. 저도 군에서 어려움을 극복하는 강한 정신력을 길렀고, 공동체 속에서 더불어 사는 법을 배웠습니다.

정부는 군 사기와 복지증진에 최선을 다하고 있습니다. 군 의료서비스의 수준을 획기적으로 높이고 있고, 매년 6천억 원을 투자해 내무반을 현대적 병영생활관으로 바꿔가고 있습니다. 또한 청년 인적자원을 효율적으로 활용하기 위해 군복무기간 단축, 유급지원병제 도입, 사회복무

제 확대와 같은 병역제도 개선을 추진하고 있습니다. 이를 통해 젊은이들이 보람을 찾을 수 있는 군대, 부모님들이 안심하고 보낼 수 있는 군대를 만들어 나갈 것입니다.

다시 한 번 수상을 축하드리며, 여러분 가정에 건강과 행운이 함께 하시길 기원합니다.

건설 60년 건설의 날 기념식 축사

2007년 6월 20일

존경하는 국민 여러분, 권홍사 회장님을 비롯한 건설인 여러분,

건설 60년을 진심으로 축하드립니다. 오늘 수상의 영광을 안으신 분들께도 거듭 축하 말씀 드립니다. 여러 산업 분야 모임에서 훈장을 드렸는데 그 어느 때보다 오늘 건설인에 대한 훈장, 포장이 제일 많은 것 같습니다. 아마 우리 건설부장관께서 힘 꽤나 쓰시는 모양 같습니다. 아니면 건설인 여러분이 국가에 기여한 것이 아마 정부 전체로부터 크게 평가를 받은 결과라고 생각합니다. 거듭 축하드립니다.

건설산업은 그동안 우리 경제의 든든한 버팀목 노릇을 해 왔습니다. 특히 70년대 중동에서 흘렸던 땀방울은 오일쇼크를 이겨내고 우리 경제가 한 단계 더 도약할 수 있는 밑거름이 되었습니다. 지금도 건설산업은 GDP의 15.4%, 전체 고용의 7.9%를 차지하는 국가 중추산업입니

다. 해외건설수주액도 빠르게 증가해서 지난해 165억 달러를 넘어섰고, 조금 전 권홍사 회장님 인사 말씀에서 올해 200억 달러로 간다고 밝히셨습니다. 외국에 나가보면 우리 건설인의 활약상을 직접 확인할 수 있습니다. 세계 곳곳에서 우리 경제의 발전은 물론, 한국의 위상을 높이는 데 크게 기여하고 있습니다. '버즈 두바이'에서, '라스라판 산업도시'에서 땀 흘려 일하는 여러분의 모습을 보면서 정말 가슴 뿌듯하고 자랑스러움을 느낍니다. 온 국민과 함께 다시 한 번 감사의 말씀을 드립니다.

건설인 여러분,

참여정부 들어서 건설경기가 침체되었다는 얘기를 많이 듣습니다. 실제로 또 지표도 일부 그렇게 나타나고 있습니다. 부동산 때문에 그렇게 되었다고 하는 사람들도 있습니다. 그러나 저는 주택경기에 의존한 일시적인 단기 부양책은 집값의 급등을 가져와서 원가부담과 경쟁력 약화로 이어지고, 거품이 꺼질 경우에 심각한 경제위기까지 이를 수 있기 때문에 결코 거기에 기댈 일은 아니라고 생각합니다. 지난날 무리한 건설경기 부양책으로 뒤끝이 좋지 않았던 여러 사례들이 그것을 말해 주고 있다고 생각합니다. 이제 건설경기 활성화는 부동산 안정과 함께 가야 합니다. 그래야만 건설산업이 보다 길게 안정적으로 성장해 갈 수 있습니다.

조금만 멀리 보면 참여정부만큼 건설물량을 많이 준비한 정부도 없을 것입니다. 행정중심복합도시, 혁신도시, 기업도시 같은 국가균형발전 사업이 준비를 마무리하고 올해 첫 삽을 뜨게 됩니다. 용산기지 이전, 비축용 임대주택 사업도 차질 없이 추진되고 있습니다. 앞으로 장기적인 전망을 가진 주택 정책을 통해서 투기 수요가 아닌 실수요자의 주택 수요가 늘어나게 함으로써 주택 경기도 건강하게 활성화시켜 나가는 방향으로 정책을 잡아 나가고 있습니다.

앞으로 2012년까지 균형발전 영역에서 기반시설에만 약 56조원의 투자가 이루어집니다. 이로 인해 유발되는 투자까지 합하면 101조원을 넘을 것입니다. 건설경기와 지방경제 활성화는 물론, 우리 경제의 성장에도 큰 도움이 될 것으로 생각합니다. 그때 가서 인건비나 자재 파동이 일어나는 일이 없도록 미리 차근차근 대책을 마련해 가고 있습니다. 물량뿐만이 아닙니다. 새롭게 건설되는 도시들은 건축, 환경, 문화, 정보통신, 교통 등 여러 면에서 세계 최고의 기술을 모아서 도시 건설의 모범을 보여주게 될 것입니다. 세계의 많은 사람들이 이곳에 와서 건설 기술을 확인하고, 한국 건설 기업의 우수성을 배우고 갈 수 있는 그런 모범적인 도시를 만들어 나갈 것입니다.

참석자 여러분,

이제 건축도 자연과 문화, 역사와 조화를 이루고 예술적 아름다움을 갖춰 삶의 질을 높이는 데 기여할 수 있어야 한다고 생각합니다. 콘크리트 건물이 밀집된 획일화된 도시가 아니라 쾌적하고 품격 있는 도시가 경쟁력이 높은 도시라고 생각합니다. 참여정부는 건설기술과 건축문화를 선진화하기 위해 많은 노력을 기울이고 있습니다. 대통령 직속으로 건축문화, 건설기술 선진화위원회를 만들고 로드맵을 만들어 하나하나 실천해 가고 있습니다. 건설교통 분야의 R&D예산이 2002년에 비해 7배 이상 늘었습니다. 해외진출기업을 위한 정보제공과 컨설팅 서비스 등을 대폭 강화했습니다. 특별건축구역의 도입, 공공발주제도의 개선 등 법과 제도도 창의력과 기술경쟁력을 높이는 방향으로 바꿔나가고 있습니다. 건축행정에 민간전문가의 참여를 확대하고 있고, 건설기술, 건축문화 선진화연대를 구성해서 혁신과제들을 현장으로 확장시켜 나가고 있습니다. 아직 독립된 연구소는 아니지만 이 분야를 연구 개발해나갈 정부 연구소도 새롭게 만들어 가고 있습니다. 이렇게 해 나가면 도시에 대한 우리 국민의 눈높이가 달라질 것이고 우리의 건축과 도시건설의 수준이 획기적으로 높아질 것입니다. 새로 만드는 도시는 물론이고, 기존의 도시들도 새롭게 변모하는 계기가 될 것입니다.

건설인 여러분,

지금은 혁신으로 경쟁하는 시대입니다. 기술과 경영혁신으로 부가가치를 높이고, 해외시장에서도 시공 수준을 넘어 사업을 기획하고 투자하는 단계로 나아가야 할 것입니다. 이미 많은 기업들이 그러한 방향으로 나아가고 있고, 또 성공을 거두고 있습니다. 불가능을 가능으로 바꿔온 여러분의 역량이라면 반드시 더 큰 성공의 역사를 이뤄갈 것으로 믿습니다. 다시 한 번 건설의 날을 축하드리며, 여러분 모두의 건승을 기원합니다.

감사합니다.

제4회 제주평화포럼 개막식 연설

2007년 6월 22일

존경하는 피델 라모스 전 필리핀 대통령, 카이후 토시키 전 일본 총리, 에브게니 프리마코프 전 러시아 총리, 그리고 김태환 제주지사를 비롯한 내외귀빈 여러분,

제4회 제주평화포럼을 축하드립니다. 멀리 해외에서 오신 참석자 여러분을 진심으로 환영합니다. 이곳 제주는 아름답고 평화로운 섬입니다. 항상 오고 싶고 한번 오면 오래 머무르고 싶은 곳입니다. 한국에서 가장 높은 자치권을 누리고 있는 도이기도 합니다.

그러나 59년 전, 제주는 냉전과 분단이라는 역사의 수레바퀴 아래서 수만 명이 희생당하는 엄청난 비극을 겪었습니다. 정부 차원의 진실 규명작업은 반세기가 지난 뒤에야 이루어졌고, 2003년 저는 국가를 대표해서 불법한 권력행사에 대해 공식적으로 사과했습니다. 그때 제주도

민 여러분은 용서와 화해로 대답해 주셨습니다. 우리는 이 불행했던 역사의 경험을 화해와 평화의 정신으로 승화시켜 나가기 위하여, 2005년 제주도를 세계 평화의 섬으로 지정하고, 앞으로 한반도와 동북아의 평화를 선도하는 지역으로 만들어 나가고자 합니다. 이번 포럼을 계기로 제주도가 다시 한번 세계 평화의 섬으로 그 위상을 확고히 하고, 제주의 평화정신이 세계로 확산되기를 기대합니다.

참석자 여러분,

이번 회의의 주제는 '동북아시아의 평화와 번영'입니다. 이것은 참여정부의 국정목표이고 외교안보정책의 기조이기도 합니다. 제가 대통령에 취임하기 직전, 제2차 북핵사태가 터지면서 동북아시아의 안보환경은 한치 앞을 내다볼 수 없는 긴박한 상황으로 빠져들고 있었습니다. 미국의 중유공급 중단에, 북한이 봉인해제와 IAEA 사찰단 추방으로 맞서면서 무력제재의 가능성까지 거론되었습니다. 그리고 이러한 목소리는 작년 7월 북한의 미사일 발사와 10월의 핵실험을 계기로 최고조에 달했습니다.

참여정부는 그동안 상황을 침소봉대하지 않으면서 일관된 원칙에 따라 남북관계를 안정적으로 관리해왔습니다. 평화주의 노선의 원칙을 확고히 세우고, 국내 정치적인 어려움을 감수하면서 인내로써 적대적 행위를 절제하고, 대화와 설득으로 신뢰를 구축하기 위해 노력해왔습니다. 이제 북핵문제는 평화적 해결의 길로 들어서고 있습니다. 최근 BDA 문제가 해결되면서 북한이 IAEA 대표단을 초청하는 등 2·13합의의 초기조치가 이행에 들어가고 있습니다. 6자회담도 조만간 다시 열릴 것이라고 합니다.

남북 간 교류협력도 크게 증진되었습니다. 연간 왕래인원이 10만 명을 넘어섰습니다. 올해 교역량은 17억 달러에 이를 것으로 전망되고 있습니다. 지금 개성공단에서는 1만5천여명의 북한 근로자가 우리 기업인들과 함께 일하고 있습니다. 앞으로 1단계 사업이 완료되면 7만명 규모로 늘어나게 될 것입니다. 북한의 군사요충지였던 그 자리가 한민족 경제협력의 중심으로 거듭나고 있는 것입니다. 지난달에는 분단 후 처음으로 경의선과 동해선 열차가 휴전선을 통과했습니다. 이 모두가 안팎의 대북 강경기조와 북한의 미사일 발사, 핵실험이라는 대결과 긴장의 와중에서 이루어졌습니다. 최대한의 관용과 인내로써 북한과 대화하고 신뢰를 쌓아온 결과라고 생각합니다. 참여정부는 앞으로도 이러한 대북 화해협력의 원칙을 흔들림 없이 지켜나갈 것입니다.

참석자 여러분,

참여정부의 평화정책은 멀리 보면서 가고 있습니다. 남북관계와 한미동맹이라는 현재의 좁은 틀이 아니라, 미, 일, 중, 러 간의 관계 변화를 포함한 미래의 동북아 질서를 내다보면서 현재와 미래의 안보를 조화롭게 운영하기 위해 노력하고 있습니다. 동북아에는 지금도 제국주의와 냉전에서 비롯된 역사적, 이념적 앙금이 말끔히 해소되지 않은 채 남아있습니다. 잠재적 대결에 대한 미, 일, 중, 러 간의 불신과 불안이 이대로 지속될 경우, 상호간의 군비경쟁이 지속되고 더욱 더 가속화될 경우 어떤 일이 벌어질 지에 대해서는 걱정하지 않을 수 없습니다.

동북아의 대결구도를 근본적으로 해소해야 합니다. 동북아가 아무리 경제적으로 발전하더라도 평화의 공동체를 구축하지 못하면 문명의 중심이 될 수 없습니다. 자국만의 이익의 울타리를 벗어나 상호존중과 협력에 의한 공존의 질서를 만들어야 합니다. 이것이 바로 우리가 추진해온 '평화와 번영의 동북아시대' 구상의 핵심입니다. 우리 정부는 이러한 구상 속에서 북핵문제를 한반도와 동북아 평화 전반에 걸친 문제로 다루어 왔습니다. 단순히 핵을 폐기하는 차원을 넘어 동북아의 평화와 안보문제를 보다 본질적으로 해결해가는 계기로 삼자는 것입니다. 저는 6자회담이, 북핵문제 해결 이후에도 북핵문제를 푼 경험과 역량을 바탕으로 동북아시아의 평화안보협력을 위한 다자간 협의체로 계속 발전해가야한다고 생각합니다. 이 협의체는 군비 경쟁 우려가 높은 동북아에서 군비를 통제하고 분쟁을 중재하는 항구적인 다자안보협력체로서 기능하게 될 것입니다. 우리는 이러한 희망을 이미 9·19공동성명에 담아 놓았습니다.

동북아협력체제는 안보분야에만 머물러서는 성공할 수 없습니다. 물류, 에너지 협력은 물론, 역내 자유무역, 통화금융협력으로까지 이어져 궁극적으로 동북아 경제공동체로 발전해가야 합니다. 동북아의 미래를 위해 또 하나 해결해야 할 과제는 한, 중, 일 간의 역사문제입니다. 무엇보다 역사문제를 대하는 일본의 인식과 자세가 달라져야 합니다. 과거에 대해 진심으로 반성하고, 여러 차례의 사과를 뒷받침하는 실천으로 다시는 과거와 같은 일을 반복할 의사가 없다는 것을 분명하게 보여주어야 할 것입니다. 물론 역사문제는 많은 시간이 필요한 만큼, 경제공동체를 발전시켜나가면서 병행하여 해결해 내는 방도가 가능할 것입니다.

참석자 여러분,

EU의 발전과정은 동북아시아가 나아가야 할 미래에 많은 시사를 제공해주고 있습니다. 세계대전을 겪은 유럽이 헬싱키 프로세스를 통해 유럽안보협력기구를 만들고, 석탄철강공동체를 발전시켜 유럽연합을 만든 것은 우리 동북아시아에도 좋은 모범이 될 것입니다. 또한 독일의 과거사 청산과 철저한 반성, 그리고 역사교과서 공동 발간 등은 동북아 국가들이 어떻게 역사문제를 풀어야 하는가에 대한 해답이 될 수 있을 것입니다. 동북아에 EU와 같은 지역통합체가 실현되면 그야말로 새로운 역사가 열리고 세계의 평화와 번영에도 크게 이바지하게 될 것입니다.

그 첫 걸음은 한반도에 평화구조를 진전시켜 나가는 것입니다.

무엇보다 한반도 비핵화를 조속히 달성해야 합니다. 반세기를 넘겨온 정전체제도 평화체제로 전환해야 할 것입니다. 또 북·미간, 북·일간 국교정상화를 촉진시켜 나가야 합니다. 지구상의 마지막 냉전지대인 한반도의 평화정착은 동북아 지역경제협력과 지역안보협력 구축의 토대가 될 것입니다. 저는 동북아에 새로운 미래가 열릴 것이라고 확신합니다. 6자회담이 이룩한 '9·19공동성명'과 '2·13합의'를 반드시 이행해서 평화의 희망을 키워가야 하겠습니다. 제주평화포럼에서 한반도와 동북아의 평화프로세스를 구체화할 수 있는 방안들이 많이 나오기를 기대하며, 이번 포럼을 준비한 제주도와 국제평화재단, 동아시아재단 관계자 여러분께 다시 한번 감사의 말씀을 드립니다.

감사합니다.

第57주년 6·25 참전용사 위로연 연설

2007년 6월 25일

우리 군의 원로와 국군 참전용사 여러분, 우방국에서 오신 참전용사와 가족 여러분, 반갑습니다. 해외에 나가면 6·25 참전용사 여러분이 저를 가장 반갑게 맞아주십니다. 그때마다 마음으로부터 진한 감동을 느낍니다.

지난날 한국전쟁은 우리 국가와 국민들에게 엄청난 불행을 안겨 주었습니다만, 참전용사 여러분을 뵙게 되면 불행한 가운데서도 세계 21개 나라에 우리와 피를 나눈 우정의 친구들을 만든 기회가 되었다는 생각을 하게 됩니다. 참전용사 여러분은 한국의 든든한 친구이자 든든한 자산입니다. 이 자리에 빌려 다시 한 번 고맙다는 말씀을 드리고 싶습니다.

6·25 전쟁은 우리에게 씻을 수 없는 상흔을 남겼습니다. 총성은 멎었지만 오늘까지도 분단과 반목, 이산가족의 고통은 계속되고 있습니다. 다

시는 6·25와 같은 비극이 이 땅에서 생기지 않도록 해야 할 것입니다.

조금 전에 재향군인회장께서 든든한 대비와 안보를 여러 번 강조하셨습니다. 그 점에 대해서 저와 우리 군은 잘 알고 있습니다. 그리고 지금 우리는 어떤 상황에서도 한 치의 오차 없이 나라를 지켜낼 수 있는 든든한 국방태세를 갖추고 있다는 점을 여러분께 다시 한 번 말씀드리고 싶습니다.

이와 같은 확고한 대비와 더불어 가장 확실한 안보전략은 전쟁을 사전에 예방하는 것입니다. 그렇게 하기 위해서는 화해와 협력을 통해서 공존하는 길을 찾아 나가야 합니다. 그 요체는 신뢰와 포용입니다. 끊임없이 상대를 경계하고 적대적 감정을 부추겨서는 신뢰를 쌓을 수가 없습니다. 화해와 협력의 대화도 이루어질 수 없습니다. 상대를 인정하고 포용하는 가운데 전쟁을 예방하는 현명한 안보가 또한 필요하다고 생각합니다. 화해, 협력, 포용, 이런 말이 말로 하기는 쉬운 일이지만 실천하기에는 쉬운 일이 아니라는 사실 또한 잘 알고 있습니다. 평화와 공존을 성공시키기 위해서는 가슴 속에 남아 있는 분노와 증오의 감정을 절제하고 이길 수 있어야 합니다. 역사에 있어서 지난날을 완전히 복구한다는 것은 불가능합니다. 지금까지 그런 역사는 한 번도 존재하지 않았습니다. 우리는 6·25가 남긴 뼈아픈 교훈과 참전용사들의 희생을 잊지 않으면서도, 우리의 미래를 위해 과거의 원한을 극복하고 적대감을 풀어나가기 위해 노력하고 있습니다. 앞서 말씀드린 대로 우리는 군사적인 대비를 확실하게 하고 있습니다. 지금 한국의 국방비 규모는 세계 열한 번째입니다. 지난 20년간 계획으로만 가지고 있던 국방개혁을 이제는 법으로 만들어 국방투자와 군 구조를 근본적으로 개혁해 나가고 있습니다. 그리고 그 어떤 상황도 감당할 수 있도록 철저히 대비하고 있습니다. 저는 평화와 안정을 굳건히 지키고 이를 후손들에게 물려주는 일이야말로 참전용사 여러분의 헌신에 보답하는 길이라고 생각합니다.

참전용사 여러분,

미사일과 북핵 실험의 와중에도 남북관계는 많은 진전을 이루어내고 있습니다. 인내하고 절제하면서 남북 간 신뢰를 확대해온 결과라고 생각합니다. 지난달 분단 이후 처음으로 남북 간 철길이 다시 열렸습니다. 핵심적인 군사요충지였던 개성공단이 남북한 경제협력의 중심으로 거듭나고 있습니다. 북핵문제 해결 과정에서 우리는 대화에 의한 해결 원칙을 일관되게 지켜왔습니다. 6자회담이 난관에 부딪힐 때마다 적극적인 대안 제시를 통해 주도적인 역할을 해왔습니다. 그리고 이제 평화적 해결의 길로 확실히 들어서고 있습니다.

9·19 공동성명에 이은 2·13 합의는 북핵문제 해결을 넘어 한반도 평화체제와 동북아시아의 다자간 안보체제 구축으로 나아가는 중요한 이정표가 될 것입니다. 한반도와 동북아 지역에 평화구조가 정착되면 육로를 통해 북한과 중국, 러시아로 나아가는 길이 열리고, 한국 경제에 새로운 지평도 열리게 될 것입니다. 한미동맹은 우리 안보와 군 발전에 큰 힘이 되어왔습니다. 그리고 앞으로도 그럴 것입니다. 그러나 언제까지 우리의 국방을 주로 미국에 의존할 수는 없는 것입니다. 우리의 안보는 우리 군을 중심으로 지켜나가야 할 것입니다.

참여정부는 이러한 원칙 아래 주한미군의 재배치와 일부 감축, 용산기지 이전과 전시작전권 전환 등을 단계적으로 풀어가고 있습니다. 과거 수십 년 동안 미루어왔던 일들이 양국 간의 긴밀한 협의를 통해 대부분 해결되고 있습니다. 앞으로 한미동맹은 더욱 강력하고 효율적인 동맹으로 발전해 나갈 것입니다.

존경하는 참전용사 여러분,

우리 국민은 여러분을 결코 잊지 않을 것입니다. 6·25전사자의 유해발굴사업을 계속하는 등 참전용사 여러분의 희생을 영원히 기억하고 기릴 것입니다. 그리고 세계의 평화와 번영을 위해 최선을 다해 나갈 것입니다. 다시 한 번 국내외 참전용사 여러분께 깊은 경의를 표합니다. 그리고 16개 참전국의 국민들에게도 우정의 인사를 전해드립니다.

여러분 모두 건강하시고, 한국에 머무시는 동안 행복한 시간 보내시기 바랍니다.

감사합니다.

민생·개혁법안의 조속한 처리와 관련하여 국회와 국민 여러분께 드리는 말씀

2007년 6월 27일

존경하는 국민 여러분, 국회의장과 의원 여러분,

저는 오늘 이상 더 미룰 수 없는 중요하고도 시급한 입법에 대해 국회의 조속한 처리를 요청하고자 이 자리에 섰습니다. 지난 7일, 저는 입법과제에 관해 말씀드리기 위해 국회연설을 요청했습니다만, 아직 국회의 답변을 받지 못했습니다. 의사 일정을 합의하지 못했다는 것입니다. 그래서 부득이하게 오늘 이 자리에서 국회연설에 갈음하여 말씀드리게 됐습니다. 국회의사당이 아니라 이 자리에서 말씀드리게 된 것을 매우 유감스럽게 생각합니다.

우리 헌법 81조는 '대통령은 국회에 출석하여 발언할 수 있다.'고 규정하고 있습니다. 대통령의 국회연설은 국회의 허가사항이 아니라 헌법이 정한 대통령의 고유 권한입니다. 당연히 국회가 의사 일정을 합의

해서 연설 일정을 잡아주어야 하는 것입니다. 국회가 헌법을 존중하지 않고 대통령의 권한행사를 가로막는 현실을 접하면서 저는 우리 민주주의의 장래에 대해 심각한 우려를 하지 않을 수 없습니다. 그리고 이러한 현실을 속수무책으로 받아들여야 하는 대통령의 처지가 참으로 한심하고 부끄러울 뿐입니다. 헌법이 무시되는 이 상황이 떳떳하고 자랑스러운 사람은 과연 누구일지 묻고 싶습니다.

국민 여러분, 그리고 국회의원 여러분,

지난 4월 11일, 한나라당을 비롯한 6개 정당과 교섭단체 원내대표들은 대통령에게 개헌안 발의의 유보를 요청하면서, 4월 25일까지 국민연금법, 로스쿨법 등이 상임위에서 타결되도록 최대한 노력하기로 국민 앞에 약속했습니다. 그리고 저는 개헌 발의를 유보했습니다. 4월 23일에 한나라당 원내대표와 국무총리가 만난 자리에서도 국민연금법 처리에 대한 합의가 있었습니다. 정부가 먼저 기초노령연금법을 공포하면, 이번 회기 중에 국민연금법 개정과 기초노령연금법의 수정을 완료하기로 했고, 정부는 이 약속을 믿고 기초노령연금법을 공포했습니다.

그러나 약속도 합의도 지켜지지 않았습니다. 그리고 지금 국회 상황을 보면 중요한 법안들의 처리를 기대하기는 매우 어려운 상황으로 보입니다. 국회도 열심히 하고는 있겠지만 입법과제가 너무 많이 밀려 있습니다. 현재 232건의 정부제출 법률안이 국회에 계류 중입니다. 공직부패수사처 설치법을 비롯한 6건의 법률은 2004년에 제출한 것인데, 3년이 지난 지금까지 처리되지 않고 있습니다. 2005년에 제출한 로스쿨법 등 43건의 법안도 2년 가까이 지체되고 있습니다. 지난해 제출한 정부조직법 등 101건의 법안 역시 해를 넘기고 있습니다. 상임위 심사를 끝내고 법사위에 계류 중인 법안만 해도 49건이나 됩니다.

이렇게 많은 법안이 밀려있는 것도 문제지만, 더 큰 문제는 국민연금법과 로스쿨법이 사학법의 볼모로 잡혀있다는 점입니다. 내용에 있어서는 큰 이견이 없는데도, 아무 관련이 없는 사학법에 발목이 잡혀 있는 것입니다. 설사 발목을 잡더라도 당의 노선이 달라서 정치적 쟁점이 있는 법안을 가지고 해야지, 반대도 없는 민생, 개혁법안의 발목을 잡는 것은 국민의 이익보다 정략을 앞세우는 당리당략의 정치입니다.

이미 통과된 법도 노인장기요양보험법, 학교급식법, 국가재정법은 1년 넘게, 그리고 비정규직 3법 등은 2년이 넘게 국회에서 지체되었습니다. 이렇게 정부가 추진하는 법안마다 발목이 잡혀 뒤늦게 통과되니 국정수행이 제대로 되기가 어렵습니다. 세계는 속도 경쟁의 시대입니다. 이렇게 해서야 우리나라가 어떻게 앞서갈 수가 있겠습니까, 법안처리 지연으로 인한 피해는 고스란히 국민에게 돌아가고, 시간이 지날수록 피해 규모는 계속 늘어나게 됩니다. 국민연금만 해도 잠재 부채가 하루 800억원씩 쌓여 연간 30조원에 이르게 됩니다. 국민연금 외에도 법안 처리가 지연되면서 입게 되는 직, 간접적 손실을 모두 합하면 그야말로 천문학적인 금액에 이르게 됩니다.

한나라당은 평소 국회 안에서나 밖에서나 거의 매일 민생을 얘기했습니다. 첫째도 민생, 둘째도 민생이라면서 민생투어도 하고, 대통령이 무슨 말만 하면 민생이나 돌보라고 다그쳤습니다. 그리고 민생을 정략의 수단으로 삼아서는 안 된다고 거듭 말해 왔습니다. 그래 놓고 이처럼 중요한 민생법안 처리를 미루고 있는 것은 참으로 모순된 행동입니다. 아무리 정치가 정략적 동기를 완전히 배제할 수 없다 할지라도 이 정도에 이르면 도를 넘은 것입니다. 정치의 신뢰를 떨어뜨리는 무책임한 일입니다. 정쟁을 하더라도 할 일은 하면서 해야 합니다. 모든 정책은 입법을 통해서 제도화됩니다. 국회가 법을 통과시켜 주지 않으면 정부는 아무 일도 할 수 없습니다.

각 당이 당내 경선과 통합 논의로 바쁘겠지만, 지금이라도 마음만 먹으면 시급한 법안은 처리할 수 있을 것입니다. 정당활동은 국회활동을 하면서도 얼마든지 함께 할 수 있습니다. 국회가 책임있게 법안 처리에 임해 주시기를 바라며, 당장 이번 임시국회가 끝나기 전에 처리되어야 할 주요 법안에 대해 좀 더 성의를 가져주시기를 부탁드립니다. 그런 점에서 법안 하나 하나에 대해서 구체적으로 말씀드리겠습니다.

첫째, 국민연금법입니다. 이 법안은 국민연금을 적정부담, 적정급여 체계로 개편하여 재정을 안정화하고, 기초노령연금을 통해 고령층의 빈곤을 완화하려는 것입니다. 1988년 도입 당시부터 저부담, 고급여의 구조적 문제점을 안고 시작한 국민연금은 1998년에 1차 개정을 했습니다만, 불균형 문제를 해소할 수 있는 수준까지는 이르지 못했습니다. 그래서 국회는 1998년 법 개정으로 재정재계산제도를 도입하였습니다. 정부는 이 제도에 따라 2003년 16대 국회에 개정안을 제출했으나 논의조차 되지 못하고 폐기되었습니다. 그리고 17대 국회에 다시 제출한 개정안이 지난 4월에 부결되고, 또 다시 제출된 법안이 현재 상임위에 계류 중입니다.

국민연금법 개정안 처리가 지연되면서 가입자들에게 당장 혜택이 돌아가는 제도개선까지 발목이 잡혀 있습니다. 노령연금을 받고 있으면 유족연금을 받지 못한다든지, 구직급여를 받고 있는 동안에는 국민연금을 받지 못하는 등의 불합리한 급여제도가 개선되면 약 25만명이 매년 550억원 이상의 연금을 더 받을 수 있습니다. 사학법에 연계하여 발목을 잡는다 하더라도 다른 법을 가지고 잡아야지, 이미 공론화되어 있고, 우리 자녀세대들에게 엄청난 부담으로 남을 이 법을 가지고 발목을 잡아서는 안될 것입니다.

둘째, 사회보험료 통합징수법도 꼭 필요한 법입니다. 그리고 매우 시급한 법입니다. 사회보험료 징수공단을 설립하여 업무를 통합하면 인력 절감은 물론이고, 매년 징수비용만 100～200억원을 줄일 수 있습니다. 그리고 여기에서 절감된 5천명의 인력은 내년 7월 노인장기요양보험법 시행에 활용할 수 있습니다. 입법이 지체되면 노인장기요양보험제도를 시행하기 위해 필요한 인력을 신규로 충원해야 합니다. 결국 불필요한 비용을 지출하게 되고, 나중에 다시 구조조정을 해야 하는 비능률과 혼란이 발생하게 되는 것입니다. 효율적인 국가운영을 생각한다면 이익집단의 눈치를 보면서 지체할 일이 아닙니다. 2009년 1월 출범 예정인 징수공단의 통합전산시스템 구축에 1년 6개월 이상이 소요된다는 점을 고려하면, 올해 상반기 내에 반드시 입법이 이루어져야 합니다.

셋째로는, 올 2월에 제출한 임대주택법입니다. 1·31대책의 후속 입법으로 추진되는 비축용 임대주택사업은 서민의 주거복지를 향상시키는 데 필수적이고, 부동산 시장의 불안정에 대비할 수 있는 수단입니다.

입법이 지연되면 올해 계획된 사업에서만 300억원의 추가적인 금리부담이 발생하고, 이것은 결국 서민의 부담으로 돌아가게 될 것입니다. 이제 막 안정되고 있는 부동산시장에도 불안을 조장할 우려가 있습니다.

넷째, 정부조직법입니다. 이 법안도 부처 간의 복잡한 이해관계를 조정하면서 오랜 기간 준비해서 작년 10월에 제출했지만, 지금 8개월 넘게 계류되어 있습니다. 여기에는 8개 부처, 26개 법률로 흩어져 있는 식품안전 행정체계를 전면 통합하여 '식품안전처'를 신설하는 내용이 포함되어 있습니다. 한여름이 다가오는데 하루속히 법안 처리가 이루어져 식품안전 관리에 차질이 없어야 되겠습니다. 지금까지 말씀드린 주요한 민생법안 외에도 계속 지체되고 있는 개혁관련 법안들이 있습니다. 대표적인 것이 사학법에 발목이 잡혀 있는 로스쿨법입니다.

로스쿨법은 법률시장 개방에 대비하여 경쟁력 있는 법조인을 양성하기 위해서 반드시 필요한 법입니다. 현재 로스쿨 도입 여부가 확정되지 않아서 전국의 법대생들이 혼란을 겪고 있습니다. 그리고 이로 인한 불안은 법학 전공을 염두에 둔 고등학생에게까지 확산되고 있습니다. 로스쿨 유치를 위한 대학의 시설투자액이 2,020억원에 이르고, 신규로 채용한 372명의 교수 인건비도 연간 240억원씩 지출되고 있습니다. 하루속히 입법이 이루어져야 합니다. 이 또한 4월과 5월, 주요 정당 간에 여러 차례 합의한 사항입니다. 그리고 이 법은 문민정부 시절에 한나라당 스스로 추진하던 법입니다. 참여정부에서는 대법원과 각계의 대표들이 참여해서 3년 이상 노력한 끝에 간신히 합의에 도달한 법입니다. 또 다시 무산시킨다는 것은 국가적으로 너무 큰 손실이 될 것입니다.

다음으로, 방송통신위원회 설립에 관한 법입니다.

이미 미국, 영국, 호주 등 선진 각국은 방송통신 통합기구를 구성하고 관련 규제를 정비하는 등 미래 국가전략 차원에서 방송과 통신의 융합에 발 빠르게 대응하고 있습니다. 우리나라는 세계일류의 디지털 인프라를 갖추고 있음에도 불구하고, 방송통신 융합에 대한 대응은 많이 늦은 것이 사실입니다. 정부와 국회 간의 견해가 달라 늦어진 점은 인정하지만, 우리 방송통신산업이 경쟁에 뒤처지지 않고 세계시장을 선점해 나갈 수 있도록 조속히 처리해 주시기 바랍니다.

정치자금에 관한 법도 개정이 꼭 필요한 법입니다. 원천적으로 부정을 할 수밖에 없는 구조에서는 깨끗한 정치를 할래야 할 수가 없습니다.

현행법상 대선 출마를 희망하는 정치인들은 당내 경선시기를 제외하고는 합법적으로 정치자금을 조달할 수 있는 방법이 없습니다. 불법 정치자금으로부터 자유로운 대통령을 만들기 위해서는 대통령 후보의 후원회가 허용되어야 합니다. 이와 함께 정당후원회도 허용하는 등 정치자금제도를 합리적으로 개선해 나가야 합니다. 여론의 눈치만 볼 것이 아니라 제대로 된 정치를 하기 위해 국민에게 솔직하게 호소하고 제도를 고쳐나가야 할 것입니다. 이밖에 공직부패수사처 설치법과 자치경찰법, 그리고 고등교육 평가법도 조속한 제정이 필요합니다.

의원 여러분께 간곡히 당부드립니다. 며칠 남지 않은 6월 임시국회만이라도 입법안 처리에 최선을 다해 주시길 바랍니다. 지금의 상황으로 보아서는 아무리 국회가 열심히 하더라도 산적한 법안을 처리하는 데는 역부족일 것 같습니다. 2개월에 한 번씩 국회를 여는 관례에 얽매일 것이 아니라 7월 임시국회를 소집해서라도 밀린 법안은 조속히 처리해 주시기 바랍니다. 거듭 말씀 드리거니와 정부가 제출한 법안이 232건이나 밀려 있다는 사실에 각별히 유의해 주시기 바랍니다.

이 시기를 놓쳐서는 안 되는 특별한 이유가 있습니다. 얼마 있지 않으면 국회가 대통령선거에 몰입하게 되고, 이어서 총선이 있기 때문에 이번에 처리되지 못하면 현재 계류 중인 법안 모두가 결국 임기 만료로 폐기되고 말 것입니다. 그리고 그렇게 폐기된 법안을 18대 국회에 다시 제출해서 처리하려면 1년 이상을 다시 기다려야 합니다. 법안 하나를 만들기 위해 얼마나 많은 시간과 정성을 기울여야 하는지는 의원 여러분께서 더 잘 아실 것입니다. 수십 번의 회의와 공청회를 거치면서 짧게는 1~2년, 심지어는 3년씩 걸려 마련한 법안이 그냥 폐기되어 버린다면 이보다 더한 국력의 낭비도 없을 것입니다. 거듭 국회의 조속한 법안 처리를 부탁드립니다. 우리 정부도 끝까지 최선을 다하겠습니다.

감사합니다.

세계 시민기자포럼 축하 메시지

2007년 6월 28일

축하드립니다. 각국에서 오신 시민참여언론과 시민기자 여러분을 진심으로 환영합니다.

온라인 시민참여저널리즘은 정치와 언론의 새로운 지평을 열어가고 있습니다. 여러분은 정보의 흐름을 더욱 투명하게, 그리고 소비자 중심으로 바꿔가고 있습니다. 창의적이고 자발적인 참여로 다양한 의제를 부각시키고, 네티즌의 열띤 토론 속에 균형 있는 공론의 장을 만들어가고 있습니다. 언론 발전을 이끌고 있는 여러분께 감사의 인사를 드립니다. 참여정부도 권언유착의 고리를 끊어내고, 언론과 건강한 긴장관계를 유지해 왔습니다. 특히 국정브리핑과 청와대브리핑은 정책현안을 제대로 알리고, 국민과 정부가 더 가깝게 소통하는 핵심적인 국정 인프라로 자리잡아가고 있습니다.

사회가 발전하려면 언론이 달라져야 합니다. 언론의 수준을 높이는 가장 강력한 힘은 깨어있는 시민의 참여입니다. 더 많은 시민들이 기사의 생산과 유통에 참여하고, 책임 있는 비판으로 언론의 정치권력화를 견제해 나갈 때 언론의 수준과 기사의 품질은 더 높아지게 될 것입니다. 나아가, 시민참여언론 간의 활발한 연대는 전 세계의 민주주의를 발전시키는 데 큰 힘이 될 것입니다. 저도 임기를 마치면 시민주권사회를 실현하기 위한 운동에 적극 참여할 생각입니다.

다시 한번 이번 포럼을 축하드리며, 여러분 모두의 건승을 기원합니다.

7월

2014 동계올림픽 유치를 위한 IOC총회 연설

2007년 7월 4일

존경하는 자크 로게 위원장님, 그리고 위원 여러분,

올림픽운동을 통해 세계평화와 인류화합에 기여하고 계신 여러분께 존경과 감사의 인사를 드립니다. 평창 올림픽은 우리 국민 모두의 간절한 소망입니다. 우리 국민은 올림픽 정신을 각별히 존중합니다. 1948년, 우리는 아직 정부를 수립하지도 못한 혼란 속에서도 생모리츠 동계올림픽에 참가했습니다. 한국전쟁의 와중에서도 국민이 성금을 모아 올림픽에 선수단을 보냈습니다.

저는 우리 국민과 정부가 여러분에게 약속한 완벽한 올림픽을 위한 모든 보증을 완전하게 이행하겠다는 확고한 뜻을 전하기 위해 이곳에 왔습니다. 우리는 88서울올림픽을 동서화합의 축제로 만들었습니다. 2002년 월드컵대회를 성공적인 세계의 축제로 만들었습니다.

우리는 이러한 경험을 바탕으로 2014년 동계올림픽을 역사상 가장 성공적인 대회의 하나로 만들 것입니다. 전 세계인의 축제로 만들 자신이 있습니다. 분단국가에서 열리는 동계올림픽은 평화와 화합이라는 올림픽의 이상을 실현하는 역사적인 축제가 될 것입니다.

존경하는 IOC위원 여러분,

저는 2014년, 평창의 자원봉사자로서 여러분과 다시 만나게 되기를 간절한 마음으로 청합니다.

감사합니다.

건강보험 30주년 기념식 축하 메시지

2007년 7월 4일

여러분, 안녕하십니까,

건강보험 30주년을 진심으로 축하드립니다. 국민 건강을 위해 노력해 오신 모든 분들께 감사의 말씀을 드립니다. 건강보험은 우리 국민의 든든하고 고마운 친구입니다. 아플 때는 물론이고, 건강검진과 관리에 이르기까지 손길이 미치지 않는 곳이 없습니다. 평균수명으로 대표되는 국민의 건강수준이 선진국에 다다른 데에도 건강보험의 역할이 컸습니다. 국민이 건강해야 나라의 경쟁력이 높아집니다. 건강투자는 이제 미래를 위한 성장전략입니다.

참여정부는 건강에 대한 투자를 지속적으로 확대해 왔습니다. 특히 서민의 의료비 부담을 크게 줄였습니다. 여섯 살 미만 어린이의 입원비를 면제하고, 암환자에 대한 진료비 지원을 2004년 49%에서 올해에는

70%이상으로 늘렸습니다. 치매, 중풍 노인을 위한 보험제도도 내년부터 본격적으로 시행됩니다. 앞으로도 생애주기에 맞는 건강관리전략을 추진해서 모든 국민이 평생 건강을 누리는 시대를 열어가겠습니다. 우리 건강보험도 더 효율적이고 질 높은 서비스를 제공하기 위해 최선을 다해주기 바랍니다. 다시 한 번 건강보험 30주년을 축하드리며, 더 큰 발전을 기원합니다.

감사합니다.

제헌절에 즈음하여 국민 여러분께 드리는 글

2007년 7월 17일

존경하는 국민 여러분,

오늘은 대한민국 헌법이 제정된 지 쉰아홉 돌이 되는 날입니다. 이 뜻 깊은 날을 맞아 저는 그동안 국정을 운영하면서 느낀 우리 헌정제도에 대한 생각을 국민 여러분께 말씀드리고자 합니다. 헌정수립 59년, 그동안 대한민국은 눈부신 발전을 이루었습니다. 경제발전과 민주주의를 동시에, 그리고 압축적으로 달성했습니다. 식민지에서 해방된 나라로서는 세계적으로 유례를 찾기 어려운 큰 성공을 거두고 있습니다.

모두가 국민 여러분의 열정과 역량이 이루어낸 결과라고 생각하며, 감사와 존경을 표합니다. 우리 현대사의 성공은 헌법 정신과 가치를 지키기 위한 국민들의 끈질긴 민주주의 투쟁이 있었기에 가능했습니다. 지난 수십 년 동안 독재자들은 수없이 헌법을 유린했습니다. 4·19혁명 직후와 87년의 개헌을 제외하고는 모두 독재를 연장하거나 강화하기 위한 개헌이었습니다. 집권 연장을 위해 헌법조항을 이리저리 뜯어고치다가 유신독재에 이르러서는 아예 국민들의 대통령 선출권한을 박탈하고 국회의원 3분의1을 대통령이 지명하는 등 국민주권의 헌법정신을 본질적으로 훼손하는 참담한 헌법을 만들기도 했습니다.

그러나 독재자들의 헌법유린에도 불구하고 민주헌법의 기본원리는 국민의 의식 속에 뿌리내려 끈질긴 민주주의 투쟁의 불씨가 되었습니다. 국민주권의 헌법정신은 우리 현대사의 고비마다 분출돼, 4·19혁명, 부마민주항쟁, 광주민주화운동, 87년 6월항쟁을 만들어 냈으며 마침내 우리는 국민을 위한 헌법을 되찾게 되었습니다. 87년 개헌을 통해, 훼손되었던 헌법이 다시 제 모습을 갖췄고, 헌법 속에 숨어있던 독재와 권위주의의 잔재는 대부분 청산되었습니다. 그렇게 만들어진 1987년 헌법은 지금까지 우리 민주주의 발전의 토대가 되고 울타리가 되어 제 역할을 해왔습니다. 그러나 우리 민주주의가 눈에 띄게 발전한 지금, 현행 헌법이 그 발전 속도를 감당하고 있는지 진지하게 생각해 볼 때가 되었습니다.

1987년 개헌 당시에는 독재적인 권력 행사와 독재의 재등장을 막기 위한 강력한 제도적 장치가 필요했습니다. 이런 제도들은 민주주의 선진국에는 있지 않은 제도였지만 독재의 상처가 아직 가시지 않은 우리에게는 필요한 것이었습니다. 그로 인해 자유로운 정치활동에 제약이 있더라도 우리 정치의 발전 수준을 반영한 것이었기 때문에 나름의 의미가 있었습니다. 그러나 그 제도가 이제는 민주주의 발전을 제약하고 정치의 비효율성을 조장하고 있는 것이 현실입니다. 우리 정치의 후진성에서 비롯된 후진적인 제도가 한때는 필요했더라도 이제는 민주주의 발전의 발목을 잡고 있다면 고쳐야 합니다. 책임정치를 제약하고, 국민의 정치활동을 제한하는 요소들을 바꿔나가야 합니다. 87년의 개헌이 독재를 청산하기 위한 것이었다면 이제는 민주주의 선진국, 선진 정치로 발전하기 위해 헌법적 제도를 손질할 때가 되었습니다.

손질이 필요한 대표적인 제도가 대통령 단임제입니다. 국가의 주요 정책이 성과를 내려면 시간이 걸립니다. 참여정부의 성과도 임기 4년이 지난 이제야 조금씩 나타나고 있습니다. 단임제로는 멀리 내다보는 국정운영이 어렵습니다. 아울러 단임제에서는 현직 대통령이 자신의 정책에 대해 책임지고 국민에게 평가 받을 수 있는 기회마저 없습니다. 책임 있는 국정, 멀리 보는 국정을 위해서 단임제는 고쳐야 합니다. 선거가 평가의 기능을 하기 위해서도 단임제는 고쳐야 합니다. 세계에서 민주주의 선진국치고 단임제를 하는 나라는 없습니다. 독재에서 막 벗어난 국가에서나 채택하고 있는 후진적인 제도입니다. 여소야대 국회를 불러오는 제도와 의식 또한 다시 생각해봐야 합니다. 여소야대가 되면 야당이 국회를 주도하게 되어 원활한 국정운영이 어려워집니다. 현대 사회는 변화의 속도가 경쟁력인 시대입니다. 국회 다수당과 정부가 사사건건 충돌하는 여소야대 국회로는 도저히 변화의 속도를 따라갈 수 없습니다. 여소야대의 가능성을 줄이기 위해서는 최소한 대통령과 국회의원의 임기를 일치시켜야 합니다.

여소야대 국회가 정부를 더 잘 견제할 수 있다는 주장이 있습니다. 그러나 이는 근대 민주정치 초기의 매우 원론적인 권력분립론으로 현대 민주정치 원리와는 맞지 않습니다. 과거와 달리 현대 정치는 의회와 정부가 정당을 통해 하나의 권력으로 통합되어 있습니다. 권력에 대한 견제는 국회와 정부의 대립과 갈등을 통해서가 아니라 정당 간의 경쟁과 선거를 통해 이루어지는 것이 바람직합니다.

지난 1월, 제가 4년 연임제와 임기일치 개헌을 제안한 취지는 국가의 미래를 위해, 차기 정부부터는 보다 효율적으로 국정 운영을 할 수 있도록 해 주자는 것이었습니다. 올해가 아니면 다시 20년을 기다려야 하는데 그 때를 기다리다가 헌법을 손질할 수 있는 기회를 영영 놓칠 수도 있다는 절박한 심정 때문이었습니다. 그런데 막상 정권을 잡을 가능성이 높다는 정당과 후보들이 반대를 하니 참으로 실망스러웠습니다. 책임 있는 정당과 후보라면 정권을 잡는 것만이 아니라 정권을 잡은 후에 일을 제대로 하는 것을 중요하게 여겨야 합니다. 이를 위한 제도적 준비에 무관심했던 것은 지금도 안타까운 대목입니다.

제가 개헌안을 발의하겠다고 하자, 정당 대표들은 차기 국회 개헌을 국민 앞에 약속하며 저에게 개헌안 발의를 유보해 달라고 요청했습니다. 저는 아쉽고 안타까운 마음이 컸지만, 정당의 대국민 약속을 믿고 개헌 발의를 유보했습니다. 진정으로 개헌이 되도록 하기 위한 타협이었습니다. 18대 국회에서 개헌을 하려면 대통령이 되려는 사람들의 의지와 결단이 무엇보다 중요합니다. 개헌의 내용에 따라서는 차기 대통령 임기를 1년가량 단축해야 하기 때문입니다. 그러나 당론으로 약속을 한 지 석 달이 넘도록 각 정당과 대선 후보들은 이에 대해 명확한 입장을 밝히지 않고 있습니다. 걱정이 되지 않을 수 없습니다.

정당과 후보들은 개헌을 추진하기로 한 국민과의 약속을 반드시 지켜야 합니다. 정치의 신의를 지켜야 합니다. 그렇게 하기 위해서는 대통령 선거 시기에 이를 공론화해야 합니다. 차기 국회에서 개헌을 한다면 올해처럼 촉박한 시간 때문에 제한된 논의를 하지 않아도 될 것입니다. 기왕에 약속한 단임제와 임기 일치 문제 이외에도 헌정 제도를 손질할 부분은 없는지 다양한 대안을 연구하고 논의해야 합니다. 우선 결선투표제를 생각해 볼 수 있습니다. 결선투표제는 국민 과반의 지지를 얻는 대통령을 선출하여 국민적 대표성을 높일 수 있는 선진적인 제도입니다. 정당 간에 다양한 연합을 촉진하기도 합니다. 이미 대통령제 국가에서는 보편적으로 시행하고 있습니다. 프리덤하우스가 선정한 인구 200만 명 이상의 대통령제 자유민주국가 26개 나라 중에서 결선투표제를 시행하지 않는 나라는 한국 등 5개국에 불과합니다.

본질적으로는 내각제도 생각해 볼 수 있습니다. 내각제는 정당 책임정치를 구현하고, 여소야대의 정치구조를 근본적으로 해결하는 방안입니다. 아울러 내각제는 국민의 의사에 따라 정치질서가 유연하게 반응하고, 정부와 의회의 갈등을 최소화해 정치적 통합성을 확보하기가 용이합니다. 또한 레임덕이 없으니 대통령제에서 주기적으로 겪는 국정의 공백도 최소화할 수 있을 것입니다.

우리 정치현실에서 내각제는 제도 자체의 장단점을 떠나 논의 자체가 쉽지 않은 사안입니다. 그러나 개헌논의가 폭넓게 진행된다면 내각제도 다양한 대안 중의 하나로 검토해볼 수 있을 것입니다. 아울러 헌법 정신의 본질을 훼손시키는 지역주의 정치구도를 극복하고 국민의 의사를 온전히 반영하기 위한 제도 개혁이 필요합니다. 그 핵심은 '선거구제 개혁'입니다. 현재의 선거구제 하에서는 대표성의 왜곡이 헌법 정신을 훼손하는 심각한 수준입니다. 가령, 지난 총선에서 한나라당은 영남에서 52.3%를 득표했습니다. 하지만 의석수에서는 66석 중 90%가 넘는 60석을 차지했습니다. 반면 32%를 얻은 열린우리당은 6%인 단 4석을 얻는데 그쳤습니다.

선거구제 개혁은 선거의 민주성을 제고시켜 정당 책임정치를 활성화시키는 계기가 될 수 있으며, 특정 정당의 지역 독점을 막고 정책경쟁이 가능한 정치구조를 만들 수 있습니다. 국회의원 면책특권과 대통령의 사면권에 대해서도 과연 선진 민주정치에 부합하는 제도인지 생각해 볼 필요가 있습니다. 애초 면책특권은 제왕적 권력에 맞서 국회의원의 정치활동 자유를 제도적으로 보장하기 위한 것이었습니다. 하지만 제왕적 대통령이 사라지고, 의회의 권한이 강화되면서 면책특권은 본래의 취지를 잃어가고 있습니다. 오히려 면책특권은 무책임한 정치공세의 수단으로 악용되는 경우가 많습니다. 그것은 특권을 이용한 반칙에 다름 아닙니다.

따라서 면책특권을 축소 또는 엄격하게 제한할 필요가 있습니다. 이를 위해서 면책특권을 국회의원 임기 중 형사상의 소추를 받지 않는 것으로 축소하거나, 허위사실에 의한 명예훼손의 경우에는 이를 적용하지 않도록 조항을 바꾸는 방안을 검토할 수 있습니다. 국회의원의 면책특권만이 아니라 대통령의 특별사면권에 대해서도 진지한 검토가 필요합니다. 우리 헌법이 대통령에게 사면권을 폭넓게 인정한 것은 이를 국민통합을 위한 통치 수단으로 활용하도록 하기 위해서입니다. 하지만 대통령의 사면이 계속 정치적 시비와 갈등의 소지가 된다면 사회적 합의를 거쳐 사면법 등 관련 법령을 개정하거나 차제에 헌법을 개정하는 것도 한 방안이 될 것입니다.

대통령이 사면권 행사를 절제하면 된다는 주장도 있습니다. 그러나 아무리 대통령의 절제 의지가 강하더라도 정치적 관행과 논리에 근거한 사회적 압력을 쉽게 거역하기가 어렵습니다. 또한 대통령 사면을 둘러싸고 보이는 우리 사회의 이중성도 문제입니다. 사회적 요구를 내세워 사면을 요청하는 여론이 높아졌다가, 막상 사면을 하면 정치적 비난이 높아지는 이중적 모습을 보여 온 것이 사실입니다. 우리 사회의 이중성을 조장하는 제도는 고치는 것이 옳습니다. 대통령의 특별사면권과 국회의원의 면책특권을 제한하는 것은 '특권 해소'라는 시대적 가치와 정신에도 부합될 것입니다. 또한 정치권 스스로가 기득권을 제한하는 결단을 내리는 것이기에, 국민적 합의를 모아내기도 어렵지 않을 것입니다.

우리 사회가 선진 민주주의로 나아가기 위해서는 헌정질서에 대한 성찰과 함께 선거법, 정당법, 정치자금법 등의 헌법적 정치제도를 개혁하는 것도 중요합니다. 이들 정치관계법은 헌정질서를 구체적으로 구현하는 법률이며, 헌법상의 통치기구와 직접 관련되는 법률이기 때문입니다. 헌법적 정치제도를 개혁하는 데 가장 중요한 원칙은 국민주권의 민주주의 원리를 제대로 구현하는 것입니다. 즉 국민들의 자유로운 정치활동과 참여를 보장하는 것이 우선입니다.

현재의 정치관계법 규정은 국민의 정치활동 자유와 참여를 지나치게 제한하고 있습니다. 과거 독재 시절에 관권, 금권, 조직 선거를 하면서 야당의 바람 선거를 통제하기 위하여 만들어 놓은 제도와 의식 때문입니다. 독재정권은 활발한 선거참여를 '과열'로 낙인찍었고, 이러한 인식의 잔재는 민주화 이후에도 정치와 선거활동 전반에 대한 부정적 인식으로 이어져 왔습니다. 민주화 이후 정치관계법이 여러 번 개정되었지만 그때도 공정성을 확보하는 데 치우쳐 금지 규정이 과도하다고 할 만큼 강화되어 왔습니다. 규제 중심의 정치관계법은 과거 금권선거, 관권선거의 유산입니다. 실효성도 없이 규제를 강화할 것이 아니라 국민이 주권자로서 더 많이 참여하고 자유롭게 경쟁할 수 있도록 개혁되어야 합니다. 선거운동기간 규정이 대표적인 사례입니다.

현행 선거법은 대선은 23일, 그 외 선거는 14일을 선거운동 기간으로 정하고 있어, 이 기간 외에 하는 선거관련 활동이나 정치적 의사표현은 법 위반이 될 수도 있습니다. 이것은 선거운동의 자유를 제한하는 것으로 헌법정신에 위배된다고 볼 수 있습니다. 또한 기성 정치인과 신인 후보자 간의 불평등을 야기해 헌법상 평등의 원칙과 기회균등의 원칙에도 맞지 않습니다. 선진국의 예를 보더라도 선거운동기간을 따로 정하고 있는 나라는 거의 없습니다. 실제로, 선거운동기간의 제한은 유명무실해지고 있습니다. 각 정당과 대선 예비후보자들은 상시적으로 선거운동에 준하는 활동을 하고 있는 실정입니다. 법과 현실이 따로 놀고 있는 것입니다. 선거운동의 자유는 더욱 보장되어야 하며, 금지는 제한적이고 구체적이어야 합니다. 일일이 규제하려 들면 오히려 실효성이 없어집니다. 최근 문제가 되고 있는 인터넷 선거운동도 자유롭게 이루어질 수 있도록 최대한 보장해야 합니다. 대통령의 선거중립 조항도 손질이 필요합니다.

민주주의 사회에서 선거는 정치의 핵심입니다. 선거를 빼고 정치를 얘기할 수 없습니다. 대통령은 정치인이면서 공무원인 이중적 지위를 갖고 있습니다. 대통령에게 포괄적으로 선거중립 의무를 부여하게 되면 사실상 정치활동을 가로막게 됩니다. 대통령이 지켜야 할 것은 선거관리의 중립입니다. 자신의 권한을 동원해 공무원이나 행정부를 정치적으로 이용하지 않고 선거를 공정하게 관리하면 되는 것입니다. 선진 민주주의를 하는 세계 어느 나라에서도 선거관리의 중립성을 해치지 않는 한 선거중립이라는 이름으로 대통령의 정치활동을 금지하는 나라는 없습니다. 대표적인 대통령제 국가인 미국에서도 대통령은 자신의 선거만이 아니라 의회 선거나 지방선거 때도 지지유세를 벌입니다. 프랑스의 대통령도 총선 때 자유롭게 정당 지원유세를 합니다. 그렇게 하는 것이 민주주의 원칙에 맞습니다. 공무원이나 정부조직을 부당하게 선거에 이용하지 않는 한 대통령은 책임 있는 정치인으로 말하고 행동할 수 있어야 합니다. 특히 선거 때 벌어지는 국정운영에 관한 논쟁에서 대통령이 책임있게 임하는 것은 자유롭고 공정한 경쟁을 위해 꼭 필요한 요소입니다. 국민들에게 가장 유익한 것은 정치적, 정책적 쟁점에 대해 의견을 달리하는 정치세력이 자유롭고 공정하게 경쟁하는 것입니다. 지난 5년 동안의 국정운영을 놓고 논쟁한다면 이에 대해 당연히 대통령이 말해야 합니다. 그래야 책임 있고 정확한 논쟁이 이루어집니다. 대통령의 입을 묶어 놓고 선거용 정치공세만 난무하는 상황은 민주주의 원칙에도, 국민의 이익에도 맞지 않습니다.

정당은 현대 민주정치의 기본 단위입니다. 헌법 8조를 보면, 정당은 '국가의 보호'를 받는 조직으로 규정되어 있습니다. 하지만 현행 정치제도는 정당의 정상적인 정치활동을 어렵게 합니다. 헌법의 테두리 내에서 정당의 자유로운 활동을 최대한 보장해야 합니다. 정당의 경제적 기반인 정당후원회의 부활도 전향적으로 검토되어야 하며, 당원 모집 및 정당 집회 제한 등의 정당 활동을 제약하는 규정도 합리적으로 개선되어야 합니다. 대통령 후보자가 정치활동을 하는 데 제약을 받거나, 직접적으로 불법에 노출될 가능성이 있어서는 안 됩니다. 지금처럼 당내경선 시기에만 후원회를 허용하는 것은 불법선거를 제도적으로 조장하는 것이나 마찬가지입니다. 국회는 이른 시일 내에 대통령 후보자의 후원회를 허용하는 법률안을 통과시켜야 합니다.

공천헌금 비리는 '정당의 조직과 활동이 민주적이어야 한다'는 헌법 8조에 정면으로 위반되는 것으로 민주질서를 훼손하는 중대한 위협입니다. 이러한 공천비리를 제대로 근절할 수 있도록 하루 빨리 공직선거법, 정치자금법을 개정해야 합니다. 1989년 이후 단 한 번도 개정되지 않은 국민투표법은 변화된 사회 환경에 맞게 합리적으로 개정되어야 합니다. 국민투표는 직접 민주주의에 의한 국민주권을 현실화하는 가장 중요한 수단이기 때문입니다. 좋은 규범이 좋은 사회를 만듭니다. 보다 발전된 민주주의를 위해서는 보다 민주적인 규범이 필요하고, 보다 합리적인 사회를 위해서는 보다 합리적인 규범이 필요합니다.

헌법은 모든 규범의 근본입니다. 헌법에 문제가 있다면 헌법을 고쳐야 합니다. 또한 헌법적 정치제도에 문제가 있다면 낡은 제도와 관행은 바꿔야 합니다. 이 과정이 때로는 번거롭게 비춰질 수도 있지만, 가치가 있는 문제제기라면 해야 합니다. 역사는 논쟁이 치열했던 시기에 가장 역동적으로 발전했습니다. 끊임없는 문제제기, 토론과 대안의 경쟁을 통해 민주주의도 성장합니다. 우리 국민은 더 좋은 헌법과 제도를 갖고 보다 나은 민주주의를 누릴 권리가 있습니다. 대통령과 국회는 국민의 권리를 실현하기 위해 봉사해야 할 의무가 있습니다.

이번 제헌절이 이런 의미를 다시 한 번 되새기는 계기가 되길 바랍니다.

제13기 민주평화통일자문회의 전체회의 연설

2007년 7월 19일

존경하는 김상근 수석 부의장, 그리고 자문위원 여러분,

제13기 민주평화통일자문회의의 출범을 진심으로 축하드립니다. 새로 위촉되신 위원 여러분께 감사와 축하 인사를 드립니다. 멀리 해외에서 오신 위원 여러분, 대단히 반갑습니다. 민주평통은 지난 26년 동안 통일정책의 수립과 추진에 크게 기여해 왔습니다. 한반도의 평화와 안정을 위해 알찬 건의들을 해주시고, 국민의 뜻을 모으는 데도 큰 역할을 해주셨습니다. 최근에는 다양한 국민 참여 프로그램을 통해 평화통일의 기반을 조성하는 데 많은 노력을 기울이고 있다고 들었습니다. 여러분의 노고에 경의를 표하며, 앞으로도 적극적인 정책 조언과 활동을 기대합니다.

자문위원 여러분,

마침내 북한 핵시설의 폐쇄와 봉인이 시작됐습니다. 중유공급과

IAEA 사찰단 활동이 재개됐습니다. 지금 이 시각에는 베이징에서 6자 회담이 열리고 있습니다. 2·13 합의 이후 지난 다섯 달은 하루하루가 더디고 답답한 시간의 연속이었습니다. 우여곡절도 많았습니다. 그러나 인내심을 갖고 절제하면서 노력해 온 결과, 이제 북핵문제 해결에 대해 보다 확실한 전망을 갖게 되었습니다. 돌이켜 보면 아쉬움도 있습니다. BDA 문제가 아니었더라면 북핵문제는 9·19 공동성명 이후 쉽게 해결의 실마리를 찾을 수 있었을 텐데, 지난 시간이 아깝고 안타깝습니다. 그러나 참여정부 출범 전후의 긴박했던 상황을 생각해보면 지금 이 정도의 전망을 갖게 된 것만 해도 엄청난 변화가 아닐 수 없습니다.

5년 전, 대통령 선거기간 중에 북한의 우라늄 농축 의혹사건이 불거졌습니다. 미국은 중유공급을 중단했고, 북한은 봉인해제와 사찰단 추방으로 맞섰습니다. 일부에서는 무력 제재의 가능성까지 거론하는 형편이었습니다. 그때에 비하면 지금은 완전히 새로운 국면에 접어든 것입니다. 참으로 격세지감을 느낍니다. 그동안 정부 정책을 믿고 지지해주신 자문위원과 국민 여러분께 거듭 감사의 말씀을 드립니다.

자문위원 여러분,

지난 4년여를 돌아보면 모든 게 순탄치만은 않았습니다. 숱한 고비를 넘겨 왔습니다. 우선, 예측하기 어렵고 이해하기 어려운 북한의 행동 때문에 애를 먹었습니다. 어느 날 갑자기 일방적으로 대화를 중단하거나 약속을 파기하기도 했고, 지난해에는 미사일 발사와 핵 실험으로 긴장을 고조시켰습니다. 때때로 미국 정부와의 이견과 차이도 있었습니다. 북한 핵을 용납하지 않는다는 목표는 같았지만 전략과 방법에 있어서는 많은 조정이 필요했습니다. 더욱이 미국 내 일부 강경세력은 북한 체제의 변화에 대해 문제를 제기하기도 했습니다. 참으로 어려운 과정이었습니다. 그러나 지금 와서 보면 모든 일이 우리가 주장한 대로 가고 있습니다.

국내적으로도 야당과 일부 언론의 정략적 공세가 4년 내내 계속되었습니다. 특히 북한 핵 실험 이후에는 하루가 멀다 하고 '안보불감증', '저자세 대응', '친북좌파정권', 심지어는 '핵무기 개발을 지원한 정권'이라며 많은 비난을 퍼부었습니다. 개성공단과 금강산관광의 즉각적인 중단은 물론 '국지전도 감수해야 한다.', '핵무기 개발을 검토해야 한다.'는 극단적인 주장까지 나왔습니다. 참으로 다행스러운 것은 우리 국민의 성숙한 태도입니다. 미사일 발사와 북한 핵 실험의 와중에서도 전혀 흔들림 없이 차분하고 냉정하게 대응했습니다. 북한 문제가 생길 때마다 일어났던 사재기, 달러 바꾸기와 같은 일도 과거의 일이 되었습니다. 오히려 우리 국민은 개성공단, 금강산관광은 계속 되어야 한다는 입장을 지켜주셨습니다. 북핵문제가 풀리지 않는 동안에도 남북 교류협력은 꾸준히 확대되어 왔습니다.

지난 4년간 남북을 오간 사람이 30만 명에 이르고, 교역량도 올해 17억 달러에 이를 전망입니다. 올 5월에는 경의선과 동해선 열차가 휴전선을 통과했습니다. 개성공단에서는 만 6천여 명의 남북한 근로자가 함께 일하고 있습니다. 북한의 태도도 많이 달라졌다고 생각합니다. 아직도 까다로운 상대이기는 하지만 조금씩 합리적인 방향으로 변화하고 있습니다. 남북 간 신뢰도 이전보다는 확실히 높아진 것 같습니다.

자문위원 여러분,

참여정부는 이 과정에서 관용과 신뢰 구축이라는 일관된 원칙을 지켜왔습니다. 끊임없이 상대를 경계하고 적대해서 대결적 분위기를 조성하는 것이 아니라, 상대방의 존재를 인정하고 포용하고 역지사지함으로써 신뢰를 쌓아왔습니다. 상대가 불합리하게 나올 때에도 인내심을 갖고 대화의 끈을 놓지 않았습니다. 상대방이 하는 대로 우리도 똑같이 대응해야 한다는 '상호주의'로는 이처럼 어려운 대화를 이어나갈 수가 없습니다. 상호주의는 당장은 속 시원할지 몰라도 국민의 안전과 평화에는 도움이 되지 않습니다. 오히려 신뢰를 해치고 또 다른 대립과 갈등을 불러올 뿐입니다. 상호주의로 얻을 수 있는 것은 수시로 발생하는 위기상황의 반복과 대결구도 밖에 없을 것입니다.

북한의 미사일 발사와 핵 실험 때 일부 언론이 주장한 대로 강경한 대응을 했다면, 그리고 개성공단과 금강산관광 사업을 중단했다면 지금은 과연 어떻게 되었겠습니까, 반세기동안 녹슬었던 경의선 열차가 남북을 오가는 일도 없었을 것이고, 개성공단에 참여했던 우리 기업들도 막대한 손해를 입었을 것입니다. 외국 투자자들은 빠져 나가고, 잘나가던 주가가 곤두박질 쳤을지도 모르는 일입니다. 북핵문제도 난마처럼 얽혀 해결이 요원하게 되어 버렸을 것입니다.

대북강경책을 쓰지도 않았고, 비상을 걸어 국민을 불안하게 하지도 않았지만 한반도는 지금 그 어느 때보다 안정을 유지하고 있습니다. 지난 5월 영국 이코노미스트에 따르면 세계 유일의 분단국인 대한민국의 '평화지수'가 미국, 프랑스보다 앞선 32위를 기록하고 있습니다. 그동안 북핵문제의 해결 과정은 우리에게 매우 소중한 경험이었습니다. 상대를 포용하고 신뢰를 쌓아나간다는 원칙을 일관되게 지켜나가는 것이야말로 가장 효과적인 남북관계 전략임을 확인할 수 있었습니다.

그리고 이렇게 하는 것이 우리가 동북아의 평화세력으로서 이 지역의 평화와 번영에 주도적인 역할을 할 수 있는 역량을 축적해 가는 길입니다. 미국과의 관계도 마찬가지입니다. 자주와 균형을 위한 한미동맹의 변화를 추진하면서도, 서로를 존중하는 자세를 가지고, 이해와 설득으로 꾸준히 이견을 조율하여 공조를 유지해 왔습니다. 일부 진보진영의 주장처럼 미국과의 관계를 마른 나무 분지르듯 하였다면 남북문제도 지금과 같은 진전을 이룰 수 없었을 것입니다.

저는 앞으로도 이러한 기조와 원칙은 계속 유지되고 지켜나가야 한다고 생각합니다.

자문위원 여러분,

지금 당면한 과제는 북핵문제 해결이지만 그것이 궁극적인 목표는 아닙니다. 한반도에 항구적인 평화를 구축하고 남북이 함께 보다 풍요로운 미래를 열어가야 합니다. 나아가 평화와 번영의 동북아 시대로 나아가야 합니다. 정부는 이러한 구상 속에서 북핵문제를 단순히 핵을 폐기하는 차원을 넘어 동북아 평화 전반에 걸친 문제로 다루어 왔습니다. 그리고 이미 우리는 9·19공동성명에 동북아 다자안보체제를 위한 기본적인 내용들을 담아 놓았습니다.

그 첫 걸음은 한반도에 평화구조를 정착시키는 것입니다. 한반도 비핵화를 조속히 달성하고, 정전체제를 평화체제로 전환해야 합니다. 군사적 신뢰 구축과 함께 경제협력을 확대해서 남북공조를 통한 북방경제

시대를 열어나가야 합니다. 북방경제 시대가 열리면 베트남 특수, 중동 특수와는 비교도 할 수 없는 크나큰 도약의 기회가 올 것입니다. 우리의 경제 무대가 유라시아 대륙 전체로 뻗어나가게 될 것입니다. 무역과 금융, 비즈니스 등 모든 경제 분야에서 새로운 지평이 열리게 될 것입니다. 북한도 우수한 자질과 잠재력을 가지고 있습니다. 잘 협력해 나간다면 그야말로 남북이 함께 번영하는 한반도 시대를 열 수 있을 것입니다. 나아가서는 동북아 경제의 주역으로 우뚝 설 수 있을 것입니다. 이미 개성공단은 남북경협의 성공사례로서 우리 중소기업에게도 새로운 기회가 되고 있습니다. 동북아 금융, 물류 비즈니스 허브 전략도 착실하게 추진해가고 있습니다.

지금 한국의 실력과 역동성은 세계가 인정하고 있습니다. 세계 속의 한국의 위상은 그 어느 때보다 높습니다. 여기에 남북이 함께하는 한반도 경제, 동북아 경제까지 성공시켜내면 대한민국은 명실상부한 세계 일류국가로 웅비하게 될 것입니다.

자문위원 여러분,

이처럼 밝은 미래가 우리 앞에 있습니다.

이를 위해 다시 한번 우리의 자세를 가다듬고 국론을 모아 나갑시다. 이제 통일, 안보 문제에 관한 한 흑백논리나 소모적인 논쟁으로 국력을 낭비하는 일이 없도록 합시다.

'평화와 번영의 동북아 시대'라는 비전이야말로 가장 핵심적인 미래 전략입니다. 민족이 웅비할 수 있는 기회를 마련하자는 국가적 전략입니다. 이 비전에 관해서는 정파적 이해가 다를 이유가 없습니다. 어느 정당도, 차기 지도자가 되고자 하는 사람 누구도 이 비전을 가벼이 하지는 않을 것입니다. 앞 다투어 이 비전과 전략을 국민 앞에 공약으로 제시할 것이라고 기대합니다.

문제는 전략을 추진하는 기본적인 사고와 자세, 그리고 역량입니다. 불신과 대결을 앞세우는 냉전시대의 사고, 무슨 일이 있을 때마다 감정적 대응을 앞세우는 경박한 상호주의로는 이 문제를 풀어갈 수가 없습니다. 인내와 절제, 관용의 자세가 필요합니다. 포용정책을 수용하고 실천해야 합니다. 다행히 최근 한나라당이 포용정책을 수용하겠다는 움직임을 보이고 있습니다. 그동안 부당한 공격과 비난 때문에 포용정책이 겪었던 어려움을 생각하면 참으로 반가운 일이 아닐 수 없습니다. 다만, 이처럼 중차대한 정책의 전환을 몇 사람의 몇 마디 말로 가볍게 할 수 있고, 믿음을 줄 수 있을 것이라고 생각지는 않습니다. 더욱이 기본적인 사고와 자세를 바꾸어야 하는 일이면 더욱 그렇습니다.

앞으로 한나라당이나 후보들이 한마디씩 던지는 방식으로 적당히 여론에 영합했다가 나중에 흐지부지 뒤집어 버리는 그런 공약이 아니라, 국민들이 지켜보는 가운데 치열한 토론을 거쳐서 당론을 모으고 그 당론으로 포용정책을 국민에게 엄숙히 공약하는 그런 절차가 있기를 기대합니다. 국민의 정부는 IMF 외환위기 때문에, 그리고 참여정부는 금융위기와 북핵문제 해결을 위해 많은 시간과 노력을 기울여야 했습니다. 그러나 다음 정부는 이런 걸림돌이 없을 것입니다. 오로지 미래를 향해 힘차게 나아가면 될 것입니다. 포용정책은 공존과 화해라는 세계사의 흐름과도 일치합니다. 반드시 성공할 것입니다.

존경하는 자문위원 여러분,

지금 우리는 민족의 미래를 위해 큰 걸음을 내딛는 역사적 전환점에 서 있습니다. 범국가적 조직인 민주평통 여러분이 한반도 평화와 민족통합에 대한 다양한 의견을 수렴하고 국민적 합의를 이루는 데 앞장서 주시길 당부 드립니다. 저도 다음 정부가 보다 나은 여건에서 출발할 수 있도록 끝까지 최선을 다하겠습니다. 다시 한 번 민주평통의 새로운 출발을 축하드리며, 여러분의 건강과 행복을 기원합니다.

감사합니다.

행정중심복합도시 기공식 축사

2007년 7월 20일

존경하는 국민 여러분, 충남도민과 내외귀빈 여러분,

국가균형발전의 새 역사가 열리고 있습니다. 행정중심복합도시의 기공을 온 국민과 함께 축하드립니다. 영상물을 보니 벌써부터 가슴이 설렙니다. 개방적이고 시민친화적인 정부청사, 다양한 동식물이 서식하는 금강변과 전월산, 그리고 그곳에서 문화와 여가를 즐기는 시민들의 모습이 눈앞에 선하게 그려집니다. 국민 여러분이 지어주신 '세종'이라는 이름도 아주 훌륭합니다. 행복도시에 딱 맞는 이름이라고 생각합니다. 창의와 혁신으로 우리 역사의 융성기를 이뤄내신 세종대왕의 위상에 걸맞은 도시가 될 것으로 믿습니다.

그동안 우여곡절도 많았습니다. 대선공약에 대한 치열한 공방과 2004년 1월 신행정수도 특별법의 제정, 이후 헌법재판소의 위헌결정,

그리고 2005년 3월 행정중심복합도시 특별법에 이르기까지 힘든 산고의 과정을 거쳤습니다. 그러나 이제는 틀림없이 되는구나하는 확신이 듭니다. 오늘이 있기까지 애써 오신 관계자 여러분, 정말 수고 많았습니다. 국내외 전문가의 창의적인 아이디어를 모아 완벽한 도시 계획을 세우고, 정부와 주민이 대화하고 협력해서 1년여 만에 토지 보상도 마무리했습니다. 정책 집행의 모범사례라고 할 만큼 신속하고 효율적으로 추진되어 왔습니다. 그동안 입법에 협조해주신 국회에도 감사드립니다. 정부를 믿고 지지해주신 충청도민 여러분께도 감사와 축하의 인사를 드립니다. 특히 이곳 주민 여러분께서는 생활터전을 옮기는 불편을 감수하면서까지 적극적인 협조를 아끼지 않으셨습니다. 진심으로 감사드립니다. 정부는 여러분이 행복도시의 첫 번째 주민이 될 수 있도록 이주지원, 생활대책 등에 최선을 다해나가겠습니다.

국민 여러분,

행정중심복합도시는 도시 건설의 모범을 보여주는 세계 최고의 도시가 될 것입니다. 건축, 환경, 교통, 정보통신, 문화, 복지 등 모든 분야에서 첨단 기술을 담아낸 가장 아름답고 쾌적한 도시가 될 것입니다. 그리고 세계의 많은 사람들이 와서 보고 우리의 건설 기술과 도시 조성의 문화를 배워가게 될 것입니다. 말레이시아의 푸트라자야나 호주 캔버라, 세계문화유산인 브라질리아보다 더 멋진 도시로서 국가의 품격을 한층 더 높여줄 것입니다.

행복도시는 행복도시 그 자체에만 머물지 않습니다. 도시에 대한 우리 국민의 인식을 바꾸고, 우리의 건축과 도시건설 수준을 한 단계 높여줄 것입니다. 혁신도시, 기업도시 같이 새로 건설되는 도시의 모범이 되고, 기존의 도시들을 가꾸는 데에도 좋은 방향을 제시하게 될 것입니다. 이제는 살기 좋은 도시가 경쟁력이 높은 도시입니다. 끊임없이 팽창하면서 덩치만 큰 도시가 아니라, 또 비용만 높이는 도시가 아니라 자연과 문화, 역사가 조화를 이루면서 삶의 질을 높여주는 그런 도시를 만들어 가야 할 것입니다.

국민 여러분,

참여정부는 균형발전 정책을 가장 우선적인 국가정책으로 추진하고 있습니다. 행복도시 건설, 공공기관 이전, 지역 개발 계획과 같은 공간 구조의 개편, 제도개혁, 재정지원과 더불어 지역 스스로 발전할 수 있는 기반을 조성하는 일에 전력을 기울이고 있습니다. 가장 핵심적인 전략은 지역의 혁신역량을 강화하는 일입니다. 이를 위해 지방 대학과 연구소, 기업이 함께 참여하는 혁신클러스터를 구축하고, 지역별로 특화된 전략산업을 육성해가고 있습니다. 누리사업을 통해 지방대학의 경쟁력을 높이고 있고, 수도권과 대덕을 제외한 지방연구개발예산도 2003년 27%에서 올해 40%까지 대폭 확대했습니다. 연구개발예산뿐만 아니라 지방의 전체 재정규모도 꾸준히 늘려왔습니다. 특히 지방의 자율재원을 2003년 82조원에서 올해 111조 4천억 원으로 30조원 가까이 늘렸습니다. 또한 균형발전영향평가를 실시해서 모든 사업의 우선순위를 지방에 두도록 하고 있습니다. 무엇보다 지역발전의 거점을 새롭게 만들어가고 있습니다. 오늘 행복도시에 이어, 10개의 혁신도시와 6개의 기업도시가 9월부터 순차적으로 착공에 들어갑니다. 이 도시들은 지역경제 활성화는 물론, 우리 국민에게 수준 높은 삶의 공간을 제공하게 될 것입니다.

나아가 이를 기반으로 농촌 생태계와 공동체를 복원해 도시민이 찾고 은퇴자가 돌아올 수 있는 농촌마을을 조성해 나갈 것입니다. 도시에서 농촌까지 우리 국민의 생활환경이 새롭게 재편되는 계기가 될 것입니다. 이제 중앙으로 집중되는 속도는 좀 줄여놓은 것 같습니다. 수도권 순유입인구가 2002년에 21만 명에서 2006년 11만2천 명으로 줄어들었습니다. 국내총생산에서 지방이 차지하는 비중도 점점 커지고 있습니다. 그러나 40년 넘게 심화되어온 수도권과 지방의 격차가 단시간에 고쳐질 것 같지는 않습니다. 오히려 다시 되돌아갈 수 있는 강한 압력이 있는 것도 사실입니다.

그에 따라 참여정부는 한발 더 나아가려고 합니다. 2단계 균형발전 정책을 곧 발표할 예정입니다. 법인세 경감 등 지방투자 기업에 획기적인 인센티브를 제공하고, 주거, 교육, 복지, 의료 모든 면에서 살기 좋은 환경을 지방에 조성하자는 것입니다. 한 마디로 기업과 사람이 지방에 모여들도록 만드는 정책입니다. 올해 안에 입법을 마무리 지을 수 있도록 최선을 다하겠습니다. 여러분의 성원을 부탁드립니다.

국민 여러분,

균형발전은 지방만을 위한 정책이 결코 아닙니다. 수도권에도 큰 이익이 되는 일입니다. 수도권은 비워야 경쟁력이 더 높아집니다. 균형발전으로 수도권이 숨통을 틔게 되면 수도권은 보다 계획적인 관리를 통해 새롭게 재창조될 수 있습니다. 서울은 균형발전과 용산기지 이전으로 비워진 공간을 넓고 푸르게 활용해 쾌적한 생활환경과 최고급 지식기반을 가진 매력적인 국제도시로 탈바꿈하게 될 것입니다. 그리고 인천과 경기는 획기적인 규제 개선을 통해 명실상부한 동북아물류, 비즈니스 허브로 집중 육성될 수 있습니다.

국민 여러분,

이처럼 균형발전이 수도권과 지방 모두의 경쟁력을 함께 높이는 일임에도 불구하고, 행정수도가 행정중심복합도시로 축소된 것은 정말 안타까운 일입니다. 청와대와 정부, 정부 부처 일부가 공간적으로 분리되게 된 것은 업무효율 상으로도 매우 불합리한 결과입니다. 참으로 유감스러운 일이 아닐 수 없습니다. 꼭 행정수도라는 이름이 아니더라도 정부부처는 모두 이곳으로 오는 것이 순리입니다. 청와대도 서울 시민에게 돌려주면 좋을 것입니다. 북한산 일대를 비워서 공원과 숲으로 잘 가꾼다면 서울 시민의 삶의 질과 서울의 발전에도 큰 도움이 될 것입니다. 국회도 마찬가지입니다. 이 자리에 몇 분 의원님이 와계십니다만, 경상도에 계신 의원님, 전라도에 계신 의원님들도 출퇴근하실 수 있을 것입니다.

다행히 지금 대선 후보들이 일치하여 행복도시 건설과 균형발전의 필요성을 강조하고 있습니다. 옛날에 반대해왔던 분들도 지금은 지지하고 있습니다. 참으로 다행스러운 일로 생각합니다. 다음 정부에서도 이들 정책이 흔들림 없이 추진될 것으로 믿습니다. 더 나아가서는 여러분이 그린 그림 위에서 언젠가는 이 세종시가 완전한 행정중심이 될 것으로 기대합니다. 우리 모두의 역량을 모아 세계에 자랑할 만한 행복도시를 만듭시다. 국가균형발전을 성공시켜 우리 아들딸들에게 살기 좋은 국토, 더 경쟁력 있고 번영된 대한민국을 물려줍시다. 다시 한 번 행복도시 '세종'의 기공을 축하하며, 여러분 모두의 건승을 기원합니다.

감사합니다.

아프가니스탄 피랍 사태와 관련하여 드리는 말씀

2007년 7월 21일

국민 여러분,

아프가니스탄에서 우리 국민이 피랍되었다는 소식에 매우 상심이 크실 것입니다. 가족들의 애타는 심정을 저희도 잘 알고 있습니다. 저는 간절한 마음으로 그분들의 무사귀환을 기원하고 있습니다. 정부는 신속하고 안전한 귀환을 위해 모든 노력을 다하고 있습니다. 아프가니스탄 정부를 비롯한 우방국들과 긴밀히 협조하고 있으며, 유엔 등 국제사회도 우리의 노력에 적극 동참하고 있습니다.

우리 국민은 평화애호국민으로서 모든 아프가니스탄 국민들과 서로 존중하고 협력하는 우호관계를 유지하고 있습니다. 이번에 피랍된 우리 국민들은 아프가니스탄 현지에서 의료 봉사활동을 하고 있었던 것으로 알고 있습니다. 무고한 민간인을 볼모로 삼는 일은 없어야 합니다. 현재 아프가니스탄에서 활동하고 있는 동의, 다산 부대는 의료와 구호 지원을 위한 비전투부대입니다. 그동안 매일 수백 명의 주민들을 진료하고 복지시설과 교량 건설 등 아프가니스탄의 재건을 돕기 위해 노력해 왔습니다. 그리고 이러한 활동을 마무리하는 과정에 있습니다.

납치단체는 우리 국민들을 조속히, 그리고 안전하게 돌려보내 주어야 합니다. 어떤 일이 있어도 고귀한 인명을 해쳐서는 안 됩니다. 우리 정부는 조속한 석방을 위해 관련된 사람들과 성의를 다해 노력할 준비가 되어 있습니다. 정부는 피랍된 우리 국민들의 무사귀환을 위해 할 수 있는 모든 노력을 다할 것이라는 점을 다시 한 번 말씀드리며, 국민 여러분께서는 정부의 노력을 믿고 침착하게 대응해 주실 것을 당부드립니다.

유도요노 인도네시아 대통령 내외를 위한 만찬사

2007년 7월 24일

존경하는 수실로 밤방 유도요노 대통령 각하 내외분, 그리고 귀빈 여러분,

오늘 저녁 각하 내외분을 국빈으로 모시게 되어 매우 기쁩니다. 각하와 일행 여러분을 진심으로 환영합니다. 각하와의 정상회담은 이번이 네 번째입니다. 만날 때마다 각하의 식견과 한반도 문제에 대한 각별한 관심에 큰 감명을 받습니다. 각하께서 염려해 주시던 북핵문제는 이제 핵 시설 폐쇄 등 평화적 해결의 길로 접어들고 있습니다. 그동안 우리의 노력을 지지해주시고 함께 힘써 주신 데 대해 감사드립니다.

각하께서는 조화와 화합을 강조하는 지도력으로 인도네시아의 안정과 번영을 이끌고 계십니다. 2004년 각하의 취임 이후 인도네시아는 적극적인 외자유치와 인프라 확충 등을 통해 지속적인 발전을 이뤄가고

있습니다. UN안보리 비상임이사국과 ASEAN의 중심국가로서 국제적 위상도 그 어느 때보다 높습니다. 각하께서 추진하고 계신 개혁조치가 성공적으로 이뤄지면, 인도네시아는 세계은행이 예견한대로 '2030년 세계 경제를 주도하는 나라'로 부상하게 될 것이라고 믿습니다.

대통령 각하,

오늘 각하와의 정상회담은 매우 유익했습니다. 무엇보다 지난해 함께 서명한 '전략적 동반자 관계에 관한 공동선언'이 하나하나 구체화되어 가는 것을 확인할 수 있었습니다. 우리 양국은 '한·인도네시아 현인그룹'을 통해 마련된 구체적인 행동계획에 따라 정치, 안보, 자원, 에너지, 인프라, IT, 과학기술, 관광 등 다양한 분야에서 협력을 계속 증진해 나갈 것입니다. 올해 3월에 출범한 민관합동 경제협력 태스크포스도 큰 역할이 기대됩니다. 우수한 인적 자원과 방대한 영토, 그리고 풍부한 자원을 가진 인도네시아와, 우리 한국이 서로의 장점을 살려 협력해 나간다면 양국 발전에 큰 도움이 될 것이라고 생각합니다. 나아가 양국의 협력 증진은 동아시아 전체의 평화와 번영에도 크게 기여할 수 있을 것입니다.

귀빈 여러분,

각하 내외분의 건강과 인도네시아의 번영, 그리고 우리 두 나라의 영원한 우정을 위해 건배를 제의하겠습니다.

8월

봉고 가봉 대통령을 위한 오찬 건배사

2007년 8월 10일

존경하는 엘하지 오마르 봉고 온딤바 대통령 각하, 그리고 귀빈 여러분,

멀리 아프리카에서 오신 각하와 일행 여러분을 진심으로 환영합니다.

각하께서는 높은 경륜으로 가봉의 안정과 발전을 이끌고 계십니다. 중부아프리카 경제공동체를 제안하고 역내 분쟁을 중재하는 등 아프리카의 평화와 번영에도 크게 기여하고 계십니다. 올해 '만해 평화상' 수상자로 선정되신 것도 이러한 각하의 지도력에 대한 평가라고 생각하며, 각하와 가봉 국민의 노력에 경의를 표합니다. 오늘 각하와의 대화는 매우 유익했습니다. 양국은 45년을 이어온 우의를 토대로, 에너지와 자원, 인프라 건설, IT 등 여러 분야에서 실질 협력을 더욱 확대해 나갈 것입니다. 각하의 이번 방문이 그 좋은 계기가 될 것으로 생각합니다.

한국은 '아프리카 개발을 위한 이니셔티브'를 통해 아프리카 국가들과의 협력을 강화해 나가고자 합니다. 앞으로 아시아와 아프리카, 나아가 세계 평화와 번영을 위해 양국이 함께 노력해 나갈 수 있기를 기대합니다.

각하의 건강과 가봉의 번영, 그리고 우리 두 나라의 영원한 우정을 위해 건배를 제의합니다.

제62주년 광복절 경축사

2007년 8월 15일

존경하는 국민 여러분, 북녘동포와 7백만 해외동포 여러분,

62년 전 오늘, 우리 민족은 일본제국주의의 압제에서 해방되었습니다. 그날 우리는 가슴 벅찬 기쁨으로 서로 얼싸안고 감격의 눈물을 흘렸습니다. 그리고 3년 뒤 이날, 나라를 건설했습니다. 새로운 희망을 안고 다시 출발한 것입니다. 그리고 오늘 우리가 자유와 독립을 마음껏 누리고 사는 대한민국을 만들었습니다. 조국 독립을 위해 모든 것을 바치신 애국선열들께 머리 숙여 경의를 표합니다. 독립유공자와 유가족 여러분께도 깊은 존경과 감사의 말씀을 드립니다.

국민 여러분,

100년 전 우리는 스스로를 지킬 힘이 없어 나라를 빼앗기고 말았습니다. 천신만고 끝에 해방을 맞았지만, 또 다시 민족분단과 동족상잔의

비극까지 겪어야 했습니다. 그러나 우리 국민은 좌절하지 않았습니다. 다시 일어섰습니다. 숱한 역경을 이겨내고 기적과 신화를 만들어 나갔습니다. 반세기 전, 100달러에도 미치지 못했던 국민소득이 이제 2만 달러를 눈앞에 두고 있습니다. 국민총생산과 무역규모는 세계 10위권으로 성장했고, 외환보유액도 세계 5위가 되었습니다. 과학기술도 눈부시게 발전해 세계 4위의 특허 출원건수를 기록하고 있습니다. 그리고 이러한 경제발전을 바탕으로 충분한 국방력을 키워가고 있습니다. 지금 우리 군은 세계 10대 정예강군으로서 한반도 평화를 굳건히 지키며, 세계의 평화와 안정에도 크게 기여하고 있습니다.

민주주의에서도 큰 발전을 이루었습니다. 세계적 인권단체인 '프리덤 하우스'는 한국의 정치적 자유를 세계 최고 수준으로 평가했습니다. '국경없는 기자회'가 발표한 언론 자유 역시 미국, 일본보다도 높은 순위를 차지했습니다. 우리가 이룩한 민주주의와 경제 발전은 세계사에 그 유례가 찾아보기 어려운 성과입니다. 2차대전 이후 100여개 나라가 독립했지만 우리처럼 선진국에 들어선 나라는 없습니다. 이 모두가 우리 국민의 뛰어난 역량과 높은 성취동기, 그리고 피땀어린 노력의 결과입니다. 대한민국의 성공을 만들어 오신 우리 부모님 세대에게, 그리고 국민 여러분께 진심으로 감사의 말씀을 드립니다.

국민 여러분,

앞으로도 우리는 경제를 역동적으로 발전시키면서 모든 국민이 인간다운 삶을 누리는 명실상부한 선진민주국가를 향해 나아갈 것입니다. 그러나 이 과정에서 반드시 풀어야 할 하나의 큰 숙제가 있습니다. 지금도 우리는 냉전의 굴레를 극복하지 못한 채 세계 유일의 분단국가로 남아있습니다. 총성은 멎었지만, 아직 평화에 대한 확신을 갖지 못하고 있습니다. 더 늦기 전에 우리는 이러한 상황을 극복하고 민족의 새로운 미래를 열어 나가야 합니다.

지금 우리를 둘러싼 동북아 정세는 빠르게 변화하고 있습니다. 중국이 놀라운 속도로 성장하고 있고, 러시아가 새롭게 도약하고 있습니다. 일본은 전후체제에서 벗어나 보통국가가 되려는 시도를 하고 있고, 미국은 세계전략을 다시 짜고 있습니다. 냉전체제는 해체되었으나 아직 평화와 공존의 질서가 정착되지는 못했습니다. 언제 다시 대결적 분위기가 조성될지 모릅니다. 참여정부는 변화하는 동북아 정세에 대한 정확한 인식과 우리 역사에 대한 뼈아픈 성찰, 그리고 우리가 가지고 있는 국가적 역량에 대한 냉정한 평가 위에서 '평화와 번영의 동북아시대'를 3대 국정목표의 하나로 제시했습니다.

동북아시아의 평화와 번영이라는 큰 틀이 성공하지 않고는 한반도의 안정적인 평화가 성공하기 어렵다는 판단에 근거한 것입니다. 그리고 그 안에서 동북아 시대를 주도적으로 이끌어 나가는 것이 우리의 운명을 능동적으로 개척하는 길이라는 인식과 의지를 담은 것입니다. 참여정부는 이러한 목표를 달성하기 위해 '균형적 실용외교', '협력적 자주국방', '신뢰와 포용의 대북정책'을 3대 전략으로 추진해 왔습니다. '균형적 실용외교'는 현실적이면서 미래지향적인 외교안보전략입니다. 동북아에서 차지하는 우리의 전략적 위치와 중요성에 비추어 볼 때, 그리고 역사의 경험으로 볼 때, 우리가 균형을 잡지 못하면 한반도와 동북아시아의 평화질서는 이루어지기 어렵습니다. 우리가 어떤 비전을 가지고 어떻게 중심을 잡아나가느냐 하는 것이 매우 중요한 일입니다. 이를 위해 우리는 한미관계를 포괄적이고 역동적인 동맹관계로 발전시켜 왔습니다. 중국, 러시아 등 주변국과의 관계도 한층 강화해 왔습니다.

이런 노력에 힘입어 지난해에는 우리 대한민국이 유엔 사무총장을 배출하는 쾌거를 거두었습니다. 북핵문제를 풀어오는 과정에서는 6자회담 당사국 간의 의견을 조율하면서 적극적인 역할을 해왔습니다. '협력적 자주국방'은 세계 10위권의 국력을 가진 나라답게 우리의 국방은 우리 스스로 책임지겠다는 의지와 자신감을 나타낸 것입니다. 그동안 참여정부는 미국에 대한 심리적 의존상태를 극복하기 위해 노력하면서, 자주국방 역량을 한층 강화해 왔습니다. 전시작전통제권의 전환과 주한미군 재배치, 그리고 용산기지 이전에 합의하고, 국방개혁 2020을 힘차게 추진하고 있는 것도 이러한 전략에 따른 것입니다. 자주국방과 한미동맹은 함께 발전해가야 합니다. 결코 양자택일의 문제가 아닙니다. 앞으로도 한미동맹은 상호존중과 긴밀한 공조를 바탕으로 더욱 굳건하게 발전해 나갈 것입니다.

국민 여러분,

'신뢰와 포용의 대북정책' 또한 흔들림 없이 추진되어 왔습니다. 인내로써 적대적 행위를 절제하고 대화와 설득으로 신뢰를 쌓아온 결과, 북핵 사태의 와중에도 남북관계는 꾸준히 진전되어 왔습니다. 국민의 정부 시기와 비교해도 남북교역량은 두 배, 협력사업은 네 배, 인적왕래는 일곱 배가 증가했습니다. 철도 연결과 개성공단 사업은 남북관계 변화를 매우 상징적으로 보여주는 사례입니다. 지금 만7천 명의 남북 근로자가 함께 일하고 있는 개성공단에 1단계 입주가 완료되면 10만 명의 근로자가 연간 20억 달러가 넘는 상품을 생산할 것입니다. 군사적 긴장도 잘 관리되어 참여정부 내내 단 한차례의 무력충돌도 일어나지 않았습니다.

한반도는 지금 그 어느 때보다 안정을 유지하고 있습니다. 국가 안전도에 대한 부정적 평가가 점차 해소되면서 국가신용등급이 올라가고 있습니다. 대한민국의 평화지수가 미국, 프랑스보다 앞서고 있다는 국제적 평가도 있습니다. 북쪽도 변화하고 있습니다. 우리에 대한 경계심이 많이 줄어들었고, 남북대화나 경제협력에 보다 실용적이고 유연한 태도를 보이고 있습니다. 개혁과 관련한 여러 법령과 조직이 정비되고, 시장경제에 대한 인식도 주민들 사이에서 빠르게 확산되고 있습니다.

북한의 잠재력과 우수한 인력은 다방면의 교류협력에서 확인되고 있습니다. 개성공단에서 일하고 있는 북한 근로자들의 생산성 향상 속도는 놀라울 정도입니다. 앞으로 남북 교류협력이 진전될수록 북한의 발전 속도는 더욱 빨라질 것입니다.

국민 여러분,

지난 4년간 우리에게 큰 과제였던 북핵문제도 이제 해결의 길에 들어서고 있습니다. 2005년에는 6자회담에서 북핵문제의 포괄적 해법을 담은 9·19공동성명이 발표되었습니다. 9·19공동성명은 단지 북핵문제의 해결방안만을 담은 것이 아니라 한반도, 나아가 동북아의 평화를 위한 큰 틀을 제시하고 있습니다. 이를 위한 실천계획이 올해 2·13합의로 구체화되었고, 북한 핵시설 폐쇄라는 초기조치가 이행되었습니다. 저는

6자회담 당사국들이 9·19공동성명과 2·13합의를 성실히 이행해 나갈 것이라고 확신하고 있습니다.

존경하는 국민 여러분,

참여정부가 추진한 대외정책, 안보정책은 대부분 실현 단계에 들어섰습니다. 이제는 한 발 더 나아가야 합니다. 6자회담이 새로운 단계에 접어들고 있는 이때, 6자회담과 남북대화가 서로 선순환의 관계가 되도록 운영해 나가야 합니다. 6자회담의 진전은 남북대화를 촉진하고 있습니다. 또한 남북대화는 6자회담의 성공을 촉진할 것입니다. 6자회담이 더욱 성공적으로 진전되면, 그 다음은 한반도의 평화체제를 수립하는 방향으로 발전하게 될 것입니다. 정전체제가 평화체제로 전환되고, 남북이 함께 공조하는 한반도 경제시대가 열리면 한반도는 명실 공히 동북아시아의 경제 중심이 될 것입니다. 우리는 유라시아 대륙으로 힘차게 뻗어나가면서 동북아시아의 물류, 금융, 비즈니스 허브로 확고히 자리 잡고, 북한은 획기적인 경제발전의 기회를 맞이하게 될 것입니다.

국민 여러분,

저는 2주 후에 김정일 국방위원장과 남북 정상회담을 갖습니다. 7년 만에 이루어지는 이번 정상회담은 북핵문제로 어려움을 겪었던 남북관계를 정상화하는 계기가 될 것입니다. 무엇보다 한반도의 평화와 안정을 더욱 공고히 하고, 남북 공동번영을 앞당기는 데 기여하게 될 것입니다. 지금 진행되고 있는 6자회담의 진전과 그 이후의 동북아 다자관계 발전에도 도움이 될 것으로 기대합니다.

남과 북은 이미 남북관계의 원칙과 발전방향에 대해 포괄적이고 구체적인 합의를 해놓고 있습니다. 72년 7·4공동성명, 92년 남북기본합의서와 한반도 비핵화 공동 선언, 2000년 6·15공동선언이 그것입니다. 이 4대 합의는 남과 북의 역대 정부가 남북의 국민에게, 그리고 전 세계를 향해 약속한 것입니다. 이제는 이러한 합의를 실천에 옮기는 노력이 필요한 때입니다. 그동안의 합의를 존중하고 성실히 이행하려는 자세를 가져야 남북관계는 예측 가능하고 신뢰할 수 있는 관계로 발전해 갈 수 있을 것입니다. 새로운 선언보다 이미 한 합의를 지켜나가는 것이야말로 정말 중요한 것입니다.

국민 여러분,

저는 이번 회담에서 무리한 욕심을 부리지 않을 것입니다. 무슨 새로운 역사적인 전기를 만들려고 하기 보다는, 앞서 말씀드린 바와 같은 역사의 순리가 현실이 되도록 하기 위하여 최선의 노력을 다할 것입니다. 무엇보다 서로 간의 이해와 신뢰를 증진하는 것이 중요하다고 생각합니다. 이를 위해서는 서로 이해하기 위해 노력하고, 타협할 것은 타협할 줄 아는 자세가 필요할 것입니다. 논쟁이 아니라 미래를 위한 대화를 하려고 합니다.

경제협력에 있어서는 남북 경제공동체의 건설을 위한 대화에 들어가야 할 것입니다. 이제는 남북경협을 생산적 투자협력으로, 쌍방향 협력으로 발전시켜 우리에게는 투자의 기회가, 북쪽에게는 경제회복의 기회가 되도록 해야 할 것입니다. 우선 가능한 것부터 하나씩 실질적인 진전을 이루는 방향으로 노력할 생각입니다. 회담의 전 과정에서 역사가 저에게 부과한 몫을 잘 판단하고, 성과를 올리기 위해서가 아니라 책임을 다하기 위해서 노력할 것입니다. 그리고 6자회담과 조화를 이루고 6자회담의 성공을 촉진하는 정상회담이 되도록 할 것입니다. 국민 여러분께서도 마음을 모아주시기 바랍니다. '무엇은 안 된다', '이것만은 꼭 받아내라'는 부담을 지우기보다는 큰 틀의 미래를 위해 창조적인 지혜를 모아 주시길 간곡히 당부 드립니다.

국민 여러분,

62년 전, 우리는 분단을 우리 힘으로 막지 못했습니다. 그러나 남북이 함께 협력하고 공동번영의 길로 나아가는 것은 지금 우리의 의지에 달려 있습니다. 우리하기에 따라 동북아의 평화와 번영에도 주도적인 역할을 할 수 있습니다. 그러자면 우리 내부에서도 남북문제에 대해서는 모두가 책임 있는 자세로 임해야 합니다. 남북관계 발전에 있어서는 정파적 이해가 다를 일이 없습니다. 어느 한 정부의 노력만으로 완성할 수 있는 일도 아닙니다. 매 정부마다 할 수 있는 노력을 다해 다음 정부에 물려주고, 다음 정부는 기존 성과의 토대 위에서 한 단계 더 높은 진전을 이뤄가야 합니다. 대선을 앞둔 우리 정당과 정치인들도 역대 정부의 합의를 존중하여 스스로 한 합의를 뒤집지 않는 대북정책을 말해야 할 것입니다.

존경하는 국민 여러분,

역사는 진보하고 있습니다. 힘과 대결의 질서에서 화해와 협력의 질서로 나아가고 있습니다. 100년 전 열강의 각축장이었던 한반도가 동북아 평화와 번영의 발원지가 되는 희망찬 미래가 우리 앞에 다가오고 있습니다. 저는 마음만 먹으면 무슨 일이든 이뤄낸 우리 국민의 역량을 믿습니다. 반만년의 역사를 통해 수많은 도전을 이겨내고 빛나는 문화를 창조해 온 우리 민족의 저력을 믿습니다. 그 역량과 저력으로 새로운 역사를 만들어 갑시다. 우리의 아들딸, 손자손녀들에게 보다 평화롭고 번영된 미래를 물려줍시다.

감사합니다.

팔만대장경 세계기록유산 등재 기념 문화축제 축하 메시지

2007년 8월 18일

가야산 해인사에서 열리는 여름밤 문화축제는 생각만 해도 마음이 맑아지는 것 같습니다. 특히 팔만대장경의 유네스코 세계기록유산 등재를 기념하는 행사여서 더욱 뜻 깊습니다. 현응 주지스님과 불자 여러분, 그리고 참석하신 모든 분들께 따뜻한 인사를 전합니다.

팔만대장경은 자랑스러운 우리 문화유산입니다. 장인정신이 이뤄낸 정교함과 방대함, 그리고 그 속에 담겨 있는 호국의 얼은 750여 년이 지난 지금까지도 우리에게 큰 감동과 가르침을 주고 있습니다. 이처럼 소중한 문화유산을 잘 보존하고, 세계에 널리 알리는 일은 우리 모두의 책무입니다. 그런 점에서 해인사 장경판전에 이어 팔만대장경까지 세계유산으로 등재된 것은 참으로 반가운 소식이 아닐 수 없습니다.

정부는 문화재 관리조직을 대폭 확충하는 등 우리 문화유산의 보존과 과학적인 관리에 최선을 다하고 있습니다. 이와 함께 국민 여러분이 문화재를 보다 친근하게 만나고, 보존운동에 함께 참여하는 기회를 넓히는 데에도 더욱 노력해 나갈 것입니다. 해인사 문화축제를 거듭 축하드리며, 여러분 모두 즐거운 시간 보내시길 바랍니다.

동감한국 행사 축하 메시지

2007년 8월 22일

2007년 한·중 교류의 해를 맞아 동감한국(動感韓國) 행사가 중국 북경에서 열리게 된 것을 매우 기쁘게 생각합니다. 뜻 깊은 행사를 위해 노력해주신 모든 분들께 감사의 말씀을 전합니다.

한국과 중국 두 나라는 지금 명실상부한 '전면적 협력 동반자 관계'로 나아가고 있습니다. 수교 15년이라는 짧은 기간에도 불구하고, 교역과 투자, 인적 교류에서 세계에 유례가 없는 비약적인 발전을 거듭해 왔습니다. 머지않아 무역 규모 2천억 달러, 인적 교류 1천만명 시대를 열게 될 것입니다. 나아가 두 나라는 동북아의 평화와 번영이라는 공동 목표를 가지고 있습니다. 앞으로도 한·중 양국은 상호 존중과 신뢰의 토대 위에서 협력과 공존의 미래를 열어가는 데 함께 노력할 것입니다.

지난 해 감지중국(感知中國)에 이은 이번 동감한국 행사는 이러한 양국의 우호 관계를 발전시키는 소중한 자리가 될 것입니다. 정치·경제·학술·IT·문화·예술·체육 등 다방면에 걸쳐 서로에 대한 이해를 높이고 교류를 확대하는 좋은 계기가 될 것으로 기대합니다. 이번 행사의 큰 성공과 여러분 모두의 건승을 기원합니다.

9월

국제신문 창간 60주년 축하 메시지

2007년 9월 1일

국제신문 창간 예순 돌을 진심으로 축하드립니다. 임직원과 독자 여러분께 따뜻한 인사 말씀을 전합니다. 국제신문은 우리 현대사와 희로애락을 함께하며 부산, 경남을 대표하는 언론으로 성장했습니다. 군사정권에 의해 강제 폐간되는 아픔을 겪기도 했지만 9년 만에 복간을 이뤄냈고, 공정한 보도와 알찬 기사, 다양한 문화행사로 시민들의 큰 사랑을 받고 있습니다. 지금 국가균형발전정책이 하나하나 가시화되고 있습니다. 지난 7월 행정중심복합도시가 착공된 데 이어, 10개의 혁신도시와 6개의 기업도시도 이달부터 순차적으로 건설에 들어갑니다. 기업과 사람이 지방으로 모일 수 있도록 2단계 균형발전정책도 추진되고 있습니다.

부산은 이러한 균형발전시대를 선도해나갈 도시입니다. 부산 신항과 경제자유구역 개발 등을 통해 동북아 물류중심 도시로 힘차게 발전하고 있고, 영상, 관광, 컨벤션 산업도 빠르게 성장해 세계적인 해양 도시로서의 면모도 갖춰가고 있습니다. 또한 부산 북항 재개발과 시민공원 조성은 시민들에게 한층 쾌적하고 품격 있는 삶의 조건을 만들어 줄 것입니다. 이제는 지방 스스로의 역할이 중요합니다. 시민과 자치단체, 언론, 기업, 대학 등 지역의 각 주체들이 함께 힘을 모아 균형발전정책을 지키고 더욱 발전시켜가야 합니다. 지역발전에 앞장서온 국제신문이 이러한 길에 큰 역할을 해줄 것으로 믿습니다.

다시 한 번 창간 60주년을 축하드립니다.

제44회 방송의 날 기념식 축사

2007년 9월 3일

여러분, 대단히 반갑습니다. 44회 방송의 날을 축하드립니다.

조금 전에 방송의 날 행사를 성대히 거행했다는 얘기를 들었습니다. 그 자리에서 또 많은 분들이 영광스러운 훈장을 수여받았다는 말씀도 들었습니다. 축하드립니다. 사실 방송 80년의 역사이면 만만치 않은 행사라고 생각합니다. 우선 역사를 축하드리고, 두 번째로는 방송 산업의 번영을 축하드립니다. 많은 사람들의 일자리가 여기서 만들어지고 있지 않습니까, 축하드립니다.

사회적 기여에 대해서도 치하를 드립니다. 우선 방송 산업을 통해서 사회에 기여하고, 문화 창달을 통해서 사회에 기여하고, 또 훌륭한 언론의 역할을 다함으로써 사회에 기여를 다하고 있다고 그렇게 보고 있습니다. 앞으로도 방송 산업의 성공이 국민모두에게 축복이 되고 우리 모두의 성공이 되는 그런 큰 발전이 있기를 바랍니다. 방송의 본질은 산업이지만 그러나 핵심적인 역할은 역시 언론에 있다고 생각합니다. 언론이 성공하지 못하면 산업이 성공하지 못하고, 문화 창달이 성공하더라도 궁극적으로 성공하기는 어려울 것이라고 생각합니다. 그래서 저는 방송이 언론으로서도 꼭 크게 성공하고 또 국민들의 존경을 받는 그런 방송이 되기를 바랍니다. 그렇게 되기 위해서는 몇 가지 노력이 필요할 할 것입니다. 스스로도 과거에 대한 성찰이 있어야 할 것이고 또 이미 많이 있었지만 항상 잊지 않는 성찰하는 자세가 필요할 것이라고 생각합니다. 뿐만 아니라 미래 민주주의와 언론의 역할에 대한 어떤 통찰, 역사적인 통찰이 필요하지 않을까 저는 그렇게 생각합니다. 이점에 관해서는 스스로도 탐구해야 할 것이지만 각계의 비판과 조언도 역시 필요할 것입니다. 저는 이런 초청에 대해서 매우 감사하게 생각합니다. 사실 솔직히 말씀드려서 제가 지금 언론하고는 좀 불편한 관계이지 않습니까, 좀 불편하니까 방송도 덩달아서 좀 불편할 수도 있습니다. 저는 방송의 문화 프로그램은 재미있게 보는데, 시사 프로그램은 조금 힘들게 봅니다. 그럼에도 불구하고 여러분께서 저를 초청해 주신 것은 참 기대할 만한 너그러움이라고 그렇게 생각합니다.

좀 껄끄러운 소리를 해도 괜찮다, 이런 승낙을 전제로 하고 초청하신 것 아닌가 싶어서 저의 경험으로부터 비롯된 몇 가지 견해를 이 자리를 빌어서 말씀드리고 싶습니다. 우선 거창한 것 말고 제 얘기 좀 하지요. 지난날 많은 의혹 제기가 있었습니다. 언론의 본분이라고 생각합니다. 그러나 그 중에 대부분이 혐의가 없는 것으로 정리 됐습니다. 그럴 수도 있는 것이지요. 그 중에 일부는 적어도 결과가 어떻게 나던 간에 의혹을 제기할 만한 기본적인 사실이 있었다, 합리적으로 의심할 만한 사실이 있었다, 그 점을 인정합니다. 유전 게이트라든지 행담도 사건 같은 것은 그런 빌미가 될 만한 기본적인 사실이 있었지 않은가 싶은데, 그 뒤에 '바다 이야기' '노지원 게이트' 같은 경우는 기본적인 사실이 너무나 부실한 가운데서 제기됐던 것이라고 생각합니다. 요즘 신정아씨 정윤재씨 그리고 저희 처남까지 떠오르고 있지만 이 문제 역시 결론을 저는 잘 모릅니다. 저는 검찰이 대통령 눈치 보지 않고 수사 잘 할 것이라고 생각합니다. 그러나 지금 이만큼 언론을 장식할만한 기본적 사실을 가지고 있는가, 제기할 만한 문제가 제기되고 있는가, 저는 좀 부실하다고 생각합니다. 꼭 소설 같다, 이런 느낌을 받는 부분도 있습니다.

왜 이 말씀을 드리느냐 하면 저와 언론과의 관계 때문에 말씀드리는 것이지요. 그냥 우연일 수도 있지만 저와 언론과의 갈등 관계로부터 비롯된 것일 수도 있다는 의심을 가지고 있는 것이지요. 또 최근 취재 관행을 개선하는 문제를 가지고 굉장히 불편한 관계에 서 있기 때문에 요즘 부쩍 좀 심할 것이다, 저도 그런 의심을 가지고 있거니와 저와 정치적 행보를 같이 하는 사람이 '제발 대선 국면에서라도 대통령이 좀 언론하고 맞서고 갈등 일으키지 않았으면 좋겠다'고 그런 충고를 하는 분들이 있는 걸 보면 이것이 저 혼자만의 상상은 아닌 거 아닌가 하는 생각이 듭니다.

솔직히 말씀드려서 너무 괴롭습니다. 너무 힘이 듭니다. 왜 이 힘든 일을 내가 시작 했는가, 지금이라도 그만둘 수 없는가, 그러나 저는 물러서지를 못하고 있습니다. 왜 그런가, 이것이 역사의 인연이라고 생각합니다. 역사발전의 숙명적 과제 속에 저와 언론이 이 시점에서 만나도록 예정돼 있기 때문에 이 시기에서 만났고, 이 조우를 저는 피할 수가 없다는 것입니다.

민주주의 발전과정에서 언론 개혁의 일정 단계가 우리 정권의 역사적 책임으로 지워졌기 때문에 회피할 수가 없다는 거지요. 다음으로 미루면 안 될까도 생각해 보지만, 저의 개인적인 정치 경험으로 볼 때 이 일을 끝까지 책임지고 나가는 것이 맞겠다는 소신이 있어서 이 일을 버리지 못하고 가고 있습니다.

참여정부는 1987년 이후 그 연장선상에서 성립된 정부입니다. 공포정치와 철권통치는 이미 과거의 일이었지만 공작정치의 의혹은 지금도 제기되고 있습니다. 특권과 유착의 구조가 그동안에 끈질기게 살아있었습니다. 이것을 완전히 청산하는 것, 그것은 참여정부에 주어진 숙명적 과제입니다. 부정부패, 유착, 권위주의, 그리고 장기집권으로 인한 기회주의, 정치 문화, 원칙의 붕괴, 이런 것들은 저희가 해결하거나 적어도 일보 전진하지 않으면 안 되는 역사적 과업이었습니다. 불신의 정치문화, 대결의 정치문화, 그리고 불균형의 사회, 이 불균형을 해소하기 위해서 저희가 맡은 것이 참 많지요. 그래서 이 부분에 참여정부 특유의 많은 정책들이 나오고 있는 것도 여러분들 이해하고 계실 것입니다. 행정수도의 문제도 이 연장선상에 있고, 균형 발전도 이 선상에 있는 것이지요. 갈등과 대립의 문화까지 극복하면 참 좋겠습니다만, 이것은 이미 실패로 역부족이라는 점이 증명이 됐습니다. 지역주의 하나만이라도 꼭 정리하고 싶었는데, 이것 역시 역부족으로 제 임기를 마감할 수밖에 없는 것 같습니다. 특권과 유착의 구조를 해소한다는 이 과제와 관련해서 정치권력과 소위 통치 권력과 정부의 공권력과의 유착 관계는 저는 말끔히 정리했다고 생각합니다. 그러나 특권은 그들만 가지고 있었던 것이 아니라는 것이지요. 언론 또한 특권을 가지고 있었기 때문에 이 부분을 해소하는 과정이 이 시기에 우리가 피할 수 없는 역사적 과제라고 저는 그렇게 생각하고 있습니다. 그래서 숙명적 만남이라고 말한 것입니다.

언론 개혁의 제1차적 과제는 언론 자유를 확보하는 것입니다. 제일 첫 번째는 권력으로부터의 자유, 이것은 감히 해결되었다고 말하고 싶습니다. 남은 문제는 시장 권력으로부터의 자유를 어떻게 확보할 것이냐, 그리고 사주로부터 기자의 자유는 어떻게 확보할 것이냐, 이것이 우리 앞에 놓여있는 숙제라고 생각합니다. 저는 이 문제를 풀기 위해서 언론이 각별히, 이것은 정부가 나서서 해결할 수 있는 문제가 아니기 때문에 언론인 스스로의 각성과 결단이 필요한 문제가 아닌가, 저는 그렇게 생각합니다. 언론 개혁의 두 번째 과제는 언론의 특권에 관한 것입니다. 지난 난의 유착 구조 속에서 언론은 일부 특권적 지위를 가지고 있었습니다. 부끄러운 일이고 지금의 기자들은 부인하고 싶겠지만 유착의 문화도 있었습니다. 저는 말끔히 청산되었다고 저는 생각지는 않습니다. 두 번째 과제 문제를 가지고 참여정부와 언론이 숙명의 대결을 하고 있다는 말씀을 제가 드렸습니다. 대결이라는 말이 좋은 얘기는 아니지만, 어떻든 우리가 문제를 손잡고 해결할 수 있다면 손잡고 해결해야 할 것이라고 저는 생각합니다. 합의가 됐으면 좋겠습니다. 그러나 이 문제에 대해서는 인식을 공유할 수 없다면 양심과 정의와 민주주의 원칙에 의해서 해결하자고 할 수밖에 없습니다.

우선 진실한 사실에 충실한 방법으로 문제를 풀자, 그리고 이 문제를 둘러싼 사실 보도에 있어서 공정한 기회를 달라고 말씀드리고 싶습니다. 언론이 사유 재산이 아니고 언론이 사회적 공기라고 한다면 공론 형성의, 여론 형성의 공정한 장이라고 한다면, 이 문제를 논의하는 데 공정한 기회를 줄 의무가 있다고 생각합니다. 공정한 토론과 주장의 장을 제공해야 한다고 생각합니다. 저는 취재 관행 개선에 관한 문제에 있어 그동안 정부가 주장하는 그 많은 사실들이 적어도 제가 접하는 언론에서는 보도된 것을 본 일이 없고 언론보도 분석 보고에서도 접한 일이 없습니다. 국정브리핑에 들어가면 수십 편의 그야말로 주옥같은 글들이 있는데 왜 언론에 나오지 않는가, 이 자리에서 묻지 않을 수 없습니다.

지금이라도 정정당당하게 토론합시다. 대화의 문은 열려 있습니다. 기자실 재개의 문제나 사무실 무단출입의 문제는 이미 쟁점이 아닌 것 같습니다. 적어도 공식적인 쟁점은 아닌 것 같습니다. 취재를 지원하는 공무원의 접촉의 문제는 취재 불편이 없도록 구체적인 요구가 있으면 얼마든지 대화하고 합의할 용의가 있습니다.

다만 없는 정책이 정책으로 보도되는 일, 정책이 아직 생기기도 전에 엇박자부터 먼저 나오는 일, 그리고 아직 결정도 하지 않은 정책이 말 뒤집기로 나오는 일, 이런 것은 정부의 신뢰 유지를 위해서 막아야 한다, 그렇게 되지 않도록 제도적으로 시스템을 만들어 나갈 수밖에 없다고 생각합니다. 이 부분은 양보할 수 없는 문제라고 저는 그렇게 생각합니다. 물론 토론에서 이 주장이 사실이 아니고 잘못된 것이라면 그때는 한 발 물러서겠습니다. 그동안 정부의 비리나 부정이나 부패나 공권력의 잘못된 행사를 폭로하고 국민들에게 알권리를 충족시켜 주었던 소중한 그 기사들은 다 기자실이나 사무실 무단출입이나 임의 접촉에서 나온 것이 아니라 제보와 심층 분석에 의한 기사라는 점은 우리 모두 사실로 받아들여야 할 것입니다.

당부 드리고 싶은 것이 있습니다. 언론은 권력입니다. 권력은 절제해야 합니다. 6공 말기에 새로운 대안이 만들어지면서 일부 언론으로부터 노태우 정부가 버림을 받고 거세되고 몰락되는 모습을 봤습니다. 내각제 합의가 문제가 아니라 내각제 합의의 공개가 마치 무슨 큰 부정인 것처럼 매도되는 모습을 보고 '정말 언론의 힘이 강하구나.' 느꼈습니다. 김영삼 대통령을 언론 관리의 달인이라고 했는데, 그 달인이 마지막에 새로운 대안의 선택에 영향을 끼치도록 거세되는 모습을 똑똑히 지켜봤습니다. 물론 그에게 오류가 있었습니다. 과오가 있었기 때문에 방어를 못한 것도 사실이지만, 그러나 무너지는 모습을 봤습니다.

김대중 정부의 추락과 노무현 정부의 고난도 눈앞에 벌어지고 있는 현실입니다. 어쨌든 옳은 일이든 그른 일이든 간에 권력이라는 점만은 인정해야 될 것입니다. 수많은 각료 공직 후보자들이 언론의 올바른 문제제기에 의해서 낙마했습니다. 수많은 사람들이 올바르지 않는 지적의 보도에 의해서 회복할 수 없는 상처를 입기도 했습니다. 우리 사회에 누가 언론에게 감히 '옳소 옳지 않소'라고 말할 수 있는 용기를 가지고 있는가, 정말 듣고 싶습니다. 언론에게 바른 말을 할 수 있는 사람이 있을

지 궁금합니다.

우리나라 문제만은 아닐 것입니다. 토니 블레어가 총리 자리를 그만두고 6월 12일 한 언론 연구소에서 연설을 하면서 처음으로 언론에 대해서 말했습니다. 공직이나 정치권에 있는 대부분의 사람들이 절대적으로 옳다고 생각하면서도 절대 말하지 못하는 내용을 나는 오늘 말하겠다, 그렇게 하고 언론에 관한 얘기를 했습니다. 그 내용은 언론의 권력이 아니라 언론의 선정성과 언론의 무책임성에 관한 것이었습니다. 저는 만약 같은 자리가 있다면 언론권력의 문제를 말하고 싶습니다. 그리고 지금 말하고 있습니다. 권력은 절제해야 합니다. 절제하지 않는 권력은 흉기가 될 수 있습니다. 지금까지 저는 지금 제가 당면해 있는 언론의 문제를 말씀드렸습니다. 민주주의의 미래와 우리 언론이 어느 방향으로 가야 할 것인가에 대한 제 소견을 조금 말씀드리겠습니다.

국가권력 우위의 시대에 언론은 국가권력을 견제하는 시민의 권력으로 등장했습니다. 그래서 민주주의가 발전했습니다만, 그 민주주의는 유산자 민주주의였습니다. 어쨌든 국가 권력을 견제하는 권력이었습니다. 그 이후에 가진 사람의 민주주의에 저항해서 광범위한 대중의 저항이 있었고, 그 이후 일시, 소위 국가 권력이 시장 권력을 통제할 수 있는 사회주의 시대가 잠시 등장했습니다. 그리고 수정 자본주의, 즉 케인즈주의가 시장과 권력 사이에, 시장과 정치권력 사이에 균형을 어떻게 잡아 갈 거냐는 문제를 놓고 심각한 고민을 했습니다. 무엇이 민주주의의 이익인가, 무엇이 민주주의인가를 고민했습니다.

그러나 다시 구도는 변하고 있습니다. 시장 권력이 국가 권력을, 시장 우위의 시대로 가고 있습니다. 이것이 오늘 세계화 시대의 새로운 변화입니다. 이 변화 속에서 언론이 선 자리는 어디입니까, 시장 권력인가, 시장권력의 대변인인가, 시민 권력인가 시민은 누구인가, 저는 시민의 자리에 서 있어야 된다고 생각합니다. 소비자의 자리에서 서 있어야 된다고 생각합니다. 그러나 지금 우리 언론은 거대 자본이 아니면 경영할 수 없는 또한 자본 집적체이기 때문에 그가 시민의 위치에 서있을 수 있는가, 스스로 시장권력이 아니고 견딜 수 있는가에 대해서는 세계 언론의 많은 사례들이 있습니다. 오늘날 머독이라는 언론재벌이 지배하고 있는 세계적 현상을 우리가 어떻게 볼 것인가 하는 이 문제에 대해서 우리 사회의 진지한 고민이 있어야 합니다. 그 권력의 본질을 변화시킬 수 없다면 기자의 자유, 자본으로부터 사주로부터의 기자의 자유가 이 사회의 주된 이슈가 돼야 되고 그 기자들이 시민의 편에 서야 한다는 것이지요. 지금 이 문제가 우리사회에서 주제로 돼 있습니까, 문제가 없기 때문에 주제가 돼 있지 않은 것입니까, 현재 자기의 위치를 제대로 잡고, 위치를 제대로 설정하고 올바른 견제의 방향을 설정해야 할 것입니다.

한국의 역사는 권위주의 관치경제의 시대를 벗어나서 민주주의 시장경제의 시대가 국민의 정부시대에 거의 완성이 됐습니다. 자유로운 경쟁, 이것은 이미 확보 됐습니다. 이제 지속적인 성장, 지속적인 사회통합을 위해서 사회투자 국가이론을 가지고 참여정부는 경제정책과 사회정책을 통합해 나가고 있습니다. 저는 이와 같은 시대의 변화, 전략의 변화에 대해서 우리 언론이 어떻게 평가하고 있는지에 대해서 기대를 가지고 있습니다. 무엇이 국민에게 가장 유익한 것인가. 정치권력은 당연히 그래야 합니다. 정치권력은 심판을 받습니다. 선출된 것으로서 정통성의 근거를 가지고 소신껏 일하고 5년 뒤에 심판을 받습니다. 언론의 정통성은 어디에서 비롯되는 것입니까, 누구로부터 심판을 받습니까, 새로운 제도를, 언론을, 언론사를 선거할 수 없다면 스스로의 절제, 스스로의 기여를 통해서 정통성을 만들어 나가야 할 것입니다. 저에게도 많은 과오가 있었습니다. 많은 부족함이 있을 것입니다. 그러나 이 문제에 있어서 대화하기를 바랍니다. 잘 부탁합니다.

제주 혁신도시 기공식 축사

2007년 9월 12일

존경하는 국민 여러분, 제주도민과 내외귀빈 여러분,

평화의 섬, 제주에서 첫 번째 혁신도시 기공식을 갖게 된 것을 매우 기쁘게 생각합니다. 서귀포 혁신도시의 기공을 온 국민과 더불어 축하합니다.

앞서 영상물을 보니 참으로 감회가 새롭습니다. 2004년 '국가균형발전특별법' 제정, 2005년 '공공기관 지방이전 계획' 발표와 혁신도시 선정, 올해 1월 '혁신도시특별법' 제정, 그리고 오늘 그 역사적인 첫 삽을 뜨기까지 정말 열심히 달려왔습니다. 여기까지 오는 길이 결코 순탄한 길은 아니었습니다. 여러 가지 우여곡절이 많았습니다. 그러나 정부와 지방자치단체, 공공기관, 지역주민이 함께 참여해 대화와 타협, 양보를 통해 이러한 문제들을 빠른 속도로 풀어냈습니다. 불만이 있더라도 참고 내려진 결론에 승복하는 성숙한 모습도 보여주었습니다. 아직까지 완전히 해결되지 못한 곳도 있지만 앞으로 좋은 결과가 있을 것으로 기대합니다.

오늘이 있기까지 애써주신 균형발전위원회와 정부 부처 관계자 여러분, 정말 수고 많았습니다. 쉽지 않은 결단을 내려주신 공공기관의 노사 양측에도 깊은 감사의 말씀을 드립니다. 아울러 제주도민 여러분께도 감사와 축하의 말씀을 드립니다. 특히 이 사업을 위해 대대로 살던 고향땅을 내어주신 이곳 주민 여러분께 진심으로 감사드립니다. 정부는 앞으로 여러분의 생활에 불편이 없도록 이주와 생계, 취업대책 마련에 최선을 다할 것입니다. 그리고 여러분이 이 도시의 주인으로서 자랑스럽게 오늘을 말할 수 있도록 그렇게 준비해 나갈 것입니다.

제주도민 여러분,

제주혁신도시는 반드시 성공할 것입니다. 세계적인 관광도시로, 그리고 교육과 국제교류의 중심도시로 우뚝 서게 될 것입니다. 가장 큰 성공의 근거는 제주도민 여러분의 자치역량과 강력한 열망입니다. 스스로의 결의로 새로운 길을 찾고, 추진하는 사업마다 늘 기대 이상의 성과를 이루어냈습니다. 이번 혁신도시도 다른 지역보다 늦게 시작했지만 가장 먼저 실시계획 승인을 마쳤고, 보상 시작 두 달 만에 70%라는 높은 협의 보상 실적을 달성했습니다.

더욱이 이곳 서귀포는 앞으로는 태평양, 뒤로는 한라산이 자리 잡은 천혜의 환경을 갖추고 있습니다. 누구나 한번 오면 또 오고 싶고, 그리고 계속 머무르고 싶은 곳입니다. 또한 2013년까지 12개 학교, 9천명

규모의 영어교육도시도 조성됩니다. 지금까지 몇 군 데서 만들어왔던 영어마을과는 전혀 다른 영어교육도시를 조성하는 것입니다. 이러한 여건은 관광과 교육, 국제교류의 중심으로 나아가려는 제주혁신도시의 경쟁력을 한층 높여줄 것입니다. 이미 제주는 특별자치도로 새롭게 출범해 국제자유도시를 향해 한발 앞서 나가고 있습니다. 서귀포 혁신도시는 이를 가속화하는 또 하나의 계기가 될 것입니다.

정부도 제주혁신도시가 다른 혁신도시의 모범이 되고, 나아가 세계적인 명품도시로 발전할 수 있도록 적극 지원할 것입니다. 특히 이곳에 정착하는 공공기관의 직원과 가족 여러분이 이전보다 훨씬 더 쾌적한 삶을 누릴 수 있도록 여건 마련에 최선을 다할 것입니다.

국민 여러분,

균형발전정책은 참여정부의 상징적인 국가발전전략입니다. 수도권과 지방 모두의 경쟁력을 높여 지속가능한 발전을 이루자는 일이고, 더 나아가 우리 국토를 새롭게 재편하는 대역사입니다. 지난 40여 년 동안 수도권 집중은 계속 심화되기만 했습니다. 1960년 20.6%였던 수도권 인구가 지난해 48.7%까지 높아졌습니다. 이대로 가면 2011년에는 인구의 절반 이상이 수도권에 살게 된다는 예측이 있습니다. 사람뿐만이 아닙니다. 지금 대기업 본사의 82%, 공공기관의 85%가 전국토의 1/10을 조금 넘는 수도권에 몰려 있습니다.

이렇게 집중되면 효율성과 경쟁력이 높아진다고 말하는 분도 계십니다. 그러나 결코 그렇지 않습니다. 주택난, 교통난, 생활비, 환경오염으로 인해 막대한 사회경제적 비용이 발생하게 됩니다. 지방은 지방대로 경제적 활력을 잃고 점차 쇠퇴하게 됩니다. 고비용, 저효율의 국토구조가 우리 경제의 발목을 붙잡게 되는 것입니다. 이미 많은 선진국들은 오래 전부터 분산과 균형을 추진해왔습니다. 그리고 그런 나라들이 모두 높은 경쟁력을 갖추고 있습니다. 균형발전은 나라의 장래를 위해 더 이상 미룰 수 없는 과제입니다.

균형발전은 또한 국민통합의 전략입니다. 경쟁력만 높다고 국가가 성공할 수 있는 것은 아닙니다. 사회적 갈등과 대립을 극복하고 전 국민이 하나로 통합할 수 있어야 지속적인 발전을 이뤄낼 수 있고 성공할 수 있는 것입니다. 수도권과 지방의 격차가 심화되면 사회적 갈등과 대립이 커지고 그로 인해 엄청난 비용을 치러야 합니다.

수도권에서는 참여정부의 균형발전정책으로 손해를 본다고 생각하는 분들도 계시는 것 같습니다. 그러나 균형발전은 수도권 발전을 위해서도 꼭 필요한 정책입니다. 앞으로는 덩치만 큰 도시가 아니라, 살기 좋은 도시가 경쟁력 있는 도시가 될 것입니다. 그래야 세계적인 인재가 모여들고 첨단기업이 들어옵니다. 그런 점에서 수도권은 비워야 더 발전할 수 있습니다. 균형발전이 성공적으로 진행되면 수도권은 획일적인 규제에서 벗어나 보다 질적인 계획과 관리가 가능해집니다. 수도권은 비워진 공간을 푸르게 활용하면서 품격 있는 생활환경과 최첨단 지식기반을 갖춘 쾌적하고 매력적인 국제도시로서 세계와 함께 경쟁해 나가야 합니다. 국내의 자원을 독점할 것이 아니라 세계와 함께 경쟁하면서 품격있는 도시, 수준높은 도시가 되어야 서울이 서울답게 되는 것입니다.

국민 여러분,

참여정부는 지방을 대하는 철학과 방식이 다른 정부입니다. 중앙정부가 반드시 해야 할 것을 빼고는 모두 지방으로 보내고 있습니다. 중앙정부의 권한과 사무 880건이 지방으로 이양되었습니다. 참여정부 이전까지 이양된 업무의 건수가 모두 240건인 것에 비하면 엄청난 숫자입니다. 지방교부세율이 15%에서 19.24%로 높아지는 등 지방의 자율재정도 지난 4년간 30조원 가까이 늘어났습니다. 교육자치제, 주민투표법과 같은 주민참여 방안도 제도화되었습니다. 지난해 출범한 '제주특별자치도'는 이러한 분권의 철학이 상징적으로 구현된 대표적인 사례라고 할 수 있습니다. 중앙정부가 지원하는 경우에도 중앙에서 일방적으로 결정하는 것이 아니라, 지역의 성과에 따라 더 많은 지원이 내려가는 방식으로 바뀌었습니다. 균형발전영향평가에서 볼 수 있듯이 모든 사업의 우선순위도 지방에 두고 있습니다. 지방이 중심이 되고, 지방이 주체가 되는 방향으로 가고 있는 것입니다.

국민 여러분,

참여정부의 균형발전 정책은 지방이 스스로 발전할 수 있는 길을 열기 위한 종합적이고 체계적인 전략입니다. 무엇보다 지역의 혁신역량을 강화하는 일에 집중적인 노력을 기울이고 있습니다. 지방대학과 연구소, 기업이 함께 참여하는 혁신클러스터를 구축하고, 지역 혁신 주체들이 서로 아이디어와 정보를 공유하는 혁신협의회를 활성화해나가고 있습니다. 지금 대덕연구개발특구와 창원, 구미 등 7개 시범 산업단지에서는 산, 학, 연이 다양한 교류와 협력을 통해 기업생태계의 새로운 모델을 만들어가고 있습니다. 이밖에 생명과학클러스터, 문화산업클러스터, 농업

클러스터, 테크노파크 등도 전국 곳곳에서 활발하게 추진되고 있습니다.

핵심은 역시 지방대학입니다. 인재를 키워야 혁신도, 지역발전도 가능하기 때문입니다. 정부는 지방대학의 혁신역량을 높이기 위해 '누리사업'과 '산학협력 중심대학'을 적극 추진하고 있습니다. 지금 8대권역의 23개 대학이 산학협력 중심대학으로 육성되고 있고, 누리사업에는 110개 대학에 130개 사업단이 구성되어 지방대생의 10%에 이르는 19만여 명이 참여하고 있습니다. 지역의 기술혁신역량을 강화하는 데도 많은 투자를 하고 있습니다. 수도권과 대덕을 제외한 지방의 연구개발예산 비중을 2003년 27%에서 올해 40%까지 대폭 확대했습니다. 금액으로 치면 1조5천억 원에서 3조2천억 원으로 두 배 이상 늘어난 것입니다. 이와 함께 각 지역의 특성에 맞는 전략산업을 발굴해 적극 육성하고 있습니다. 16개 지역별로 각기 4대 전략산업을 지정하고, 산업기반조성과 기술개발에 집중적인 투자를 해왔습니다. 선택적 규제특례를 통해 지방경제의 활성화를 촉진하는 지역특구제도를 도입했고, 낙후지역이 새로운 발전의 길을 열어갈 수 있도록 70개의 신활력사업을 선정해 지원하고 있습니다.

이와 같은 사업들을 위해 2004년 균형발전특별회계를 새로 만들었고, 그 규모도 매년 늘려 올해에는 6조8천억 원에 이릅니다. 특히 금년부터는 제주계정이 신설되어 제주도에 배정된 균형발전특별회계 예산이 지난해 1천8백억 원에서 올해 3천6백억 원으로 두 배로 늘렸습니다. 오늘부터 건설되는 혁신도시는 이러한 지역혁신역량을 축적하는 강력한 거점이 될 것입니다. 이전된 공공기관이 산·학·연 클러스터와 협력해 지속적인 혁신을 이루고, 이를 기반으로 지역전략산업이 활성화되면 지방은 스스로의 힘으로 역동적인 발전을 계속해나갈 수 있을 것입니다.

국민 여러분,

참여정부의 균형발전정책은 모든 국민이 행복하게 살 수 있는 새로운 국토를 조성하기 위한 정책입니다. 전국에 펼쳐질 행정중심복합도시, 혁신도시, 기업도시는 지역경제에 새로운 활력이 될 뿐만 아니라, 우리 국민에게 수준 높은 생활공간을 제공하게 될 것입니다. 건축, 환경, 교통, 문화, 복지 등 모든 분야의 첨단 기술을 담아낸 쾌적하고 아름다운 도시로 건설될 것입니다. 나아가 미래 도시발전의 새로운 방향을 제시함으로써 도시에 대한 우리 국민의 눈높이를 높이고 기존의 도시들이 새롭게 변모하는 계기가 될 것입니다. 그리고 이 도시들을 거점으로 농촌 생태계와 공동체를 복원해갈 수 있을 것입니다. 도시와 농촌이 교류하면서 전국 어디서나 수준 높은 삶의 질을 누릴 수 있는 여건이 마련될 것입니다. 이미 2005년부터 5년간 20조 원을 투자하는 '농림어업인 삶의 질 향상 계획'을 추진하고 있습니다. 5도2촌 사업, 농촌마을 종합개발과 전원마을 조성 같은 다양한 정책들이 착실히 진행되고 있습니다. 앞으로 도시민이 찾고 은퇴자가 돌아와 어울려 살 수 있는 농촌마을이 조성되면 도시에서 농촌까지 전 국민이 행복하게 살 수 있는 국토 공간이 만들어질 것입니다.

참석자 여러분,

균형발전정책이 잘 갈 것인지 걱정하는 분들이 계십니다. 저는 낙관적인 전망을 가지고 있습니다. 그리고 반드시 성공할 것이라고 생각합니다. 시대적으로 꼭 필요한 일이고, 분권과 균형발전을 핵심가치로 추구하는 참여정부가 비전과 전략, 로드맵까지 체계적으로 만들어놓았기 때문입니다. 이미 약간의 변화들이 나타나고 있습니다. 지방의 1인당 지역총생산이 2004년부터 수도권을 앞질러 꾸준히 증가하고 있습니다. 지방의 수출비중도 2002년 61%에서 지난해 68%로 높아졌습니다. 지방에서 수도권으로의 인구 순유입도 그 속도가 조금씩 줄고 있습니다.

그러나 이 정도로 대세가 바뀌었다고 말할 수는 없을 것입니다. 여전히 많은 기업과 사람이 수도권을 선호하고 있고, 수도권의 규제완화를 요구하는 목소리도 거세어지고 있습니다. 언제든지 다시 과거로 돌아갈 수 있는 강한 압력이 존재하고 있는 것이 사실입니다.

그래서 내놓은 것이 지난 7월 발표한 2단계 균형발전정책입니다. 1단계 정책이 정부와 공공부문이 주도하는 것이라면, 2단계 정책은 민간부문, 특히 기업의 지방이전을 통해 자립형 지방화의 토대를 놓기 위한 것입니다. 지방 투자 기업에 세제혜택과 같은 강력한 인센티브를 제공하고 지방의 생활환경을 획기적으로 개선함으로써 기업과 사람이 지방으로 모여들게 하자는 것입니다. 이 법은 국회에 곧 올라갈 것입니다. 2단계 균형발전정책이 국회를 통과해야 제대로 된 균형발전이 될 것이라고 저는 그렇게 생각합니다. 보통 저의 연설은 5분이나 7분입니다. 할 말이 많으면 10분입니다. 오늘은 아마 20분 정도 했을 것입니다. 왜 이렇게 길게 말씀드렸냐 하면 균형발전정책은 앞으로 위축될 수 있습니다. 경우에 따라서는 멈추어 버릴 수도 있습니다. 또 더 심하면 되돌아갈 수도 있습니다. 수도권은 막강한 인구와 인재와 부를 가지고 있습니다. 참여정부 동안에는 균형발전정책의 진행을 막지 못했습니다만, 앞으로 어떤 일이 일어날지 잘 알 수 없습니다.

균형발전정책은 제가 지금까지 말씀드린 몇 가지 정책에만 있는 것이 아니라, 모든 정책에 녹아들어가 있습니다. 지금은 정부에서 정책이나 법, 시행령 하나하나를 만들 때 모두 균형발전영향평가라는 것을 거칩니다. 균형발전에 도움이 되지 않으면, 특히 지역발전에 도움이 되지 않으면 도움이 되는 방향으로 사업의 방향을 돌립니다. 그래서 대체로 정부에서 하는 사업은 훨씬 더 조건이 불리하더라도 지방에 배치될 수밖에 없도록 그렇게 정책을 유지, 운영해가고 있습니다. 그런데 이 방법은 대단히 가짓수도 많고 복잡합니다. 잠시 한 눈 팔아버리면 지나가버리게 되어 있습니다.

사실 혁신도시 기공도 다소 서두른 감이 있습니다. 완전히 보상 끝나고 조금 더 천천히 갈 수도 있는데 왜 서두느냐면 저는 제 임기 안에 첫 삽을 뜨고 대못을 박아 두고 싶은 것입니다. 땅에 대못을 박는 것이 아니라 국민 여러분의 가슴 속에 이 균형발전정책이 꼭 필요한 것이라는 확신과 애정을 심어주어야 이 정책이 무너지지 않고 유지될 수 있다고 생각합니다.

종합부동산세가 신설되었습니다. 작년에는 1조6천억 원 정도 거두었고 올해는 3조 원 이상 거두게 될 것입니다. 서울은 납부한 종합부동산세의 26%를 되돌려 받습니다. 나머지 지방은 납부한 종합부동산세의 3.2배를 나누어 받습니다. 종합부동산세는 부동산 안정을 위해 만든 세금이지만 그 세금의 배분 과정에 균형발전정책이 들어갔고 그래서 지방이 엄청난 혜택을 보고 있는 것입니다. 이 정책을 폐기하겠다는 사람도 있고, 지방세로 바꾸겠다는 사람도 있습니다. 언론도 모르고, 국민도 모르고 해서 그냥 넘어가고 있었는데, 요 근래 와서 정부에서 강력하게 항의하고 지적하니까 정책을 바꾸었다는 얘기를 들었습니다만 불안하지 않을 수 없지요.

내신반영비율이라는 것이 있습니다. 교육정책이 인구이동에 가장 결정적인 영향을 미치고 있는데, 내신반영비율을 낮추면 공교육과 지방고등학교가 죽는 것입니다. 모두들 서울에 있는 특목고로 가야하는 것이지요. 그러나 여론조사를 해보면 많은 사람들이 대학본고사를 부활해야 한다고 합니다. 대학본고사를 부활하면 지방의 고등학교나 지방도시가 어떻게 될 것인지에 대해서 별 생각 없이 지방민들도 다 거기에 찬성하고 있는 것입니다. 연설을 길게 하는 이유가 이것입니다. 균형발전정책, 이제 제가 이상 더 지킬 수 없습니다. 앞에 앉아 계신 국가균형발전위원장, 행자부 장관, 건교부 장관 다 열심히 하지만 임기가 얼마 남아있지 않습니다.

이제 국민 여러분께서 지켜달라는 것입니다. 여러분께서 이 정책을 꼭 지키겠다고 마음먹으면 지킬 수 있습니다. 이젠 지역만의 문제를 논의하기 위한 혁신협의회가 아니라, 균형발전을 추진하는 시민조직이 만들어져서 제2단계 균형발전정책의 입법에 힘을 실어주어야 합니다. 균형발전정책이 어디어디에 꼭꼭 숨어 있는지 전부 발굴하고 연구해서 지켜나가는 지방의 시민조직 또는 지도자조직이 구성돼야 합니다. 저는 여야가 갈라질 문제가 아니라고 생각합니다. 여든 야든 같이 협력하고 연구하고 토론해서 각기 자기 정당 안에서 이 균형발전정책을 훼손시키지 못하도록 지키는 것은 여러분의 몫이라고 생각합니다.

원고만 해도 20분인데 원고에 없는 것까지 말씀드려 여러분께서 많이 지루하셨을 것입니다만 간곡히 부탁드립니다. 지금까지 여러분들께서 많이 애쓰고 협력해오셨듯이 조금 더 노력하면 지방도 잘 살 수 있는 시대를 만들 수 있습니다. 지방 사람도 서울 사람 이상으로 대우 받으면서 살 수 있습니다.

앞으로 남은 기간이 얼마 안 되지만, 있는 동안 우리가 흔히 말하듯이 못질해야 되는 대목마다 빠뜨리지 않고 단단히 정책이 흔들리지 않게 굳히도록 최선을 다하겠습니다.

감사합니다.

제1회 역사NGO세계대회 축하 메시지

2007년 9월 14일

제1회 역사NGO세계대회의 개막을 진심으로 축하드립니다.

세계 각국에서 오신 역사NGO 여러분께 따뜻한 환영의 인사를 전합니다. 우리는 역사로부터 많은 교훈과 영감을 얻습니다. 자랑스러운 역사는 계승, 발전시키고, 불행한 역사는 되풀이되지 않도록 경계로 삼을 때 보다 정의롭고 행복한 미래를 만들어 갈 수 있습니다. 특히 역사문제와 관련한 국가 간의 갈등을 어떻게 풀어 가느냐는 평화와 공존의 시대를 여는 중요한 열쇠가 된다고 하겠습니다.

이곳 동북아시아는 침략과 전쟁으로 인한 고통의 역사를 가지고 있습니다. 그리고 아물지 않은 역사의 상처는 여전히 대결과 갈등의 요인으로 남아 있습니다. 이러한 역사 갈등은 힘이나 정치적 협상으로 해결할 수 있는 문제는 아닙니다. 감정적 대립을 부추기지 않으면서 갈등을 해결하기 위해서는 역사를 대하는 성숙한 자세가 필요합니다. 무엇보다 서로 인식이 다른 부분에 대해 공동으로 진실을 밝히려는 노력을 해나가야 합니다. 아울러 반성을 뒷받침하는 실천과 바른 역사교육으로 진실을 존중하는 자세를 보여주어야 합니다. 독일이 과거사에 대해 지속적으로 사죄하고, 프랑스, 폴란드 등 이웃나라와 협의하여 공동으로 역사교과서를 발간한 사례는 그 좋은 본보기라고 하겠습니다.

역사NGO 여러분의 역할이 중요합니다. 열린 마음으로 함께 탐구하고 토론하는 가운데 인식의 차이를 해소하고, 각국 국민들의 마음속에 화해와 협력, 신뢰와 공존의 새로운 패러다임을 심는 데 큰 역할을 해주시길 당부 드립니다. 이번 대회가 역사NGO 간의 교류협력을 증진하고, 평화와 공존의 미래를 열어가는 좋은 계기가 되길 바라며, 여러분 모두 보람된 시간 보내십시오.

제34회 LA 한국의 날 축제 축하 메시지

2007년 9월 14일

올해로 서른네 번째 맞는 'LA 한국의 날 축제'를 축하드리며, 동포 여러분께 따뜻한 인사를 전합니다. LA 한국의 날 축제는 동포간의 정을 나누고, 우리 문화를 알리는 좋은 계기가 되고 있습니다. 다채로운 행사를 통해 즐거운 화합의 한마당이 되기를 바랍니다. 저는 해외동포 여러분을 볼 때마다 우리 민족의 저력을 실감합니다. 특히 200만 미주 동포 여러분은 맨주먹으로 시작해서 땀과 눈물, 불굴의 용기로 각 분야에서 큰 성공을 거두고 계십니다. 또한 고되고 힘든 이국 생활이지만 고국에 대한 애정과 관심을 놓지 않으셨습니다. 조국의 민주화와 한반도 평화는 물론, 나라에 큰 일이 있을 때면 언제나 가장 먼저 발 벗고 나서주셨습니다. 진심으로 존경과 감사의 말씀을 드립니다.

대한민국은 여러분이 자랑할 수 있고, 여러분이 하시는 일에도 도움이 되는 나라로 발전하고 있습니다. 많은 나라가 우리와의 협력을 바라고 있고, 유엔 사무총장 배출 등 세계 속의 위상도 그 어느 때보다 높습니다. 걱정이 많았던 북핵문제도 이제 해결의 단계에 들어섰습니다. 한·미관계도 상호존중과 호혜협력의 방향으로 건강하게 발전해 가고 있습니다. 앞으로 한·미 자유무역협정이 발효되고, 한국인에 대한 무비자 미국 입국이 허용되면 미주 동포 여러분에게도 더 큰 기회가 열릴 것입니다.

얼마 안 있으면 민족의 큰 명절, 추석입니다. 즐겁고 풍요로운 한가위 되시길 바라며 여러분 모두의 건강과 행복을 기원합니다.

차세대초전도핵융합연구장치(KSTAR) 완공식 축사

2007년 9월 14일

존경하는 국민 여러분, 가나메 이케다 ITER 사무총장을 비롯한 국내외 과학기술인 여러분, 그리고 내외귀빈 여러분,

오늘 우리는 과학한국의 저력을 다시 한 번 세계에 과시하는 자리에 섰습니다. 미래 에너지 자립국을 향한 도전의 현장에 함께하고 있습니다. 첨단 과학기술이 집약된 핵융합 연구 장치, KSTAR를 우리의 기술로 설계하고 제작한 것은 대한민국 과학기술의 위상을 보여주는 그야말로 쾌거입니다. 아울러 머지않은 장래에 우리 손으로 에너지 문제를 해결할 수 있다는 희망의 메시지가 아닐 수 없습니다. 참으로 자랑스럽습니다. 우리 국민 모두가 이 자리를 축하할 것입니다. 그리고 긍지와 자부심을 느낄 것입니다. 지난 12년 동안 열정과 끈기로 오늘의 성공을 이루어낸 핵융합 연구진 여러분과 산업체 관계자 여러분, 정말 수고 많았습

니다. 마음으로부터 아낌없는 박수를 보냅니다.

참석자 여러분,

2003년에 제가 직접 주재한 국가에너지자문위원회가 열렸을 때 그 위원회가 결정해서 대통령에게 건의한 정책은, '앞으로 원자력 에너지를 전체 수요 에너지의 40% 이상을 초과하지 않겠다는 약속을 정부가 하라' 는 내용이 들어있었습니다. 그 취지는 저도 충분히 공감합니다. 그러나 '실제로 원자력 에너지를 제외한 에너지 조달에 대안이 뭐냐'라고 물었을 때 누구도 자신있게 대답 할 수는 없었습니다. 그 회의뿐 만이 아니고 다른 여러 자료를 통해서 우리가 연구해 본 결과로도 그 점은 분명치 않았습니다. 그래서 원자력 발전이 차지하는 에너지 비중의 한계를 설정하는 문제에 대해서 제가 그 자문을 받아들이지 않기로 결정했습니다. 그러나 마음 한구석에 언제나 두려움이 남아있습니다. 그리고 망설임이 남아있습니다.

지금도 전 세계 한쪽에서는 아직까지 국민의 결정으로 원자력 발전을 하지 않는 것을 정책으로 유지하는 국가가 많이 있습니다. 또 지난번 독일에서도 진보주의 정당과 보수주의 정당 사이에서 대연정을 합의할 때 에너지 정책에 있어서 이 정책을 유지하는 것을 합의의 중대한 조건으로 포함하는 것을 보았습니다.

그러나 한편으로는 이제 원자력 에너지의 기술수준과 안전성이 많이 높아졌고, 폐기물 처리와 관리에 관한 기술도 많이 발전했기 때문에 원자력 비중을 높여야 한다는 주장을 새롭게 제기하기도 하고 있습니다. 오늘 아침에도 국제유가가 배럴당 80달러를 넘어섰다는 보도가 있었습니다. 우리 경제가 그와 같이 비싼 유가에도 불구하고 버텨주는 것은 참으로 대견스러운 일이 아닐 수 없습니다만, 그러나 우리 미래에 대해서 우리는 불안하지 않을 수 없는 것이지요. 정말 불안한 일이지요. 그런데 이 에너지 문제에 대해서 밝은 미래의 전망을 던져주는 것이 바로 이 핵융합 에너지입니다. 아마 우리가 이 해답을 확신하게 될 때 많은 사람들이 미래를 바라보는 관점이 달라질 것입니다. 많은 사람들이 미래를 낙관하지 못하고 망설이고 있습니다. 그러나 그 많은 사람들이 이제 이 핵융합이 실용화 된다는 확신을 가지게 될 때 설사 비용이 상당히 비싸게 치이더라도 인류 미래에 대해서 아마 낙관적인 전망을 가지게 될 것이라고 그렇게 생각합니다.

저는 과학기술의 발전이 인류의 문명을 바꾸어 왔다고 믿습니다. 그 기술의 발전이 정치를 비롯한 모든 사회제도를 바꿔 나가고, 사람의 의식까지 바뀌어 나가는 변화의 근본이라고 생각합니다. 그러나 한편으로는 과학기술 발전이 전 지구의 인간을 동시에 이 지구상에서 사라지게 할 수 있는 그런 강력한 힘, 위험한 힘으로 존재하게 될 때, 과연 인간이 과학기술을 관리하고 통제할 수 있는 도덕적 역량을 계속 가지고 갈 수 있을 것인가, 이것이 하나 걱정이었구요. 또 하나의 걱정은 오늘날 지구 온난화를 얘기 하는데 인간의 욕구를 실현해 가는 과정에서 소위 탄소 배출을 통제하는 것이 어느 수준까지 과연 가능할 것인가, 인간의 절제가 어느 한계점을 과연 넘어 설수 있을 것인가에 대해서 저는 확신을 가지고 있지 못합니다. 교토 협약에 대해서 한국도 참여하고 열심히 노력하고 있습니다만 확신을 가질 수 있는 전망은 아니었습니다. 그런데 핵융합 에너지야말로 이와 같은 의문 전부를 해결해 줄 수 있는 획기적인 기술이라고 저는 생각합니다. 그러므로 핵융합 기술이 실용화 된다는 확신을 가지게 됐을 때, 인간이 그저 에너지 문제를 해결했다는 수준을 넘어서서 인간이 스스로 멸망하지 않고 항구적인 삶을 이 지구상에서 영위해 나갈 수 있는가에 대한 철학적 판단을 바꾸어 줄 수 있는 획기적인 기술이 바로 이 핵융합 에너지라고 생각합니다. 그만큼 오늘 이 KSTAR의 완공이라는 것은 큰 의미를 가지는 것입니다. 우리 한국 기술이 이만큼 발전했다는 것, 좋은 일이지요. 그러나 이것은 그 이상의 의미를 갖고 있습니다. 우리 한국이 그야말로 선진 여러 나라들과 어깨를 나란히 첨단을 함께 이끌어간다는 것은 정말 자랑스러운 일이 아닐 수 없습니다.

그리고 세계인류를 위한 앞서가는 사람들의 책임에 우리 한국이 동참할 수 있다는 것이야말로 그동안 우리가 우울하고 불행한 역사를 돌이켜보면, 참으로 가슴 뿌듯한 일이 아닐 수 없습니다. 인류의 미래가 달라지는 현장에 우리가 서 있고, 대한민국의 세계 속에서의 위치가 달라지는 그 현장에 오늘 여러분과 제가 함께 서 있습니다. 참 기쁘기 짝이 없습니다. 정부도 생색을 조금 내겠습니다. 참여정부가 아니고 12년 전 제가 별로 안 좋아하는 문민정부에서 에너지 관련 기초연구에 대한 지원을 확대하고, 자원 개발 전문기업 육성에 결단을 내렸습니다. 그리고 지금까지 많은 노력을 기울여 왔습니다. 아까 연구소장님께서 소개하셨듯이 외환위기라는 절박한 상황에서도 이 연구를 멈추지 않고 계속해 왔습니다. 정말 세 개 정부 모두가 믿음직스러운 정부인 것 같습니다. 결정은 문민정부에서 했는데, 돈을 제일 많이 낸 것은 참여정부인 것 같습니다. 1,400억 원 가까운 예산을 투자하고, '핵융합 에너지 개발 진흥법'을 제정해서 국가적인 관리체계를 구축했습니다. 또한 KSTAR 경험을 토대로 ITER 사업에 참여해서 명실상부한 핵융합 에너지 강국의 입지를 다져왔습니다.

제가 원고에 없는 말씀을 다 드렸기 때문에 나머지 원고 부분은 생략하겠습니다. 어떻든 한국 여기까지 왔습니다. 여러분 덕분입니다. 그 중에서도 오늘 이 KSTAR 완공에 이르기까지 기술 개발에 밤낮없이 땀 흘려 오신 연구원 여러분들께 마지막으로 한번 더 큰 박수를 보내자고 제의 드리면서 제 인사를 마치겠습니다. 축하드립니다.

감사합니다.

제4회 지역혁신박람회 축사

2007년 9월 17일

여러분, 반갑습니다. 제4회 지역혁신박람회의 개막을 진심으로 축하드립니다.

올해도 대학과 연구소, 기업, 그리고 지자체에서 이뤄낸 230여건의 혁신 우수사례들이 치열한 경쟁을 벌였다고 들었습니다. 몇 년 계속하다 보면 혁신할 거리가 별로 없을 것 같기도 한데, 여전히 수준 높은 혁신이 활발하게 계속되고 있는 것을 보면, 역시 혁신은 끝이 없이 가는 것이구나 하는 생각을 갖게 됩니다.

이번에 소개되는 혁신사례들도 어느 것 하나 거저 얻은 것은 아닐 것입니다. 끊임없이 학습하고 토론해서 해법을 찾아내는 혁신리더 여러분들의 열정과 노력이 있었기 때문에 가능한 일이었다고 생각합니다. 혁신의 모범을 보여주신 수상자 여러분, 그리고 지역 혁신을 위해서 열과

성을 다해 오신 여러분 모두에게 다시 한 번 감사와 격려의 박수를 보냅니다.

참석자 여러분,

저는 올해까지 한 해도 거르지 않고 지역혁신박람회에 참석했습니다. 지역혁신과 균형발전이야말로 국가발전의 핵심전략이라고 생각하기 때문입니다. 이것 없이는 국가의 경쟁력도, 미래의 성공도 장담하기 어렵습니다. 그동안 참여정부는 이전 어느 정부에서도 시도하지 않았던 과감하고 적극적인, 그리고 종합적이고 체계적인 지역발전정책을 펼쳐 왔습니다. 전략에 있어서도 중앙정부가 일방적으로 돈과 자원을 내려 보내는 그런 단순한 방식이 아니라, 지역 스스로 발전의 동력을 만들 수 있도록 하는 새로운 시도를 하고 있습니다. 또한 정책과 예산 모두 지방, 지방대학, 지방중소기업을 먼저 고려하고, 성공가능성이 높은 사업을 제시한 지역을 우선적으로 지원한다는 원칙을 일관되게 지켜왔습니다.

먼저, 지역혁신의 토대가 되는 지식기반 구축과 혁신역량 강화에 많은 노력을 기울여 왔습니다. 지방의 연구개발예산만 보더라도 연평균 26.5%씩 늘려왔습니다. 금액으로는 지난 4년 동안 1조5천억 원에서 3조2천억 원으로 두 배 이상 증가시켰습니다. 특히 110개 대학이 참여하고 있는 누리사업과 산학협력 중심대학 육성 등을 통해서 지방대학의 핵심 역량을 강화해 왔습니다. 지역의 산업도 혁신클러스터, 지역전략산업, 지역특화발전특구, 신활력사업, 차별화된 전략에 맞추어 새롭게 발전시켜 가고 있습니다. 이 사업들을 위해 2004년에 신설한 균형발전특별회계는 규모가 매년 늘어서 올해에는 6조8천억 원에 이릅니다. 이러한 노력들에 힘입어 2002년 3,500개이던 지방의 혁신형 중소기업이 올해는 9,400개로 2.7배 증가했습니다. 국내총생산에서 지방이 차지하는 비중도 조금 전에 보고받으신 바와 같이 점점 커져 가고 있습니다. 수도권으로의 순유입 인구도 2002년 21만 명에서 지난해에는 11만2천 명으로 줄어들었습니다.

지역발전의 새로운 거점이 될 10개 혁신도시와 6개 기업도시, 그리고 행정중심복합도시 건설도 지역주민 여러분의 협조 속에 착착 진행되어가고 있습니다. 지난 7월 행복도시 기공에 이어서, 지난주에는 제주혁신도시 기공식이 있었고, 내일은 태안기업도시가 첫 삽을 뜨게 됩니다. 그리고 이제 정부와 공공기관만 이전하는 것이 아니라, 사람과 기업을 지방으로 끌어당길 수 있는 인센티브와 생활환경을 마련하겠다는 생각으로 내놓은 것이 제2단계 균형발전정책입니다. 이것까지 하면 정말 제대로 된 균형발전이 성공할 수 있으리라고 저는 믿고 있습니다. 이를 위한 법안이 조만간 국회에 제출될 것입니다. 이번 정기국회에서 반드시 통과될 수 있도록 여러분께서 힘을 실어주시기를 부탁드립니다.

참석자 여러분,

균형발전정책이 위축되거나 뒷걸음질 치지 않고 앞으로도 계속 잘 갈 수 있을지는 무엇보다 여러분의 의지와 역량에 달려 있습니다. 앞서 영상물에서 보신 바와 같이 지역발전정책은 가짓수도 많고 복잡한 정책들이 유기적으로 연계되어 있어서 이루어지고 있습니다. 방심하는 사이에 아직 뿌리 내리지 못한 정책들이 하나둘 무너지기 시작하면 지역발전의 동력이 상실될 수도 있습니다. 따라서 지역에 계신 여러분이 개별

정책이 지역에 어떤 영향을 미치는지, 그리고 인과관계를 어떻게 가지고 있는지 정확하게 이해하고 거기에 맞게 대응해 나가야 합니다. 균형발전과 배치되는 정책은 단호하게 거부하고 이를 막아내는 자세가 필요합니다.

예를 들면 대학 자율화라는 주장이 그렇습니다. 이름은 대학자율이지만 내용은 본고사를 부활하고 내신반영비율을 마음대로 낮추자는 것입니다. 이렇게 되면 공교육이 무너지고 학생들이 다시 입시지옥에 내몰리게 됩니다. 특목고와 수도권 학생들에게 압도적으로 대학입시에 유리한 환경이 조성될 것입니다. 이것이 지방의 미래에 어떤 영향을 미칠 것인가는 조금만 생각해 보면 알 수 있습니다. 그러나 본고사 부활에 대한 주장과 지지여론은 날로 높아가고 있습니다. 종합부동산세의 지방세 전환 주장도 마찬가지입니다. 이미 철회했다고 들었습니다만, 종부세 수입이 적은 지방에게 절대적으로 불리할 수밖에 없는 정책입니다. 균형발전 정책은 지금 거의 모든 정책에 다 녹아 들어가 있습니다. 정책이 바뀐다고 하면 하나하나 잘 따져보시고 균형발전이 훼손되지 않도록 여러분이 지켜주셔야 합니다.

내외 귀빈 여러분,

국가균형발전정책은 지방만을 위한 정책은 아닙니다. 수도권의 질적 발전을 위해서도 꼭 필요한 정책입니다. 정부는 균형발전의 틀 속에 수도권 발전에 대한 분명한 비전과 전략을 함께 가져가고 있습니다. 서울은 동북아 비즈니스, 금융허브로, 인천은 동북아 물류와 외국인투자 중심도시로, 경기도는 전자, IT 등 첨단산업의 메카로 발전시켜 나가기 위해서 필요한 지원과 노력을 다하고 있습니다.

균형발전 때문에 수도권 규제가 풀리지 않고, 경제적 불이익을 받고 있다는 주장은 사실이 아닙니다. 오히려 균형발전 덕분에 1997년도에 잠시 규제를 완화한 이후 처음으로 수도권 규제를 완화했습니다. 2004년 삼성전자 공장 증설, 2005년 LG필립스 파주공장 신축, 2006년 LG전자, 팬택 등 4개 대기업 공장 증설, 그리고 주한미군 이전 지역에 대해서 61개 첨단 업종 공장 신, 증설 허용이 이뤄졌습니다. 말하자면 수도권이 첨단산업 중심으로 경쟁력을 강화할 수 있는 길을 터준 것입니다.

분명한 것은 지방이 용인해주지 않았다면, 적어도 명시적으로는 아니라고 할지라도 묵시적으로 용인하지 않았다면, 이러한 규제 완화는 결코 가능하지 않았을 것입니다. 실제로 5년 전 지자체 선거 때에는 수도권 규제 완화가 쟁점으로 떠올라서 지방과 수도권이 격렬하게 충돌하기도 했습니다. 그런데도 참여정부 들어 지방이 이와 같은 결정을 묵시적으로나마 수용해 준 것은 지방과 수도권이 함께 발전해 갈 수 있다는 균형발전정책에 대한 믿음을 가지고 있었기 때문입니다.

참석자 여러분,

가까이 보면 서로 이해관계가 충돌하는 것처럼 보이는 문제들도 멀리 내다보면 지방과 수도권 모두에게 이익이 되는 일이 많습니다. 서로의 발목을 잡아서 꼼짝 못하게 할 것이 아니라 보다 성숙한 자세로 양보하고 타협하면서 손잡고 상생의 지혜를 모아나간다면 수도권도 지방도 다함께 잘사는 방법이 있을 것입니다. 거듭 말씀드리지만, 지역혁신, 균형발전이 최상의 국가발전전략입니다. 반드시 지켜내야 합니다. 그리고 더 크게 발전시켜 나가야 합니다. 전국 모든 지역이 다함께 수준 높은 삶을 누리는 행복한 대한민국의 미래를 만들어 가야 합니다.

지금까지 앞에 설명하신 분들도 그리고 제 연설 속에서도 균형발전을 경쟁력 중심으로 얘기했습니다. 그러나 멀리 보면 국민들의 뜻이 서로 맞고, 손발이 맞고, 그래서 국가가 통합이 됐을 때 경쟁력도 살아날 수 있는 것입니다. 역시 경쟁력 애기를 했습니다만, 시장이 왜 필요합니까, 왜 경쟁에서 이겨야 합니까, 궁극적으로 사람이 더불어 잘 살자는 것입니다. 함께 더불어 잘 사는 사회를 만들기 위해서 국가정책 전반에 있어서 균형적인 정책이 시행돼야 합니다.

그중에서 지금 우리가 집중적으로 노력하고 있는 것이 바로 지역간 균형을 위한 정책입니다. '함께 가자.' 이 가치를 그 누구도 함부로 무시해서는 안 됩니다. 결코 포기할 수 없는 가치입니다. 다 같은 대한민국 국민입니다. 제가 연설원고에 없는 얘기까지 중언부언하는 이유는 불안해서입니다. 수도권의 용적률을 높이면 모든 문제가 해결된다고 말한 보도를 오늘 아침에 봤습니다. 수도권의 용적률을 높이면 지방의 문제가 해결됩니까, 선거의 시기라서 제가 무슨 말을 하는 것도 한계가 있을 것입니다. 당에서 정책을 만들 때 제대로 바로 잡아 주셔야 합니다. 이 자리는 특정 정당이 아니라 모든 정당이 함께 있는 자리입니다. 정당에 몸담고 있거나 또는 정당에 지지를 보내고 있는 분들께 꼭 당부 드리고 싶습니다. 어느 정당에 속해 있든, 그 정당 내에서 균형발전 정책은 반드시 관철되도록 여러분께서 힘을 모아 주십사 하는 것입니다. 박람회를 거듭 축하하며, 여러분 모두의 건승을 기원합니다. 감사합니다.

우즈베키스탄 동포 정주 70주년 기념행사 축하 메시지

2007년 9월 22일

우즈베키스탄 정주 70주년 기념행사를 축하드리며, 동포 여러분께 우리 국민의 따뜻한 인사를 전합니다.

정주 70년의 역사는 가슴 아픈 역사이자 자랑스러운 역사입니다. 조국이 주권마저 상실했던 시절, 여러분은 러시아로 그리고 다시 중앙아시아로 강제 이주해서 말로 다할 수 없는 애환과 고초를 겪어야 했습니다. 그러나 여러분은 주저앉지 않았습니다. 남들보다 몇 배 더 땀 흘리며 노력해서 우즈베키스탄 사회의 존경받는 일원으로 성장했습니다. 성공의 역사를 만들어 오신 동포 여러분을 우리 국민은 큰 감동과 자랑으로 여기고 있습니다.

여러분의 고향, 대한민국은 이제 어디 가서도 자랑할 수 있는 당당한 나라가 되었습니다. 세계 12위의 경제규모와 스스로를 지킬만한 충분한 힘을 가지고 있고, 민주인권국가로서 세계의 인정을 받고 있습니다. 유엔 사무총장을 배출할 만큼 국제사회에서의 위상도 높아졌습니다. 모국에 대해 더 큰 긍지와 자부심을 가질 수 있도록 앞으로도 열심히 노력하겠습니다. 교육과 산업 연수의 기회를 더 많이 만드는 등 모국 발전의 혜택을 동포 여러분과 함께 나누는 일에도 최선을 다해 나가겠습니다.

올해는 우즈베키스탄과 한국이 수교 15주년을 맞는 뜻 깊은 해입니다. 그동안 양국은 많은 분야에서 긴밀한 협력관계를 발전시켜 왔습니다. 특히 2006년 체결한 '전략적 동반자관계'를 기반으로 자원, 에너지, IT 등에서 실질협력을 확대해 나가고 있습니다. 앞으로 한국과 우즈베키스탄이 더욱 믿음직한 친구로서 함께 발전해 가는 데 동포 여러분이 든든한 가교 역할을 해주실 것으로 믿습니다.

이번 행사를 거듭 축하드리며, 동포 여러분의 건강과 행복을 기원합니다.

카자흐스탄 동포 정주 70주년 기념 갈라 콘서트 축하 메시지

2007년 9월 29일

카자흐스탄 정주 70주년을 진심으로 축하드리며, 동포 여러분께 우리 국민이 보내는 따뜻한 인사를 전합니다. 뜻깊은 음악회를 준비하신 관계자 여러분께도 감사의 말씀을 드립니다.

여러분의 지난 70년은 고난과 성취의 역사입니다. 머나먼 낯선 땅으로 이주해 숱한 고초를 겪어야 했지만, 피땀 어린 노력으로 이를 극복하고 카자흐스탄 사회의 존경받는 일원으로 성장했습니다. 뿐만 아니라 한민족의 정체성을 지키며 우리의 전통과 문화를 당당히 계승, 발전시켜 가고 있습니다. 참으로 고맙고 자랑스러운 일이 아닐 수 없습니다.

카자흐스탄은 130여개 민족이 서로 포용하고 화합하면서 다민족 국가의 좋은 모범을 보여주고 있습니다. 우리 동포들의 좋은 친구로서 호의와 우정을 베풀어 주신 카자흐스탄 정부와 국민 여러분께 감사드리며, 앞으로도 우리 동포들에 대한 지속적인 배려와 관심을 당부드립니다. 올해로 한국과 카자흐스탄이 수교한 지 15년이 되었습니다. 그동안 양국은 정치, 외교, 경제, 문화 모든 면에서 괄목할만한 관계 발전을 이루었습니다. 최근 들어 두 나라간 교역과 투자가 빠르게 늘고 있고, 자원, 에너지, 건설, 교통, IT, 금융 등 협력 분야도 더욱 다양해지고 있습니다. 서로의 경험과 기술을 나누고 협력해서 공동번영의 미래로 함께 나아가게 되길 기대합니다.

동포 여러분께서도 양국을 잇는 든든한 가교로서 교류협력 확대에 앞장서주시길 바랍니다. 한국 국민과 정부도 여러분이 자랑스럽게 여길 수 있는 나라, 또 여러분에게 기회가 될 수 있는 나라를 만들기 위해 최선의 노력을 다하겠습니다. 다시 한 번 정주 70주년 기념 음악회를 축하드리며, 카자흐스탄 동포 사회의 무궁한 발전을 기원합니다.

10월

건군 제59주년 국군의 날 기념식 연설

2007년 10월 1일

친애하는 국군 장병 여러분, 그리고 내외 귀빈 여러분,

건군 제59주년 국군의 날을 온 국민과 더불어 축하합니다.

지금 이 시각에도 조국 수호의 사명을 다하고 있는 국군 장병 여러분의 노고를 다시 한 번 치하합니다. 창군 원로와 예비역, 그리고 주한미군 여러분에게도 깊은 감사의 말씀을 드립니다.

건군 당시 애국심 하나로 출발한 우리 군은 이제 누구도 넘볼 수 없는 강력한 군대로 성장했습니다. 뿐만 아니라 지구촌 곳곳에서 세계의 평화에 기여하고 있습니다. 정말 든든하고 자랑스럽습니다. 군 통수권자로서 막강한 우리 군의 위용에 큰 자부심을 느끼며, 장병 여러분에게 무한한 애정과 신뢰의 박수를 보냅니다.

국군 장병 여러분,

오늘은 참여정부 임기 중에 맞는 마지막 국군의 날입니다. 나는 취임 초부터 우리 군 스스로 나라를 지키는 자주국방의 토대를 놓겠다고 강조해 왔습니다. 그리고 이제 그 약속은 거의 다 실현단계에 들어서고 있습니다.

먼저, 자주적 방위역량을 강화하기 위해 국방예산을 연평균 8.7% 수준으로 꾸준히 늘려왔습니다. 특히 국방연구개발비는 2002년 7천억 원에서 올해는 1조2천억 원으로 80% 가까이 증액했습니다. 우리 손으로 만든 최신예 전차와 초음속 훈련기, 첨단 구축함과 잠수함 등을 통해 전력의 첨단화를 이뤄가고 있습니다. 이와 함께 방위사업청을 신설해서 국방획득체계의 효율성과 투명성을 크게 높였습니다. 이제 2012년이 되면 전시작전통제권을 우리 군이 맡게 됩니다. 이것은 우리 군이 꾸준히 역량을 키워온 결과이자, 우리 군의 위상을 다시 세우는 일이 될 것입니다. 전시작전권뿐만 아니라 주한미군 재배치, 용산기지 이전 등을 추진하면서 한미동맹은 더욱 굳건하고 미래지향적인 방향으로 발전해가고 있습니다. 군의 복지와 복무여건 개선에도 최선을 다해왔습니다. 병영생활관과 간부숙소를 현대화하고, 병사들의 봉급도 상향 조정했습니다. 군 의료서비스의 획기적 개선, 인권보호와 병영문화 개선, 제대군인 지원 등에도 지속적인 노력을 기울이고 있습니다.

병역제도도 의무복무기간 단축과 유급지원병제 도입, 사회복무제 확대 등을 통해 청년 인적자원을 효율적으로 활용하고, 병역의무의 형평성을 높이는 방향으로 개선했습니다. 무엇보다 공정하고 투명한 인사체계 구축으로 인사에 관한 잡음이 없었던 것은 군에 대한 국민의 신뢰를 높이는 데 크게 기여했다고 생각합니다. 여러분 모두 수고 많았습니다. 그러나 가장 큰 성과는 역시 '국방개혁 2020'입니다. 군사독재시절에도 이뤄내지 못했던 일을 군 스스로가 앞장서서 계획을 세우고 법제화까지 마쳤습니다. 국방개혁이 차질 없이 추진되면 2020년 우리 군은 명실상부한 선진 정예강군, 지식정보 중심의 정보과학군으로 거듭나게 될 것입니다.

이제 군 사법 개혁 법안만 국회를 통과하면 국방개혁의 종합적인 청사진은 완결된다고 할 수 있습니다. 이 법안이 정기국회 내에 반드시 처리되기를 기대하며, 국방개혁이 계획대로 추진될 수 있도록 국민 여러분의 지속적인 관심과 성원을 부탁드립니다.

국군 장병 여러분,

나는 김정일 국방위원장과의 정상회담을 위해 내일 평양으로 갑니다. 여러 의제가 논의되겠지만, 나는 이번 회담에서 한반도 평화정착을 가장 우선적인 의제로 다룰 것입니다. 평화에 대한 확신 없이는 공동번영도, 통일의 길도 기약할 수 없기 때문입니다. 북핵문제 해결과 6자회담의 진전 등 지금 한반도를 둘러싼 정세는 이전과는 다른 국면에 들어섰습니다. 모든 것이 순탄치만은 않겠지만, 앞으로 한반도 평화체제 논의가 본격화되면 군사적 신뢰구축과 평화협정, 나아가 군비축소와 같은 문제까지도 다루어 나갈 수 있을 것입니다. 이렇게 하는 이유는 한반도에 대결의 질서를 해소하고 평화의 질서를 구축하는 것이야말로 최선의 안보전략이기 때문입니다.

친애하는 국군 장병 여러분,

한반도의 대결의 질서는 한반도만의 문제가 아닙니다. 오랜 역사를 가진 동북아의 대결 구도의 일부입니다. 한반도에 평화의 질서가 정착되기 위해서는 아직도 동북아 지역에 드리워 있는 대결적 질서를 화해와 협력의 질서로 바꾸어 나가야 합니다. 참여정부가 '동북아시아의 평화와 공동번영'이라는 비전을 가지고 자주국방과 균형외교를 추진해 온 것도 바로 이 때문입니다. 전략적 유연성 문제에 있어 우리의 원칙을 지키고, 9·19 공동성명에 동북아 다자안보체제를 위한 기본적인 내용들을 담아 놓은 것도 바로 이러한 이유에서입니다.

이러한 노력들은 정치와 외교가 할 일일 것입니다. 그러나 우리 군도 할 일이 있습니다. 한반도, 나아가서는 동북아의 정세변화에 발맞추어, 한반도의 평화정착과 동북아의 안보협력을 또 하나의 안보전략으로 수용하고, 이를 실현하기 위해 군사적 신뢰구축과 평화를 위한 협상, 그리고 동북아 안보협력에 유연하고 적극적인 자세로 대처해 나가는, 전략적인 사고를 가져야 할 것입니다. 이미 우리 군은 많이 변화하고 있지만, 앞으로 더욱 능동적인 자세로 임해주기 바랍니다.

존경하는 국민 여러분,

평화를 위한 노력과 평화를 기대해도 좋을 만한 정세의 변화에도 불구하고, 국방력의 중요성을 결코 가볍게 생각하는 일이 있어서는 안될 것입니다. 평화를 위한 어떤 전략도 튼튼한 국방력이 뒷받침되지 않고는 결코 성공하기 어렵습니다. 뿐만 아니라 앞으로 우리의 안보는 남북관계라는 좁은 틀이 아니라 미래의 동북아시아 질서 전체를 내다보고 가야 하기 때문입니다. 지난날의 역사를 돌이켜보면, 한국이 힘이 없을 때 동북아의 균형이 무너졌고, 동북아 균형이 무너졌을 때 평화가 깨지고 한반도는 침략자들의 발아래 짓밟혔습니다. 평화는 힘이 있을 때라야 지킬 수 있습니다.

친애하는 국군장병 여러분,

우리 군의 목표는 1차적으로는 전쟁을 예방하는 것입니다. 그러나 그렇게 하기 위해서는 전쟁이 있을 경우에 백전백승할 수 있는 필승의 군대가 되어야 합니다. 나는 여러분이 이 모든 것을 잘 해내리라고 믿습니다. 국민의 안전과 행복, 그리고 동북아의 평화와 번영이 여러분의 어깨 위에 달려 있습니다. 더욱 강하고 믿음직한 국민의 군대로서 맡은 바 사명을 다 해주기 바랍니다.

대한민국 건군 59주년을 거듭 축하하며, 장병 여러분의 앞날에 무운과 영광이 함께 하기를 기원합니다.

서울 출발 대국민 인사

2007년 10월 2일

존경하는 국민 여러분,

저는 오늘부터 사흘간 평양을 방문합니다. 취임 전후의 긴박했던 상황을 생각해보면, 이제 한반도 정세나 남북관계가 정상회담을 열 수 있을 만큼 변화했다는 사실이 참으로 다행스럽고 기쁩니다. 오늘이 있기까지 참여정부의 대북정책을 믿고 성원해주신 국민 여러분께 진심으로 감사드립니다.

국민 여러분,

이번 정상회담은 좀 더 차분하고 실용적인 회담으로 이끌어가고 싶습니다. 지난 2000년 정상회담이 남북관계의 새 길을 열었다면, 이번 회담은 그 길에 아직도 놓여 있는 장애물을 치우고 지체되고 있는 발걸음을 재촉하는 회담이 되었으면 좋겠습니다. 여러 가지 의제들이 논의되겠지만, 무엇보다 평화 정착과 경제 발전을 함께 가져갈 수 있는, 실질적이고 구체적인 진전을 이루는 데 주력하고자 합니다.

비핵화 문제와 한반도 평화체제는 궁극적으로 남북의 합의만으로 해결될 수 있는 일은 아닙니다. 그러나 기본방향을 설정하고 속도를 내는 데 있어서는 남과 북의 의지가 무엇보다 중요하다고 생각합니다. 이번 회담이 6자회담의 성공을 촉진하고, 한반도와 동북아의 평화에 기여하는 회담이 될 수 있도록 최선을 다할 것입니다.

경제 협력은 많은 진전이 이루어지고 있습니다만, 아직도 많은 장애가 있습니다. 국제적인 요인만이 아니라 남북간 인식의 차이에 기인한 장애도 적지 않습니다. 이 장애를 극복하지 않고는 본격적인 경제협력이 속도를 내기가 어렵습니다. 저는 이 인식의 차이를 극복하는 데 노력을 집중할 것입니다. 군사적 신뢰구축과 인도적 문제에 있어서도 구체적인 합의가 이루어질 수 있도록 최대한 노력하겠습니다.

국민 여러분,

저는 이번 회담에 거는 국민 여러분의 요구와 기대를 잘 알고 있습니다. 많은 국민들과 전문가들이 제안한 의제들, 각 부처에서 제안한 의제들, 정상회담 추진위원회에서 검토된 의제들, 그리고 그 외에도 많은 의제들이 있을 수 있을 것입니다. 국민의 기대를 최대한 의제에 반영하고 결과를 얻고 싶은 심정이나, 한 번의 만남으로 이 많은 과제를 소화할 수는 없을 것입니다. 남은 임기를 고려하면 이번 회담에서 논의하고 성사할 수 있는 일에도 분명한 한계가 있을 것입니다. 시기를 놓치지 않고 한 걸음 한 걸음 착실히 나아가는 것이 중요하다고 생각합니다. 저는 욕심을 부리지 않을 것입니다. 그렇다고 몸을 사리거나 금기를 두지도 않을 것입니다.

역사가 저의 책임으로 맡긴 몫이 있을 것입니다. 이 시기 우리를 둘러싼 상황에 대한 냉정한 판단을 토대로 제게 맡겨진 책임만큼 최선을 다하고 돌아오겠습니다. 합의를 이루기 위하여 설득할 것은 설득하고, 타협할 것은 타협하겠습니다. 많은 합의를 이루지 못하더라도 상호 인식의 차이를 좁히고 신뢰를 더할 수 있다면 그 또한 중요한 성과일 것입니다. 저는 잘 될 것이라는 확신을 가지고 있습니다. 멀리 보고 큰 틀에서 생각한다면 남과 북이 가는 길이 다를 수 없기 때문입니다.

국민 여러분,

이제 북녘 땅을 향해 출발하겠습니다. 이틀 후 좋은 결과를 가지고 돌아올 수 있도록 아낌없는 성원을 당부드립니다. 잘 다녀오겠습니다.

감사합니다.

평양 도착 성명

2007년 10월 2일

북녘 동포와 평양 시민 여러분, 반갑습니다.

여러분의 따뜻한 환영에 마음속 깊이 뜨거운 감동을 느낍니다. 진심으로 감사드립니다. 북녘 동포 여러분께 남녘 동포들이 보내는 따뜻한 인사를 전합니다.

남북은 지금 화해와 협력의 새로운 길을 가고 있습니다. 여러분 한 분, 한 분을 보면서 더 큰 확신을 가질 수 있습니다. 우리의 생각이 간절할수록, 우리의 의지가 확고할수록 그 길은 더욱 넓고 탄탄해질 것입니다.

무엇보다 중요한 것은 평화입니다. 지난날의 쓰라린 역사는 우리에게 평화의 소중함을 일깨워 주었습니다. 이제 남과 북이 힘을 합쳐 이 땅에 평화의 새 역사를 정착시켜 나가야 합니다. 평화를 위한 일이라면 미루지 말고 할 수 있는 것부터 하나하나 실천해 나갑시다. 진심과 성의로써 정상회담에 임하겠습니다. 7천만 겨레에게 좋은 소식을 전해드릴 수 있도록 최선을 다하겠습니다. 북녘 동포 여러분께서도 아낌없는 응원과 격려를 보내 주시기 바랍니다.

우리 함께 뜻을 모아 민족의 희망찬 미래를 열어 갑시다.

김영남 최고인민회의 상임위원장 주최 만찬 답사

2007년 10월 2일

존경하는 김영남 상임위원장님, 그리고 북쪽 인사 여러분,

반갑습니다. 우리 일행을 위해 이처럼 귀한 자리를 마련해주시고, 따뜻한 환영의 말씀을 해주신 데 대해서 진심으로 감사하게 생각합니다.

저는 오늘 걸어서 군사분계선을 넘었습니다. 평화와 공동번영에 대한 우리 겨레의 염원을 담아 한 걸음, 한 걸음을 내디뎠습니다. 참으로 감개무량한 심정을 금할 수 없습니다. 창밖으로 펼쳐진 북녘의 산과 강, 논밭의 모습은 그 어느 것 하나도 낯설지가 않았습니다. 사람은 남과 북으로 나뉘어 있지만 우리 강토의 모습은 여전히 하나였습니다. 무엇보다도 가슴 뭉클했던 것은 북녘 동포 여러분의 뜨거운 환영이었습니다. 한 민족, 한 핏줄임이 정말 실감이 났습니다. 여러분 모두에게 남녘 동포들이 전하는 각별한 우정의 인사를 드립니다.

귀빈 여러분,

가장 중요한 것은 서로에 대한 신뢰라고 생각합니다. 그리고 그 첫 걸음은 오늘과 같이 서로 만나서 대화하는 것입니다. 나는 그동안 남북간에 신뢰를 쌓는 일이면 어려움을 무릅쓰고서라도 최선의 노력을 다해 왔습니다. 그러나 신뢰를 해치는 일은 최대한 절제해 왔습니다.

말 한마디라도 상대를 존중해서 하고 역지사지하려고 노력했습니다. 어떤 경우에도 대화와 협력의 끈을 놓지 않으려고 애를 썼습니다. 국제사회를 향해서도 한반도 평화와 화해협력의 원칙을 일관되게 말하고 협조를 구했습니다. 6·15 공동선언 이전까지 남과 북은 신뢰를 증진시키려는 노력 없이 화해와 평화를 이야기해 왔습니다. 합의는 많았지만 그만큼 실천이 따라주지를 못했습니다.

그러나 지난 7년간의 교류협력에서 우리는 신뢰를 쌓는 법을 배웠습니다. 그것은 바로 개성공단, 철도와 도로 연결, 금강산 관광처럼 서로 만나서 합의하고, 합의한 것을 실천하는 것입니다. 앞으로도 서로에게 이익이 되는 일을 찾아서 함께 실천해 나간다면 더 큰 신뢰를 쌓을 수 있을 것입니다. 그리고 이러한 신뢰의 증진은 한반도 평화를 공고히 하고, 민족 공동번영의 미래를 여는 좋은 토대가 될 것입니다.

저는 이번 정상회담이 그런 미래를 앞당기는 계기가 되기를 간절히 바랍니다. 그래서 지금 간절한 마음으로 회담을 지켜보고 있는 7천만 겨레에게 큰 희망을 선물하게 되기를 바랍니다. 민족의 장래를 내다보면서 진실 된 마음으로 대화하고 조금씩 서로 양보해 나가면 반드시 좋은 결과가 있을 것이라고 확신합니다.

자리를 함께 하신 여러분,

이제 역사는 힘과 대결의 시대에서 평화와 공존의 시대로 나아가고 있습니다. 한반도에도 화해와 협력이 역사의 대세가 되고 있습니다. 분단은 우리 힘으로 막지 못했지만, 남북이 평화롭게 공존하면서 서로 번영하는 길로 나아가는 것은 우리의 의지와 노력에 달려 있습니다. 우리 하기에 따라서는 동북아시아에 새로운 통합의 질서를 만드는 데도 주도적인 역할을 할 수 있을 것입니다. 서로에 대한 불신의 감정이 남아 있다면 지금 이 순간 털어냅시다. 과거로부터 물려받은 불신의 골도 하루 빨리 메워 나갑시다. 평화 정착과 공동번영의 미래를 위해서 힘차게 나아갑시다.

이 자리를 마련해주신 김영남 상임위원장께 거듭 감사드리며, 한반도의 평화와 번영, 그리고 민족의 무궁한 발전을 기원하는 건배를 제의하겠습니다.

건배!

남북정상회담 답례 만찬사

2007년 10월 3일

존경하는 김영남 상임위원장, 그리고 남과 북의 귀빈 여러분,

어제와 오늘, 저는 과연 '피는 물보다 진하다'는 이런 말을 실감하고 있습니다. 가는 곳마다 뜨겁게 맞아주신 북녘 동포 여러분의 환대는 영원히 잊지 못할 것입니다. 특별히, 우리 일행이 편안하게 머물 수 있도록 세심한 배려를 아끼지 않으신 김정일 국방위원장께 깊은 감사를 드립니다.

귀빈 여러분,

오늘 정상회담은 시간이 아쉬울 만큼, 평화와 공동번영, 화해협력 문제에 이르기까지 유익하고 진지한 대화가 이루어졌습니다. 김정일 국방위원장의 평화에 대한 확고한 의지를 확인할 수 있었고, 서로를 더 깊이 이해하는 기회가 되었습니다. 무엇보다 나는 이번 회담을 통해 신뢰의 중요성을 다시 한 번 느낄 수 있었습니다. 상대를 존중하는 가운데,

서로를 이해하려고 노력하고 역지사지하는 자세가 불신의 벽을 허무는 첩경이라는 사실을 다시 확인할 수 있었습니다. 저는 이번 만남이 7천만 겨레에게 큰 희망의 메시지가 되기를 바랍니다. 나아가 전 세계인에게 한반도의 미래가 더욱 평화롭고 밝을 것이라는 믿음을 주게 되기를 희망합니다.

귀빈 여러분,

2000년 6·15 공동선언은 남북관계가 화해와 협력의 길로 들어서는 획기적인 전환점이 되었습니다. 지금 개성공단에서는 만 9천여 명의 남북 근로자들이 함께 땀 흘리고 있습니다. 반세기 넘게 끊어졌던 길이 다시 열려, 매일 천여 명의 사람과 2백 대가 넘는 차량이 남북을 오가고 있습니다. 교역액도 올해 17억 달러에 이를 전망입니다. 불과 10년 전만 해도 상상하기 어려웠던 변화들이 현실로 이루어지고 있는 것입니다. 그러나 우리는 여기에서 머물 수는 없습니다. 한 걸음 더 나아가야 합니다.

단순 교역이나 개발 사업 위주의 산발적인 협력을 넘어서, 장기적인 청사진과 제도적 기반 위에서 지속적이고 포괄적인 투자가 이루어지도록 해야 할 것입니다. 그래서 남쪽의 투자가 북쪽 경제발전에 도움이 되고, 그것이 남쪽 경제에도 새로운 도약의 기회가 되는 방향으로 협력의 차원을 끌어올려야 합니다. 농업, 보건, 의료, 인프라 등 우선적으로 협력이 필요한 분야부터 성공적인 협력모델을 만들고, 서로의 장점을 살려 개성공단과 같은 협력거점을 단계적으로 넓혀 나간다면 남북 모두에게 이익이 되는 것은 물론, 궁극적으로는 경제공동체로 발전해갈 수 있을 것입니다.

귀빈 여러분,

경제공동체는 평화의 공동체이기도 합니다. 이미 개성공단 사업에서 확인했듯이, 경제적 협력관계는 신뢰를 쌓고 긴장을 완화하는 데 실질적인 도움이 될 것입니다. 경제협력이 평화를 다지고 평화에 대한 확신이 다시 경제협력을 가속화하는 선순환적인 발전이 이루어지는 것입니다.

귀빈 여러분,

지난 20세기, 우리 민족은 제국주의와 냉전의 질서 속에서 큰 시련을 겪어 왔습니다. 그러나 이제는 다릅니다. 역동적으로 발전하고 있는 동북아시아의 한가운데서 새로운 기회를 맞고 있습니다. 장차 민족 경제공동체가 형성되면, 우리를 중심으로 중국, 러시아, 일본을 비롯한 동북아시아의 큰 시장이 열릴 것입니다. 그리고 우리는 그 위에서 함께 번영을 누리면서 동북아시아에 협력과 통합의 질서를 만드는 데 주도적인 역할을 해 나갈 수 있을 것입니다. 이것이 우리 앞의 미래입니다. 남과 북이 마음만 먹으면 얼마든지 만들어 낼 수 있는 가능한 미래입니다. 우리에게는 이를 현실로 만들어야 하는 역사적 책무가 있습니다. 함께 힘을 모아나갑시다. 남과 북이 경제공동체를 이루고 함께 번영하는 시대를 열어 나갑시다. 세계사의 중심에서 인류문명의 진보에 기여하는 자랑스러운 역사를 만들어 나갑시다. 이번 만남이 우리 민족의 희망찬 미래를 약속하는 소중한 기회를 되기를 바랍니다. 김정일 국방위원장의 건강과 한반도의 평화번영을 기원하는 건배를 제의합니다.

건배!

개성공단 방문 연설

2007년 10월 4일

여러분, 반갑습니다. 저녁 못 먹었지요, 미안합니다. 좀 일찍 약속대로 시간 맞추어 와야 되는데, 김정일 위원장께서 안 보내줘서 제시간에 못 왔습니다. 따뜻하게 이렇게 환영해 주셔서 정말 감사합니다.

진작부터 꼭 한 번 와 보고 싶었습니다. 참여정부 와서 첫 삽을 떴기 때문에 궁금하고, 1단계의 2차, 그리고 다음다음, 여러 가지 결정을 해야 되기 때문에 현장을 꼭 보고 싶었는데, 대통령이 함부로 국경을 넘어서 들락날락 할 수도 없어 못 왔습니다. 다녀온 사람 말만 계속 듣고, TV에서 특집을 꾸며 개성공단 하고 있는 것을 많이 소개해 주어서 그것만 보았습니다. 그런데 직접 와 보니까 정말 감동을 느낍니다. 말로는 민족이 공동 번영한다, 민족은 하나다, 이렇게 하지만, 사실 우리가 하나 된 데가 별로 없거든요, 어디 가서도 하나로 행동하는 때보다는 서로 적대할 때도 있고, 서로 시비가 걸릴 때도 많습니다.

그런데 이제 협력을 잘 하는 데가 한 군데 있는데, 그것이 6자회담의 장입니다. 6자회담을 하면 우리 대표는 미국하고 항상 공조하지요. 그런데 실제로는 북측하고 공조를 무척 많이 합니다. 협력을 굉장히 많이 하거든요. 그래서 '하나다' 이런 것을 실천하고 있는 장이 6자회담입니다. 그런데 이제 여기 와 보니까 정말 여기가 우리가 말로만 하는 '남북이 하나다'라는 것이 그대로 실천되고 있는 곳이구나, 실감이 납니다.

처음 시작할 때는 여러 가지 우려도 많았고, 정말 괜찮은 건가, 정말 될 건가, 이런 걱정을 많이 했는데, 여러분이 잘해 주셔서 잘 가고 있는 것으로 평가하고 있습니다. 아마 이번 1차 본단지 분양도, BDA 같은 것이 없었더라면 조금 더 빨리 갔을 수도 있을 텐데 하는 아쉬움이 있습니다. 원체 그때는 상황이 불투명하고 엄중해서 앞으로 못 나갔지요.

한때 미사일 발사하고 핵실험 나올 때는 실제로 여러분도 좀 불안했습니까, 아니지요, 참 다행입니다. 여러분이 불안을 느끼지 않고 중심 딱 잡고 일을 해 주셨기 때문에 '개성공단 문 닫아야 된다'는 목소리가 조금 나오다가 그냥 잦아들은 것이지요. 실제로 당시에는 개성공단 입주해 있는 여러 경영자 여러분이 실제로 노력을 많이 했습니다. 기자회견도 하고, 인터뷰도 하고, 청와대에서도 한번 만났습니다. 제가 모셔서 정말 문 닫아야 되는 건지, 닫아도 되는 건지 상의도 드리고 했었는데, 결국 입주 경영자들이 많은 노력을 해서 여론을 바른 방향으로 잡아나가는 데 상당히 큰 도움이 됐었습니다.

지금 개성공단이 매출액의 증가 속도, 그리고 근로자의 증가 속도 같은 것이 눈부시지요. 어디서도 전례를 찾아볼 수 없을 만큼 아주 빠른 속도로 가고 있습니다. 그런데 오늘 보고를 받아보니까 지금까지 온 것보다는 더 빠른 속도로 간다는 것 아닙니까, 그런데 저도 가만히 있을 수 있습니까, 이번에 평양 가서 페달을 한번 확 밟았습니다. 결국 이제 여러 가지가 있습니다. 지금은 아니지만, 여기 일하기 위해서 가지고 들어오는 여러 가지 설비 중에 전략물자 통제라든지 문제되는 게 있어서 하나하나 우리 정부의 승인을 받아야 하고, 정부는 사실상 또 미국과 협의해서 미국의 승인을 받아야 물품이 반입됩니다. 그래서 못 들어오는 것은 아직까진 없다고 하는데, 그래도 그것 때문에 위축되고 시간이 걸리니까 여러분이나 경영하시는 분들은 얼마나 답답하시겠어요.

그런데 그런 문제가 풀리자면 북-미 관계가 풀려야 됩니다. 오늘 여러분 보도 보셨지요, 베이징에서 6자회담이 지금 속도 있게 가고 있습니다. 그리고 이제 적대관계를 해소하기 위한 절차도 미국에서 착수한 것으로 이렇게 보도가 나오더라고요. 보도가 거짓말이 상당히 많습니다. 저한테 대한 건 거짓말이 많은데, 6자회담에 대한 것은 사실이 더 많거든요. 6자회담, 잘 가고 있습니다. 그리고 아직 발효되지는 않았지만 FTA가 발효되고, 또 발효되지 않더라도 WTO에 원산지 개념이 있기 때문에 어느 정도 풀어갈 수는 있습니다마는 FTA까지 발효가 되면 이제 한 번 더 가속도가 붙겠지요.

'너희는 정치만 해라' 이렇게 말하는 사람 있는데, 그렇지 않습니다. 정치하는 사람들, 이런 것을 빨리빨리 풀어야 되거든요. 제가 정치하는 사람이니까 다 풀겠습니다. 개성공단은 성공할 것입니다. 많은 사람이 노력했지만 이곳에서 여러 가지 불편을 무릅쓰고 열심히 일해 주신 여러분 덕분입니다. 경제적으로 공단이 성공하고, 그것이 남북관계에서 평화에 대한 믿음을 우리가 가질 수 있게 만드는 것이거든요. 또 함께 번영해 갈 수 있는 가능성에 대해서 우리가 믿음을 갖게 되는 것이기 때문에, 이것이 선순환 되면 앞으로 정말 좋은 결과가 있을 것입니다. 지금은 북측 노동자들이 주로 월급만 받고 있지만, 머지않아 여기서 일하던 사람들이 협력업체로 이곳 안에서도 독립할 수 있을 것이고, 또 바깥에서도 독립할 수 있을 것입니다. 공단이라는 것이 생리상 여러 가지 부품도 필요하기 때문에 많은 외주가 있습니다. 여기서 기술을 배운 사람들이 북측에서 외주를 하기 시작하고, 또 그렇게 성장해서 사장이 되고, 그렇게 해 갔을 때 공단뿐만 아니라 공단 주변지역까지 함께 성공하게 되는 것입니다.

지난번에 인천 남동공단에 한번 갔습니다. 아주 모범적인 기업이 있어 방문했는데, 사장의 별명이 뭐냐 하면 '사장 제조기'입니다. 그 회사에서 일을 같이 하던 사람들이 같은 업종을 창업하기도 하고, 또 사장이 사업을 부분 부분 계속 떼서 독립시켜 회사를 만들게 하고 협력해 나가면서 많은 사장들이 그 회사에서 배출됐기 때문에 '사장 제조기'라고 그럽니다. 결국 우리 경제라는 게 그렇게 확산되어 나가는 것입니다. 저는 앞으로 이곳에서 일하고 있는 북측 노동자 사이에서도 크고 작은 많은 사장들이 나올 것이라고 생각합니다. 그렇게 됐을 때 진정한 의미에서 우리가 함께 성공하는 그런 좋은 선례가 되지 않겠습니까, 그것이 한반도 전체로 확산되면 우리가 정말 전쟁 걱정 안 해도 되는 것이지요. 지금도 할 필요가 없습니다만, 제가 아무리 '전쟁 걱정하지 말라.' 해도 마음속에 조금씩 불안이 있지 않습니까, 대기업들이 북측에 투자 안 하는 것은 다른 여러 가지 불편도 있지만, 그런 위험 때문에 적극적으로 불편을 해소하려는 노력을 하지 않고 투자를 안 해 버리는 것입니다. 이런 문제들이 앞으로 다 해결될 텐데, 그 해결 과정에서 여러분이 바로 평화에 대한 신뢰를 만들어 주고 계신 것입니다. 지금 남북 관계는 아주 급속하게 바뀌어져 가고 있습니다. 여러분께 감사드리고요. 이번에 북측에 가서 경험했던 것 한 가지만 말씀 드리겠습니다.

전 개혁, 개방이 참 좋은 거라고 생각하고, 어떤 사람들이 '개성공단이 잘되면 북측의 개혁, 개방을 유도하게 될 것이다'라고 말을 하면 그럴 듯한가 보다, 그렇게 생각했었습니다. 이번에 북측에 가서 대화를 해 보니까, 직접 그것을 얘기하지 않았지만 '개성공단을 남측에서 너무 정치적으로 이용하는 점이 있어서 우린 매우 못마땅하다.' 이렇게 말씀하십디다. 그게 무슨 뜻인가 하고 가만 생각해 보니까 '개성공단을 통해서 북측이 개혁되고 개방될 것이다' 이런 말을 좀 우리가 했는데, 결과적으로 그것이 조심성 없는 말이었던 것 같습니다. 이미 여러분도 다 알고 계시지요,

혹시나 싶어서 여러분들께 말씀을 드리는 것입니다. 서울 돌아가면, 적어도 우리 정부라도 앞으로 그런 말 써서는 안 되겠다, 이곳은 남북이 하나 된 자리이고 함께 성공하는 모범이 되는 자리이지 누구를 개혁시키고 누구를 변화시키는 자리가 아니다, 이런 점을 저도 분명히 하려고 합니다. 여러분들도 혹시 바깥에서 누가 그런 말씀 하시면 '그런 소리

하지 말라'고 해주십시오. 개혁, 개방은 북측이 알아서 할 일이고 우리가 불편한 것만 하나하나 해소해 나가도록 정부는 노력할 것입니다. 예를 들어 전화나 인터넷, 통행이 불편하면 하나하나 우리가 정부가 해소하겠지만, 그것을 이른바 '개혁, 개방'이라고 이름 붙여서 그렇게 말하진 않으려고 합니다. 여러분들도 그 점에 대해서 각별히 유의하시고, 국민들 사이에서 그런 일방적 생각이 자꾸 얘기되어서 서로 오해를 사는 이런 일이 없도록 노력해 갔으면 좋겠습니다.

여러분, 열심히 하시고 크게 성공하십시오. 또 여기 계신 분들도 지금 월급 받고 일하신 분들이 대부분이겠지만, 이처럼 기업이 확산되어 갈 때 기회가 있는 것이거든요. 몇 가지 법칙이 있습니다. 경제가 갑자기 좋아졌다가 갑자기 곤두박질쳤다가 이럴 때 돈 없는 사람이 제일 손해를 많이 보지요. 이른바 '골병든다'는 것이지요. 경제가 순탄하게 가야 됩니다. 너무 널뛰기하지 말고 순탄하게 가야 모두가 골고루 자기가 예측해 가면서 가는 것이지요. 순탄하게 가는 것이 중요합니다.

그러나 이런 공단 같은 데서 기업이 아주 빠르게 확산되고 할 때에는 이곳에서 일하는 사람들의 기회가 많아지는 것이지요. 말하자면 계장은 과장 될 기회가 많아지는 것이고, 과장은 부장될 기회가 많아지고, 부장은 또 사장 한번 될 기회가 많아지는 것은 틀림없습니다. 확대되어 가는 과정에서 좋은 기회를 잡아서 여러분 모두 크게 성공하시기 바랍니다.

감사합니다.

대국민 보고

2007년 10월 4일

여러분, 이렇게 이곳까지 저를 마중 나와 주셔서 정말 감사합니다. 제가 제 시간에 도착을 못해서 여러분 아마 저녁도 못 잡수셨을 것입니다.

평양을 다녀왔습니다. 임기가 얼마 남지 않은 처지라서 과연 가야 하는 것인지, 가서 어떤 약속을 하고 얼마만큼 임기 안에 제가 마무리를 하고 또 무엇을 다음 정부에 넘겨야 할 것인지 무척 고심이 됐습니다. 그런데 아무리 생각해 봐도 지금 이 시기가 매우 중요한 시기이기 때문에 이 시기에 해야 될 일을 안 하고 다음 정부에 넘긴다면 지금의 이 좋은 기회에 해야 할 일을 할 수도 없거니와 또 시간적으로 너무 뒤로 늦어진다는 생각이 들어서 가기로 했습니다.

그런데 제가 가는 것에 대해서 반대하는 분들도 많이 있고, 또 더 많은 분들은 갔다 와야 된다고 하시면서 대신 이 문제도 해결하고 저 문제도 해결하라고 주문을 내놓으시는데, 정말 주문이 많았습니다.

그 주문을 어떻게 다 소화할까 매우 걱정을 했습니다. 그리고 하나 하나 다듬고 간추리고 해서 최대한 다 반영시키려고 노력했습니다. 그래서 일거리가 한 보따리가 돼서 가는 걸음이 무거울 수밖에 없었습니다. 어떻게 이 많은 일을 다 성사시키고 올 것인가 걱정이 돼서 정말 발걸음이 좀 무겁기도 했습니다. 그래서 혹시 돌아오는 보따리가 좀 적더라도 만남 자체가 의미가 있는 것이니까 그것으로 이해해 주십사 해서 '욕심 부리지 않겠습니다.' 이렇게 미리 한 자락 깔아놓고 갔습니다. 그리고 제가 준비해 갔던 보따리를, 보자기에 싸 가지고 갔던 일거리를 확 풀어놨습니다. 이제 돌아오는 길에 그 보자기로 다시 성과를 싸는데, 가져갔던 보자기가 조금 작을 만큼, 적어서 짐을 다 싸기가 어려울 만큼 성과가 좋았다고 저는 그렇게 생각합니다.

국민 여러분께서 성원해 주신 덕분입니다. 그리고 많은 분들이 조언도 해 주시고 많은 제안들을 해 주시고 거기에 대한 논거까지 하나하나 그렇게 준비해 주셨기 때문에 좀 더 큰 성과를 거둘 수 있었다고 생각합니다. 저 혼자 했더라면, 또 몇 사람 참모만 가지고 이 일을 했더라면 결코 이렇게 좋은 성과를 거둘 수는 없었을 것입니다. 그런 점에서 조언을 해 주신 많은 분들은 물론이고 성원을 보내주신 국민 여러분께 다시 한 번 감사드립니다. 정말 감사합니다. 저는 해외에 나갈 때도 조용히 나가고 돌아올 때도 조용히 들어오곤 했습니다. 연설하고 박수 받는 것은 좋아하지만, 성대한 환영식과 열렬한 박수를 좀 부담스럽게 생각하는 습관을 가지고 있습니다. 그런데 이번에 평양에서 북녘 동포들이 저에게 보여주신 뜨거운 환영 그것은 처음에는 좀 부담스러웠는데, 쭉 긴 거리를 가면서, 많은 분들을 보면서, 그분들의 표정들을 보면서 정말 부담스럽지 않았습니다. 정말 고마웠습니다. 그러면서 우리 남녘 사람들과 북녘 사람들이 자유롭게 만나고 서로 함께 어울려서 살 수 있도록 정말 꼭 우리가 해야겠구나 하는 간절한 소망이 가슴에 생겼습니다.

김정일 위원장을 만났습니다. 처음에 김영남 상임위원장을 만났는데, 첫 회담 마치고 정말 잠이 오질 않았습니다. 제 느낌이 '아, 양측 간에 사고방식의 차이가 엄청나고 너무 벽이 두꺼워서 정말 무엇 한 가지 우리가 합의할 수 있을지 사실 눈앞이 좀 캄캄하다.' 하는 그런 느낌이었습니다. 그래도 은근히 기대를 가져봤습니다. 같이 갔던 통일부 장관을 비롯해서 북측과 많은 회담을 했던 분들이 저를 위로하면서, 그분들이 항상 본시 군기를 그렇게 잡으니까 처음에 군기 잡은 거지, 말하자면 기세 싸움 한 것이지 꼭 안 된다는 뜻은 아닐 것이다, 내일 김정일 국방위원장을 한번 만나보자, 그때까지 너무 실망하지 말고 용기를 갖고 해 보라고 저를 격려해 주었습니다. 그래서 기대를 걸고 만났습니다.

오전에는 좀 힘들었습니다. 오후 가니까 좀 잘 풀렸습니다. 아주 간단하게 말씀드리면, 말이 좀 통합디다. 사실 제가 약간 불만스러운 마음을 가지고 간 것이 북핵 문제입니다. 남북 간에는 한반도 비핵화에 관한 합의가 이미 있습니다. 기본 원칙에서 이 합의가 있고, 북핵 문제가 국제적인 문제이기 때문에 실질적이고 구체적인 문제는 6자회담에서 풀고 있고, 지금 잘 풀려가고 있는데, 저더러 자꾸 '북핵 문제 해결하고 와라' 하는 것은 말하자면 문제 해결의 타작마당은 따로 있는데 저더러 따로 어디서 또 타작마당 벌이라는 얘기가 되니까 저로서는 부담스럽게 생각이 됐습니다.

그래서 잘 되고 있는 얘기를 꺼내 가지고 또 확인하자는 것이 회담 분위기를 망치지 않을까 하는 부담을 가지고 갔습니다만, 다행히 여러분이 보도를 통해서 보셨듯이 한반도 비핵화에 관한 기존의 합의를 다시 한 번 확인하고, 6자회담의 장에서 지금까지 그래왔듯이 앞으로도 남북이 서로 긴밀히 협의하고 협력해서 9·19 공동성명과 2·13 합의를 성실히 이행해 나가도록 하자, 쉽게 말하면 핵 폐기는 하는데 6자회담에서 우리가 같이 풀자, 이렇게 정리가 됐습니다.

다행히 김정일 위원장께서 아무 이의 없이 북핵 문제에 대한 9·19 공동성명과 2·13합의를 성실히 이행한다는 점, 그리고 비핵화 공동선언을 중요한 선언으로서 우리가 앞으로 지켜야 될 원칙으로서 재확인한다는 점을 확인해 주었고, 이것은 북한의 최고 지도자가 북핵 폐기에 관한 분명한 의지를 밝힌 것이니만큼 이행에 문제가 없을 것이라고 저는 그렇게 생각합니다. 우리 외교부는 6자회담에서 북측이 민감한 여러 가지 표현들에 있어서 상당한 양보를 했다는 평가를 하고 있습니다. 그것은 정상회담을 앞두고 있는 시점에서 정상회담을 성공시키기 위해서 그렇게 협력한 것으로 우리는 받아들이고 있습니다. 그래서 그 점에 있어서 이미 정상회담이 6자회담의 진전에 기여하고 있다는 점과 또 북측의 성의 있는 노력에 대해서 다시 한 번 감사를 드립니다.

회담 도중에 김정일 위원장은 6자회담 북측 수석대표인 김계관 외무성 부상을 회담장에 들어오도록 해서 10월 3일 공동성명의 합의경과를 직접 설명하도록 했습니다. 여기에서 매우 구체적이고 소상한 보고를 저희가 받았습니다. 저는 6자회담의 진행이 아무런 장애 없이 잘 풀려갈 것으로, 따라서 핵문제는 잘 풀릴 것으로 확신합니다. 이제 북핵문제가 풀리면 한반도 평화체제로 가야 한다, 이것이 우리 정부의 방침이었습니다. 그런데 평화체제로 가려면 종전협정 또는 평화협정이 순서대로 또는 동시에 함께 가야 되는 절차가 남아 있습니다. 그런 문제와 관련해서 앞으로 원칙에 있어서 남북이 주도해서 직접 관련 당사국간의 평화체제에 관한 협의를 해 나가는 데 협력하기로 했습니다. 왜냐 하면 남북 당사자 간에 바로 협의를 시작할 수는 없기 때문입니다. 그래서 협의를 하자고 각국에 이렇게 제안하도록 그렇게 기본적으로 합의를 하고, 이 과정의 일환으로서 부시 미국 대통령이 제안한 바 있는 종전선언 방안을 김 위원장에게 설명했습니다.

이에 대해서 김 위원장은 종전체제를 평화체제로 전환하는 데에는 기본적으로 동의한다는 뜻을 밝히고, 이전에 한미 간에 논의한 바 있는 종전선언 방안에 대해서 구체적인 관심을 표명했습니다. 그리고 이것을 성사시키도록 남측이 한번 노력을 해 보라는 주문을 했습니다. 그래서 이것을 함께 추진해 나가자는 취지로 선언문에는 그렇게 표현을 했습니다. 앞으로 여러 당사국 간에 대화가 잘 이루어지면 이 문제도 북측으로서는, 그렇게 할 용의가 있다는 점을 분명히 했습니다. 저는 한반도의 평화 정착과 남북 간의 경제협력의 확대, 그리고 동북아시아의 협력질서 구축을 위해서는 북·미 간, 그리고 북·일 간 관계 개선이 필요하다는 점을 강조했습니다. 이것을 위해서 서로 협력하자고 제안했습니다. 이 점에 대해서는 김정일 위원장이 듣고만 있었기 때문에, 무슨 합의가 있었다고 말할 수는 없습니다. 또 이것은 합의할 사항도 아닙니다. 이 점에 대해서 중요성을 제가 여러 차례 매우 강조했다는 것만 말씀드리겠습니다. 그리고 김 위원장께서 매우 경청했다, 이렇게 전해 드리겠습니다. 앞으로 북핵문제 해결과 함께 북미관계가 개선되고 평화체제 논의가 본격화되면, 이제 우리는 분단 반세기 만에 냉전체제의 굴레에서 벗어나서 진정한 평화의 시대를 맞이하게 될 기대를 가질 수 있겠다는 판단을 하고 돌아왔습니다.

군사적 긴장을 완화하고 분쟁문제들은 대화와 협상을 통해서 해결하기로 합의했습니다. 한반도에서 어떤 전쟁도 반대하며 불가침의 의무를 확고히 준수하기로 뜻을 모았습니다. 저는 서해상의 평화 정착을 위해서 군사적 대결의 관점이 아니라 경제협력의 관점으로서 이 서해 문제를 우리가 풀어나가자 하는 발상의 전환이 필요하다는 점을 강조했습니다. 그래서 서해에서 공동어로구역과 해상평화공원, 그리고 해주공단 개발과 이를 개성공단, 인천항과 연결하고 한강 하구의 공동 이용을 묶어서 대결 상태를 해소하고 평화를 구축하고 그리고 경제적 협력을 해나가는 포괄적인 해결 방안으로서 '서해평화협력 특별지대' 방안을 제의를 했습니다. 이에 대해서 김정일 위원장은 국방위원회 참모들과 상의한 다음에 우리 제안을 원칙적으로 수용하겠다는 의사를 밝힘에 따라 정상선언에 포함되게 됐습니다.

제가 설명을 좀 명쾌하게 못 드린 것 같은데, 이번 남북 공동 선언에 있어서 가장 핵심적인, 가장 진전된 합의가 바로 이 부분입니다. '서해평화협력 특별지대'를 만들어 나가기로 합의한 것입니다. 남과 북은 서해안에서의 우발적 충돌 방지를 위해서 공동어로수역을 지정하고 이 수역을 평화수역으로 만들기 위한 방안과 협력 사업에 대한 군사적 보장 조치 문제 등 군사적 신뢰 구축 조치를 협의하기 위해서 금년 11월 중에 국방장관회담을 개최하기로 합의했습니다.

다음으로 경제 협력에 관해서 말씀드리겠습니다. 이번 회담에 임하면서 저는 경제 협력에 관해서 많은 준비를 했고 실질 회담에서도 많은 시간을 할애해서 아주 진지한 대화를 나누었습니다. 그러나 논의가 쉽지만은 않았습니다. 개성공단 개발 등 그동안의 진전에도 불구하고 북측의 입장에서는 여러 가지 부담스럽고 불편한 점이 적지 않았던 것 같습니다. 또한 불만스러운 점도 있었던 것 같습니다. 저는 김정일 위원장에게, 남북 경협은 어느 일방을 위한 것이 아니라 양측 모두에게 필요한 것이고 경제 협력은 우리에게도 매우 중요한 문제라는 점을 누누이 강조했습니다. 그리고 우리 기업 중에서 대북 투자를 희망하고 있는 기업들이 많다는 얘기를 했습니다. 이것은 우리가 남북 경제 협력 하면 얼른 '일방적 지원'을 항상 머리에 떠올리는데, 이것이 회담에서 그런 방향으로 대화가 됐을 때에는 북측으로서는 매우 자존심 상하는 일이고 쉽게 받아들일 수 있는 문제가 아니기 때문에, 공동의 이익일 뿐만 아니라 우리 남측도 여기에 큰 기대를 걸고 있는 사람이 아주 많다는 것을 특별히 강조해서 얘기를 했습니다. 그 점을 매우 새롭게 받아들이는 것으로 저는 그렇게 이해했습니다.

그리고 그동안 개성공단과 같은 특구 지역에서는 성공을 하고 있지만 그 이외의 지역에서는 남북 경협이 잘되지 않고 실패했거나 지지부진하고 있는 것이 많다는 점을 설명하고, 이런 장애 요인을 해소하고 기업이 안심하고 투자하고 안정적으로 기업 활동을 할 수 있는 체제를 갖추어 나가는 것이 매우 중요하다는 점을 강조했습니다. 그런데 남북 경협의 많은 장애 요인들을 건건이 하나하나 해결해 간다는 것은 너무나 시간이 많이 걸리고 절차도 많이 걸리고 해결이 매우 어려운 것이기 때문에, 개성공단과 같은 특구 개발 방식을 통해서 법과 제도, 인프라 문제 등을 일괄적으로 해결해 나가는 것이 좋다는 제안을 역시 강조했습니다.

그리고 기업의 원활한 경영 활동과 기술 이전 등을 통해서 남북 경협이 지속적으로 발전해 나가기 위해서는 사람과 사람 간의 소통이 매우 중요하고, 합의한 사항은 반드시 이행함으로써 예측 가능성을 높여야 한다는 점도 강조했습니다. 그리고 기업들이 시장경제 원칙 아래 활동할 수 있도록 제도적 장치를 마련하고 남북 당국이 합의한 경협 사업에 대해서는 군사적 보장이 반드시 이루어져야 한다는 점도 강조했습니다. 이와 함께 기업들은 남북 관계의 상황 변화에 매우 민감할 수밖에 없기 때문에, 북핵 문제 해결, 북·미, 북·일 관계 개선 등을 통해서 국제 관계를 안정적으로 관리해 나가야 한다는 점도 역시 강조했습니다. 아울러 이러한 토대 위에서 남북이 상호 보완적으로 만들어 갈 수 있는 공동 번영의 구상을 미리 준비한 바에 따라서 상세하게 밝히고, 경제 협력을 좀 더 체계적이고 미래 지향적인 방향으로 발전시켜 나가자는 제안을 했습니다.

저는 이번 회담에서 김정일 위원장과의 진솔한 대화를 통해서 앞으로 남북 경협이 발전하는 데 필요한 과제들에 대해서 인식의 공감대를 넓힐 수 있었던 것을 매우 다행스러운 일로 생각합니다. 실질적인 문제에 관해서도 많은 합의를 이루었습니다. 앞서 말씀드린 서해평화협력 특별지대 개발은 평화 정착에도 물론 도움이 되지만 남북의 어민과 우리 기업들에게는 직접적으로 혜택이 돌아가는 평화 번영의 프로젝트가 될 것입니다. 그 중에서도 특히 해주 지역의 특별지대 설정은 개성과의 관계, 인천과의 관계에서 경제적으로 매우 큰 시너지 효과가 있을 것이라고 생각합니다.

이 밖에도 남북 간에 논의되어 오던 각종 경협 사업들이 정상 간 합의로서는 좀 이례적이라고 할 만큼 매우 구체적으로 합의가 이루어진 것을 성과라고 생각합니다. 그런데 구체적인 것을 가지고 일일이 합의를 하려고 하면 너무 끝이 없고 해서, 앞으로 총체적으로 여러 가지 문제들을 함께 풀어가기 위해서, 경제 협력에 관한 합의 사항을 이행하기 위해서, 또는 새로운 문제들을 해결해 나가기 위해서 남북 간 부총리급의 공동위원회를 운영하기로 합의했습니다. 이것은 실무선에서 해결되지 않은 문제, 문제는 제기되지만 해결한다고 하면서 계속 해결되지 않은 많은 문제들을 해결해 가는 데 있어서 매우 유익한 기구가 되리라고 생각합니다. 그리고 새로운 사업의 제안과 합의를 계속해서 이루어 나갈 수 있는 토대가 될 것이라고 생각합니다. 저는 이번 합의가 남북 경협의 수준을 한 차원 높여서 우리 중소기업에게 새로운 기회를 제공하고 우리 경제의 활동 영역을 넓히는 계기가 될 것으로 생각합니다. 저는 취임사에서 한반도 평화 번영, 그리고 나아가서 동북아시아의 평화 번영을 얘기하면서 이것이 단지 평화의 문제, 그저 일반적인 경제 번영의 문제를 넘어 우리 한국 경제, 특히 구조조정 문제에 있어서 일본과 중국의 사이에 끼어서 많은 어려움을 겪고 있는 우리 경제에 새로운 활로를 열어나갈 수 있는 아주 좋은 계기가 될 것이라고 그렇게 말한 바 있는데, 이번에 그 기틀을 놓았다고 저는 그렇게 생각합니다.

제가 가끔 '북방 경제'라는 얘기를 했습니다. 그런데 제 스스로 얘기하면서도 너무 까마득해서 '혹시 허황된 주장이 아닌가' 하는 불안감이 있었는데, 이번 합의를 기초로 해서 앞으로 협력 관계를 좀 속도 있게 발전시켜 나가면 '북방 경제'라고 말할 수 있을 만큼, 그 이름이 별로 좋진 않아서 앞으로 좋은 이름으로 붙여야겠습니다만, 한국 경제에 좋은 계기가 되리라고 생각합니다. 그래서 경제 협력이 평화를 구축하고 또 평화가 경제 협력을 뒷받침하는 이런 선순환의 구조가 만들어지리라고 생각합니다. 나아가 남북 경제의 '상생의 경제' 실현과 평화와 번영의 동북아시대로 나아가는 디딤돌이 될 것으로 기대합니다.

남북 간의 화해와 통일 문제에 대해서도 많은 대화를 나누었습니다. 이 분야는 양측이 서로 제기할 사항이 많고 정치적으로 매우 민감한 분야도 있는 것이 사실입니다. 저는 먼저 화해의 첫 단계는 과거로부터 자유로워지는 것이라고 말하고, 이산가족, 그리고 납북자, 국군 포로 문제 등을 근본적으로 해결하자는 제의를 했습니다. 특히 이산가족 문제는 시급한 문제라는 점을 거듭 강조했습니다. 이에 대해서 김정일 위원장도 공감하고, 이산가족 상봉을 확대하고 영상편지 교환사업을 추진하기로 했습니다. 그리고 금강산 면회소가 완공되는 대로 쌍방 대표를 상주시키고 이산가족 상봉을 상시적으로 진행시키는 데도 합의했습니다.

그러나 납북자 문제 등은 양측의 입장 차이로 국민 여러분이 기대하는 만큼의 성과를 거두지 못했습니다. 합의를 이루어 내지 못했습니다. 다만 많은 대화를 했습니다. 이것이 다음에 이 문제를 풀어가는 데 있어서 밑거름이라도 됐으면 하는 바람입니다만, 어떻든 이번에 해결하지 못해서 국민 여러분께 매우 죄송하게 생각합니다. 앞으로 또 새로운 기회를 만들어서 또 이런 대화의 기회를 빌려서 이 문제를 해결해 나가도록 노력하겠습니다. 민족의 유구한 역사와 우수한 문화를 빛내기 위해서 역사, 언어, 교육, 문화예술, 체육 등 사회문화 분야의 교류와 협력도 발전시켜 나가기로 했습니다. 아울러 2008년 북경올림픽 경기 대회에 남북 응원단이 경의선 열차를 이용해서 참가하기로 했습니다. 정상회담 개최에 관해서 정상회담을 정례화하자는 제안을 했습니다만, 이것은 아직 국가 정상 간에 그런 선례도 없고 해서, 그렇게 하지 말고 문제가 있을 때마다 또는 남북 관계 발전을 위해서 정상들이 수시로 만나서 현안 문제들을 협의한다는 정도로 합의를 했습니다. 실제로 자주 좀 만나자는 그런 요구를 했습니다.

이와 함께 남북회담을 보다 안정적으로 운영해 나가기 위해서, 그동안 장관급으로 운영돼 오던 남북 대화의 총괄 창구를 총리급으로 격상시키고 제1차 회의를 금년 11월 중에 서울에서 갖기로 했습니다. 그리고 저는 김정일 위원장의 서울 답방도 요청했습니다만, 이에 대해서 김 위원장은 우선 김영남 최고인민회의 상임위원장의 서울 방문을 제안하고, 본인의 방문은 여건이 좀 더 성숙할 때까지로 미루는 것이 좋겠다고 말했습니다. 통일문제에 대해서는 기본적으로 6·15 공동선언에 잘 정리되어 있다고 평가하고, 이념적이고 추상적인 논의보다는 현실적이고 실질적인 접근을 통해서 문제를 풀어가는 것이 바람직하다는 데 인식을 같이했습니다. 이번에 합의한 내용들이 진전을 이루고 남북 정상들이 자주 만나는 것이 결국 통일로 가는 과정이 아니겠는가 하는 방향으로 논의를 했습니다.

이러한 논의과정에서 저는 여론조사 결과를 예로 들면서, 우리 국민들은 동서독과 같은 급작스러운 통일을 바라지 않으며, 상호 공존공영하면서 점진적으로 통일에 접근해야 한다는 인식을 가지고 있다는 점도 설명했습니다. 남북 간 회담이 있을 때마다 항상 '자주' 문제가 많이 거론되고 있습니다. 그리고 '외세공조', '민족공조'의 문제가 쟁점이 됩니다만, 저는 한국 정부가 비자주적인 정부가 아니라는 점도 설명하고, 또 자주성의 수준을 좀 더 높이기 위해서 그동안에 해 왔던 여러 가지 노력들에 대해서도 설명했습니다. 여러분들이 잘 아실 것입니다.

그리고 자주를 강조하는 것은 좋지만, 다른 나라들과의 대화와 협력, 때로는 필요할 때 항의도 하고 또 항의를 수용하고 이런 전 과정을 우리가 다 배제하게 된다면 결국 우리가 고립될 수밖에 없다는 점도 설명하고, 앞으로 남북이 함께 발전해 나가자면 결국 우리가 고립을 벗고 세계를 향해서 적극적으로 뻗어나가면서, 자주에는 많은 수준이 있기 때문에 그 수준을 점차 높여나가는 것으로 이렇게 문제를 풀자는 제안을 했습니다. 이 점에 대해서는 김정일 위원장이 상당히 깊이 이해를 하는 것 같았습니다. 저와 동행한 특별 수행원들이 지금 이 단상에 계십니다만 7개 분야별로 북측과 간담회를 열고 많은 대화를 나눈 것으로 들었습니다. 이런 대화들이 소통을 더욱 넓히는 데 아주 유익했을 것이라고 저는 그렇게 짐작합니다.

국민 여러분,

이제 남북관계는 새로운 단계에 진입했습니다. 한반도 평화체제 전환을 위한 제도적 노력과 군사적 긴장 완화를 위한 실질적 노력이 이제 시작됐습니다. 남북경협도 한반도 전체를 무대로 새롭게 발전하는 경제공동체 건설에 한 걸음 더 다가서게 됐습니다. 이 모두가 국민 여러분의 성원 덕분이라고 생각합니다. 다시 한 번 감사 말씀 드립니다. 그리고 그동안의 남북관계 역사를 볼 때, 합의를 하는 것도 중요하지만 합의를 실천하는 일은 더욱 중요하다고 생각합니다. 앞으로 정부는 이번 합의가 충실하게 이행될 수 있도록 북측과 함께 최선을 다해 나갈 것입니다. 우선 11월 중에 예정된 총리급 회담과 국방장관 회담에서 구체적인 이행방안들을 마련할 것입니다. 그리고 그 이후의 이행과정은 준비과정과 마찬가지로 국민 여러분의 의견을 폭넓게 수렴하면서 투명하게 진행해 나가겠습니다.

저는 이번 합의사항이 특정 정당이나 후보에게 불리할 것도 유리할 것도 없다고 생각합니다. 문제는 이 합의가 좋은 것이면 찬성해서 불리해지는 것이 없는 것이고, 합의가 나쁜 것이면 반대해서 불리해질 일이 없는 것입니다. 합의 자체가 누구에게 유리하거나 불리한 것이 아니라 합의에 대하는 태도나 후보들의 전략 자체가 유리, 불리를 가르는 것입니다. 이 합의가 누구에게 유리하거나 불리한 것은 결코 아니라고 생각합니다. 긴박하게 돌아가고 있는 주변 정세의 변화에 맞추어서 어느 정부든 이 시기에 하지 않으면 안 되는 그런 역사적 과업을 수행하고 있다고 저는 감히 생각합니다. 그리고 이 합의는 92년 남북기본합의서와 6·15 공동선언에서 이미 합의한 내용을 실천에 옮기는 과정입니다. 그 이상 더 무엇을 더 나간 것이 없다고 저는 생각합니다. 참여정부 임기가 얼마 남지 않았지만, 이 합의의 내용을 좀 더 구체화하고 또 실천할 수 있는 기본적 토대를 마련하는 데 최선을 다해 나갈 생각입니다. 다음 정부에 부담을 주는 그와 같은 공동선언이 아니라, 다음 정부가 남북관계를 더욱 잘 풀어가고 한반도의 평화와 공동 번영을 잘 만들어 나갈 수 있는 토대를 만드는 일을 저는 하고 있다고 생각합니다. 그와 같은 확신을 가지고 남은 임기 동안 최선을 다해서 노력하겠습니다.

오늘 제가 길게 설명 드렸습니다만, 어쩐지 알맹이가 빠진 것 같은 허전한 느낌이 듭니다. 가만 생각해 보니까 알맹이는 선언문에 있는데, 선언문 내용 중 한두 가지 외에는 오늘 저의 설명에 들어있지 않고 배경만 설명 드렸기 때문에, 지금 제 보고가 어떻게 보면 조금 껍데기 같은 느낌이 듭니다만, 그렇지 않습니다. 조금 허전하다 싶으신 분들은 지금이라도 공동선언문을 다시 자세히 한번 들여다보시면 '정말 묵직한 보따리구나.' 이렇게 확인하실 수 있을 것입니다. 저는 특히 우리 남측 경제에 있어서 또 북측 경제에 있어서 조선공업지대를 만들기로 한 것은 정말 매우 중요한 것이라고 생각합니다. 우리 한국의 조선업에 대해서도 아주 유익한 돌파구를 열 수 있는 좋은 계기일 뿐만 아니라 조선공업이 가지는 전후방 연관효과를 생각하면 매우 중요한 것이라고 저는 그렇게 생각합니다.

특구의 개수가 많지 않습니다만 이 점에 대해서는 북측이 좀 부담을 느끼고 있는 점도 있는 것 같고, 우리가 생각해 봐도 특구를 너무 많이 한꺼번에 공세적으로 자꾸 요구하는 것이 오히려 좀 무리라는 생각이 듭니다. 앞으로 총리회담이나 부총리급 경제협력위원회에서 좀 더 폭넓은 논의를 통해서 하나하나 풀어나갈 수 있을 것이라고 생각합니다. 백두산 얘기도 있는데, 선언문을 다시 말씀드릴 수도 없고, 이미 여러분이 선언문을 한번 보셨으리라 생각하고 제가 배경설명을 이렇게 드렸습니다. 국민 여러분, 감사합니다. 그리고 특히 오늘 이 자리에 나오셔서 격려해 주신 여러분들께 더욱 감사드립니다.

열심히 하겠습니다.

2008년도 예산안 및 기금운용계획안 제출에 즈음한 시정연설

2007년 10월 8일

존경하는 국민 여러분, 국회의장과 의원 여러분,

남북관계가 새로운 단계에 진입했습니다. 한반도 평화정착에 대한 확신을 가질 수 있게 되었습니다. 남북 공동번영과 동북아 시대를 향한 힘찬 발걸음을 시작했습니다. 지난 4일 남과 북의 정상은 '남북관계 발전과 평화번영을 위한 선언'에 합의했습니다. 6·15공동선언 이후 7년간의 성과를 토대로 군사적 신뢰 구축과 평화를 제도화하는 틀을 마련하고, 한 차원 높은 남북관계의 미래 비전을 포괄적이면서도 구체적으로 제시했습니다.

남과 북은 상호존중과 신뢰를 바탕으로 남북관계 발전과 평화 정착을 위해 긴밀히 협력해 나가기로 했으며, 정전체제를 항구적 평화체제로 전환시키기 위해 직접 관련국들과 종전선언 문제를 협의, 추진해 나가기로 했습니다. 정상회담에 앞서 개최한 6자회담에서 한반도 비핵화에 관한 건전한 합의가 도출된 데 이어 남북 정상이 이를 재확인함으로써 북핵문제는 빠른 속도로 완전한 해결에 이를 것으로 확신합니다. 또한 남과 북은 민족 공동번영을 위해 경제협력사업을 더욱 확대, 발전시켜 나가기로 했습니다. 이미 개성공단에서는 1만 8천여 명의 남북 근로자들이 함께 땀을 흘리고 있습니다. 반세기 넘게 끊겨 있던 길이 다시 열려 매일 1천여 명의 사람이 오가고, 교역액도 올해 17억 달러에 이를 전망입니다.

그러나 여기에 머무를 수는 없습니다. 한 걸음 더 나아가야 합니다. 이번 회담에서 남북은 통행, 통신, 통관 문제를 해소하고 경의선 철도 연결구간을 개통함으로써 상호 소통 확대와 물류비 절감의 계기를 마련했습니다. 남북 경협의 장애요인을 해소해 나가야 한다는 데도 인식을 같이했습니다. 이를 바탕으로 개성공단 2단계 개발에 착수하고 중장기적으로 제2, 제3의 개성공단을 조성해 나갈 계획입니다. 또한 정부는 한반도 평화와 번영을 견인할 포괄적인 프로젝트로써 서해에 '평화협력특별지대'개발을 제의하고 남북 간 합의를 도출했습니다. 서해 NLL을 건드리지 않으면서, 그로 인해 야기되는 서해상의 긴장 문제를 경제협력의 관점에서 접근하는 발상의 전환을 통해 군사안보벨트를 평화번영벨트로 전환하는 것입니다.

북한과의 산업협력도 확대될 것입니다. 남북 조선협력단지 등이 건설되고, 농업, 보건의료, 환경 분야의 협력도 한층 강화될 것입니다. 이번에 합의된 남북 경제협력사업은 우리에게는 투자의 기회가 되고, 북측에는 경제 발전의 기회가 되는 상생과 쌍방향 협력을 촉진시킬 것입니다. 이러한 노력들은 우리 기업에게 새로운 활로가 되는 것은 물론 남북 경제공동체 건설을 앞당기게 될 것입니다. 경제공동체가 형성되면 한반도에 평화와 경제의 선순환 구조가 정착되고, 우리를 중심으로 동북아시아의 큰 시장이 연결될 것입니다. 이 밖에도 서울, 백두산 직항로 개설, 백두산 관광 개시, 베이징 올림픽 공동응원단 구성 등 사회,문화 분야 교류협력과 이산가족 상시 상봉, 영상편지 교환 등 인도적 협력도 강화하기로 했습니다.

국민 여러분,

남북정상회담은 끝이 아니라, 새로운 역사적 과업을 이행하기 위한 출발점입니다. 합의사항을 충실하게 이행하는 것이 중요합니다. 정부는 앞으로 국제사회와 긴밀하게 협력하면서 남북간의 신뢰와 이해를 바탕으로 이번 정상회담 성과를 성공적으로 관리하고 실현해 나갈 것입니다. 이를 위해 남북정상이 수시로 만나 현안문제를 협의하기로 했습니다. 먼저 11월 중에 총리회담과 국방장관회담을 개최하여 남북 정상선언의 구체적인 이행방안을 논의하겠습니다. 한편, 경제협력공동위원회를 부총리급으로 격상하여 상시적으로 협의해 나갈 것입니다. 이 모든 것은 참여정부만의 성과가 아닙니다. 우리 국민 모두의 성과입니다. 다음 정부에서도 지속적으로 결실을 맺고, 한반도의 평화와 번영을 이루어 나갈 수 있도록 국민 여러분의 관심과 성원을 당부 드립니다.

국민 여러분,

이제 참여정부의 임기가 5개월이 채 남지 않았습니다. 그동안 참여정부는 일관된 원칙을 가지고 책임있게 국정을 운영해 왔습니다. 풀기 어려운 문제들도 회피하는 일 없이 적극적으로 대응해 왔고, 미래의 위기요인들에 대해서도 미리 대비하고 관리해 왔습니다. 무엇보다 참여정부에 맡겨진 시대적 사명을 다하기 위해 최선의 노력을 다해왔습니다. 권위주의체제에서 형성된 특권과 반칙, 권위주의 문화를 청산하고, 투명하고 공정한 사회로의 큰 진전을 이뤄가고 있습니다.

먼저 돈 선거, 관권 선거의 악습을 끊어내고 저비용, 고효율의 선거문화를 정착시켰습니다. 2006년 이코노미스트지가 발표한 선거 관련 민주주의 지수 평가에서 우리나라는 10점 만점에 9.6점을 획득해 미국, 일본을 앞질러 세계 최고수준으로 평가되었습니다. 대통령의 권력이 낮아지고, 분권형 국정운영이 정착되었습니다. 정권에 봉사하던 권력기관도 국민을 위한 기관으로 제자리를 잡아가고 있습니다. 정경유착과 같은 부정부패와 특혜의 고리는 이제 다시 살아나기 어려울 것입니다. 권력과 언론과의 관계도 새롭게 정립해 가고 있습니다. 더 이상 유착은 없을 것입니다. 우리 사회가 과거의 족쇄에서 벗어나 미래로 나아갈 수 있도록 과거사 문제도 체계와 기틀을 잡아 종합적으로 정리해가고 있습니다.

참여정부는 과거 수십년간 미뤄왔던 해묵은 과제들을 책임있게 해결했습니다. 1986년 이후 여러 차례 무산되었던 중, 저준위 방사성폐기물 처분시설의 부지 선정을 주민투표라는 민주적인 방식으로 해결했습니다. 사패산 터널, 장항 산업단지 등 오랜 기간 끌어오던 국책사업도 대화와 타협을 통해 합리적으로 풀어냈습니다. 용산 미군기지 이전과 전시작전통제권 전환도 20년전부터 공약만 하고 미뤄오던 과제들입니다. 국방개혁도 참여정부 들어 법적 토대를 갖추고 본격적으로 추진되고 있습니다. 또한 항만노무 공급체계가 노, 사, 정 대타협을 통해 100여년 만에 개편되었습니다. 문민정부에서부터 시도된 사법개혁이 이제 마무리되고 있고, 연금개혁도 큰 진전을 이뤄냈습니다. 그동안 정부의 국정운영에 적극 협력해 주신 국민 여러분, 그리고 의원 여러분께 깊은 감사의 말씀을 드립니다.

국민 여러분,

참여정부 초기, 우리 경제는 IMF 외환위기의 후유증이 지속되는 가운데, 카드채 위기와 신용불량자 문제가 발생하고, 비정규직과 영세자영업자 문제가 심각해지고 있었습니다. 대외적으로도 고유가와 원화절상이 우리 경제에 지속적인 부담이 되었습니다. 지난 4년 동안 국제유가는 2.5배 이상 올랐고, 1,200원대이던 원/달러 환율은 910원대로 하락하였습니다.

그러나 정부는 단기적인 성과에 급급해 무리한 부양책을 쓰지 않았습니다. 위기요인을 적극적으로 관리하는 한편, 멀리 보면서 원칙대로 경제를 운용해 왔습니다. 그 결과, 2003년에 3.1%이던 경제성장률은 이듬해부터 4%대를 회복하였고, 지난해에는 잠재성장률 수준인 5% 성장을 달성했습니다. 올해 안으로 1인당 국민소득 2만달러도 가능할 것입니다. 종합주가지수는 참여정부 출범 당시에 비해 세 배 이상 높아졌습니다. 수출은 2003년 이후 두 자릿수 증가세를 지속하여 지난해에는 세계에서 11번째로 3,000억달러를 돌파했습니다. 외환보유액도 1,200억달러에서 세계 5위 수준인 2,500억달러로 크게 증가했습니다. 대외신임도도 높아졌습니다. 참여정부 들어 무디스, S&P, 피치 등 3대 국제신용평가기관 모두 우리의 국가신용등급을 한 단계 상향 조정했습니다. 그러나 세계 최저수준의 출산율과 최고수준의 고령화 속도가성장잠재력을 약화시키고 있고, 중국을 비롯한 브릭스(BRICs)의 추격은 세계시장에서 우리의 입지를 위협하고 있습니다. 참여정부는 이러한 도전을 극복하고 명실상부한 선진국으로 나아가기 위해 변화에 대응하는 새로운 전략을 추진해 왔습니다.

먼저, 기술과 인재중심의 혁신주도형 경제로 방향을 잡고 착실히 성장잠재력을 쌓아가고 있습니다. 기술혁신 인프라를 확대하기 위해 국가과학기술혁신체계를 새롭게 구축하고, 2003년 6조 5천억원이던 R&D 예산을 올해 9조 8천억원까지 확대했습니다. 우리나라의 총 연구개발비가 GDP 대비 3% 수준까지 높아졌습니다. 특히 R&D 예산중 기초분야 연구비중을 2003년 19.4%에서 올해 25.3%로 확대하여 과학기술의 근간을 튼튼히 했습니다.

이러한 노력에 힘입어 우리나라의 국제 특허출원이 지난 4년간 두 배 이상 늘어 세계 5위를 기록하는 등 가시적인 성과가 나타나고 있습니다. 아울러 우리 경제의 기반이 될 10대 차세대 성장동력을 선정하고 연구개발에 박차를 가해 왔습니다. 하이브리드 자동차, 휴대인터넷(WiBro) 등은 상용화에 성공하는 진전을 이뤄냈습니다. 중소기업의 혁신역량을 높이는 데에도 집중적인 노력을 기울여왔습니다.

중소기업에 대한 R&D 투자를 확대하고, 기술위주의 정책자금 지원과 대, 중소기업 상생협력, 자영업의 경쟁력 확보를 위한 제도적 기반도 조성했습니다. 2003년도에 8,500개에 불과하던 혁신형 중소기업이 2006년에는 17,500개로 두 배 이상 늘었고, 중소기업의 생산과 수출도 크게 증가하고 있습니다. 지난해 중소기업 수출이 사상 처음으로 1천억 달러를 넘어섰습니다. 그러나 이 같은 성과에도 불구하고 경기회복을 체감하지 못하는 서민들이 적지 않은 것이 현실입니다. 실업률은 비교적 낮은 수준을 유지하고 있으나 청년실업 문제가 해소되지 않고 있으며, 외환위기 극복과정에서 늘어난 비정규직과 영세자영업자의 어려움도 크게 개선되지 못하고 있습니다. 이러한 문제를 단기간에 해결하기는 어렵겠지만, 정부는 취약 부문의 경쟁력을 강화하고, 투자활성화와 성장잠재력 확충을 통해 양질의 일자리를 만들어 냄으로써 민생경제를 회복시키는 데 최선을 다해 나갈 것입니다.

국민 여러분,

참여정부는 개방이라는 세계적 흐름에도 선제적이고 능동적으로 대응하고 있습니다. 2003년 8월, '자유무역협정 추진 로드맵'을 마련하고, 주요 교역 대상국과 적극적인 교섭을 추진하여 칠레, 유럽자유무역연합, 아세안과의 자유무역협정을 성공적으로 체결했습니다. 세계 최대 시장인 미국과 올해 4월에 협상을 타결했고, EU, 캐나다 등과 협상을 진행하고 있습니다. 아직까지 자유무역협정에 대한 반대와 우려가 있다는 것도 알고 있습니다. 그러나 자유무역협정은 선진국으로 도약하기 위한 전략적 선택입니다. 우리 국민의 역량이라면 반드시 성공해 낼 것으로 확신합니다.

국민 여러분,

참여정부는 어느 정부보다 사회투자에 적극적인 노력을 기울여 왔습니다. 지난해에는 '함께 가는 희망한국, 비전 2030'을 발표했습니다. 비전 2030은 성장과 복지의 선순환구조를 통해 지속적인 발전을 이뤄감으로써 '혁신적이고 활력있는 경제', '안전하고 기회가 보장되는 사회', '안정되고 품격있는 국가'를 이룩하기 위한 중장기 국가발전전략입니다. 이를 위해 올 2월에는 '2+5 전략'도 마련했습니다. 지금보다 사회진출연령을 2년 앞당기고 퇴직연령은 5년 늦추어 국가 인적자원을 효율적으로 활용하고 인력의 질을 고도화하는 전략입니다. 여기에는 군복무기간 단축, 사회복무제 도입, 정년연장, 평생학습 강화, 국가건강투자체계 구축 등이 담겨 있습니다.

이제는 복지에 대한 인식이 달라져야 합니다. 복지지출은 더이상 소모적인 비용이 아니라, 사회안전망, 고용지원, 교육훈련 등 사람에 대한 투자를 통해 총체적인 국가경쟁력을 높이는 새로운 투자전략입니다. 참여정부는 전체 예산에서 복지분야가 차지하는 비중을 2003년 20.2%에서 2006년 27.9%까지 끌어 올리고, 복지서비스의 질적 향상을 위해 많은 노력을 기울여 왔습니다. 사회복지 전담공무원을 2003년 7천여명에서 지난해 1만여명으로 꾸준히 늘렸습니다. 고용보험 적용 사업체수가 2003년 85만개에서 현재 124만개까지 늘었고, 실업급여 수혜율도 2003년 실업자 5명중 1명에서 3명중 1명으로 확대되었습니다.

장애인 복지도 크게 향상되었습니다. 장애수당과 수급대상이 대폭 확대되었고, 올해부터 중증장애인 활동보조인 서비스를 시행하고 있습니다. 통합교육을 확대시행하는 등 장애인 교육도 대폭 강화하고 있고,

정부와 공공기관부터 장애인 의무고용비율을 초과달성했습니다. 양성 평등사회 실현에 있어서도 획기적인 진전이 있었습니다. 여성계의 오랜 숙원인 호주제 폐지가 이루어 졌고, 보육예산을 5배 가까이 확대하여 여성의 경제활동참여를 적극 지원했습니다. 2005년 1.08명까지 하락했던 합계출산율이 2006년 1.13명으로 늘어났고 올해는 1.20명에 이를 것으로 전망되고 있습니다.

그러나 아직도 우리의 공공사회지출은 GDP 대비 7.3%로 OECD 평균인 20.7%에 훨씬 못 미칩니다. 비전 2030에서 계획한 대로 사회투자를 늘려나간다고 해도 2030년이 되어서야 현재 OECD 평균 수준에 이를 수 있습니다. 앞으로 사회투자에 대해 더 많은 관심과 노력을 기울여서 경쟁력 있는 민주복지국가로 나아가야 합니다. 그래야 지속적인 발전이 가능하고 우리 경제의 경쟁력도 더욱 높아질 것입니다.

국민 여러분,

산업현장에서의 노사관계도 꾸준히 개선되고 있습니다. 근로손실 일수만 해도 2003년 130만일에서 올 9월 현재 41만일로 크게 줄어들었습니다. 대화와 타협에 의한 자율타결을 최대한 유도하되 불법행위는 법과 원칙에 따라 대처해 온 결과라고 생각합니다. 또한 노사관계 선진화 입법이 3년에 걸친 노, 사, 정 대표간의 대타협을 통해 마무리 되었고, 비정규직 보호법이 지난 7월 1일부터 시행되고 있습니다. 고용 없는 성장과 양극화 심화에 대응해서 일자리 창출에도 최선을 다해 왔습니다. 규제 완화, 서비스산업 육성, 사회서비스 확대 등을 통해 지속적으로 일자리를 늘리고, 직업능력 향상과 고용서비스 확충을 위해 정책적 노력을 기울여 왔습니다. 그 결과 2004년부터 2006년까지 연평균 33만 7천개, 올해 7월말까지 28만개의 일자리가 늘어나는 등 고용여건이 점차 개선되고 있습니다.

공교육을 정상화하는 데에도 힘써 왔습니다. 다양한 교육수요가 학교 안으로 흡수될 수 있도록 '방과후 학교'를 도입하고, EBS 수능강의 등 사교육비 경감대책을 적극 추진했습니다. 또한 2004년에 중학교 의무교육을 완료함으로써 초, 중, 고 취학률이 90% 이상인 완전취학상태에 도달했습니다. 국제학업성취도 평가에서 우리 학생들은 OECD 국가 중 최상위권의 성적을 거두고 있습니다. 보다 많은 국민이 높은 수준의 문화를 누릴 수 있도록 공연장, 공공도서관 등 문화기반시설을 대폭 확충했고, 관광상품 개발, 관광인프라 확충 등에 힘쓴 결과 외래 관광객이 600만명을 넘어섰습니다.

국민 여러분, 그리고 의원 여러분,

참여정부는 균형발전을 핵심적인 국가발전전략으로 삼아 최선을 다해 왔습니다. 수도권과 지방 모두의 경쟁력을 높이고 국민통합을 이루어 지속가능한 성장을 해 나가자는 것입니다. 무엇보다 지역 스스로 발전할 수 있는 기반을 만드는 데 주력해 왔습니다. 지방재정의 규모를 2003년 78조원에서 2006년에는 101조원으로 늘렸고, 지방의 연구개발 예산도 두 배 이상 확대했습니다. 2005년부터는 국가균형발전특별회계도 새롭게 도입했습니다. 종합부동산세도 그 세수를 재정여건이 취약한 지방자치단체에 집중적으로 배분함으로써 지역균형발전에 기여하고 있습니다.

지역의 혁신역량을 강화하기 위해 지방대학과 연구소, 기업이 참여하는 혁신클러스터를 구축하고, 누리사업을 통해 지방대학의 경쟁력도 높여가고 있습니다. 지역별로 특화된 전략산업을 육성하는 한편, 낙후 지역을 위한 신활력사업도 적극 추진하고 있습니다. 지방의 1인당 지역총생산이 2004년에 처음으로 수도권을 넘어섰고, 지방의 수출비중도 2003년 62.7%에서 2006년에는 68.1%까지 증가했습니다. 행정중심복합도시와 혁신도시, 기업도시 건설도 본격화되고 있습니다. 지난 7월 행복도시에 이어, 9월에는 제주와 경북 혁신도시가 첫 삽을 떴고, 기업도시도 태안을 시작으로 하나하나 착공될 것입니다. 지방투자기업에 과감한 인센티브를 제공하고 지방의 생활여건을 크게 개선하는 2단계 균형발전정책도 준비했습니다. 기업과 사람이 지방으로 옮겨가는 획기적인 계기가 될 것으로 생각합니다. 새롭게 건설되는 도시들이 지역발전의 거점이 되고 2단계 균형발전이 제대로 추진되면, 도시에서 농촌까지 모든 국민이 행복하게 살 수 있는 새로운 국토공간이 조성될 것입니다. 이러한 균형발전이 성공할 수 있도록 국가균형발전특별법 개정안과 세종특별자치시 설치법안을 조속히 통과시켜 주시기 바랍니다.

국민 여러분,

일 잘하고 효율적인 정부를 만들기 위한 정부혁신도 참여정부 내내 강력하게 추진되어 왔습니다. 세계 최고수준의 전자정부를 구축해서 국민생활과 밀접한 32종의 민원서비스를 안방에서 발급받을 수 있도록 했습니다. 특히 관세, 조달, 특허분야에서는 선진국을 능가하는 빠르고 신속한 행정서비스를 제공함으로써 국가경쟁력을 크게 높였습니다. 또한 업무관리시스템을 활용하여 '사람, 경험'에서 '시스템, 지식' 중심으로 공직사회의 일하는 방식을 변화시켜 행정의 효율성을 높여 나가고 있습니다. 이러한 정부혁신 노력은 유엔 공공행정상을 2년 연속 수상하는 등 국제사회로부터도 그 성과를 높이 인정받고 있습니다.

존경하는 의원 여러분,

그동안 국회의 협력으로 국민연금법, 로스쿨법 등 많은 법안들이 제·개정되었습니다. 진심으로 감사드립니다. 그러나 아직도 3백여 건의 정부제출 법안들이 국회에 계류 중입니다. 특히 중요한 민생, 개혁 법안들이 선거법을 둘러싼 이견 때문에 제대로 심의조차 이뤄지지 못하고 있습니다. 대통령 선거와 18대 총선 등을 감안할 때, 이번 국회에서 통과되지 않을 경우 상당기간 입법화되기 어려운 실정입니다. 다음 정부의 국정운영에 어려움을 주게 되고 국민의 부담도 늘어나게 될 것입니다. 그중에서도 방송통신위원회 설립법안과 IPTV 도입을 위한 법안은 국가경쟁력을 좌우하는 매우 시급한 과제입니다. 급속한 디지털 기술의 발전에 따라 방송과 통신의 융합이 빠르게 진행되고 있습니다. 이 분야는 시장이 매우 크고 기술의 발전 속도가 빨라 영국, 호주 등 선진국들은 국가적 차원에서 발 빠르게 대응하고 있습니다. 세계적 경쟁에 뒤처지지 않고 IT강국으로 계속 앞서가기 위해서는 이들 법안이 조속히 제정되어야 합니다. 의원 여러분의 적극적인 협조를 부탁드립니다.

4대 사회보험 적용, 징수체계 효율화도 더 이상 미룰 수 없는 과제입니다. 사회보험료 징수공단이 설립되면 업무중복에 따른 비효율이 최소화되고, 절감된 인력은 내년부터 시행되는 노인장기요양보험, 노령연금 지급 등 신규 서비스 공급에 활용할 수 있습니다. 정부에서 제출한 사회보험료의 부과 등에 관한 법률안이 빠른 시일내에 통과될 수 있기를 기대합니다. 국민연금법도 좀 더 손질이 필요합니다. 4년을 끌어온 국민연금 개혁법안이 지난 7월 국회를 통과하면서 장기적인 재정안정을 도모할 수 있게 되었습니다. 그러나 적립금의 효율적인 운용을 통해 가입자의 부담을 줄여나가기 위해서는 연금자산 운용체계의 독립성과 전문성을 강화해야 합니다.

이를 위한 개정법안을 정기국회에 제출할 예정입니다. 국민연금 개혁이 잘 마무리될 수 있도록 다시 한 번 의원님들의 협조를 부탁드립니다. 서민과 중산층의 주거복지를 위한 비축용 임대주택 사업을 담고 있는 임대주택법안과, 교원능력개발 평가제도의 조기 정착을 위한 초중등교육법안도 조속히 처리되어야 합니다. 이밖에 의료법안, 경제자유구역법안, 군 사법개혁법안 등도 다음 정부가 확고한 제도적 기반을 가지고 개혁을 지속적으로 추진하기 위해 꼭 필요한 법안들입니다. 2007년도 세제개편안도 빨리 확정할 필요가 있습니다. 이번 세제개편안은 서민층 지원을 위한 소득세 과표구간 상향조정, 미래 성장동력 확충과 관련한 R&D 투자지원, 파트너십 과세제도 도입과 함께, 2단계 균형발전정책인 기업의 지방투자 촉진방안 등을 담고 있습니다. 지금까지 말씀드린 민생, 개혁법안과 세제개편안이 조속한 시일 내에 처리될 수 있도록 국회의 적극적인 협조를 부탁드립니다. 정부도 최선을 다해 국회의 심의과정을 지원하겠습니다.

의원 여러분,

이제 두 달여 뒤면 대통령 선거가 실시됩니다. 정부는 이번 선거가 헌정사상 가장 깨끗하고 공명정대한 선거가 되도록 최선의 노력을 다하겠습니다. 법정선거사무를 한 치의 착오도 없이 추진하고, 금품, 향응제공, 후보비방 등 불법 선거운동을 철저히 단속할 것입니다. 공직기강에 대한 점검도 강화하여 공무원이 정치적 중립의무를 위배하고 선거에 개입하는 행위가 발생하지 않도록 하겠습니다. 정치권도 과거의 잘못된 선거관행을 청산하고 공명선거 풍토가 확실히 정착될 수 있도록 함께 힘을 모아 주시기를 당부드립니다.

존경하는 국민 여러분, 그리고 의원 여러분,

이제 정부가 추진해 나갈 주요 국정운영방향을 분야별로 보고 드리겠습니다. 먼저, 경제분야에 대해 말씀드리겠습니다. 정부는 9월 7일 한미 자유무역협정 비준동의안을 국회에 제출했습니다. 이에 대한 토론이 국회에서 심도있게 이루어지고, 비준동의 절차가 원만히 진행되기를 바랍니다. 정부도 논의에 필요한 제반사항을 최대한 지원하고, 한미 자유무역협정 이행에 필요한 관련 법령들의 정비에도 소홀함이 없도록 하겠습니다. 이와 함께 지난 6월 발표한 농업분야 피해보전 및 산업별 경쟁력 강화대책 등 국내 보완대책을 차질없이 추진하겠습니다. 직접적 피해에 대해서는 합리적인 수준에서 보전하고, 제조업과 서비스업은 물론 농수산업도 외국상품과 경쟁할 수 있는 자생력을 키우도록 지원할 것입니다. 한미 자유무역협정의 효과를 극대화하기 위해 관련제도와 시스템의 선진화작업도 가속화해 나가겠습니다. 우리 기업들이 한미 자유무역협정을 활용하여 경쟁력을 높이고 시장을 확대할 수 있도록 지원 프로그램도 개발해 나가겠습니다.

EU, 캐나다 등과의 자유무역협정도 조속한 시일내에 타결될 수 있도록 협상에 임하고 있습니다. 특히 EU와는 금년 말까지 두세 차례 공식협상을 개최하여 양측 모두에게 이익이 되는 협상결과가 도출될 수 있도록 최대한 노력할 것입니다. 최근 부동산시장은 투기수요 억제와 주택공급 확대라는 정부의 일관된 정책이 효과를 거두면서 점차 안정세를 보이고 있습니다. 지난 달부터 분양가 상한제와 분양원가 공개, 그리고 청약가점제가 실시됨에 따라 이러한 안정기조는 더욱 확고해질 것입니다. 앞으로도 수도권 30만호 건설 등 주택공급 확대에 최선을 다하는 한편, 국민임대주택과 맞춤형 임대주택 공급 등을 통해 서민들의 내집 마련 기회를 늘리고 주거환경을 개선해 나가도록 하겠습니다. 대통령 선거 분위기 속에서 부동산관련 규제완화에 대한 기대감이 일부 있는 것으로 알고 있습니다만, 정부는 모든 정책적 역량을 집중하여 부동산시장이 흔들리는 일이 없도록 할 것입니다. 부동산시장의 안정은 민생경제 회복과 기업경쟁력 강화를 위한 필수요건입니다. 정치적인 이유로 부동산시장의 안정을 해침으로써 결과적으로 국민들에게 더 큰 피해를 안겨주었던 과거의 시행착오를 되풀이해서는 안 될 것입니다.

지구 온난화에 따른 기후변화 문제에 대해서도 적극적으로 대처해 나가겠습니다. 기후변화로 인해 에너지 이용, 농업 및 산업구조 등에 큰 변화가 나타나고 있고, 자동차, 반도체 등 산업분야에서는 새로운 형태의 무역장벽이 등장하고 있습니다. 이에 따라 세계 여러나라들은 국가적 차원의 기후변화 대응체계 마련을 서두르고 있습니다. 온실가스 10대

배출국인 우리나라도 기후변화 대응을 범정부적 의제로 설정하여 경제, 사회, 문화를 포괄하는 종합대책을 마련하고, 국민적 공감대를 형성하는 데 적극적인 노력을 기울여 나가겠습니다.

다음은 사회, 복지, 노동분야에 대해 말씀드리겠습니다.

사회 양극화, 저출산, 고령화, 경제개방 등에 대비해 사회투자정책을 내실있게 추진해 나가겠습니다. 탈빈곤을 유인하는 방향으로 공공부조제도를 재설계하기 위한 논의를 본격화하고, 저소득층 아동의 사회진출 종자돈 마련을 지원하는 아동발달지원계좌, 취약지역 아동에게 복지, 건강, 교육을 통합한 맞춤형 서비스를 제공하는 희망스타트 프로그램 등을 확대해 나가겠습니다.

OECD 평균에 비해 현저히 낮은 여성의 경제활동참가율을 높이기 위해 여성의 능력개발과 차별시정, 일과 가정의 양립을 위한 정책들을 지속적으로 추진해 나가겠습니다. 출산, 양육에 대한 사회적 지원을 강화해서 마음 놓고 아이를 낳아 기를 수 있는 환경을 조성하겠습니다. 전체 보육아동의 30%까지 수용할 수 있도록 국·공립 보육시설을 확충하고, 민간시설의 서비스 질도 개선해 나갈 것입니다. 올해 국회를 통과한 장애인차별금지법에 따라 장애인의 사회참여와 차별시정을 촉진하는 데 만전을 기하고, 장애인의 자립을 위한 지원도 강화해 나가겠습니다. 활기찬 노후생활을 지원하기 위해 노인장기요양보험제도와 기초노령연금제도가 내년부터 본격 시행됩니다. 어르신들의 생활안정과 가족들의 부양부담을 완화시킬 수 있도록 남은 기간 동안 준비에 소홀함이 없도록 하겠습니다.

비정규직 보호법이 시행되면서 비정규직의 정규직 전환과 같은 긍정적인 변화들이 많이 나타나고 있습니다. 그러나 일부 기업에서는 외주화로 인한 노사간 충돌 등 부정적인 사례도 발생하고 있습니다. 비정규직 문제를 해결하기 위해서는 법과 제도뿐만 아니라, 기업과 정규직 노조, 비정규직 근로자의 대승적인 이해와 양보가 필수적입니다. 정부도 비정규직 근로자의 고용개선을 위해 직업능력개발, 근로조건 보호 등 다각적인 노력을 기울여 나갈 것입니다. 정부는 올해 일자리 창출목표인 30만개 달성을 위해 각종 대책을 차질없이 추진하는 한편, 취약계층에게 일자리를 제공하는 사회적 기업이 제 역할을 다할 수 있도록 기반을 조성해 나가겠습니다.

다음은 교육, 문화분야에 대해 말씀드리겠습니다.

초, 중등 교육부문은 평준화 기조를 유지하면서 학교교육의 다양성과 수월성을 강화한다는 일관된 원칙 아래 공교육을 정상화하는 데 온 힘을 기울여 나가겠습니다. 우선 공교육의 내실화를 위해 학교생활이 충실히 반영되도록 한 2008학년도 대입제도를 확실히 정착시켜 나가겠습니다. 아울러 교육격차 완화와 사교육비 경감을 위해 방과후 학교와 농산어촌 학교 지원 등을 적극적으로 추진해 나가겠습니다. 지식기반사회의 국가경쟁력은 대학의 경쟁력에 의해 좌우됩니다. 대학 구조개혁을 더욱 내실있게 추진하고, 대학 자율화와 국립대학의 운영 혁신을 위한 법인화에도 박차를 가하겠습니다. 아울러, 대학의 경쟁력을 강화하고 연구능력을 향상시키기 위해 고등교육 재정을 대폭 확대하겠습니다. 학생들의 영어교육 능력향상을 위한 '제주영어교육도시' 조성 사업도 착실히 추진해 나가겠습니다.

개별부처에서 관리하던 인적자원 정책을 범정부적 차원에서 종합적으로 관리하여 국가 인적자원 개발사업의 효율성을 높일 수 있도록 하겠습니다. 우리의 사법제도를 국제적 수준으로 향상시킬 법학전문대학원도 계획대로 추진될 수 있도록 제도적 기반 마련에 최선을 다할 것입니다. 2008년 베이징 올림픽을 앞두고 동북아 국가들의 관광객 유치 경쟁이 치열하게 전개될 전망입니다. 정부는 관광산업의 발전을 저해하는 불합리한 규제를 풀어 관광한국의 여건을 조성하고 품격 높은 관광자원의 개발을 적극 지원해 나가겠습니다. 다음 달 말에는 2012년 세계박람회 개최지가 결정됩니다. 그동안 정부는 민, 관 합동으로 박람회 유치에 총력을 기울여 왔습니다. 남은 기간에도 더욱 치밀하고 효과적인 유치활동을 통해 2012년 세계박람회가 반드시 여수에서 열릴 수 있도록 최선을 다하겠습니다. 아울러 서남권 지역이 다가오는 환황해 시대의 새로운 성장거점으로 발전할 수 있도록 종합적인 노력을 기울여 나가겠습니다.

끝으로 내년도 재정운용방향에 대해 말씀드리겠습니다.

내년도 예산안은 비전 2030과 국가재정운용계획 등 중장기 국가발전전략을 토대로 인적자원의 고도화를 통한 미래 성장동력 확충과 사회투자 확대에 중점을 두고 편성했습니다. 내년 예산과 기금의 총수입은 금년보다 9.4% 증가한 274조 2천억원이며 총지출은 7.9% 증가한 257조 3천억원 규모입니다.

분야별 예산편성 내용에 대해 말씀드리겠습니다.

첫째, 교육분야 예산을 대폭 증액하고 R&D 투자를 확대함으로써 미래 성장잠재력을 키울 수 있도록 했습니다. 교육분야에는 금년 대비 13.6% 증액한 35조 7천억원을 배정했습니다. 이는 분야별 예산중 가장 높은 증가율입니다. 특히 대학의 국제경쟁력을 강화하고 산업체 수요에 부응하는 우수인력을 양성하기 위해 고등교육투자를 금년보다 1조원 확대했습니다. R&D분야에는 10조 9천억원의 예산을 배정했습니다. R&D 예산이 처음으로 10조원을 넘어선 것입니다. 창의적인 연구성과 창출을 위한 기초연구분야와 국민생활과 직결되는 보건, 환경, 에너지, 방재 등 공공기술분야를 중심으로 투자를 늘렸습니다.

둘째, 늘어나는 복지수요를 충족시키고 사람에 대한 투자를 확대하기 위해 사회투자에 올해보다 10% 늘어난 67조 5천억원을 배정했습니다. 기초노령연금, 노인장기요양보험제도를 도입하여 건강한 노후생활을 뒷받침하고, 보육시설에 대한 지원을 늘려 나가겠습니다. 노인, 장애인 가정에 대한 돌봄 서비스, 산모, 신생아 돌보미 등 국민건강을 위한 투자를 확충하고, 장애인 등에 대한 일자리 지원 사업을 확대함으로써 취약계층에 대한 사회안전망도 한층 보강하겠습니다.

셋째, 한미 자유무역협정 후속대책 지원과 공적개발원조(ODA)확대 등을 통해 능동적 세계화를 뒷받침할 수 있도록 했습니다. 한미 자유무역협정 체결에 따른 농어업분야 피해보전, 축산, 원예분야의 생산시설 현대화 등 후속대책에 1조 6천억원을 배정했습니다. 공적개발원조(ODA)는 올해보다 23.4% 확대하여 우리나라의 국제적 위상과 영향력을 높여나갈 수 있도록 했습니다.

넷째, 국가균형발전을 촉진하기 위한 지원을 크게 확대했습니다.

국세수입이 확대되고 지방교육재정 교부율이 내국세의 19.4%에서 20.0%로 인상됨에 따라 지방재정 지원예산 규모를 7조 6천억원 수준으로 증액했습니다. 또한 자치단체의 국고보조사업에 대한 차등보조 실시, 보통교부세 산정기준 개선 등을 통해 사회투자 확대에 따른 지방재정의 부담이 완화되도록 했습니다. 아울러 2단계 균형발전정책에 1조 3천억원을 배정하여 지방의 활력이 높아질 수 있도록 했습니다. 행정중심복합도시와 혁신도시를 본격적으로 건설하기 위한 소요도 반영했습니다. 정부는 내년도 예산안을 마련함에 있어서, 국가가 꼭 해야 할 일은 적극 뒷받침하면서도 이로 인한 국민 부담은 최소한으로 줄이기 위해 세출구조조정 등 지출의 효율화에 많은 노력을 기울였습니다. 이러한 노력을 통해 2008년은 외환위기 이후 지속적으로 증가해온 GDP 대비 국가채무 비율이 하락세로 반전되는 첫 해가 될 수 있도록 하겠습니다.

존경하는 국민 여러분, 그리고 의원 여러분,

지금은 변화의 속도가 국가의 성패를 좌우하는 시대입니다. 눈앞의 정치일정 때문에 국가의 장래를 좌우하는 일이 뒤로 미뤄져서는 안 됩니다. 꼭 해야 할 일을 제 때 하지 못하면 영원히 뒤처질 수도 있습니다. 참여정부는 다음 정부에 부담을 주는 일은 하지 않을 것입니다. 그렇다고 할 일을 덮어두는 일도 없을 것입니다. 임기를 마치는 그날까지 참여정부가 해야 할 일을 책임 있게 해 나갈 것입니다. 의원 여러분께서도 대한민국의 미래를 내다보며 함께 힘을 모아 주시기 바랍니다.

경청해 주셔서 감사합니다.

제88회 전국체육대회 개막식 축사

2007년 10월 8일

존경하는 국민 여러분, 광주시민 여러분, 그리고 선수단 여러분,

반갑습니다. 제88회 전국체육대회의 개막을 축하드립니다. 그동안 땀 흘려 준비해 오신 선수단 여러분께 큰 박수를 보냅니다. 해외동포 선수단 여러분, 정말 잘 오셨습니다. 대회를 준비해 주신 박광태 시장과 광주시민 여러분 수고 많으셨습니다. 다시 한번 감사인사를 드립니다.

여러분께서 잘 아시는 대로, 지난주 저는 평양을 방문했습니다. 북녘 동포들의 열렬한 환영을 받으면서 뜨거운 동포애를 느꼈습니다. 앞으로 남북 간의 스포츠 교류가 더욱 활성화되어서 북녘 동포 선수단도 우리 전국체육대회에 참가하는 날이 하루 빨리 오게 되기를 기대합니다. 전국체육대회는 국민 모두의 축제입니다. 선수단 여러분은 이 축제의 주인공입니다. 여러분은 갈고닦은 기량을 마음껏 발휘하십시오. 자신과 고

장의 명예를 위해 최선을 다하십시오. 무엇보다 정정당당하게 승부하십시오. 이기는 것은 큰 영광입니다. 그러나 원칙을 지키고 정정당당하게 승부하는 것은 승리 이상의 더 큰 가치입니다. 끝까지 최선을 다하는 여러분에게 우리 국민은 아낌없는 박수를 보낼 것입니다.

선수단 여러분,

불과 30년 전만 해도 우리는 세계 스포츠계의 변방에 머물러 있었습니다. 그러나 이제는 스포츠 강국으로 세계 속에 우뚝 섰습니다. 올림픽, 월드컵을 비롯한 세계적인 대회도 모두 성공적으로 치러냈습니다. 올해는 2011년 대구 세계육상선수권대회와 2014년 인천 아시안게임을 유치했습니다. 체육인 여러분과 우리 국민이 힘을 모아 함께 이뤄낸 자랑스러운 성취입니다. 내년 베이징 올림픽 때는 남북이 함께 경의선 열차를 타고 우리 선수단을 응원하러 갈 것입니다. 저는 하나된 단일팀을 응원할 수 있게 되도록 우리 모두 함께 노력해서 반드시 성취해 내기를 간절히 소망합니다. 정부도 선수 여러분을 적극 지원할 것입니다. 모두 열심히 해서 역대 가장 좋은 성적을 올리는 올림픽이 될 수 있도록 합시다. 그리고 하나된 우리 선수단이 전세계에 새로운 평화의 메시지를 보내는 계기가 되도록 만들어 나갑시다.

존경하는 광주시민 여러분,

광주의 새로운 미래가 하나하나 열리고 있습니다. 아시아문화중심도시를 향한 사업들이 차질 없이 추진되고 있습니다. 광주, 전남 혁신도시도 다음 달에 기공을 하게 됩니다. 서남권 개발과 호남고속철도 또한 광주의 발전을 든든하게 뒷받침해 줄 것입니다. 저도 광주의 발전을 위해 끝까지 최선을 다할 것입니다. 이제 체전의 막이 올랐습니다. 멋진 승부를 펼쳐주시고, 좋은 기록도 많이 내주시기 바랍니다. 다시 한 번 전국체전을 축하드리며, 여러분 모두 즐겁고 보람된 시간되시길 바랍니다.

감사합니다.

마그레테 2세 덴마크 여왕을 위한 국빈만찬사

2007년 10월 8일

존경하는, 마그레테 2세, 여왕 폐하 내외분, 그리고 귀빈 여러분,

여왕 폐하 내외분과 일행 여러분을 진심으로 환영합니다. 폐하께서는 덴마크 국민의 정신적 구심으로서 높은 신뢰와 존경을 받고 계십니다. 폐하를 중심으로 덴마크는 세계일류국가의 모범을 실현해가고 있습니다.

높은 국민소득과 선진적인 사회복지, 안정적인 고용시스템을 구현하고 있고, 사회 전반의 투명성도 세계 최고 수준입니다. 뿐만 아니라 지구온난화 문제, 개발도상국 원조 등 국제사회의 공동 번영에도 앞장서고 있습니다. 세계의 많은 나라들이 입을 모아 덴마크를 부러워하며 배우고 싶은 나라로 꼽고 있습니다. 폐하의 지도력과 덴마크 국민들의 역량에 경의를 표합니다.

여왕 폐하,

우리 두 나라의 인연은 매우 각별합니다. 덴마크는 한국전 당시 병원선과 의료진을 파견하고 전후 복구과정에서 큰 도움을 준 고마운 친구입니다. 반세기 전 전쟁의 비극을 치렀던 남과 북은 이제 한반도의 항구적인 평화와 공동번영을 위한 동반자가 되어가고 있습니다. 며칠 전 남북정상회담에서 이를 위한 서로의 의지를 확인하고, 구체적이고도 실질적인 많은 합의를 이뤄냈습니다. 그동안 덴마크가 국제사회에서 우리의 평화번영정책을 적극 지지해 주신 데 대해 깊이 감사드립니다.

한국과 덴마크는 IT, BT, 에너지 등 경제협력에 있어서 그 잠재력이 매우 큽니다. 지난해 라스무슨 총리에 이어 이번 여왕 폐하의 방한은 양국의 실질협력을 한 단계 더 진전시키는 좋은 계기가 될 것으로 확신합니다. 폐하께서 큰 관심을 갖고 계신 문화, 예술 분야에서도 양국이 보다 활발한 교류를 이뤄나갈 수 있기를 기대합니다.

귀빈 여러분,

여왕 폐하 내외분의 건강과 덴마크의 발전, 그리고 우리 두 나라 국민의 영원한 우정을 위해 건배를 제의합니다.

건배!

2007 바르게 살기 운동 전국회원대회 축하 메시지

2007년 10월 9일

바르게살기운동 전국회원대회를 진심으로 축하드립니다. 행사를 위해 애써주신 수원시민과 관계자 여러분께 감사 인사를 전합니다. 바르게살기운동은 건강하고 따뜻한 사회를 만들기 위한 범국민운동입니다. 기초질서 확립에서 저출산, 고령화 극복과 해외동포 돕기에 이르기까지 여러 분야에서 활발한 활동을 펼치고 있습니다. 전국 곳곳에서 땀 흘리고 계신 회원 여러분께 깊은 감사와 존경의 말씀을 드립니다.

지난주 남북정상회담에서는 국민 여러분의 성원 덕분에 기대 이상의 성과를 거둘 수 있었습니다. 남과 북의 정상이 '남북관계 발전과 평화번영을 위한 선언'에 합의함으로써 남북관계는 이제 새로운 단계에 접어들었습니다. 먼저 한반도의 항구적인 평화체제 구축에 함께 노력하기로 했습니다. 서해평화협력특별지대 설치, 개성공단 확대, 조선협력단지 건설, 철도연결 등을 통해 경제협력을 더욱 확대, 발전시키고, 이산가족 상봉과 같은 인도적 협력도 적극 추진해나가기로 했습니다. 합의를 하는 것도 중요하지만, 합의사항을 실천하는 일은 더 중요합니다. 참여정부는 남은 임기 동안 이번에 합의한 내용을 구체화시켜 나가고, 또 실천할 수 있는 기본적 토대를 닦는 데 최선을 다해나갈 것입니다. 국민 여러분께서도 정상회담의 성과가 결실을 맺을 수 있도록 힘을 모아 주시기 바랍니다. 특히 지역사회의 주역이신 전국회원 여러분께서 한반도 평화와 공동번영의 새로운 길을 열어가는 데 더욱 앞장서주시길 당부드립니다.

다시 한 번 이번 대회를 축하드립니다

국립생물자원관 개관식 및 국가생물주권 비전 선포식 축사

2007년 10월 10일

존경하는 국민 여러분, 그리고 내외 귀빈 여러분,

국립생물자원관 개관을 진심으로 축하드립니다. 아울러 '국가생물주권 비전'을 선포하게 된 것을 매우 뜻깊게 생각합니다. 생물자원은 우리의 미래를 위한 소중한 자산입니다. 생태계를 유지하는 근간이 될 뿐만 아니라, 생명공학 등 다양한 분야에 활용되면서 막대한 경제적, 사회적 가치를 창출하고 있습니다. 오늘 문을 여는 국립생물자원관이 우리의 생물자원을 보존, 관리하는 중요한 거점이 될 것으로 믿으며, 그동안 애써주신 관계자 여러분께 깊은 감사와 축하의 말씀을 드립니다.

참석자 여러분,

참여정부는 그동안 '지속가능 발전과 쾌적한 환경조성'을 국정과제로 삼아, 생태계 보전과 생물종 관리에 많은 노력을 기울여 왔습니다. 먼저 사전예방중심의 국토관리체계를 마련했습니다. 전략환경평가제도를 도입해 개발사업의 계획단계에서부터 충분히 환경을 고려할 수 있도록 했고, 생태정보를 담은 국토환경성 평가지도를 만들었습니다. 백두대간 보호법과 야생 동, 식물 보호법, 비무장지대 생태계 보전대책 등을 통해 생태계를 체계적으로 보호할 수 있는 기반을 마련했습니다. 자연환경보호지역을 이전 정부에 비해 두 배 이상 빠른 속도로 늘렸고, 그중에서도 습지보호지역은 2002년 8,100헥타르에서 지난해 25,100헥타르로 세 배 이상 확대되었습니다. 지난 6월에는 오랫동안 갈등을 빚어왔던 장항 산업단지 문제도 친환경적인 방식으로 해결되었습니다. 2012년 국립생태원과 해양생물자원관이 건립되면 우리의 생물자원 관리 수준은 한 단계 더 발전할 것입니다.

참석자 여러분,

지금 세계 각국은 생물자원 확보를 위한 치열한 경쟁을 벌이고 있습니다. 생물다양성 협약으로 생물주권이 인정되면서 생물자원이 국가 경쟁력을 좌우하는 시대가 열리고 있는 것입니다. 이러한 흐름에 적극 대처하고자, 오늘 이곳에서 '국가생물주권 비전'을 밝히고자 합니다. 목표는 생물주권을 조기에 확립해 생물자원 강국으로 도약해 나가는 것입니다.

첫째, 2020년까지 우리 땅에 사는 모든 생물종을 밝혀낼 계획입니다. 우리나라에는 10만 종의 다양한 생물들이 살고 있는 것으로 추정되지만, 지금까지 확인된 것은 3만 종 정도에 불과합니다. 생물종 조사, 발굴에 박차를 가해 2014년까지 3만 종을 더 밝혀내고 2020년까지 그 나머지를 다 찾아내도록 할 것입니다.

둘째, 생태계의 변화를 면밀히 파악해서 적극적으로 대처해 나갈 것입니다. 급속한 산업화로 인해 우리 생태계에는 많은 변화가 있었습니다. 최근에는 아열대 동식물이 나타나는 등 기후변화도 심각한 수준으로 진행되고 있습니다. 이 땅에 사는 야생 동식물들의 서식지를 보호하고 멸종위기 동식물을 체계적으로 보전해 나가겠습니다. 이와 함께 외래종 관리법을 제정해 우리 생태계를 위협하는 외래종도 철저히 관리해 나가겠습니다.

셋째, 남북이 함께 협력해 한반도 생태공동체를 구축해 나갈 것입니다. 한반도의 골격이 되는 생태축인 '백두대간'을 복원하고, '비무장지대'를 평화생태공원 등으로 만들어 소중한 자연유산으로 후손들에게 물려줄 수 있도록 해 나갈 것입니다. 생명의 땅, 갯벌과 습지가 있는 '도서, 연안 생태축'도 잘 보전해 나가야 합니다. 도시에 크고 작은 공원을 조성하는 일도 중요합니다. 북한산에서 관악산까지의 생태축을 되살리는 용산기지 공원화가 그 좋은 모범이 될 것입니다. 이를 위해 자연생태복원법을 새로 만들고, 국토의 11% 수준인 자연환경보호지역을 2015년까지 OECD 국가 평균 수준인 15%까지 높일 계획입니다. 새로운 단계에 진입한 남북관계는 이러한 생태계 복원에 큰 힘이 될 것입니다.

끝으로, 생물자원에 대한 연구기반을 확충하고 우수 인재를 양성해 나갈 것입니다. 서천 국립생태원을 차질 없이 추진하고, 6개 권역별로 각 지역의 생태계와 생물자원을 관리할 지역생물자원관을 건립할 계획입니다. 이 기관들은 전문인력 양성과 생물산업의 발전에 큰 기여를 하게 될 것입니다.

참석자 여러분,

생물주권 확보는 후손들을 위한 값진 투자입니다. 함께 힘을 모아 오늘의 약속을 반드시 실천해 나갑시다. 그래서 우리 아들딸들에게 더 건강하고 살기 좋은 대한민국을 물려줍시다. 국립생물자원관의 무궁한 발전과 여러분 모두의 건승을 기원합니다.

감사합니다.

전북대학교 개교 60주년 축하 메시지

2007년 10월 12일

전북대학교 개교 60주년을 진심으로 축하드립니다.

전북대는 호남·충청권에 처음 세워진 국립대학의 위상에 걸맞게 인재 양성과 학문 발전에 큰 역할을 담당해 왔습니다. 자유, 정의, 창조의 건학 이념을 실천하며 훌륭한 대학을 만들어 오신 여러분 모두에게 거듭 축하와 격려의 말씀을 드립니다. 지금은 지역의 혁신 역량이 국가 발전의 중요한 동력이 되는 시대입니다. 그리고 그 핵심은 지방대학입니다. 참여정부는 지방의 연구개발 예산을 두 배 이상 늘리고, 누리사업과 혁신클러스터 구축을 적극 추진하는 등 지방대학의 역량 강화에 많은 노력을 기울여 왔습니다.

전북대학교는 좋은 모범이 되고 있습니다. 첨단 분야를 중심으로 누리사업에서 탁월한 성과를 내고 있고, 지난 7월에는 익산대와의 통합을 성사시켜 새로운 도약의 토대를 마련했습니다. 교직원과 학생, 동문이 함께 힘을 모아 혁신을 해나간다면 글로벌 일류 대학의 비전도 이뤄낼 수 있을 것입니다. 전북대학교의 무궁한 발전과 여러분의 건승을 기원합니다.

프랑크푸르터 알게마이너 자이퉁(FAZ) 출간 권력자들의 말 기고문

- 역사는 진보한다, 이것이 나의 신념이다 -

2007년 10월 15일

역사는 진보한다. 이것이 나의 신념이다.

반복하는 역사가 있고 진보하는 역사가 있다. 대립과 갈등, 패권의 추구, 지배와 저항, 이런 역사는 반복되어 왔다. 그러나 그런 가운데서도 되돌아가지 않는 역사가 있다. 왕과 귀족들이 누리던 권력과 풍요와 여유가 보다 많은 사람들에게 확산되어 왔다. 말하자면 인간의 존엄, 자유와 평등의 권리가 꾸준히 확산되어 왔다. 나는 이것을 역사의 진보라고 믿는다. 그리고 이 진보는 계속될 것이다.

역사의 진보는 민주주의, 민주적 시장경제, 개방과 협력, 평화와 공존의 질서로 발전해 왔고 발전해 갈 것이다. 좀 더 간단한 말로 표현하자면, 세계 인류가 함께 행복을 추구하는 방향으로 가야하고 또 가고 있다는 것이다.

한국의 민주주의는 진보를 계속하고 있다. 1945년 해방과 더불어 민주주의 헌법을 채택한 이후, 1960년 4·19혁명, 1979년 부마항쟁, 1980년 광주민주화운동, 1987년 6월항쟁이라는 반독재 투쟁을 거치면서 민주주의의 핵심요소인 국민에 의한 정부 선택의 권리를 확보하였다. 87년 국민의 손으로 대통령을 직접 뽑는 직선제 헌법을 쟁취함으로써 독재에 의해 정지되어 있던 민주주의 제도가 제대로 작동하기 시작한 것이다. 그리고 93년 문민정부 출범을 통해 군사정권을 역사의 무대에서 퇴장시켰고, 98년에는 여야 간 평화적 정권교체를 이루면서 우리 국민 스스로 민주주의에 대한 자신감을 갖게 되었다. 그러나 이러한 민주주의 발전에도 오랜 독재체제 아래서 형성된 특권의식과 권위주의 문화의 청산은 여전히 과제로 남아 있었다.

변화는 2002년말 치러진 대통령 선거로부터 시작되었다. 인터넷을 통한 사이버 선거운동과 시민들의 자발적인 성금 모금이 새롭게 도입되면서 수천 억원씩 들어가던 선거자금이 수백억 원 단위로 줄어들었고, 그마저도 대통령 스스로 대선자금 수사를 받는 결단을 통해 선거문화가 획기적으로 바뀌는 계기를 만들었다.

선거뿐만 아니라 우리 정치 전반에 걸쳐서도 자유롭고 투명하고 공정한 경쟁체제가 구축되고 있다. 대통령에게 집중되어 있던 권력이 국회와 지방정부, 시민단체, 그리고 시장에 분산됐고, 정경유착이나 권언유착과 같이 힘센 기득권끼리 뒷거래를 하며 이익을 챙기는 유착구조도 해체되었다. 정보 통제와 공포 분위기 조성으로 국민 위에 군림하던 권력기관도 법과 국민의 통제를 받는 민주적인 기관으로 다시 태어났다.

그만큼 권력은 합리화됐고 사회 투명성은 크게 높아졌다.

이제 한국의 민주주의 과제는 '대화와 타협의 정치문화'를 뿌리내리는 것이다. 한국 정치에는 독재와의 오랜 투쟁 과정에서 비롯된 대결적 정치문화가 남아 있다. 이에 따라 정당간 정치적 타협이 잘 안되고 갈등과 대립이 심해 국가적 의사결정 과정이 더디고 국민통합이 저해되고 있다. 정책이 아니라 지역으로 나뉘어 대립하는 지역구도를 극복하기 위해서도 대화와 타협의 정치문화는 반드시 필요하다.

우선, 정당한 가치와 이해관계를 기초로 합리적이고 균형을 갖춘 정치구도가 형성되어야 한다. 그리고 그 토대 위에서 정책을 중심으로 토론하고 타협하고 결과에 승복하는 문화가 만들어져야 한다. 국민들의 정치의식도 한 단계 더 높아져야 한다. 개개인 또는 집단적으로 추구하는 가치와 이해관계가 각 정당이 추진하는 정책, 노선과 어떤 인과관계가 있는지를 파악하고, 이를 성취하고 반영하기 위해 정당활동에 적극적으로 참여할 수 있어야 한다.

이를 위해서는 언론의 역할이 무엇보다 중요하다. 정보의 균형잡힌 소통과 책임있는 의제선정을 통해 합리적인 토론이 가능한 공론의 장을 마련해주어야 한다. 정부는 언론의 건전한 비판에 대해서는 정책으로 적극 수용하고, 부정확한 내용은 바로잡을 것을 요구하면서 건강한 견제와 협력관계를 유지하고 있다. 아울러 행정정보를 투명하게 공개해서 국민의 알권리 충족을 위해 노력하고 있다.

한국은 전쟁의 잿더미 위에서 '한강의 기적'이라 불리는 경제적 도약을 이뤄냈다. 그러나 정부 주도로 이루어진 성장과정에서 관치경제와 정경유착이라는 부작용을 낳았고, 결국 97년말 외환위기를 불러오는 중요한 요인이 되었다.

이제 권력이 시장으로 이동하고 있다. 다시 말해 시장의 자유는 확보됐다. 그런데 시장에서 경쟁하다보면 강자가 생기게 마련이고, 이 강자가 게임의 규칙을 지배하게 되면 시장의 자유는 강자의 자유가 되고 시장의 권력은 강자의 권력이 될 수밖에 없다. 이런 과정을 통해 독점이 생기면 시장의 효율성이 떨어지고, 경제적 약자나 경쟁의 낙오자를 소외시키는 시장이 된다. 결국 시장의 민주주의가 파괴되는 것이다. 사람을 위한 시장이 되어야 한다. 시장도 공동체 안에 존재하는 것이다. 공동체를 파괴하는 시장이 아니라 모든 사람의 복지와 행복을 위한 시장이 되어야 한다. 그런 뜻에서 지금도 나는 방명록에 서명할 때 '사람 사는 세상'이라는 문구를 즐겨 쓴다.

시장의 실패와 한계를 보완해 나가는 것은 국가의 기본적인 책무이다. 시장의 창의성을 억제하는 정부의 개입은 최소화되어야 하지만, 시장의 규칙을 정하고 공정하게 관리해 나가는 것, 그리고 경쟁에서 낙오하는 사람에게 최소한의 생존권을 보장하고 재도전의 기회를 부여해서 사회전체의 생산력을 높이는 것은 국가가 해야 할 일이다. 축구경기에 비유하면 경기규칙을 정하고 운동장을 다듬는 일이다.

그런 점에서 한국 정부의 역할은 더욱 확대되어야 한다. 한국의 재정규모는 GDP 대비 28% 수준으로 영국 44%, 독일 47%, 프랑스 54%에 비해 턱없이 작은 규모이고, 게다가 재정에서 복지지출이 차지하는 비중은 이들 나라의 절반에도 미치지 못하고 있다. 국민의 안정된 삶을 보장하는 사회안전망 구축과 미래에 대한 기회 보장, 공정한 시장 관리 등을 통해 진정한 의미에서의 민주적 시장경제를 실현해야 하는 과제를 안고 있는 것이다.

세계의 문명 발달사를 보면, 개방과 교류를 활발히 한 국가는 성공하기도 하고 실패하기도 했지만, 문을 닫은 나라가 성공한 경우는 없다. 한국도 지난 반세기 동안 개방을 통해 세계와 함께 호흡함으로써 세계 10위권의 경제로 올라설 수 있었다. 개방 때마다 많은 반대와 우려가 있었지만, 우리 국민은 그때마다 도전을 새로운 기회로 만들어냈다.

그러나 한편으로 개방을 거부하는 폐쇄주의의 흐름도 있었다. 19세기말 서양문물을 배척하고 통상에 반대하는 위정척사론이 폐쇄적 시대를 끌어오다 급기야 일제에 나라를 빼앗기는 한 원인이 되었다. 세계 역사를 봐도 단일의 사상체계를 가지고 모든 것을 해석하고 다른 제도나 문화에 대해서 배타적인 입장을 취했던 교조주의는 성공하지 못했고, 결국 인간사회에 큰 불행을 안겨주었다. 한국이 미국을 비롯한 여러 나라와 자유무역협정을 추진하고, 외국자본이나 외국인 근로자 등에 대해서도 보다 개방적인 사고를 가져야 하는 이유도 여기에 있다고 생각한다. 개방의 대세를 어떻게 활용하느냐에 한국의 미래가 달려있다. 보다 적극적이고 능동적으로 참여해서 우리 경제의 성장잠재력과 경쟁력을 한층 높이는 계기로 삼아나가고자 한다.

나는 모든 도덕률과 종교적 가르침은 공존의 지혜로 귀결된다고 생각한다. 그러나 인류 역사는 이상만으로 인간의 행복이 보장되지 않는다는 것을 보여주고 있다. 20세기 들어서도 전쟁과 혁명, 이념갈등 등 극단적 대결의 과정을 겪어왔다. 냉전질서가 해체되었을 때, 세계 질서가 또 다른 대립과 투쟁의 시대로 갈 것이라고 말한 사람도 있었고, 평화와 공존의 시대로 간다고 말하는 사람도 있었다. 나는 단연 후자 쪽이었다. 지금도 그러한 믿음에는 변함이 없다.

그리고 그 가능성을 EU에서 찾는다. 유럽은 이제 전쟁과 대결의 역사를 마감하고 평화와 번영의 공동체로 다시 태어나고 있다. 여기에는 아데나워를 비롯한 유럽지도자들의 창조적 상상력과 시민들의 성숙한 정치의식이 있었다. 특히 부끄러운 과거를 반성할 줄 아는 독일국민의 양심과 용기, 그리고 그에 상응하는 실천이 동력이 되었다. 한국이 위치하고 있는 동북아의 질서도 EU와 같은 방향으로 가야 한다. 그러나 지금 동북아시아의 질서는 유럽이나 심지어 동아시아의 그것과도 크게 다르다. 제국주의와 냉전에서 비롯된 역사적, 이념적 앙금이 해소되지 않은 채 남아있고, 지역차원의 패권경쟁과 세계적 차원의 세력경쟁이라는 잠재적 대결구도가 중첩되어 있다.

이러한 상황에서 한국이 가야할 길은 두 가지다. 그 하나는 우리 스스로의 힘을 키우고 균형외교를 펼쳐 이 질서 속에서 안정을 도모해가는 것이다. 지난날을 돌아보면, 한국이 힘이 없고 균형을 잡지 못했을 때 한반도는 전쟁의 소용돌이에 휘말렸고 동북아의 평화는 깨어졌다. 다른 하나는 동북아 질서 자체를 통합의 질서로 바꿔나가는 것이다. 이 지역에 상호존중과 협력의 분위기를 확산하는 것은 물론, 대결구도를 근본적으로 해소해야 한다. 역사적으로 누구에게 해를 끼친 일이 없고, 분단과 전쟁을 겪으면서 평화의 소중함을 잘 알고 있는 한국은 이러한 질서를 만들어나갈 자격과 역량이 있다고 생각한다. 동북아에 평화와 공존의 질서가 만들어지면 동북아는 세계 평화에 위험요인이 되지 않고, 오히려 세계 질서의 안정에 적극적으로 기여하는 역할을 하게 될 것이다.

나는 한국과 동북아의 미래 뿐 아니라 세계가 직면한 여러 과제에 대해서도 오래 전부터 많은 관심을 가져왔다. 기아와 질병, 빈곤, 전쟁의 공포, 자원의 고갈, 환경 파괴, 정보격차와 같은 도전들을 극복해서 미래에 대한 희망을 만들어가야 한다. 인류가 함께 연대하고 협력한다면 충분히 가능한 일일 것이다. 한국도 이러한 길에 적극 동참해 나갈 것이다.

그것이 역사의 진보를 이루는 책임 있는 자세라고 믿는다.

한국 항공우주 및 방위산업 전시회 개막식 축사

2007년 10월 16일

여러분, 안녕하십니까,

한국 항공우주 및 방위산업 전시회 개막을 축하드립니다. 세계 각국에서 오신 항공우주, 방위산업 관계자와 기업인 여러분을 진심으로 환영합니다. 2년 전보다 행사규모도 커지고 전시되는 장비와 제품의 수준도 한층 높아졌다고 들었습니다. 이제는 명실상부하게 아·태지역을 대표하는 방위산업 전시회로 자리 잡아가고 있는 것 같습니다. 행사준비에 애써주신 관계자 여러분께 큰 감사와 격려의 말씀을 드립니다.

참석자 여러분,

지금 우리의 방위산업은 세계를 향해 힘차게 뻗어가고 있습니다. 올해 벌써 5억 달러의 수출계약이 이뤄졌고, 연말까지 10억 달러를 넘어설 것으로 예상하고 있습니다. 2002년 수출이 1억4천만 달러였던 것을 생각하면 비약적인 성장이라고 하지 않을 수 없습니다. 이미 KT-1 기본훈련기와 K-9 자주포는 세계 각국으로 수출되어 좋은 평가를 받고 있습니다. 올해 3월에 첫 선을 보인 차기전차를 비롯해, 보병전투장갑차와 수상함정도 많은 나라의 관심을 모으고 있습니다. 특히 T-50 항공기는 수천 번의 시험 비행을 통해 그 우수성과 안정성이 입증된 세계 최고의 초음속 고등훈련기입니다. 세계 시장 점유율 30% 이상을 목표로 할 만큼 성능과 가격에 자신감을 가지고 있습니다.

우주개발 분야도 빠르게 발전하고 있습니다. 지금 우리 손으로 만든 아리랑 2호가 지구상을 돌며 고해상도 영상을 제공하고 있습니다. '외나로도 우주센터' 건립도 마무리 단계에 들어섰습니다. 내년이면 우리나라 최초의 우주인이 탄생하고, 우리 기술로 만든 발사체를 통해 과학기술위성을 쏘아 올리게 될 것입니다. 이 모두가 항공우주, 방위산업 관계자 여러분의 밤낮 없는 노력 덕분이라고 생각하며, 거듭 감사의 말씀을 드립니다.

참석자 여러분,

참여정부는 항공우주, 방위산업의 발전을 위해 집중적인 노력을 기울여 왔습니다. 국방연구개발비를 2002년 7천억 원에서 올해 1조2천억 원으로 80% 가까이 늘렸습니다. 국방기술의 민간 이전과 산, 학, 연 협력도 확대하고 있습니다. 또한 방위사업청을 신설해 국방획득체계의 전문성과 투명성을 높였습니다. '한국항공우주산업'의 재무구조 개선과 해외마케팅을 지원해 항공산업이 새롭게 도약할 수 있는 탄탄한 발판을 마련했습니다. 우주개발진흥법과 기본계획을 만들고, 러시아 등 선진국과의 협력을 강화하는 등 우주산업 육성에도 적극적인 뒷받침을 아끼지 않고 있습니다.

정부는 앞으로도 핵심기술에 대한 투자를 확대하고, 금융지원과 공동수출마케팅을 강화해서 항공우주, 방위산업의 발전을 최대한 지원할 것입니다. 이렇게 해나가면, 국방개혁이 완성되는 2020년경에는 우리나라가 첨단무기체계의 독자개발 능력을 확보하고, 세계 10대 방산 선진국에 진입하게 될 것입니다.

참석자 여러분,

저는 우리의 항공우주, 방위산업이 반드시 성공할 것으로 믿습니다. 우리에게는 빈손으로 출발해 세계 최고의 제조업 경쟁력을 일궈낸 저력과 자신감이 있습니다. 무엇보다 우수한 과학기술인력과 첨단 IT인프라가 성공을 이끄는 확실한 동력이 될 것입니다. 이번 행사가 한국 항공우주, 방위산업의 역량과 가능성을 확인하는 좋은 계기가 되기를 기대하며, 여러분 모두 뜻깊고 보람된 시간 보내십시오.

감사합니다.

CJB 청주방송 창사 10주년 축하 메시지

2007년 10월 16일

CJB 청주방송 창사 10주년을 진심으로 축하합니다. 임직원과 시청자 여러분께 따뜻한 인사를 전합니다.

청주방송은 알찬 지역정보와 다양한 문화행사로 시민들의 사랑을 받고 있습니다. 특히 경로당 유류보내기 모금방송은 기부문화 확산을 통해 따뜻한 지역 공동체를 만드는 데 크게 기여했습니다. 지금 충북은 생명과학과 반도체산업의 메카로, 교통, 물류의 중심으로 힘차게 발전하고 있습니다. 앞으로 진천, 음성 혁신도시와 충주 기업도시, 그리고 행정중심복합도시가 건설되면 충북의 발전은 더욱 가속화될 것입니다.

청주방송이 이러한 균형발전 시대를 앞당기는 데 더 큰 역할을 해주시기를 당부드리며, 청주방송의 무궁한 발전을 기원합니다.

벤처기업인을 위한 특강

2007년 10월 18일

여러분 감사합니다.

첫 번째는 두 번씩이나 일어나셔서 박수를 쳐 주셔서 감사합니다. 두 번째는 여러분이 기업경영을 잘하셔서 성과가 좋은 바람에 참여정부가 생색을 좀 낼 수 있게 됐습니다. 정말 고마운 일이지요. 감사합니다. 세 번째는 제게 강연의 기회를 주셔서 감사합니다. 제 생각을 국민들에게 전달할 기회가 보통 우리 국민들이 생각하는 것만큼 그렇게 많지 않습니다. 대통령은 매일 말하고 매일 보도되니까 대통령의 생각은 국민들에게 잘 전달될 것으로 가정합니다. 그런데 실제로 의미가 있고 깊이가 있는 생각들은 국민들에게 전달되지 않습니다. 전달 안 되는 수준이 아니고, 거꾸로 전달되는 것도 많이 있습니다.

우리나라만 그런가 했더니 어떤 책을 보니까 대부분의 나라들이 다 그렇다는 것입니다. 언론이 전달하는 대로 국민들은 받아들이는데 언론이 제대로 전달하지 않는다, 이것은 정치하는 사람들 모두의 불평입니다. 얼마 전에 영국의 토니 블레어 수상이 10년간의 수상직을 끝내고 첫 번째 강연을 로이터 언론연구소에 가서 했습니다. 그때 언론 때문에 힘이 들었다, 이런 얘기를 한 것을 보고 상당히 위안을 받았습니다. 나만 괴로운 줄 알았는데 괴로운 사람이 또 있으니까 얼마나 반갑습니까.

요즘 제가 『이제 당신 차례요, 미스터 브라운』이라는 책이 번역돼 나와서 읽고 있습니다. 영국의 신노동당 노선의 이론적 근거를 제공했다고 하는 앤소니 기든스라는 학자가 토니 블레어 시대를 끝내고 고든 브라운 시대를 열면서 '노동당의 진로를 어떻게 할 것인가.'에 대한 조언을 책으로 펴낸 것입니다. 책 마지막 부분에 보면 역시 언론에게 사실을 제대로 전달하기를 기대하기가 너무 어렵다, 더욱이 복잡한 논리는 더욱더 가망 없다, 그런 상황에서 국민과 어떻게 소통하며, 어떻게 신뢰를 유지할 것인가 하는 데 대한 고민이 조금 적혀있습니다. 답이 있는 줄 알고 열심히 읽어 봤더니 역시 아직 답이 없더군요.

제 나름대로의 답은 앞으로 만들어 볼 생각입니다만, 일단은 언론이 제자리로 돌아가게 하는 것이 맞지 않느냐 그런 정도이고 정치하는 사람이 국민과 직접 소통할 수 있는 방법은 아직도 연구 중입니다. 벤처기업 하는 여러분께서 어떻게 해결해 주실 수 없겠습니까, 이것도 어떻게 첨단 기술과 시스템을 통해서 할 수 있는 방법이 있으면 좋겠습니다.

오늘 제가 여러분께 꼭 말씀을 드리고자 청하다시피해서 초청을 받은 것은 나름대로 뜻이 있기 때문입니다. '시장의 역할이 뭐냐,' 하는 데 대해서 그동안 많은 논란도 있었고 역사적으로 변천도 있었지만, 우리가 내릴 수 있는 결론은 시장을 주도하는 세력이 세상을 주도하는 것은 앞으로도 거의 변하지 않을 것이라는 겁니다. 만일, 특권,반칙,독점,우월적 지위와 같은 기득권을 가지고 성공하고 또 앞으로도 이와 같은 기득권을 계속 주장하는 사람들, 그리고 '세상은 생존경쟁의 원리에 따라 돌아가는 것이고 약육강식의 세상이다. 그러므로 강자가 세상을 지배하는 것은 당연한 것이고, 거기에 시민들, 소비자들은 따라와야 된다.' 이런 생각을 하고 있는 사람들이 시장을 주도한다면 우리 사회 역시 그런 사회가 될 것입니다.

그러나 좀더 다른 생각을 가진 사람들, 즉 스스로 노력하고 연구하고 혁신하고 그래서 창의적 기술로 시장에서 당당하게 경쟁하고 성공하는 사람들, 그리고 오늘의 시장만이 아니라 내일의 시장, 오늘의 사회만이 아니라 내일의 사회에서도 계속 경쟁력을 가져갈 수 있는 나라를 생각하는 사람들이 시장을 주도하면 그 사회는 또 달라질 것입니다. 제가 후보 시절에 어느 강연 자리에 가서 '신주류'라는 개념을 말한 일이 있습니다. 말이 쉽지 않고 관심도 별로 없는 어휘라서 주목을 끌지 못했습니다만, 저는 '우리 사회에 신주류가 등장해야 된다. 그 주류는 시장의 신주류일 것이다. 신 주류가 새로운 세상을 만들어야 된다.' 그렇게 생각합니다. 지금 세상도 뭐 그런대로 괜찮지만 많은 문제를 가지고 있고, 미래에 대한 많은 불안이 있습니다. 이런 문제들을 해결하고 밝은 미래를 우리에게 약속할 수 있는 우리 사회의 신주류는, 거듭 말씀드리지만 시장에서 나올 수밖에 없습니다. 여러분에게 그런 기대를 가지고 오늘 이 자리에 섰습니다.

그러나 역시 '기업하기 좋은 나라'라는 주제를 가지고 시작하겠습니다. 여러분은 기업하는 사람들이기 때문에 여러분의 문제에서부터 일단 출발해야 할 것이라고 생각합니다. 저는 변호사 시절부터 보수진영으로부터 '너 시장주의자 맞느냐.'는 질문을 많이 받았습니다. 대통령 되고 나니까 '너 분배주의자지.'라고 했습니다. '그래서 어떻단 말입니까.'라고 답하고 싶었지만, 또 분배와 소비,생산의 선순환 관계를 말하고 싶었지만, 어렵고 별로 전달해 줄 사람도 없어서 어물어물 넘어갔습니다. 어떻든 요즘도 요구하고 있는 것이, '정부는 시장에서 손 떼라. 시장에 맡겨라.' 이런 주장들을 계속 듣고 있습니다.

그런데 한편 진보 진영이라는 곳으로부터는 '너 신자유주의자지, 비정규직 그것 법으로 금지해라.' 말하자면 '비정규직 금지 안 하니까 너 부자들 편이지,' 이런 취지의 이야기를 듣고 있습니다. 하도 답답해서 '좌파신자유주자요' 이렇게 얘기했습니다. 그런 개념은 성립될 수 없는 것이죠. 한쪽은 좌파라고 하고, 한쪽은 신자유주의라고 하니까 '나는 좌파신자유주의자요.'하고 비꼰다고 말을 했더니 무슨 큰 건가 싶어서 또 심각한 어조로 열심히 말하고 쓰는 사람들이 있습디다. 그리고 뒤에 저를 비판하면서 인용도 하고 그래서 '아, 말조심해야겠구나.' 생각했습니다.

경제정의 실천, 재벌 규제, 좌파인지 우파인지 모르지만 이런 주장을 하는 사람들도 있지요. 모두가 국가와 시장의 관계에 관한 얘기입니다. '국가는 시장과의 관계에서 무엇을 어떻게 해야 하는가,' 매우 중요한 일이지요. 근데 여러분은 '복잡한 소리 말고 국가는 기업하기 좋은 나라를 만들어라.' 그러시죠, 그렇습니다. 우리 솔직하게 합시다. 기업하기 좋은 나라, 여러분의 요구는 그것이지요, 근데 보통 기업 안 하는 사람들이나 자기 가족이 기업을 해도 자기는 '사람 살기 좋은 나라가 좋은 나라지.' 이렇게 말하는 사람도 있습니다.

저는 옛날 국회의원 초선 시절부터 서명을 할 때 '사람 사는 세상'이라는 서명을 합니다. 여러 가지 뜻이 있고 조금은 깊은 뜻도 있지만 복잡하게 생각하지 않더라도 사람 살기 좋은 세상이 사람 사는 세상이죠. 그런데 기업하기 좋은 나라하고 사람 사는 세상하고는 서로 다른 얘기인가요, 아니면 같은 얘기인가요, 서로 만날 수 있는 얘기입니까, 만날 수 없는 얘기입니까, 그런데 여러분과 제가 어떻든 의견의 일치를 보자면 어디선가 이것이 만나야 합니다. 서로 만나서 합의할 수 있을 것인지 저도 궁금한 생각을 가지고 여러분께 말씀을 드리고자 합니다. 정부는 뭘 해야 하나, 여기에 대해서 서로 모순된 주장이 대립되고 있습니다. 소위 시장주의라고 하는 입장에서의 요구는 작은 정부 해라, 정부는 손 떼고 시장에 맡겨라, 규제를 줄여라, 해고를 자유롭게 허용하라, 시장을 개방하라, 세금도 줄여라, 복지 부담도 줄여라, 이런 요구를 합니다. 여기에 대해서 시민사회에서는 인권을 보호하라, 노동자를 보호하라, 경제적 약자를 보호하라, 환경을 보호하라, 안전, 질서 등을 위해서 시장에 대해 각종 규제를 하고 부담을 지우고 국가가 적극적으로 개입하라고 합니다.

실제로 언론이나 보도를 보면 규제를 줄이라고 하지만, 어디서 도둑이 들면 국가가 뭐 했나, 환경이 파괴되고 난개발이 되면 정부는 뭐 했냐, 사람이 음식을 먹고 탈이 나도 뭐 했냐고 비판합니다. 가만 보면 기업에 대해서 이런저런 규제를 하지 않을 수 없는 상황이고, 규제를 해야 하는 것입니다. 그러니까 시장과 시민사회의 두 가지 요구가 충돌됩니다. 그런데 시장 안에서는 서로 요구가 모순되지 않는가 생각해 보아야 합니다. 그 시장의 강자들은 시장에 개입하지 마라, 가만 놔둬라 이렇게 말합니다. 독점, 우월적 지위, 특권적 지위, 지배력을 가지고 있는 시장 기득권자들은 간섭하지 마라는 것이 주된 요구입니다. 시장에서 약한 사람들은 독점을 규제해 달라, 공정거래, 공정경쟁의 질서를 보호해 달라, 시장의 약자에 대해서 특별한 보호를 좀 더 해 달라, 예를 들면 진입장벽도 만들어 달라, 이런 요구들을 합니다. 이것은 시장 안에서도 서로 요구가 부딪치는 것입니다. 같은 중소기업 안에서도 요구가 부딪칠 때가 있습니다. 단체수의계약제도의 경우에는 같은 중소기업 사이에도 기득권을 가진 사람들과 안 가진 사람들이 충돌해서 한참 싸웠습니다. 지금은 해결되었지만 어떻든 이렇게 충돌합니다.

그러나 이와 같은 대립과 갈등은 조화롭게 조정되고 통합이 돼야 합니다. 불만이 있더라도 어느 정도 수용할 수 있어야 되는 것이죠. 그렇게 통합하고 조정하는 방도는 무엇인가, 이것이 국가가 잘되기 위한 요체입니다. 기업이 잘되기 위한 요체입니다. 해결 못하고 옥신각신 밀고 당기고 하다 보면 경영은 못하고 싸움하러 다녀야 되거든요, 그래서 이거 해결해야 됩니다. 그렇게 하기 위해서는 대립과 갈등의 본질을 깊이 분석하고 매우 정교한 전략을 세워야 합니다. 그리고 국가가 얼마나 어떻게 개입할 것인가를 결정하는 것이 바로 정치의 요체입니다. A당, B당, 여당, 야당, 진보, 보수 옥신각신 싸우는데 요체는 바로 얼마나 개입할 것인가 그런 것입니다. 그래서 기업도 시민사회도 자기들의 요구를 관철하려면 정치에 개입해야 됩니다. 때로는 싸우고, 때로는 대안을 내서 서로 양보하고 타협하면서 어떻든 정치적 과정에 개입해야 합니다. 어떻게 개입할 것이냐를 알기 위해서 우리는 국가와 시장의 관계에 대한 역사, 국가와 시장, 시민사회의 상호관계에 대한 역사를 한번 볼 필요가 있습니다. 대립과 갈등에는 역사가 있고, 역사의 뿌리에는 사상적 갈등이 있고, 사상적 갈등의 뿌리에는 권력투쟁이 있습니다. 그리고 권력의 이동에 따라서 역사는 변천해 온 것입니다. 우리가 중학교나 고등학교 수준으로 다시 돌아가 봅시다. 경찰국가, 야경국가, 복지국가 이런 것을 배웠지요.

경찰국가는 중상주의 사상을 바탕으로 하고 이를 위해 국가를 강화해야 된다고 하는 국가지상주의 사상에 근거하고 있습니다. 그래서 그때부터 우리 사회는 봉건 시대로부터 국가주의 시대, 절대국가 시대로 넘어온 것입니다. 여전히 권력은 귀족에게 있는 상태에서 새롭게 등장하는 계급이 행정 관료들이 사회를 주도했습니다. 관료들이 권력을 가지고 독점상인이 이들을 지원해서 만든 체제, 봉건체제를 무너뜨리고 성립한 절대주의 국가, 이것이 경찰국가입니다. 여기에서 기업은 특허를 받아야 하고, 그리고 국가의 더 특별한 보호를 받고 세금을 냈습니다. 국가는 식민지 침략전쟁을 통해서 시장을 넓혀 주고 원자재의 공급을 도와주었습니다. 여기에서 시장의 주체는 특권적 지위를 누렸습니다. 그러나 문명의 발전은 막을 수 없는 것이어서 기술이 발달하고 사람들이 산업혁명을 이루면서 신흥 상공인 계급이 많이 등장하게 됐습니다. 그 질서에 신흥 상공인 계급이 저항해서 일으킨 것이 근대 민주주의 혁명이고, 따라서 경찰국가는 그때 시민혁명으로 붕괴되고 말았습니다.

그 뒤에 성립한 것이 야경국가지요. 야경국가는 초기 자본주의, 소위 자유방임주의, 근대 민주주의 사상이 결합된 체제, 이른바 '보이지 않는 손'의 이론이지요. 신흥 상공인 계급이 주도하는 시장 우위의 국가입니다. 이름은 시민민주주의지만, 제한 선거에 의한 제한적 시민민주주의, 재산과 교양을 가진 사람만 투표권을 행사했거든요. 따라서 이 체제는 보기에 따라서 그리스의 민주주의와 마찬가지로 시민 없는 시민민주주의라고 말할 수 있습니다. 그런데 자구 시민민주주의라고 했어요. 자유와 민주주의, 자유와 평등을 얘기했지만 노동조합에 대해서 극심한 탄압이 있었고, 독점 자본이 등장하고 시장의 약자가 못 살 형편까지 몰리고 소비자인 시민들도 손해를 보았습니다. 마침내 이들의 이익에 의해서 제국주의 전쟁이 일어났습니다. 무산계급이 등장하고 정치 세력화하면서 한쪽은 혁명과 사회주의, 독재, 계획경제의 국가로 넘어가 버리고 한쪽은 보통선거를 통해서 복지국가, 사회민주주의 이런 쪽으로 넘어갔지요. 사회민주주의 쪽에는 시장이 남았고, 사회주의 쪽에는 시장이 죽어버렸습니다. 이제 앞으로 시장의 얘기는 소위 사회민주주의, 수정자본주의 쪽에서만 얘기를 해야 되겠지요. 그렇게 탄생한 것이 복지국가입니다. 이 복지국가를 수정자본주의라고 흔히들 얘기하지요. 유럽의 사회민주주의 또는 복지국가 같은 국가들인데, 우리가 좀 관심을 가지고 볼 것은 미국의 진보주의입니다. 프랭클린 루즈벨트가 그 시기에 진보적 개혁을 했는데, 그 내용은 공정한 경쟁을 보호한다는 것입니다. 물론 1900년

경에 테오도어 루즈벨트 시기에 이미 독점에 대한 규제는 있었습니다만, 그러나 본격적인 공정경쟁의 시대는 아니었습니다. 프랭클린 시대에 와서 소위 공정한 경쟁을 보호하고, 노동과 약자를 보호하고, 이를 위해서 재분배 정책을 실시하고 공기업을 경영하고 나아가서는 대규모 공공사업을 일으켰습니다.

어떻든 사상의 기초는 사회정의 또는 사회연대의 사상입니다. 대체로 이 연대라는 것은 약자와 연대한다는 것을 의미합니다. 약자의 연대로 정권을 잡자는 뜻인지, 또는 부자와 약자가 같이 연대해서 같이 살아보자는 뜻인지 잘 모르겠습니다만, 어떻든 솔리대리티(Solidariry) 이렇게 주장하고 구호를 외치고 있으니까 그것까지만 알고 있습니다.

어떻든 시장에 대한 적극적인 개입과 규제, 나아가서는 국유화 정책, 그리고 경제적 약자에 대한 국가의 책임을 강조했습니다. 국가는 시장에서 손 떼라가 아니고 국가는 시장에 개입하라, 이것이 근대 복지국가 사상의 아주 중요한 차이입니다. 이 민주주의를 흔히 대중민주주의로도 표현하는데, 정책 관점에서 이름을 어떻게 붙일 것인가 하는 문제는 아직 남아 있습니다.

그러면 이 시기에 새롭게 등장한 무산계급 내지 중산계급들이 진짜 권력을 잡았는가, 또 우월적 권력을 확보하고 행사했는가를 보면, 여전히 시장권력은 건재했습니다. 스웨덴 복지국가 같은 나라도 가만히 들여다보면 기업의 세력, 말하자면 시장권력은 여전히 막강한 정치적 파워를 행사하고 있습니다. 그래서 이것을 시민우위의 권력이라고 얘기해야 될지, 아니면 여전히 시장우위의 권력이라고 얘기해야 될지 여기에 대한 판단은 쉽지 않습니다. 그러나 한 가지 분명한 것은, 때때로 어느 쪽으로 우위가 이동하든 간에 시장권력과 시민권력이 갈등하면서 균형을 이루고 있었다는 것입니다.

그런데 한때 사회정의, 약자보호, 연대와 같은 시민권력의 논리가 매우 강화돼서 보수정권이든 진보정권이든 간에 복지제도를 막 만들었습니다. 만드니까 소위 소위 복지병이라는 것이 생겼지요. 영국과 같은 경우 실업수당 받아가지고 스페인으로, 이탈리아로 휴가 가는 사람이 생겼다는 얘기지요. 이건 도덕적 해이입니다. 그리고 시민의 책임을 방기한 것이지요. 그래도 자기들끼리 먹고 살 때는 대강 견딜 만했는데, 시장이 세계로 확대되면서 경쟁도 세계로 확대되니까 이제는 그런 체제 가지고는 경쟁을 유지할 수가 없게 된 것입니다.

그래서 새롭게 등장한 것이 오늘날의 신자유주의입니다. 그것이 대처리즘, 레이거노믹스 이것으로 오늘날에는 대체로 신자유주의 측 주장이 한쪽에서 좀 힘을 쓰고 있고, 한쪽에서는 여전히 과거의 복지국가는 아니지만 좀 새로운 복지국가, 즉 제3의 길, 사회투자국가 이런 이론이 등장해서 서로 논쟁을 하고 있습니다. 전통적인 사회주의 이론은 요즘 혈통의 순수성을 계속 주장하면서 버티고는 있지만 국민들한테 별로 지지를 못 받아서 약세를 면하지 못하고 있습니다. 오늘날의 조류와 논쟁을 보면 그렇게 진행되고 있습니다. 그러면 신자유주의는 뭐냐, 조금 전에 말씀 드렸습니다만, 세계화 시대의 전통적 사회주의와 사회민주주의의 복지병에 대항하는 시장주의의 사상이다, 이렇게 볼 수 있고 대처리즘, 레이거노믹스다 이렇게 말할 수 있습니다.

신자유주의는 작은 정부하라, 규제 철폐하라, 노동을 유연화 하라, 공기업을 민영화하라, 그리고 시장을 세계로 개방하라 이렇게 주장합니다. 보기에 따라선 신자유방임주의처럼 느껴지기도 합니다. 그러면 지난날 야경국가의 자유방임주의하고는 어떤 점이 다른가, 시장 내부 규제를 그래도 어느 정도 수용한다는 점에서, 시장 내에서의 공정한 경쟁에 대해서는 국가가 비교적 중립을 취한다 하는 점에서 조금 다를 뿐이지 나머지는 과거의 야경국가하고 크게 다르지 않습니다. 어쨌든 시장주의의 신자유주의 노선이 채택된 나라는 시장우위의 국가입니다. 국가권력이 행사되는데 그 국가권력은 시장의 이익을 대변하는, 대표하는, 대행하는 권력의 행사가 됐습니다. 시장은 과연 지속 가능한 사회를 보장할 것인가에 대해서 오늘날 보수주의 정치 노선은 여전히 이 주장을 멈추지 않고 있습니다. 그 결과로서의 양극화, 사회적 갈등의 심화, 비정규직 노동자 등등. 노동의 유연화로 인한 노동의 품질 저하로 인해 미래 경쟁력의 저하 문제가 지금 새롭게 발생하고 있습니다. 직장에 대한 애정이 없음으로 해서 팀워크가 형성되지 않고, 그래서 개인 개인은 유능하나 팀으로서 또 기업전체로서 시너지를 만들지 못하는 이런 문제도 지속되고 있다고 할 수 있습니다.

여기에 대해서 정치적으로 또는 철학적으로 근본적인 문제제기는 시장이 모든 문제를 다 해결해 주는가, 시장은 정의로운가, 시장이 지속 가능한 시장, 지속 가능한 사회를 과연 보장할 것인가, 말하자면 보수주의에 미래의 비전과 전략은 무엇인가 하는 질문을 던지고 있는 것입니다. 한편으로는 소위 제3의 길, 사회투자국가론, 이것 역시 신자유주의의 폐해를 극복하기 위한, 불안을 극복하기 위한 진보의 새로운 전략이라고 말할 수 있습니다. 핵심은 사람이 경쟁력이다, 이렇게 주장하는 것입니다. 이것은 아마 오늘날 정보화시대와 무관하지 않을 것입니다. 잘 교육받은 국민, 역량 있는 국민, 그리고 건강하고 안정된 국민, 희망을 가지고 의욕에 넘치는 국민, 이것이 밑천입니다, 그렇게 하기 위해선 교육복지의 기회가, 특히 교육에 있어서의 기회가 공정하게 열려 있어야 된다는 조건이 따라 붙겠지요. 이것이 경쟁력의 밑천이기 때문에 교육복지 지출은 소비가 아니라 투자입니다. 미래의 경쟁력을 위한 선제적인 투자입니다. 1년 뒤를 본다면 교육투자를 안하지만, 5년 뒤를 본다면 교육훈련을 하고, 직업훈련을 합니다. 10년 뒤를 본다면 교육투자를 하는 것입니다. 아이들 교육에 투자를 하는 것이지요. 그렇게 하면 뒷날 본전 이상 나온다는 것입니다. 선제적 투자지요.

보기에 따라서 거꾸로 얘기하면 미래에 많은 비용이 발생할 수 있습니다. 사람이 어릴 때부터 정신적으로 그리고 인성적으로 또는 지능적으로 건강하게 성장하지 못하면, 도덕적으로 올바르게 성장하지 못하면, 그때 그 이후의 사회에 주는 부담의 크기를 생각해보십시오. 뒤에 해결비용을 들이는 것보다는 어릴 때 교육으로 해결하자 하면 '예방적 투자'라는 관점에서 말할 수 있습니다. 그리고 1년 2년의 경쟁력이 아니고 5년, 10년, 30년, 50년의 경쟁력을 생각해 보면 교육투자, 그리고 건강한 사회 아니냐. 그래서 지속가능한 경제를 위한 미래전략이다 이렇게 얘기할 수 있습니다.

특징은 역시 시장주의와 복지주의를 융합입니다. 전통적 진보에서는 시장주의와 복지주의가 서로서로 대결적 균형을 이루고 있었는데 여기에서는 한 번 융합을 해 보자는 시도라고 볼 수도 있습니다. 진보의 이상을 버리지 않고 세계 경제에 대응해 가는 전략으로써 이런 새로운 사회를 한 번 만들어 보자는 것입니다. 그래서 경제정책과 사회정책이 융합돼 있습니다. 시장과 진보주의의 융합이 돼 있습니다. 이런 사람들을 뭐라고 이름을 지어줘야 될지 모르겠습니다. '시장친화적인 진보주의', 또는 보수적인 시장주의에 비하면 '진보적인 시장주의'라고 말할 수 있을지 모르겠습니다. 실험을 했고 어느 정도 실험의 결과가 나오고 있습니다. 토니 블레어의 영국은 '교육, 교육, 교육' 이런 구호를 내걸고 했는데 실제로 성장과 복지의 두 마리 토끼를 잡았다고 말할 수 있습니다. OECD에서 거의 아주 상위권 수준, EU에서는 아주 높은 수준의 성장도 발생했고 3% 이상 성장을 계속해 왔습니다. 토니 블레어 정권 동안에 복지도 많이 향상이 됐습니다. 일자리도 엄청나게 많이 늘어났습니다. 그러니까 요새 영국 보수당도 이 정책을 수용하기 시작하고 있습니다.

지금 어떤 야당 지도자가 혁신형 중소기업정책 이런 것을 채택한 것과 마찬가지로 좋은 것을 빌리는 것이지요. 보수당이 빌리고 있고, 클린턴의 진보정책이 이 궤를 가고 있습니다. 제3의 길이라는 이름으로 했는데 오히려 토니 블레어보다 한 발 앞서갔다고 말할 수 있습니다. 어떻든 클린턴 후반기부터 경제가 호황을 이루기 시작해서 지금까지 계속해서 미국경제가 호황을 이루고 있습니다. 전통적 진보주의는 퇴조하고 있기 때문에 오늘날 논쟁의 중심은 '신자유주의'와 '제3의 길 또는 사회투자국가'라고 하는 이 사이에서 우리 논쟁이 진행되고 있다고 볼 수 있습니다. 여러분은 어떤 선택이 옳다고 생각하실지 생각을 정리해 볼 필요가 있다고 생각합니다. 그러나 어떻든 제가 여러분께 말씀을 드리고자 하는 것은 국가는 무엇을 해야 하는가에 대한 것입니다. 이런 역사와 오늘의 논쟁을 놓고 지금 우리 국가는 어떤 선택을 해야 할 것인가, 어쨌든 그 전제로서 역사와 현실의 결론은 요컨대 '근대 국가는 구경꾼은 아니다. 그리고 반드시 중립적인 관리자도 아니었다' 입니다다. 앞으로는 될지는 모르겠습니다. 권력의 이동에 따라, 권력집단의 요구에 따라 개입을 했고, 개입의 방향과 내용이 그때그때 달라졌습니다.

지금 여러분은 국가가 무엇을 해주기를 바랍니까, 기업하기 좋은 나라를 원하시겠지요. 그래서 기업하기 좋은 나라, 기업하기 좋은 나라, 하면 다 의견이 일치될 것 같은데, 자세히 들여다보면 그렇지 않습니다. 기업 중에는 여러 가지가 있으니까요. 기득권을 가진 시장의 강자도 있고, 창의와 혁신으로 정정당당하게 승부하고자 하는 기업도 있고, 또 유착으로 강철 파이프라인 달아 놓고 골프나 치고 다니는 기업도 있습니다. 어떤 기업이 기업하기 좋은 나라인가에 대해서 우리 한번 생각해 봅시다.

저는 어떻든 국가는 혁신을 지원하는 나라라야 된다고 생각합니다. 경쟁력의 핵심은 역시 혁신입니다. 혁신에는 과학기술 혁신, 경영의 혁신이 있겠지요. 원칙적으로 혁신은 기업의 몫입니다만, 그러나 많은 비용이 들고 많은 시간이 소요되는 연구개발, 교육훈련 그리고 인재의 육성, 이것은 기업의 힘만으로는 되지 않습니다. 정부가 뒤를 밀어줘야 되는 것이지요. 정부도 옛날 정부 있고 새 정부 있지 않습니까, 어느 날 선으로 딱 싹둑 자를 수 있을지 모르지만, 옛날 정부 있고 새 정부 있는데, 정부가 혁신해야 혁신하는 사회를 만들 것 아니겠습니까, 혁신하기 좋은 사회를 만들지 않겠습니까, 그래서 자기가 혁신해야 합니다. 정부 혁신하고 그리고 그것을 토대로 해서 국가혁신전략, 혁신국가전략을 세워서 국가가 혁신을 주도하는 사회적 분위기를 만들어 나가야 합니다. 참여정부에서는 과학기술입국정책, 신성장동력 개발, 혁신형 중소기업 지원정책, 생태계 조성 등 하느라고 했습니다마는 어땠는지 모르겠습니다. 요즘 벤처기업은 어쨌든 뭐 별로 기분이 나쁘지 않겠지요. 어쨌든 간에 잘 됐으니까요.

가장 중요한 것은 인재를 키워야 됩니다. 이것은 보수주의에서도 부인하지 않습니다. 그러나 문제는 첨단의 인재도 있고 보편적으로 수준이 높은 인재가 있어야 됩니다. 아무리 첨단 기업이라도 첨단 인재만 가지고 기업을 경영할 수 있는 것은 아닙니다. 그래서 수준 높은 교육도 필요하고, 보편적인 교육수준의 향상도 필요하고, 또 교육에 있어서의 균등한 기회도 제공해야 합니다. 그리고 교육의 내용에 있어서는 외우기 교육 말고, 창의력교육, 시민교육, 인성교육, 이것을 해 줘야 합니다.

참여정부 들어오고 나서 매년 각 부처에서 5% 내지 6%의 구조조정을 했습니다. 이 얘기는 무슨 말이냐 하면, 예산을 더 늘리지 않고 기존 사업을 버리고 새 사업을 선택하라. 아무래도 버리는 건 효율성이 떨어지는 것이고, 새 사업은 효율성이 높은 것을 하지 않겠습니까, 그래서 구조조정을 그렇게 계속 해 오고 있습니다마는, 남의 돈을 덜컥 뺏어올 일이 없어 증가율을 가지고 조정하는 것이지요. 어떤 예산은 증가를 통제하고, 어떤 예산은 증가율을 높이고 이렇게 해서, 교육비용 좀 더 뽑아내고 또 복지비용도 좀 더 뽑아내고 이렇게 했습니다만, 원천적으로 돈이 모자랍니다.

이 문제에 대해서는 어떤 정치하는 사람이 인재를 키우자, 아이를 키우자, 전적으로 국가가 책임지자 이렇게 말하는 것이 중요한 것이 아니고, 국민들한테 '돈 조금 더 냅시다.'고 해야 합니다. 교육예산으로 GDP 1%만 더 내 주면 우리나라 교육문제는 화끈하게 해결돼 버립니다. 아마 한 10년간 그렇게 가버리면, 미국에 적어도 대학생이나 대학원생 유학은 갈지 모르지만 초중등학생 유학 가는 것은 다 끝나고, 사교육비 문제도 다 해결되고, 공교육이 탄탄하게 자리를 잡아갈 수 있게 할 수 있습니다. 대학도 세계 일류 이류 할 수 있는 대학도 만들 수 있습니다.

문제는 돈입니다. 어떻든 이거 해야 됩니다. 그래서 결론은 돈을 쓸 줄 아는 나라입니다. '교육을 지원하는 나라'라고만 말하는 건 거짓말이고요, '돈을 쓸 줄 아는 나라', '돈 좀 거두겠다고 하는 나라'라야 합니다. 하물며 세금 깎겠다고 하면 정말 곤란합니다. 우리가 전체 교육복지 이쪽에 지출하고 있는 비용이 선진국에 현저하게 못 미치기 때문에, 절반이 안 되는 수준이기 때문에 뭐 어쩌고저쩌고 하는 건 안 되는 일입니다.

고용을 지원하는 나라라야 됩니다. 고용을 알선하고 직업훈련, 평생교육, 그래서 모든 국민들에게 보편적 직업능력을 향상시켜 주고 이 직장에서 다른 직장으로 직장을 옮길 수 있는 전업능력을 향상시켜 줘야 합니다. 이것을 위해서 고용보험과 적극적 시장정책이 필요하다는 것입니다. 다음에, 기업하기 좋은 나라는 적극적으로 시장을 넓혀가는 나라라야 됩니다. 시장을 넓히는 것은 기업의 손에 들어 있습니다. 경쟁력이 높으면 시장이 넓어집니다. 그러나 경쟁력을 높이기가 쉽지 않기 때문에 국가가 시장을 개방해 줘야 된다는 것이지요. 적극적으로 개방해야 줘야 합니다. 여기에 대해서 반대가 많습니다. 진보진영에서 반대하죠. 보수 진영에서는 찬성하고, '노무현 정부 5년 동안에 잘한 것 딱 한 가지 있는데 FTA 그거 딱 한 가지다' 했는데, 그래도 어쨌든 잘했다 하니까 기분이 좋습디다. 계속 비판만 듣다가 한 가지라도 칭찬해 주니까 한 달 동안이라도 한나라당이 예뻐 보이더라고요.

찬반이 없지는 않겠습니다마는 역사적으로 교류하지 않은 문명은 다 소멸했습니다. 교류한 문명은 죽은 놈도 있고 산 놈도 있지만 교류하지 않은 문명은 다 소멸됐습니다. 그리고 세계 역사는 통상하는 국가가 주도해 왔습니다. 요즘 우리 정부는 적극적인 해외투자 전략으로 민간기업 해외투자 지원, 공기업 해외투자, 이런 문제에 대해서 체제를 전부 정비하고 있습니다. 이 문제와 관련해서 자꾸 미국의 압력이라 하는데, 이제 우리 수준이 그 수준 아닙니다. 미국이 요구하면 다 압력이고 EU가 요구하면 압력 아니고, 이거 이상하잖아요, 그래서 압력이라는 얘기 안 했으면 좋겠습니다. 개방과 관련해서 압력이라는 용어가 신사대주의 용어인 것 같습니다, 뭐니 뭐니 해도 기업하기 좋은 나라는 시장이 자유롭고 공정한 나라입니다. 자유롭고 공정한 시장이 경쟁력을 높이는 것이지요. 자유로운 시장, 그런데 누구로부터 자유로운 시장인가,

첫째는 국가로부터 자유로운 시장, 말하자면 '관치경제 그만 하고 시장경제 하자' 이 말입니다. 이제 넘어왔지요, 국민의 정부 시절로 해서

넘어왔습니다. 관치금융이 끝나는 시점에서 관치 경제는 끝나는 것이지요. 대개 그래도 남아있는 규제 중에 관료적 규제, 관료의 우월주의와 편의주의, 또는 그런 관료적 규제들이 많이 있을 수 있다, 폐지하고, 더 좀 확대해서 얘기하면 거시경제를 정치중립적으로 관리해 주고 중앙은행을 독립시켜라, 이런 것이죠. 이것도 광의로 자유로운 시장이라고 말할 수 있을 것입니다.

또 한 가지는 시장 안에서 독점적, 우월적, 특권적 기득권을 가진 시장의 강자로부터 자유로운 시장을 만들어 줘야 된다, 이런 것이지요. 여기에 대해서 똑같이 시장주의라고 얘기하는 사람은 서로 의견을 달리하고 강자의 권리를 보호해 주지 않는다고, 왜 시장을 존중해 주지 않느냐고 외치는 사람들이 있는데 하여튼 누구에게나 자유로운 시장, 공정한 시장이 자유로운 시장입니다.

그래서 이제는 투명하고 공정한 시장 얘기를 해야 됩니다. 공정한 시장, 공정한 거래, 공정한 경쟁 이런 것이지요. 독점을 금지하고, 불공정 경쟁, 불공정 거래 그 다음에 부당 내부거래를 금지하고 이런 것입니다. 그런데 개별 불공정 행위를 규제하려고 하니까 그게 힘이 들고 통째로 독점하면 반드시 나쁜 짓 하니까, 독점 막아버려라 해서 독점 금지, 기업결합 금지, 순환출자 금지, 출총제 등을 해서 기업이 덩치를 키우고 결합하기 어렵도록 자꾸 만들지요. 옛날에는 독점을 못 하게 하는데 목표가 있었는데, 지금은 독점 문제는 큰 문제가 아니지요. 오히려 이제 불공정한 경쟁구조가 문제입니다.

그런데 원천봉쇄라는 것이 기업 자유에 대한 상당한 침해가 되기 때문에 이 부분에 관해서는 개별적인 행위에 대한 규제를 강력하게 강화하고 출총제는 개선하자, 이게 참여정부의 전략입니다. 그런데 개별 행위의 행위 규제의 강화는 안 하려고 하고 출총제만 풀어라 하니까 얘기가 좀 잘 안 되지요. 개별 행위의 규제를 강화하기 위해서는 법이 없는 것이 아니고 능력이 있어야 됩니다. 그래서 공정거래위원회를 강화하고 공정거래위원회의 조사권 내지 수사권 그리고 금융정보요구권 이런 것들을 강화시켜 줘야 합니다.

공정거래위원회를 강화하는 데 대해서는 여러분은 우호적 이해관계를 가지고 있습니까, 또는 적대적 이해관계를 가지고 있습니까, 중소기업중앙회 한다는 사람들, 공정거래 문제에 대해서 아무 말씀 안 하시고 있으니까 속 타지요. 공정거래위원회를 강화시켜 줘야 됩니다. 투명한 시장, 그래야 공정한 경쟁이 되지요. 이것을 꼭꼭 경영을 공시하라, 사외이사를 채용하라, 집단소송제를 받아들여라, 뭐 이런 얘기들이 많이 있습니다. 사외이사제 관련해서는 경영민주화 문제도 걸려 있습니다만 오늘 주제가 아니기 때문에 넘어갑니다.

또 시장이 안정된 시장이라야 합니다. 기업하는 사람한테 안정된 시장은 대단히 중요합니다. 98년 시장이 출렁일 때 기업이 초토화돼 버렸지요. 기업이 쓰러지니까 시장이 무너졌다고 볼 수 있지만, 보기 따라서는 금융위기가 오고 경영시스템이 붕괴되고 전체가 붕괴되니까 기업들이 초토화돼 버렸지요. 안정된 시장이라는 것은 매우 중요합니다. 시장이 출렁일 때 투기꾼들은 재미를 봅니다. 외국에 소위, 무슨 펀드, 헤지펀드, 투기성 자본들이 우리나라 외환위기 당했을 때 얼마나 재미를 봤습니까, 여러분 잘 아시지요, 시장의 강자, 또는 기회를 보는 사람들에게는 유리할지 모르겠지만 널뛰는 시장은 정상적인 기업, 특히 약한 기업, 약한 시민에게는 파멸을 의미합니다.

그러므로 공정한 안정된 시장이라야 합니다. 그것도 공정한 시장의 일부로 포함될 수 있습니다만, 그 자체로도 매우 중요하기 때문에 안정된 시장, 이것은 매우 중요한 의제로 관리할 필요가 있습니다. 지난 5년 동안 저한테 경기부양 안 한다고 얼마나 뭐라 하는지 정말 힘들었습니다. 정말 힘들었습니다. 정치에 원칙이 있듯이 경제에도 법칙이 있습니다. 법칙에 반하는 경제정책을 하면 반드시 보답을 받게 되는 것 아닙니까, 나쁜 정책을 쓰면 나쁜 보답을 받는 것이지요. 보복을 당하는 것이지요. 물론 경기 부양은 필요합니다. 일상적인 경기 관리의 측면에서 필요한 것이겠지요.

어떻든 투명하고 공정한 시장, 그리고 안정된 시장 관리는 국가의 책임입니다. 이것을 위해서 국가는 상당한 개입과 규제가 필요합니다. 앞으로 '시장에서 손 떼라' 이렇게 여러분들은 얘기 안 해 주시면 좋겠습니다. '합리적으로 개입하라' 이렇게 말씀해 주시면 고맙겠습니다. 반값 아파트 그거 안 된다고 검토 다 하고 벌써 폐기해 버린 정책인데, 어느 날 반값 아파트 얘기가 나왔어요. 정책 검토 해보니까 이치상 안 되게 돼 있는데 누가 '반값 아파트'라고 흔들어 버리니까 온 정치권이 흔들고, 언론이 동시에 흔들고, 국민들이 와 하고 따라갔습니다. 그래 놓고 반값 아파트 만들어 놓으니까 청약도 안 되고, 저보고 또 그렇게밖에 못하냐고 했습니다. 관치경제, 시장 개입으로 우리 경제 위기를 당했기 때문에 다시 그런 일이 없도록 해야 하고, 시장에서 강자의 자유를 국가가 조작하는 일이 없도록 각별히 주의해야 합니다. 우리나라의 시장수준이 얼마만큼 왔냐, 여러 가지 얘기할 수 있겠지만 적어도 시장 수준이 지난 10년 동안에 획기적으로 진보한 건 맞지 않습니까,

'잃어버린 10년' 얘기하는 사람들은 왕년에 관치경제 시대에 잘 주물러진 시대의 관료들, 또는 권력자들, 또한 그 관치경제 시대에 정경유착 해 가지고 잘 나가던, 말하자면 공정경쟁을 위해서 내놓아야 될 것을 안 내놓고 버티고 그렇게 했던 사람들입니다. 그 사람들은 '잃어버린 10년'이라고 얘기할 수 있을지 모르지만, 지난 10년 동안 잃어버린 게 뭔지 있으면 신고하십시오. 찾아드리겠습니다. '기업친화적인 사회', 이렇게 한번 얘기를 해보겠습니다. 제가 지금까지 말씀드린 것은 소위 요새 말하는 '사회투자국가론'이라는 이론을 기초로 해서 말씀을 드린 것입니다.

책만 읽고 또 자기 생각을 그대로 만들면 좀 아무래도 우리한테 안 맞을 수도 있지요. 우리 한국에서 지난 5년 동안 저도 정책을 하면서 보고서만 받은 것이 아닙니다. 정책 당사자들, 정책 수요자들을 초청해서 청와대에서 계속 토론하고, 한 번도 아니고 두 번 세 번 네 번 토론하고 해가면서 그렇게 정책을 해본 경험이 있으니까 저도 좀 알지 않겠습니까, 저도 공부 잘합니다, 고등고시도 합격하고요. 하여튼 사회투자국가론이라는 것을 골간으로 또 우리 정세에 맞도록 설명한 것이 지금까지의 기업하기 좋은 나라에 대한 설명이었습니다.

또 하나 사회적 자본론이라는 새로운 이론이 있습니다. 사회구성원들이 공동의 목표를 효율적으로 추구하기 위하여 적극적으로 참여하고

상호 조정과 협력을 촉진하는 그런 일이 잘 돌아가는 사회, 그런 사회를 사회적 자본이 풍부한 사회라고 합니다. 한 5명 학자의 정의가 소개되어 있는데 너무 서로 달라서 이를 짜 맞추느라고 한참 시간이 걸렸습니다. 어떻든 인적 자본, 물적 자본에 대응하는 개념으로서 경영의 성공을 위하여 매우 중요한 개념입니다. 퍼트남, 콜먼, 후쿠야마 등 『상생경영』이라는 조그만 책이 나와 있습니다. 우리 산업자원부에서 후원하고 해서 만든 책인데, 그 책에 보면 얼마 전에 남미에서 열린 세계 경영학회 총회에서 바로 사회적 자본론을 소위 경영의 성공요소로 채택을 했다는 기록을 제가 본 기억이 있습니다.

내용을 보면 상호신뢰, 친사회적 규범, 공동체주의, 자발적 네트워크 등등 전체적으로 우리가 배운 것하고 크게 다르지 않은 보편적 도덕규범, 보편적 윤리규범에 해당되는 것 같았습니다. 어떻든 기업하기 좋은 사회는 사회적 자본이 충실한 사회로 정의할 수 있다, 이것은 아마 큰 이론이 없는 거 아닌가 생각합니다.

어떻든 그것을 참조하고, 제가 항상 지론으로 생각하는 그 기업하기 좋은 사회, 투명하고 공정한 시장이 되기 위해서는 그 사회의 문화가 투명하고 공정한 사회문화여야 합니다. 시장 바깥에서라도 특권, 유착, 권위주의 그런 것이 해소되고, 공직사회가 투명해지고, 물론 정보공개, 권언유착의 해소 이런 것들이죠, 권력에 의한 청탁 같은 것이 없는 이런 사회문화를 가져야 합니다. 그 다음에는 신뢰성이 높은 사회로 가야 합니다. 상대방을 잘 알고 잘 믿을 수 있으면 무슨 조사비용 들지 않습니다. 우리가 물건을 하나 사먹더라도 토종 도라지라는데 맛보면 아니고,

토종 고사리라는데 토종 고사리 아니고, 한우쇠고기 아니니까 사먹을 수가 없어요. 만일에 사먹으려고 하면 그거 조사하고 증명해야 하는 데, 우리 사회가 엄청나게 신뢰가 높고 정직한 사회라고 한다면 무슨 생산 이력제 만들고 뭐 조사하고 할 필요가 없지요, 공무원들이 그거 단속하느라고 돌아다닐 필요가 없지요. 비용이 얼마나 생략되겠습니까, 물질적 비용은 물론이거니와 심리적 비용도 얼마나 생략되겠습니까, 신뢰가 높은 사회, 그래서 거짓말 좀 하지 말자, 제발 원칙 좀 지키자, 이렇게 얘기하는 것입니다. 정부정책이 너무 자주 바뀌는 데 대해서 항상 불편하시죠, 그래서 예측가능성이 있어야 합니다. 어떻든 투명성이 높고 원칙이 바로 서 있는 사회라야 기업하기 좋은 사회다 이렇게 말씀 드릴 수 있겠습니다. 그 다음에는 우리 사회가 통합성이 대단히 높은 사회라야 합니다. 갈등하고 싸우고 시비하느라 너무 많은 시간을 보내게 되면, 일도 안 될뿐더러 비용도 많이 들어가고 시간도 많이 걸리고 효과도 많이 안 나고, 그런 것 아니겠습니까,

그래서 대화하고 타협하는 문화가 매우 필요하지요. 대화와 타협, 양보하는 사회문화 이런 것인데, 대화한다고 다 풀리는 게 아닙니다. 어떤 대화든 대화하는 데는 그 사회가 보편적으로 수용하는 원칙과 기준이 있습니다. 그 기준에 부합하는 쪽에서 약간의 융통성을 발휘하는 것이죠. 그래서 원칙이라는 것, 기준이라는 것은 무척 중요합니다.

오늘 이 말 하고 내일 저 말 하고 수시로 말이 바뀌는 사회에서는 아무리 호의를 가지고 대화하려 해도 대화하고 타협할 수 있는 기준이 존재하지 않습니다. 원리가 존재하지 않는 사회는 대화가 불가능합니다.

그래서 대화를 하려면 원칙이 바로 서 있어야 하는 것입니다. 그래야 승복이 가능하지요. 절차에 의한 해결일 경우에 원칙이 있어야 승복이 가능한 사회가 되는 것이죠. 이런 갈등관리가 가능한 사회라고 말할 수 있습니다.

통합성이 높아야 합니다. 통합성이 높기 위한 사회적 조건으로는 상생협력이라든지 동반성장의 문화, 이런 것이 있죠. 상생협력, 동반성장 정책을 하느라고 서로 불러놓고 얘기를 했는데, 굉장히 고민을 많이 했습니다. 대통령이 팔 비틀어 가지고 '당신들 동반성장, 상생협력 하시오' 해서 되는 일이 아니고, 그것이 효율적이라고 하는 이론적 근거가 나와 있어야 되는 것이죠. 사회적 자본론에 비추어보면 그런 문화는 굉장히 효율적이라고 일단 말할 수 있어야 되니 학자들한테 그런 것을 맡기고 도움을 받기도 했습니다. 중요한 것은 이제 기업 간 경쟁에서 기업생태계 간 경쟁, 협력업체가 우수해야 내가 경쟁에서 이길 수 있다, 이런 논리가 받침이 되는데, 이것 역시 우리가 신뢰사회, 통합사회를 말하는 것이죠. 노사문제가 해결되지 않는 데는 이런 점들이 있습니다.

아까 원칙이 있어야 대화가 풀린다고 얘기했는데, 그 사회에 일정 수준의 균형도 있어야 합니다. 균형이 깨지고 나면 마음으로 다 그것을 수용할 수 없기 때문에 끊임없이 갈등이 발생합니다. 그래서 어느 정도 지역 간, 계층 간 균형사회를 만드는 것은 갈등의 예방과 통합에 매우 중요한 의미를 가집니다. 대화와 타협으로 문제를 풀 수 있는 전제는 균형을 갖추었을 때입니다. 고등학교 3학년하고 초등학교 3학년하고 같이 붙여놓고 대화로 해결하라고 하면 고등학교 3학년이 다 뺏어갑니다. 해결이 안 되는 것이죠. 힘의 균형이 있을 때 갈등이 덜 일어나고, 갈등이 생겼을 때 그것을 대화로 풀 수 있는 것은 세력의 균형, 힘의 균형이 갖추어져 있을 때입니다. 균형사회라는 것은 대단히 중요합니다. 모든 영역에서 우리는 균형사회를 말할 수 있습니다. 지금처럼 균형발전은 지역에 관련된 것입니다.

그 다음 안전하고 안정된 사회, 미래에 불안이 없는 사회, 국내질서, 다 얘기했는데, 이건 아까 일종의 사회투자국가에서 말한 거하고 거의 같은 것이죠. 사람이 희망과 의욕을 가지고 열심히 일 하려면 평화가 보장된 사회를 만들어야 합니다. 평화에 대한 불안이 없는 사회, 평화주의, 이것은 기업하기 좋은 나라의 핵심적인 조건입니다. 누가 '한국은 통일비용 때문에 등급을 올려줄 수 없다. 한국은 큰 통일비용 부담할 것이다' 라고 말했는데, 한국의 통일 프로세스에는 통일비용이 없습니다. 통일비용은 전쟁통합이나 흡수통합할 때만 발생하는 것입니다. 경제통합도 일정수준에서 완전한 경제통합이 이루어질 수 없는 것이고, 거기에는 급격한, 독일에서 지출했던 그런 통일비용은 없습니다. 우린 장기적인 투자, 지원, 그런 것이 있을 뿐이고, 그것은 전부 나중에 우리 시장을 키우고, 우리의 투자 기회를 만들고, 구조조정의 어려움을 겪고 있는 기업들이 잠시 한숨 돌릴 수 있는 기회를 만들고, 굉장히 좋은 기회가 연결돼 있기 때문에 대북정책의 비용은 대부분 투자이지 소비적인 비용만은 아닙니다. 그것은 수십 년 동안 점진적으로 투자할 것이기 때문에 통일 비용이라는 개념은 우리나라에는 맞는 개념이 아니다, 그거 꼭 국민들한테, 외국 사람들한테 얘기를 좀 해 주십시오. 매우 중요한 문제입니다. 평화가 보장된 나라가 기업하기 좋은 나라라는 내용이었습니다.

처음에 말씀드렸다시피 시장을 주도하는 사람이 우리 사회를 주도하고 정치를 주도하게 돼 있습니다. 정치적 관점에서 기업하기 좋은 나라는 반드시 민주주의라야 됩니다. 자유와 창의, 이건 민주주의 핵심이지요. 자유와 다양성은 창의와 혁신의 근본입니다. 그게 민주주의이지요. 투명하고 공정한 시장, 공정한 사회는 민주주의의 핵심적인 원리이지요, 법치주의는 원칙 있는 사회의 기초, 나아가서 신뢰 사회의 토대가 되는 것입니다. 그리고 이 정도면 지금 우리 민주주의 수준으로도 어느 정도 갈 수 있습니다. 근데 앞으로 우리 민주주의는 성숙한 민주주의라야 됩니다. 성숙한 민주주의라야 대화와 타협이 가능하고 사회가 조정되고 통합할 수 있는 것이기 때문에, 성숙한 민주주의 사회로 가자, 그래야 궁극적으로 우리나라의 기업도 세계적인 경쟁력을 가진 기업, 멀리 내다보고 갈 수 있는 기업이 될 것이다, 그렇게 생각합니다.

그래서 성숙한 민주주의, 보다 수준 높은 민주주의에 대한 우리 목표를 가져야 됩니다. 대체로 민주주의가 얼추 다 끝난 것처럼 말하는 분들이 하도 많고, '이제 민주주의 하지 말고 경제 해라' 이런 말을 하는 사람들이 많은데, 제 주장은 '경제는 이대로 가면 되니까 민주주의나 똑똑히 하라'는 것입니다. 이 수준의 정치에서 경제만 계속하면 이 자리에서 맴돌 것입니다. 경제는 이 원리대로 가고 정치의 수준을 높이면 우리 경제는 새로운 수준으로 업그레이드될 것입니다. 그래서 민주주의 수준을 높여야 된다, 사회적 자본을 더욱 충실하게 만들어야 된다고 하는 것입니다.

과연 한국의 보수주의는 특권과 반칙 그리고 유착의 문화를 걷어내고 원칙이 통하는 사회를 만들 것인가, 과연 투명하고 공정한 시장, 투명하고 공정한 사회를 만들 것인가, 강자의 기득권이 아니라 정정당당하게 경쟁하는 기업, 혁신하는 기업을 지원할 것인가, 나아가서는 시장에서 낙오한 많은 약자들에 대해서도 그들을 보호하고 나아가 그들을 다시 평생교육의 프로그램에 넣어서 기업이 필요로 하는 직장인으로 복귀시켜 줄 것인가, 저는 의문을 가지고 있습니다.

돈이 많이 듭니다. '비전 2030'이 바로 이런 프로그램인데, 이걸 반대하는 걸 보니까 그럴 생각이 없는 거 아닌가 하는 생각이 듭니다. 기업하기 좋은 나라에 대한 보수주의의 생각은 작은 정부 하라는 것입니다. '시장에 맡겨라' 하는데, 여러 차례 얘기했습니다만 그러면 공정한 시장이 되기가 어려울 것입니다. 세금과 재정, 인력을 줄이고, 인재 육성, 고용 지원, 그 다음 직업훈련 이런 것을 할 수 있을 것인가, 안전한 나라, 안정된 나라, 기회가 보장된 나라, 이런 것이 가능할 것인가 궁금합니다.

그렇습니다. '시장에 다 맡겨라' 그러는데, 아까 얘기했지요, 시장은 만능이 아닙니다. 그리고 시장도 여러 가지가 있지 않습니까. 이제 우리 역사에서 보았듯이 똑같은 시장주의도 야경국가도 있고 복지국가도 있고 소위 사회투자국가의 시장도 있지 않습니까, 그 다음에 공정한 시장이라는 또 하나의 주제는 민주주의의 진보에 따라 따로 존재하지요. 그래서 어떤 정치가 필요하냐, 제가 쭉 말씀을 드렸다시피 사회 투자론에 기초한 정치, 사회적 자본론에 유사한 정치, 이런 것입니다. 이것은 정치적으로 무엇을 의미하느냐 하면, 시장권력과 시민권력이 융합하는 것을 의미합니다. 과거의 진보주의는 시장권력과 시민권력, 시장과 시민사회가 대립적 갈등과 균형을 이루는 것으로 봤습니다.

앞으로는 이것이 대립적 갈등이 아니라 호의적 갈등이 되어야 합니다. 우호적 갈등관계와 상호정책의 융합을 통해서 새로운 성과를 한 번 만들어 보자, 새로운 시장, 새로운 사회를 한 번 만들어 보자, 그런 것이기 때문에 막연한 단순한 절충과는 좀 다릅니다. 전통적 진보주의하고는 다르기 때문에 이름을 붙여야 되겠는데, 개념이라는 것이 정말 어려운 것입니다. 여러분, '벤처기업' 하니까, 간단한 것 같지요, 모험적 기업, 말하자면 승산이 10분의 1밖에 안 되는 모험에 도전하고 있는 기업이 벤처기업 아닙니까, 아니지요. 여기 있는 분들은 이미 모험의 기회를 넘어섰으니까 여러분들은 첨단기업이지요, 그렇지요, 근데 첨단기술이 아니라도 얼마든지 혁신형 기업이 있을 수 있습니다. 새로운 첨단기술 말고도 고도의 기술들은 얼마든지 있습니다. 전통산업에서도 끊임없이 고도의 기술이 나옵니다. 탱크 나온 지가 언젠데 지금도 계속 탱크 개량하고 있습니다. 비행기도 1905년에 나왔으니까 나온 지 100년이 넘었는데 계속 개량하고 개발하고 있지요. 그래서 혁신형 기업이지요. 그러니까 '다 뭉뚱그려서 쉬운 대로 벤처라 합시다' 이렇게 된 거 아닙니까, 이걸 구분하고 누가 시비를 붙기 시작하면 여러분도 대답하기 곤란할 겁니다. 이건 객담입니다.

너 진보주의냐, 맞아. 너 시장주의냐, 맞아. 이것도 그렇다, 저것도 그렇다고 대답합니다. 시장주의를 어떻게 생각하느냐에 따라 그 말이 두 개가 조화될 수 있다고 생각하는 사람들도 있고, 전혀 딴소리하고 있다고 생각하는 사람들도 있습니다. 개념이 문제인데, 진보적 시장주의라는 말이 매우 어렵습니다. 여러분들은 시장에서 일하는 분들이니까 시장주의를 지지해야 되는데, '자유시장주의'는 공정한 경쟁을 기조로 하는 것이고요, '진보적 시장주의'는 미래를 위한 투자를 할 줄 아는 시장, 시장외적인 환경을 만들어 갈 줄 아는 시장이라고 봐야 합니다. 진보적 시장주의. 저는 본시 진보주의니까 그렇게 말할 수가 없지 않습니까, 그래서 시장친화적 진보주의다, 이렇게 하니까 좀 길어요. 그럼 적당하게 꿰어 맞추는 게 진보냐, 민주주의랑 무슨 관계가 있느냐고 묻습니다.

진보주의는 실질적으로 민주주의에 내재하는 가치입니다. 본시 민주주의 안에는 진보주의 사상이 내재하고 있습니다. 많은 사람들이 자유와 평등을 대립적인 개념이라고 책에 써놨는데, 저는 그렇게 생각하지 않습니다. 평등한 사회만이 자유가 있습니다. 자유, 누구로부터 자유입니까, 사람으로부터의 자유 아닙니까, 사람의 지배로부터의 자유를 의미하는데, 하늘의 지배를 받는데 내가 뭐 '자유를 달라' 이렇게 아무도 말하진 않아요, 자연환경의 지배를 받는데 그걸 자유와 속박의 문제로 얘기하진 않는다는 것이지요. 자유와 속박의 문제는 기본적으로 인간과 인간의 관계, 그 중에서도 지배관계에서부터 발생하는 속박의 문제이기 때문에, 자유와 평등을 얘기할 때는 평등이 근본입니다.

어쨌든 연대, 사회정의를 이상으로 하는 진보주의는 민주주의 안에 내재해 있는 가치입니다. 진보라야 민주주의입니다. 그동안에는 시민민주주의, 실질적인 민주주의가 아니면서 자꾸 민주주의라고 주장하고 내려온 것이 우리 민주주의의 역사이고, 그것을 끊임없이 부정하고 개선하려는 것이 지금의 역사입니다. 그래서 '역사는 진보한다, 그러나 완결은 없다'는 명제가 성립될 수 있을 것입니다.

갈등의 예방, 대화와 타협, 사회통합의 조건도 진보의 이상에 가까운 사회가 돼야 가능하다 말할 수 있고 이를 위해 국가가 책임을 다해야 한다는 정치이론이 진보주의입니다. 시장주의와 진보주의의 차이를 한마디로 얘기하면, 국가의 역할을 구경꾼으로 보고 '가급적이면 간섭하지 말라' 또는 '강자의 편에 서라' 이것이 보수주의라고 하면, '적극적으로 개입해라.' 그것이 진보주의입니다. 그래서 '작은 정부론'을 놓고 제가 지금까지 싸우고 있는데, 섭섭한 것은 도움을 볼 만한 사람들이 저더러 자꾸 개입하지 말라는 거예요. 작은 정부 하라는 것입니다. 공무원 숫자 줄이라는 것입니다. 그래서 TV보면 오늘도 식료품 사고 나고, 어디도 뭔 사고 나고, 이것도 안 되고 저것도 안 됩니다.

보수주의는 전통적으로 대외정책에 있어서 대결주의를 취합니다. 국내 정책에 있어서도 대결주의를 취하지만, 대외정책에 있어서도 대결주의를 취하는 경우가 보통입니다. 지금 미국을 보십시오. 어느 나라 없이 흔히 강경파라고 불리는 쪽이 대결주의를 가지고 있습니다. 일본의 보수주의 한번 보십시오. 대결주의 입장에 항상 서 있지요. 국수주의는 대결주의와 일맥상통합니다. 그래서 평화는 진보주의가 가깝다, 그렇게 이해를 해 주십시오. 사인할 때 저의 표어는 '사람 사는 세상'입니다. 그런데 제 생각에는 사람 사는 세상이라는 것이, 그리로 가기 위한 길이 지금까지 제가 설명 드린 기업하기 좋은 나라의 내용과 전혀 다르지 않다고 생각하는데, 여러분은 어떻게 생각합니까, 좀 달라 보입니까, 비슷해

보입니까, 여러분은 본질적으로 시민입니다. 그리고 민주주의 사회에서, 국민주권 국가에서 여러분은 주권자입니다. 어떤 정부를 가질 것인가는 여러분이 선택합니다. 어떤 정부가 앞으로 만들어질 것인가에 대해서는 여러분의 책임입니다. 내가 간단하게 오늘 내일의 선거를 가지고 얘기하는 것은 절대 아닙니다.

제가 오늘 여러분들께 미래를 얘기하러 왔습니다. 얘기하다가 오해받을 소지도 있겠는데 그 점에 대해서 어떤 영향을 끼칠 생각은 없습니다. 제 생각에는 보수주의의 문제점은 정의, 연대의식, 연대의 가치, 지속가능한 미래에 대한 전략이 없다는 것입니다. 보수주의 이론에 대해 여러 가지 탐구를 해 봤는데, '미래에는 어떻게 되느냐'고 물으면 오로지 '보이지 않는 손' '성장하면 해결된다'고 말할 뿐입니다.

그러나 성장하면 해결된다는 것은 사실이 아니라는 것이 이미 역사적으로 증명돼 있습니다. 그리고 성장만 하면 다 해결되고 세금은 깎고, 세출도 줄이고, 정부도 줄이자고 하면서, 해 주겠다고 약속하는 것은 한 보따리입니다. 그러니까 정치의 신뢰를 깨뜨려 나가는 것이지요. 이렇게 하면 정치가 망합니다. 정치가 망하면 나라도 망하지요. 그래서 저는 여러분에게 진보적 시민민주주의를 한번 해 보자고 제안합니다. 시민민주주의는 역사적 개념이어서 이 시민에는 옛날에 흔히 말하는 부르주아계급만 포함되고, 돈이 많지 않은 사람은 포함 안 되는 개념으로 그렇게 이미지가 남아있습니다. 그러나 그것은 그 시기 민주주의가 잘못되어서 시민이라는 말이 잘못 사용된 것이고 민주주의가 올바르게 갔을 때, 보편적 시민이 주도하는 민주주의가 됐을 때는 시민민주주의라고 이름을 부르는 것이 적절하다고 생각합니다.

그래서 저는 '시민민주주의를 복원하자, 제대로 된 시민민주주의 사회가 답이다'라고 말씀드리고 싶습니다. 민주주의에는 진보주의가 내재돼 있는 것이고, 그래서 진보적 시민주의, 이런 것을 참여정부가 추구해 왔고 앞으로 제가 개인적으로 추구해야 될 정치적 노선이라고 저는 그렇게 생각합니다. '생각하는 시민', '주권행사'가 쉽지는 않습니다. 정책과 인과관계, 약속과 결과, 이 많은 것들이 너무 복잡하기 때문에 생각하지 않으면 헷갈리게 되어 있습니다. 달콤해서 찍었는데 찍어놓고 돌아서서 보니까 다른 사람이 됐어요.

그러나 저는 아닙니다. 확실하게 저한테 속았다고 생각하는 사람은 아마 이라크 파병할 때 그렇게 느꼈을 것입니다. 근데 그건 어쩔 수 없는 일이고, 그것까지 왜 그랬는지 생각해 주는 시민이면 아주 생각이 깊은 시민이죠. 멀리 보는 시민, 책임을 다하는 시민, 행동하는 시민이 주권자입니다. 저는 여러분들이 시장에서 기업인으로 성공하시길 바라고, 시장의 주류가 아니라 새로운 사회, 진보된 시민사회의 주류가 돼 주시길 바랍니다. 그래야 우리가 정의로운 사회로 갈 수 있고 풍요롭고 행복한 사회, 항상 희망이 보이고 활력이 있는 사회로 갈 수 있다고 생각합니다. 그래서 여러분께 오늘 제가 뭘 구체적으로 해 보자가 아니라 같은 방향으로 가봅시다, 어디서 따로 만나서 깊이 있는 생각도 해 봅시다, 이런 제안을 드리고 싶습니다.

이런 것 중에서 그냥 쉽게 가볍게 볼 수 있는 책이 유시민 씨가 얼마 전에 냈던 『대한민국 개조론』이라는 책입니다. 『대한민국 개조론』이라는 책을 읽어 보시면 재미도 있고 구체적인 얘기도 들을 수 있습니다. 내가 복지부 장관으로 일찍 기용하지 못했던 것이 아쉬운 사람입니다. 아마 일찍 기용했더라면 지금 복지정책이 한참 나가 있을 것입니다. 그것도 시장친화적인 복지정책을 새롭게 하고 있었을 것입니다. 제가 아까 말씀드렸던 『이제 당신 차례요, 미스터 브라운』이란 책도 한번 보시면 사회를 보는 눈이 조금 높아질 수 있지 않을까, 생각합니다.

이 공부 끝나고 나서 더 높은 책을 추천하시라고 하면 제가 직접 한 권 써드리겠습니다. 여러 가지 좋은 책은 있는데, 모두 모아서 체계적으로 잘 정리를 해야 되고, 새로운 것도 좀 많이 있는데 글 쓰는 재주도 모자라고 시간도 없어서 저는 못 냈습니다. 앞으로 이것보다 수준이 더 높은 것을 찾으실 때 제가 책을 하나 써서 내드리겠습니다.

감사합니다.

제62주년 경찰의 날 기념식 연설

2007년 10월 19일

전국의 경찰관 여러분, 그리고 전경과 의경 여러분,

국립경찰 창설 예순두 돌을 온 국민과 함께 축하합니다. 지금 이 시각에도 전국 방방곡곡에서 국민의 안전을 위해 애쓰고 있는 경찰관 여러분의 노고를 치하합니다. 여러분이 직무에 전념할 수 있도록 헌신적으로 뒷바라지하고 계신 경찰가족 여러분께도 따뜻한 위로의 인사를 드립니다.

경찰관 여러분,

참여정부 기간 동안 여러분은 진정한 국민의 경찰로서 새로운 위상을 정립해 왔습니다. 경찰청장에 대한 인사청문회와 임기제를 도입되면서 권력의 눈치를 보지 않는 국민의 봉사기관으로 거듭 났습니다. 스스로 과거의 잘못을 조사하고 공개함으로써 국민의 신뢰를 쌓아가고 있습니다.

인권보호센터를 설치하는 등 경찰의 인권의식도 크게 향상되었습니다. 국민 위에 군림하는 경찰이 아니라, 국민의 친근한 벗이 되고 있습니다.

민생치안이라는 경찰 본연의 업무에서도 많은 성과를 이뤄냈습니다. 해마다 증가하던 범죄 발생 건수가 2005년부터 감소세로 돌아섰습니다. 임기 중에 어린이 교통사고 사망자 수를 절반으로 줄이겠다던 약속도 여러분 덕분에 아마 지킬 수 있을 것 같습니다. 사이버범죄에 대한 수사 역량은 세계가 벤치마킹하고 있습니다. 지금 우리의 치안과 법질서는 그 어느 때보다 안정되어 있습니다. 이 모두가 15만 경찰 여러분이 불철주야 노력한 결과라고 생각하며, 다시 한 번 감사와 격려의 박수를 보냅니다.

경찰관 여러분,

나는 여러분의 근무여건과 처우를 개선하겠다고 약속했습니다. 여러분이 얼마나 힘든 여건에서, 위험을 감수하며 일하고 있는지 잘 알고 있습니다. 지난 4년 반 동안 4,600명 가까이 인력을 늘렸습니다. 정부가 인력을 늘린다고 많은 비판을 받고 있습니다만, 저는 국민에게 더 좋은 서비스를 제공하는 것이 좋은 정부라고 생각합니다. 저는 이를 통하여 경찰의 근무여건을 개선한 것을 큰 보람으로 생각합니다. 주 40시간 근무제 도입과 승진적체 해소, 근무수당 현실화에도 실질적인 진전이 있었습니다. 올해 광주와 대전 지방경찰청이 개청한 데 이어, 내년에도 인천과 제주에 경찰서를 추가로 신설할 예정입니다. 순직, 공상 경찰관에 대한 보상을 두 배 이상 확대했습니다. 그리고 일반 직무수행 중에 당한 피해에 대해서도 국가배상 청구가 가능하도록 제도를 바꾸었습니다. 공무중에 몸을 다치는 일이 없도록 공권력에 대한 도전에 단호하게 대처해 왔습니다. 여러분이 보기에 미흡한 점도 있겠지만, 적어도 참여정부 시기에 해야 할 몫만큼은 해놓기 위해 저는 최선을 다했습니다.

경찰관 여러분,

그러나 지키지 못한 약속도 있습니다. 자치경찰제와 수사권 조정이 아직 과제로 남아 있습니다. 자치경찰제는 2005년 11월, 정부 법안을 국회에 제출했습니다. 주민생활과 밀접한 서비스는 자치단체에 맡기고, 국가경찰은 수사와 주요 치안업무에 집중해서 정예화하자는 것입니다. 그러나 2년이 다 되도록 국회에서 계류 중에 있습니다. 아주 유감스럽게 생각합니다. 2004년 1월, 국회가 만장일치로 통과시킨 지방분권특별법에 국가의 의무로 규정되어 있는 자치경찰제가 장기간 표류하고 있는 것입니다. 지방분권특별법이 2009년 1월까지 한시법으로 되어 있고, 자치경찰제를 준비하기 위해서는 상당한 기간이 필요하다는 점을 고려할 때, 법안이 하루속히 통과되어야 할 것입니다.

경찰과 검찰의 수사권 조정 역시 아직 미결로 남아 있습니다. 이 문제에 관해서는 저로서는 공약했던 수준보다 한발 더 나아간 안을 마련해서까지 중재하려고 했으나 여러분의 조직이 받아들이지 않았습니다. 참으로 아쉽게 생각합니다. 민주주의 사회에서는 자신의 요구를 100% 관철시키는 것은 어렵습니다. 또 지금은 대통령의 말 한마디로 결정할 수 있는 시대가 아닙니다. 경찰과 검찰이 머리를 맞대고 타협해서 합의를 이루는 것이 바람직합니다. 지금이라도 늦지 않다고 생각합니다. 경찰수사의 독자성 인정과 검찰의 사법적 통제를 절충하는 방향에서 적절한 합의가 이루어질 수 있기를 기대합니다. 저는 그것이 현명한 일이라고 생각합니다.

경찰관 여러분,

나는 그동안 경찰 인사에 있어 지연이나 학연, 정치적 성향에 따른 인사를 철저히 배제해 왔습니다. 또한 우리 경찰이 정치적 외압에 흔들리지 않도록 바람막이 역할을 하려고 노력했습니다. 그 결과, 경찰의 독립성과 자율성이 강화되고, 경찰 스스로도 정치적 중립 의무를 성실히 지켜 왔습니다. 그러나 걱정스러운 일도 있습니다. 출신의 연고에 따라 내부집단이 형성되고, 특정 집단의 독주체제가 조성되는 것은 경찰의 장래를 위해서 바람직하지 않습니다. 경찰 스스로 경계하고 절제해야 할 것입니다. 자기혁신의 과제로 삼아 고쳐나가야 할 것입니다. 장차는 제도개혁까지도 검토해 보는 것이 옳다고 생각합니다.

전국의 경찰관 여러분,

수출 4천억 달러, 국민소득 2만 달러 시대가 열리고 있습니다. 성장률, 생산, 소비지표 모두, 밝은 희망을 갖게 하고 있습니다. 남북관계도 평화와 공동번영을 향해 새로운 단계로 들어섰습니다. 이 또한 경찰 여러분이 사회 안정을 든든하게 지켜준 덕분이라고 생각합니다. 나는 앞으로도 우리 경찰이 국민의 기대에 반드시 부응해줄 것으로 믿습니다. 국민 여러분께서도 따뜻한 박수로 격려하고 응원해 주시기 바랍니다. 그래서 세계에서 가장 안전한 나라, 행복한 대한민국을 만들어 나갑시다. 다시 한 번 경찰의 날을 축하하며, 우리 경찰의 무궁한 발전을 기원합니다.

감사합니다.

자이툰부대 임무종결 시기와 관련하여 국민 여러분에게 드리는 말씀

2007년 10월 23일

존경하는 국민 여러분,

오늘 저는, 이라크에 주둔 중인 자이툰부대의 철군 문제에 대해 말씀드리고자 이 자리에 섰습니다. 정부는 지난해, 자이툰부대의 주둔 연장에 대한 국회의 동의를 받으면서, 그 조건으로 주둔 병력의 수를 2,300명에서 1,200명으로 줄이고, 올해 말까지 나머지 병력을 모두 철수하겠다는 약속을 한 바 있습니다. 그리고 이에 따라 자이툰부대 병력을 1,200명으로 줄여 임무를 수행하고 있습니다.

그런데 정부는 이번에 다시 자이툰부대의 병력을 올해 말까지 절반 수준으로 줄이고, 나머지 병력의 철군 시기를 내년 12월까지로 하여 단계적으로 철군하도록 하는 안, 좀 더 분명하게 말씀드리면, 지난해 약속한 완전 철군의 시한을 내년 말까지 한 번 더 연장해 달라는 안을 국회에 제출하려고 합니다. 제출에 앞서 먼저, 국민 여러분께 사정을 말씀드리고 이해와 협조를 구하고자 합니다. 사정을 말씀드리기 전에, 정부가 지난해 한 약속과 다른 제안을 드리게 된 점에 관해 진심으로 죄송하다는 말씀을 드립니다.

국민 여러분,

2003년 자이툰부대를 파병할 당시, 여러 가지를 고려했지만 가장 중요한 것은 한반도의 평화와 안정이었습니다. 북핵문제가 예기치 않은 상황으로 비화될 수 있는 상황에서, 무엇보다도 한미공조의 유지가 긴요하다고 판단했습니다. 또한 전시작전권 전환, 주한미군 재배치, 전략적 유연성 문제 등 한미관계를 재조정하는 데 있어서도 긴밀한 한미공조가 필요했습니다.

지난 4년 간, 이들 문제가 진전된 과정을 돌이켜보면, 이러한 선택은 현실에 부합한 적절한 것이었다고 생각합니다. 북핵문제 해결과정에서 우리의 입장을 관철시킬 수 있었던 것도, 해묵은 안보 현안들을 거의 다 풀어올 수 있었던 것도 굳건한 한미공조의 토대 위에서 가능한 일이었을 것입니다.

지금은 6자회담이 성공적 결실을 맺어가는 국면에 있습니다. 남북관계가 새로운 단계에 들어서고, 북미관계 개선을 위한 노력이 진행 중입니다. 한반도 평화체제와 동북아 다자안보협력도 논의되고 있습니다. 이 모두가 미국의 참여와 협력 없이는 좋은 결과를 얻기 어려운 일들입니다. 그 어느 때보다 한미 간의 긴밀한 공조가 절실한 시점입니다.

또한 자이툰부대의 평화와 재건 활동은 우리의 에너지 공급원인 중동지역의 정세안정에도 기여하고 있습니다. 지난번 중동국가를 방문했을 때, 자이툰부대가 현지 주민들의 절대적인 신뢰를 얻고, 동맹군들 사이에서도 가장 모범적인 부대로 평가받고 있다는 것을 확인했습니다. 지금 이라크에는 미국 이외에 세계 스물여섯 개 나라에서 1만2천여 명의 군대가 주둔하여 미국의 작전을 돕고 있습니다. 이들 중에서 역사적으로나 안보, 경제적으로 미국과 가장 긴밀한 협력관계에 있는 나라 중의 하나가 우리나라입니다. 또한 이라크 정부와 쿠르드 지방정부가 자이툰부대의 주둔을 강력하게 희망하고 있습니다.

경제적 측면은 당초부터 파병의 목적이 아니었습니다만, 지난해부터 우리 기업의 이라크 진출이 증가하고 있는 상황에서, 이 역시 고려할 필요가 있다고 생각합니다. 지금 철군하면 그동안 우리 국군의 수고가 보람이 없는 결과가 될 수도 있을 것입니다. 저는 이 모든 면을 심사숙고해서 단계적 철군이라는 새로운 제안을 국민 여러분께 드리게 되었습니다. 이에 대한 국민 여러분의 깊은 이해를 부탁드립니다.

국민 여러분,

이번 결정을 내리는 데 있어 대통령으로서 저 자신의 고민도 적지는 않았습니다. 철군 시한 연장에 대한 반대 여론이 더 높다는 것도 잘 알고 있습니다. 또한 국민 여러분께 드린 약속을 지키는 것이 도리인줄 압니다. 그리고 그렇게 하는 것이 저에게도 명분이 상하지 않을 수 있는 오히려 편안한 선택일 수도 있을 것입니다. 그러나 이 시기 더욱 중요한 것은 국익에 부합하는 선택이라고 생각합니다. 그리고 그것이 책임 있는 국정운영이라고 판단했습니다.

국민 여러분, 너그럽게 양해해 주시고 한 번 더 마음을 모아 주십시오. 정치권에도 간곡히 당부 드립니다. 한반도에 평화를 뿌리내리고, 평화와 번영의 동북아시대를 열어나가기 위해 어떻게 하는 것이 좋은 것일지 현명한 판단, 그리고 책임있는 판단을 부탁드립니다. 앞으로 정부는 국회의 동의를 얻기 위해 성실하게 대화하고 설득해나갈 것입니다. 아울러 우리 장병들이 임무를 마치고 안전하게 돌아올 수 있도록 최선을 다할 것입니다. 다시 한 번 국민 여러분의 양해와 협조를 당부 드립니다.

감사합니다.

태안 기업도시 기공식 축사

2007년 10월 24일

여러분 기쁘시지요, 저도 매우 기쁩니다. 시간이 좀 걸리긴 하겠지만 이곳이 매우 사람살기 좋은 곳이 된다는 그런 희망을 오늘 전 보았습니다. 단지 태안군만이 아니라 대한민국 모든 국민들이 함께 와서 즐기고 행복한 시간을 보낼 수 있는 그런 아주 훌륭한 도시가 만들어진다는 희망을 보았습니다.

우리나라 사람들만 와도 경제가 조금 넉넉해지겠지요. 좀 더 발전해서 여러 나라 사람들이 와서 함께 쉬고, 즐기고 하는 그런 도시로 발전하면 좀 더 넉넉한 도시가 될 것입니다. 일자리도 좀 많아지고 도시 규모도 좀 커지면 도시가 갖추어야 될 교육이라든지, 의료, 문화, 이런 여러 가지 기반시설들도 아울러서 확충이 되고 그렇게 해서 아마 모두가 다 함께 행복한 삶을 살 수 있는 그런 땅이 될 수 있을 것 같습니다. 대한민국 모두가 다 행복하게 살아야 하지만 그중에서도 바로 이곳에서 또 이곳 가까운 곳에서 사는 사람들은 더 행복하지 않겠습니까, 그런 의미에서 여러분께 축하 말씀드립니다.

현대건설 관계자 여러분, 그리고 함께 일하고 있는 협력사 관계자 여러분, 그리고 원활한 사업추진을 위해서 애써주신 태안군과 충청남도 그리고 정부부처 관계자 여러분, 모두 수고하셨습니다. 이 기업도시를 결정할 때 상당히 많은 고민을 했습니다. 여러 기업이 함께 참여할 수도 있고 또 한두 개 기업이 단독으로 할 수도 있는데 국토의 넓은 면적을 또는 우리 국민들이 다 행정구역을 정해서 살고 있는 동네 하나를 기업이 통째로 와서 개발하고 경영을 한다, 기업에 특혜 주는 거 아니냐, 그런 생각들을 하고 있는 사람들이 없지 않았고, 정책결정을 하는 저희 또한 국민들이 어떻게 생각할까 상당히 많은 고심을 했습니다. 여러분 지금 느낌은 어떠실지 모르겠습니다. 그러나 분명한 것은 기업이 여기 와서 돈을 얼마나 벌지 모르지만 그 기업이 안 왔을 때는 이 지역에서 이룰 수 없는 일을, 많은 사람들의 소망을 지금 이룰 수 있게 됐지 않습니까, 기업이 돈을 다 긁어갈지, 손해를 얼마나 보게 될지 알 수 없는 일이지만 기업이 잘 돼야 그 돈이 돌고 돌아서 일자리가 생기고 우리 국민들이 함께 참여해서 먹고 사는데 도움이 되지 않겠습니까,

저는 고정관념을 버려야 한다고 생각합니다. 한때 우리나라의 기업들이 특혜나 유착으로 너무 많은 돈을 벌었다든지 정치에 대해서 너무 큰 영향력을 행사하고 국민들의 눈살을 찌푸리게 할 일이 더러 있었다고 해서 기업이 중요한 일을 하는데 항상 의심을 가지고 기업이 맘껏 일

할 수 있는 터전을 제공하는데 우리 국민들이 인색하다면 언젠가 우리는 다시 가난해 질 수도 있을 것입니다. 제가 기업을 긍정적으로 인정하자, 그 말씀을 드리고 있습니다만, 제가 말씀드리고 싶은 주제는 '생각을 바꾸자'입니다.

세상은 바뀝니다. 그래서 세상이 바뀌는데 따라서 우리가 생각을 바꿔나가야 합니다. 이 도시를 시작할 때 우리가 걱정했던 또 하나의 문제는 여러 가지 문화, 레저시설이 들어오겠지만 그중에 핵심적인 시설이 골프장인데, 골프장 많이 만드는데 대한 우리 국민들의 인식이 호의적일까 하는 그런 점이었습니다. 우리 국민들이 골프에 대해서 부정적 인식을 가지고 있습니다. 골프에 대해서 부정적 인식을 가지고 있으니까 자연히 거기에 준하는 여러 가지 스포츠나 레저나 또는 높은 수준의 소비에 대해서도 같은 부정적인 생각을 가지고 있습니다.

우리가 70년대를 살면서 80년대에는 국민소득 1000불, 수출100억불, 그 다음에 소비가 미덕인 사회로 갑니다. 그렇게 얘기했을 때 앞에 두 가지는 딱 마음에 와서 닿는데 소비가 미덕인 시대로 간다는 데 대해서는 얼른 와 닿지를 않았습니다. 지금도 좀 쓰자 하면 고민이 있습니다. 개인으로 봐서는 미래를 위해서 덜 쓰면 좋겠고, 그러나 국가 경제를 보면 쓰지 않으면 이상 더 발전할 수 없는 경제가 되어 버렸습니다. 발전하기는커녕 유지하기도 어려운 경제가 되어 버렸습니다.

원하든 원하지 않든 정보화시대가 오고 시장의 범위가 전 세계로 넓혀지면서 억대 연봉자 또는 수십억 원, 수백억 원을 받는 연봉자들이 많이 생겨나고 그러다 보니까 월급을 많이 받는 사람, 수입이 많은 사람과 월급을 아주 적게 받는 사람, 수입이 적은 사람의 격차가 많이 벌어지고 심지어는 경제가 발전하는데 일자리는 늘어나지 않는 새로운 형태의 경제시대가 오고 있습니다. 그래서 시장에서 돈을 많이 번 사람이 돈을 쓸 수 있게 하지 않으면 이제 이 경제는 발전하기가 어렵습니다. 국민들에게 일자리를 만들어 줄 수가 없는 것이지요.

소비가 떨어지면 결국은 경제 전체가 침체하게 돼 있습니다. 돈을 많이 벌어놓은 사람들은 국내에서 쓸 데가 없으면 전부 비행기를 타고 해외로 나갈 수밖에 없습니다. 시대가 이렇게 바뀌어버렸습니다. 제가 이런 설명을 드리지 않더라도 여러분들께서 다 이미 알고 계시고, 오늘은 여러분들에게 영상으로 보고된 이 사업에 대해서 모두 흔쾌히 받아들이는 그런 분위기라고 저는 믿고 있습니다만, 그러나 안팎에서 또 혹시 먹고 놀고 쓰는 그런 도시, 그것도 혹시 어느 개별기업에게 큰 돈벌이가 될지도 모르는 도시에 대해서 약간의 부정적인 생각도 있을 수 있을 것 같아서 오늘 그 점을 좀 명료하게 말씀을 드리고 싶었습니다. 제가 대통령이 될 때 저에게 좀 원칙이 있는 사회, 법대로 되는 사회, 좀 투명하고 공정한 사회, 그런 사회를 만들기 위해서 노력할 것이라는 기대는 있었겠지만 기업도시를 만들 것이라는 생각은 아마 별로 하신 분들이 없을 것입니다. 제가 잘나서 이런 아이디어 낸 것이 아니고 세상이 바뀌고 있는 것입니다.

빠르게 바뀌고 있는 세상에서 가장 중요한 것은 조금 전에 현대건설 사장의 말씀대로 '놀라운 상상력'이라는 말을 했습니다만, 상상력이 필요합니다. 놀라운 상상력으로 새로운 세계를 만들어 나가지 않으면 우리는 세계의 발전에 나란히 발맞출 수가 없습니다. 그래서 좀 넉넉한 사고로 우리가 이 사업을 바라보자, 매우 긍정적이고 희망적인 그런 낙관적인 사고로 오늘 우리 이날을 다시 한 번 축하하자고 말씀드리고 싶습니다. 제 연설문에는 그동안에 참여정부가 균형발전을 위해서 어떤 정책들을 많이 했는가, 이런 얘기가 잔뜩 적혀 있습니다. 정책을 엄청 바꾸었습니다. 돈의 흐름도 엄청 바꾸었습니다. 적어도 행정이라는 측면, 국가정책이라는 측면에서 볼 때는 가히 천지개벽이라 할 만큼 바꾸었다고 저는 생각합니다.

그러나 아직도 균형발전이 갈 길은 멉니다. 시간도 5년은 너무 짧습니다. 우리나라가 수도권으로 집중되고 전국토로 봐서 이처럼 심각한 불균형이 생길 때까지 약 40년의 집중이 있었습니다. 모이기는 쉬워도 분산하기는 어렵습니다. 40년 걸렸으니까 분산은 아직도 더 긴 시간이 필요할 것입니다. 이른바 백년대계를 가지고 균형발전 사업을 꾸준히 추진해 나가지 않으면 안 될 것입니다.

제 희망은 5년 동안에 멈추게라도 하자, 그런 것이었습니다. 대개 지역발전의 지표로써 지역총생산을 많이 얘기합니다. 그 다음에 기업이 더 들어 왔는가, 나갔는가 하고 또 외자가 얼마나 유치됐는가를 봅니다. 이렇게 따져보면 아마 충청남도가 굉장히 좋은 성적을 거두고 있을 것입니다. 인구는 어떤지 모르겠습니다. 충청남도는 인구가 조금씩 늘어가는 지역이지요, 늘어가고 있을 것입니다. 그러나 일부 지역은 아직 인구가 줄어들고 있습니다. 제가 5년 안에 집중을 멈추게 라도 하자 이렇게 목표를 세웠는데 이것은 수도권을 중심으로 한 것입니다. 서울 또는 수도권 전체로 봐서 낳는 사람이 원체 많아서 아직도 인구증가는 서울과 수도권이 지방보다 훨씬 빠릅니다. 다만 지방에서 서울로 이사 오는 사람의 숫자를 따져보면 이제 줄어들기 시작하고 있습니다. 이게 참여정부가 열심히 정책을 한 덕분인지 서울이 찰 만큼 차서 그런지 저도 단언할 수 없습니다만, 그러나 약간의 변화가 보이지 않나 이렇게 생각합니다.

아직 성과가 나진 않았지만 지방에 축적된 발전역량은 상당한 것이라고 저는 그렇게 생각합니다. 어떤 지역은 빨리 가고 어떤 지역은 늦게 갑니다만 다행히 충청도는 아주 빠르게 가고 있습니다. 충청남도 지사를 만나 보니까 고민이 있답니다. 충청남도 전체는 잘 가고 있는데 지역간 말하자면 군 간 불균형이 너무 심하다는 것입니다. 그래서 전 국토의 균형발전을 해야 하듯이 충청도 안에서도 균형발전을 해야 하기 때문에 조례를 새롭게 만들고 낙후된 지역에 대한 지원을 해 나가는 정책을 추진하고 있다고 소개를 해 주셨습니다. 참으로 잘하는 일이라고 저는 칭찬을 하고 싶습니다.

행정수도를 내세웠다가, 2003년에 행정수도특별법이 만들어져서 사업을 막 시작하려고 하는데 헌법소원에 걸렸습니다. 위헌 판결이 나는 바람에 그만 행정복합도시가 됐습니다. 그리고 실제로 정부부처의 일부가 내려오지 못하게 됐습니다. 그 당시 행정수도를 반대했던 사람들이 처음에 행정수도를 반대하다가 나중에 행정복합특별도시로 일부라도 내려오는 쪽으로 하니까 이전보다 분할이 더 나쁘다, 이런 주장을 했습니다.

저도 거의 5년간 대통령을 해 봤는데 공공기관의 분산이라는 것은 지역균형발전의 필요성이 너무나 강하기 때문에 그 가치의 실현을 위해서 분산으로 인한 비효율을 감수하면서 강행하고 있는 것입니다. 그래서 분산이 반드시 당장 효율적이다 이렇게 말할 수는 없는 것이죠. 그러나 국가전체의 미래를 봤을 때 이것이 옳은 투자이다, 그렇게 해서 공공기관을 지방으로 이전하고 혁신도시를 만들고 기업도시를 만드는 것이지, 당장 행정이 더 효율적으로 된다고 말하면 억지거든요. 그래서 합리적으로 생각해 보면 정부부처를 일부 떼서 남겨놓고, 일부 옮겨오고 해서 공무원들이 나중에 서류보따리 들고 여의도 국회까지 왔다 갔다 하는 것이 효율적이지 않다는 사실은 명백합니다.

여러분, 이 문제는 어떻게 풀어야 할까요, 균형발전을 위해서 행정복합특별시를 만든다면 균형발전의 가치도 훼손하지 않고 행정의 효율성도 훼손하지 않는 답이 나와야 되지 않겠습니까, 제가 행정수도 공약을 내세울 때 서울, 경기지역에서 표 떨어지는 소리가 우수수 났습니다. 물론 예측 못했던 것은 아닙니다. 그러나 저는 설득이 가능하다고 생각해서 공약했습니다. 제 판사로서의 첫 임지가 대전이기 때문에 행정수도 이전에 대해선 77년부터 잘 알고 있었습니다. 합리적인 정책은 공약하고, 그리고 국민들을 설득해야 합니다. 국민들의 눈치를 보고 공약을 한다면 아무것도 공약할 수가 없습니다.

지금도 로스쿨정원 문제에 관해서 법조계와 학계가 팽팽하게 다투고 있고, 앞으로 수도권과 지방이 학교배정의 문제를 놓고 또 팽팽하게 서로 대립하게 될 텐데, 이 눈치 보고 저 눈치 보면 어떤 공약을 할 수 있겠습니까, 저는 이번 선거 시기에 불완전하게 만들어진 행정수도 문제에 대해서 다음 정권을 운영해 갈 사람들이 명백한 의사를 표시하는 것이 소신 있는 정치인임을 국민들 앞에 분명하게 선언하는 것이라고 봅니다. 이처럼 중차대한 문제를 비켜가는 것은 소신 있는 후보들의 자세가 아니라고 생각합니다. 두 가지에 대해서 다 명백하게 해줘야 합니다. 행정도시에 대해서 명백하게 입장을 밝혀주셔야 하고, 그리고 균형발전 정책에 대해서 여기 가서 이 말하고, 저기 가서 저 말하는 어정쩡한 태도가 아니라 분명하고 명백하게 입장을 내놔야 됩니다. 아무 말도 안하는 것은 이 정책은 별로 관심 없다, 별로 가치 없다고 하는 것과 다를 바 없는 것 아니겠습니까.

여러분, 균형발전 제2단계정책은 국회에 올라가 있습니다. 가로막혀 있습니다. 첫째는 수도권이 좋아하지 않고, 둘째는 지방 간, 지역 간에도 급등을 4등급으로 나누어서 민간 기업이 지역으로 가게 하는 정책인데, 이것을 4등급으로 나누어 놓으니까, 1등급이 아니고 2등급이라서 불만이고, 3등급은 2등급이 아니라서 불만이고, 4등급은 다 불만입니다. 크게 잘라서 정책에 대한 찬반을 가져가야 결론이 날 텐데, 힘을 모아야 될 지방끼리도 자기 지역의 작은 이해관계만 바라보고, 큰 틀로 문제를 바라보지 않기 때문에 2단계발전정책이 힘이 실리지 않고 있습니다.

이 문제는 이제 참여정부로서는 많은 전략적 타협안을 가지고 국회와 조금 더 대화를 해야 할 것입니다만, 더 밀고 갈 힘이 없습니다. 아무리 공공기관이 이전하고, 지역대학 산학연 클러스트를 만들고, 대학교가 혁신하고, 기업이 혁신하려고 해도, 좀 더 많은 기업이 오지 않고 따라서, 그 기업을 따라서 좀 더 많은 사람이 오지 않으면 지역발전은 대단히 더디게 갈 수 밖에 없을 것입니다. 자전거처럼 너무 더디게 가면 쓰러집니다. 어느 정도 속도가 있어야 계속 가는 것 아니겠습니까, 여기에 동력을 더 붙이고 안 붙이고 하는 것은 지역에 사시는 여러분들의 역할에 달려있다고 생각합니다.

여러분, 균형발전이 필요한 것이라면 이제 여러분들께 부탁드리고 싶습니다. 여러분이 균형발전정책을 좀 더 밀고 나가도록 힘을 모아주십시오. 또 지금하고 있는 것만이라도 지킬 수 있도록 여러분이 관심과 힘을 모아주셔야 합니다. 비단 자기 지역만을 위한 것이 아니라, 이것이 올바른 대한민국의 발전방향입니다. 전 세계가 그렇게 하고 있기 때문입니다.

여러분, 거듭 축하드립니다. 특히 문화관광부에 대해서도 한 번 더 축하드립니다. 문화의 시대가 오지 않습니까, 문화의 시대가 올 때 또한 태안의 시대가 올 것입니다. 조금 전에 노래하는 학생들, 충청도 학생들입니다. 예쁘지요, 그냥 재주가 반짝반짝하고. 밝고 희망찬 학생들의 어린이들의 모습을 보여줬지 않습니까, 충청도, 충청남도 이렇게 말할 수 있을 것입니다. 오늘 우리가 그 아이들의 표정에서 읽었던 그 느낌이 충청남도의 미래가 될 것이라는 믿음을 가지고 돌아가겠습니다.

감사합니다.

미래성장동력 2007 전시회 개막식 축사

2007년 10월 25일

존경하는 과학기술인 여러분, 그리고 내외귀빈 여러분,

대한민국 과학축제, '미래성장동력 2007' 개막을 진심으로 축하드립니다. IT, BT, NT에서 환경, 우주 분야에 이르기까지 우리 과학기술의 우수한 성과들이 한 자리에 모였습니다. 이번 행사를 통해 어린이들은 과학의 꿈을 키우고, 국민들은 우리 과학기술 역량에 대한 자부심을 갖게 될 것입니다. 행사준비를 위해 애써주신 관계자 여러분의 노고를 치하하며, 연구개발에 헌신하고 계신 과학기술인 여러분께 깊은 감사의 말씀을 드립니다.

과학기술인 여러분,

지금은 과학기술의 시대입니다. 과학기술 수준이 시장의 크기와 시장지배력을 결정합니다. 세계화, 정보화가 진전됨에 따라 이러한 현상은 한층 가속화되고 있습니다. 더욱이 우리 경제의 위치가 달라졌고, 경쟁 상대가 바뀌었습니다. 더 이상 따라잡는 방식으로는 성공할 수 없습니다. 끊임없이 혁신해야 선진국과의 경쟁에서 한 발 앞서갈 수 있습니다.

참여정부는 과학기술 혁신을 첫 번째 국가발전전략으로 삼아 최선의 노력을 다해왔습니다. 먼저, 연구개발예산을 2003년 6조 5천억 원에서 올해 9조 8천억 원으로 크게 늘려왔습니다. 이 예산이 내년에는 10조 9천억 원까지 갑니다. 특히 기초연구의 비중은 2003년 19.5%에서 내년에 25.6%까지 확대됩니다. 예산을 늘렸을 뿐 아니라, 사전타당성 조사와 사후 평가를 통해 연구개발 투자의 효율성도 높여가고 있습니다.

국가과학기술혁신체계도 새롭게 구축했습니다. 과학기술부장관을 부총리로 승격하고, 과학기술혁신본부를 출범시켜 보다 전략적이고 체계적인 투자가 가능하도록 했습니다. 지역별 전략산업과 연계된 산, 학, 연 협력체계를 구축하고, 대덕연구개발특구와 일곱 개의 혁신클러스터를 집중 육성하고 있습니다. 과학기술 혁신의 핵심은 역시 인재양성입니다. 이공계지원특별법, 이공계 전공자 공직채용 목표제 등을 통해 과학기술 인력을 키우고 처우를 개선하는 데 힘써 왔습니다. 특히 교육에서 취업과 연구, 은퇴에 이르기까지 생애 전주기에 걸쳐 과학기술인을 양성, 지원하는 체계적인 시스템을 마련했습니다. 지금 우리의 과학기술은 세계적으로 높은 평가를 받고 있습니다. 스위스 국제경영대학원의 발표에 따르면 우리의 과학경쟁력은 2003년 세계 14위에서 올해 7위로, 기술경쟁력은 24위에서 6위로 크게 높아졌습니다. 지난해 미국의 랜드연구소는 우리를 과학기술 7대 선진국으로 분류했습니다. 국제특허출원건

수도 지난 4년간 두 배 이상 늘어 세계 5위로 올라섰습니다.

2003년 선정한 차세대 성장동력에서도 가시적인 성과가 나오고 있습니다. 세계 처음으로 와이브로와 지상파 DMB를 개발했습니다. 하이브리드카와 지능형로봇은 상용화 단계에 들어서고 있습니다. 지난주에는 와이브로가 제3세대 이동통신의 국제표준으로 채택되었습니다. 우리나라 최초의 경사입니다. 그만큼 세계시장 진출의 전망도 밝아졌습니다. 이 모두가 과학기술인 여러분의 땀과 열정이 있었기에 가능한 일이었다고 생각합니다. 다시 한 번 큰 존경과 감사의 박수를 드립니다.

과학기술인 여러분,

세계시장을 누비고 있는 반도체와 CDMA 기술이 십 수년 전부터 준비한 것이듯이, 지금 우리가 뿌린 씨앗은 장차 우리 경제의 성장을 이끄는 견인차가 될 것입니다. 정부는 앞으로도 장기적인 비전과 전략을 가지고 과학기술 육성에 최선을 다해야 할 것입니다. 특히 과학인재를 키우고 여러분이 연구개발에 전념할 수 있는 환경을 만드는 데 더 많은 노력을 기울여 나가야 할 것입니다. 여러분께서도 과학기술 혁신에 더욱 매진하여 국가경쟁력을 키우고 국민의 삶의 질을 높이는 데 가일층 분발해 주시기 바랍니다. 이번 행사를 거듭 축하드리며, 여러분 모두의 건승을 기원합니다.

감사합니다.

第12차 해외한민족 경제공동체대회 축하 메시지

2007년 10월 26일

第12차 해외한민족 경제공동체대회를 진심으로 축하드립니다. 해외한인무역협회 관계자와 시드니 교민 여러분에게 따뜻한 인사를 전합니다.

700만 해외동포는 우리 대한민국의 든든한 자산입니다. 그중에서도 동포 경제인 여러분은 지구촌 곳곳에서 우리 경제의 무대를 넓히고 대한민국의 위상을 높이는 데 크게 기여하고 계십니다. 여러분의 노고에 깊은 존경과 감사의 말씀을 드립니다. 지금 대한민국은 올바른 전략과 비전을 가지고 힘차게 나아가고 있습니다. 수출 4천억 달러, 국민소득 2만 달러 시대가 눈앞에 다가 왔습니다. 과학기술 혁신과 인재양성을 통해 우리 경제의 성장잠재력을 높여가고 있습니다. 자유무역협정을 적극 추진하면서 개방이라는 세계적 흐름에도 능동적으로 대처하고 있습니다.

정상회담을 계기로 남북관계도 새로운 단계에 접어들고 있습니다. 남북 경제협력이 확대되어 한반도에 평화와 번영의 선순환 구조가 정착되면, 우리 경제에 새로운 지평이 열릴 것입니다. 우리 민족이 동북아 경제를 주도하는 시대가 올 것입니다. 이러한 때에 세계 각지에서 활약하고 계신 여러분의 역할이 매우 중요합니다. 한민족 경제협력 네트워크를 더욱 발전시켜 여러분의 성공은 물론, 우리 경제의 경쟁력을 높이고 민족공동번영을 실현하는 데에도 앞장서 주시기 바랍니다. 정부도 여러분의 노력을 적극 뒷받침해 나갈 것입니다. 이번 대회가 한민족 경제협력을 강화하는 소중한 계기가 되기를 바라며, 여러분 모두의 건승을 기원합니다.

제10차 람사르 총회 자원봉사자 발대식 축사

2007년 10월 27일

경남도민 여러분, 그리고 자원봉사자 여러분,

대단히 반갑습니다.

람사르 총회 자원봉사자 발대식을 정말 뜻 깊게 생각합니다. 자원봉사자로 선발되신 여러분께 축하도 드리고, 아울러 감사인사도 드립니다. 특히 김태호 지사님, 각별히 저를 소개해 주시고 덕담도 해주셔서 감사합니다. 무대 위의 장식들이 참 보기가 좋지요, 저도 아주 익숙한 모습입니다. 갈대하고 새하고 억새하고 골도 있고요. 자연으로 장식이 되어 있으니까 아주 친근하고 포근한 느낌이 듭니다.

여러분이 자원봉사자로 참여하신 것은 우리 생태계를 지키고 나아가서는 좀 복원하자, 그리고 생태계를 복원하는 세계적인 운동에 우리도 연대를 가지고 한번 해 보자 이런 뜻일 것입니다. 우리가 생태계를 지키고 복원하는 것은 그 자체가 가치이기도 하지만 그렇게 하지 않으면 인간의 삶이 위험해지기 때문이기도 합니다. 그야말로 우리 삶에 직결되어 있는 문제이니까 관심이 높아지고 있고, 이제 여러분들이 자원봉사자로 참여하는 수준까지 되었습니다. 생태계 복원에 대해서 많은 생각을 합니다만 요즘은 사람이 사는 사람생태계도 좀 복원이 됐으면 좋겠다고 생각합니다. 단순 복원이 아니고 그 위에 지금과는 다르게 서로 돕고 의지하고 협력하면서 살아가는 소위 공동체 생태계라는 것이 꼭 필요한데, 그것이 많이 해체돼 버린 것 같습니다. 거기에 대해서 많은 걱정들을 하고 있습니다만, 그것을 해결하는 첫 번째 단계가 저는 자원봉사라고 생각합니다.

여러분이 이 자리에 자원봉사자로 오신 것이 단순히 경남에서 근사한 행사 한번 치르자 하는 수준은 아닐 것입니다. 국가적 행사를 멋있고 모범적으로 치러서 우리 국위를 선양하자고 하는 수준보다도 높을 것입니다. 우리 생태계를 아름답고 건강하게 복원하자 이런 큰 뜻 아니겠습니까, 그것이 또한 자연생태계만이 아니라 인간 공동체 생태계를 복원해 가는 과정 아니겠습니까, 그런 점에서 자원봉사 참여는 정말 뜻 깊은 일이라고 생각합니다. 또 깜짝 놀랐던 것은 노소불문하고, 세대불문하고 많은 분들이 참여하셨고, 지역적으로도 전국적으로 펼쳐져 있고, 3대 1 경쟁을 했다는 사실입니다. 여러분도 기분 좋으시죠, 저도 기분이 좋습니다.

저는 여러분을 보면서 2008년 람사르 총회가 반드시 성공할 것 같다는 예감을 갖습니다. 그리고 우리 생태계도 복원되고 또 사람과 사람

사이의 인간 생태계도 머지않아 복원되겠구나 하는 희망을 가지게 됩니다. 여기까지 준비해 오신 환경부, 그리고 경상남도 관계자 여러분도 정말 수고가 많았습니다. 여러분의 수고가 꼭 보람이 있을 것입니다. 저도 이제 내년 2월 말이 되면 고향으로 돌아옵니다. 제 고향에도 화포천이라고 하는 작지 않은 습지가 있습니다. 해마다 우기가 되면 홍수처럼 물이 많이 불었다가 빠지기 때문에 다소 불안정성이 있긴 하지만, 그건 그것대로 해서 상당히 풍부한 생태계를 이루고 있습니다. 봄에 가면 창포인지 붓꽃인지가 아주 흐드러지게 피고 또 노란 꽃도 핍니다.

제일 인상에 남는 것은 겨울에 날아오는 철새들입니다. 하늘이 새까맣게 날아오곤 했습니다. 벼를 널어서 말리는 과정에서 떨어지는 낱알을 먹으러 그 철새들이 습지 안에 있는 농장에도 가득 와 있었습니다. 그때는 그게 무슨 의미인지 몰랐는데 지금 생각해 보니까 그게 그렇게 소중한 자산이었던 것 같습니다. 다시 그 철새를 오게 할 수 있을지는 모르겠지만 꼭 우포늪이 아니라도 우리 동네도 새 좀 날아 왔으면 좋겠습니다. 산에 가니까 산에 나무가 울창하게 어우러져서 멀리서 보면 '아, 우리산도 울창하게 어우러지고 좋구나. 이제 우리 산도 풍부해졌구나.' 이렇게 생각했는데, 막상 가까이 가보면 옛날에 살던 벌레나 키 작은 풀, 아주 다양했던 많은 떨기식물들이 큰 나무에 가려서 다 없어져 버렸습니다. 숲은 울창해졌는데, 생태계는 오히려 종이 빈곤해진 모습들을 보면서 참 안타깝다는 생각이 듭니다.

큰 메뚜기처럼 생긴 불메, 색깔이 누런 송장메뚜기, 가지가지 이름도 모를 많은 것들이 있었는데, 지금은 고향에 가서 그걸 볼 수가 없습니다. 방개도 있고, 무당벌레도 있고, 방개 손자쯤 가는 조그만 망근쟁이 이런 것들이 참 많이 있었는데 볼 수가 없습니다. 어떻게 돌아오게 할 수 없을까 지금 생각하고 있습니다. 저는 이제 고향에 돌아오는데, 그 많은 동식물들은 다 가버리고 없습니다. 참여정부 들어 대통령이 환경에 관심이 없다고 꾸중을 많이 들었습니다. 근데 실제로는 하느라고 했습니다. 항상 수요자에게는 부족해 보이는 것 같습니다. 조금 전 영상물에서 보셨듯이 습지보호지역을 3배 이상 확대했습니다. 철새 보호를 위해서 아·태지역 네트워크를 강화해 가고 있습니다. 2주 전에는 '국가생물주권비전'을 선포했습니다. 오랫동안 갈등을 빚어왔던 장항산업단지 문제도 갯벌을 훼손하지 않고 친환경적인 방식으로 잘 해결이 됐습니다. 국가습지심의위원회도 올해 말까지 설치해서 습지생태계를 체계적으로 보전하고 주민지원 대책을 강화해 나갈 것입니다. 백두대간 보호법도 매우 중요한 법입니다.

앞으로 람사르 총회는 우리 국민들의 환경의식을 높이고, 범국가적인 습지보전 노력을 한 단계 더 끌어올리는 아주 좋은 계기가 될 것입니다. 아울러 이 성대한 행사를 통해서 '환경 경남'의 이미지를 세계에 알리는 좋은 계기가 될 것입니다.

우리 경남은 우포늪과 주남저수지, 낙동강 하구, 봉암갯벌 등 160여 개의 습지를 비롯해서 천혜의 자연을 가지고 있습니다. 굳이 개발하지 않더라도 그 자체로 빼어난 관광자원이고, 경제적으로도 가치 있는 자산입니다. 이러한 자연을 기반으로 해서 농촌 생태계와 공동체를 복원하고, 질 높은 삶의 조건을 갖춘 품격 있는 공간으로 조성해 나간다면 경남의 미래는 더욱 밝아질 것입니다.

더욱이 지금 수도권 집중에 대응해서 균형발전정책을 열심히 하고 있습니다. 균형발전정책이라는 것이 산업도 분산하고, 사람도 분산해 올 것입니다. 자연과 인간이 어우러지는 아름답고 질 높은 생태환경과 생활 공간을 잘 만들면 그것 또한 균형발전과 인구분산에 상당히 많은 도움이 될 것이라고 생각합니다. 앞으로 정부도 여러분들이 하고 있는 여러 가지 노력을 계속 지원해 나갈 것입니다. 특히 국가습지센터 건립과 동아시아 람사르센터 유치를 통해서 경남을 습지연구와 교육의 중심이 되도록 지원하겠습니다. 그리고 저도 임기를 마치고 돌아오면, 람사르 총회에 참가하는 한 사람의 시민이 돼서 여러분과 함께 하게 될 것입니다. 여러분 모두 성공하십시오.

감사합니다.

피쏘 슬로바키아 총리를 위한 만찬사

2007년 10월 30일

존경하는 로베르토 피쏘 총리 각하, 그리고 내외 귀빈 여러분,

서울을 찾아 주신 각하와 일행 여러분을 진심으로 환영합니다. 슬로바키아는 지금 정치적 안정 속에서 높은 성장을 지속하고 있습니다. 지난 해에도 8.3%의 경제 성장과 41억 달러의 외자 유치를 이뤄 냈습니다. '쉥겐 협정'과 '유로 존' 가입이 실현되면 이러한 발전은 더욱 가속화될 것입니다. 각하의 지도력으로 슬로바키아가 중부유럽의 핵심국가로 더욱 힘차게 도약해 나갈 것이라고 확신합니다.

총리 각하,

수교 14년을 맞은 우리 두 나라는 이제 확실한 동반자가 되고 있습니다. 양국 간 교역량이 지난 4년 동안 열 배나 늘었고, 브라티슬라바 상주공관도 올해부터 대사급으로 승격되었습니다. 이미 자동차와 전자산

업을 중심으로 60개에 이르는 우리 기업이 두나라의 관계 발전과 번영에 이바지하고 있습니다. 각하께서도 얼마 전 우리 자동차 공장 준공식에 참석하셔서 격려해 주신 것으로 알고 있습니다. 각하의 깊은 배려에 감사드리며 앞으로도 변함없는 관심과 지원을 부탁드립니다. 오늘 정상회담을 계기로 교역과 투자는 물론, 과학기술과 문화, 인적 교류 등 다양한 분야에서 협력이 한층 더 활발해질 것으로 믿습니다. 이번에 서명한 '문화협정' 등도 양국 관계 발전에 기여하게 될 것입니다.

귀빈 여러분,

총리 각하의 건강과 슬로바키아의 번영, 그리고 우리 두 나라의 영원한 우정을 위해 축배를 들어 주시기 바랍니다.

건배!

경남 진주혁신도시 기공식 축사

2007년 10월 31일

존경하는 국민 여러분, 경남도민과 진주시민 여러분, 그리고 내외귀빈 여러분,

경남 진주혁신도시 기공을 온 국민과 더불어 축하드립니다. '남가람 신도시'라는 이름도 참 정감 있고 좋습니다. 그동안 여러 가지 어려움이 있었지만 중앙정부와 경상남도, 그리고 지역주민 여러분께서 함께 대화하고 협력해서 오늘의 이 자리를 만들었습니다. 모두들 수고 많으셨습니다. 여러분 모두에게 깊은 감사와 아울러서 축하의 말씀을 드립니다. 특히 정든 고향을 내주면서까지 적극 협조해주신 지역주민 여러분께 거듭 감사드립니다. 여러분의 참여가 보람된 결실을 맺을 수 있도록 최선을 다할 것입니다.

경남도민과 진주시민 여러분,

조금 전에 영상물을 보았습니다만 매우 마음이 든든합니다. 진주혁신도시가 산업지원 거점도시로, 친환경 명품도시로 큰 성공을 거둘 것이라는 믿음이 생깁니다. 진주의 오랜 역사와 문화, 시민 여러분의 뜨거운 열망과 의지, 그리고 우수한 교육 여건은 이러한 성공을 이끄는 든든한 자산이 될 것입니다. 더욱이 이전 공공기관과 이 지역의 대학들이 MOU까지 체결해 튼튼한 산, 학, 연 협력체계를 구축해 가기로 했습니다. 지방대학에서는 공공기관이 필요로 하는 인재를 키우고, 공공기관은 지방 인재들을 우선적으로 채용함으로써 서로 상생하는 좋은 모델이 만들어질 것이라고 생각합니다.

진주혁신도시의 성공은 진주의 성공에만 머물지 않을 것입니다. 서부 경남에 새로운 경제적 활력을 불어넣는 것은 물론이고, 사천의 항공우주산업, 마산, 창원의 첨단 기계공업과 시너지 효과를 일으키면서 경남의 발전을 한층 더 가속화시킬 것입니다. 앞으로도 정부는 진주혁신도시가 경제는 물론, 교육과 환경, 문화, 교통 등 모든 면에서 살기 좋은 도시가 되도록 계속 지원해 나갈 것입니다. 그래서 이전 기관 직원과 가족 여러분들이 마음 놓고 내려와 정착할 수 있는 그런 도시로 만들어 갈 것입니다.

국민 여러분,

참여정부는 그때그때 정치적 이해관계에 따라 균형발전을 이야기한 것이 아닙니다. 균형발전을 핵심적인 철학과 가치로 삼아 체계적으로 정책을 추진해 왔습니다. 균형발전정책이야말로 수도권과 지방 모두의 경쟁력을 높이고, 국민 통합을 통해 지속 가능한 발전을 이룰 수 있는 정책이기 때문입니다. 우선 대통령 직속으로 국가균형발전위원회를 만들고, 국가균형발전특별법과 균형발전특별회계 같은 법적, 제도적 틀도 마련했습니다. 또한 지방분권 로드맵을 통해 중앙에서 꼭 해야 하는 일을 제외하고는 모두 지방으로 보냈습니다.

참여정부 들어 지방에 내려 보낸 권한과 사무가 이전 모든 정부에서 이양한 것에 세 배가 넘는 880건에 이릅니다. 지방교부세율을 15%에서 19.24%로 높이는 등 지방에서 쓸 수 있는 재원을 4년 동안 30조 원 가까이 늘렸습니다. 각종 조세와 규제에 있어서도 지역의 발전 정도에 따라 차등과 특례를 주는 제도를 시행하고 있습니다. 그럼에도, 이틀 전 전국시도지사협의회에서는, 참여정부 들어서도 국세와 지방세가 8대 2의 비율을 그대로 유지하고 있다며 정부의 지방분권 정책을 비판하는 공동선언문을 발표했습니다. 저는 좀 유감스럽게 생각합니다. 왜냐하면 내용을 들여다보면 이것은 사실과 다르기 때문입니다. 지방교부세를 통해 지방으로 이전되는 재원을 포함하면 지금 지방은 총 조세수입의 60%를 사용하고 있습니다. 이를 감안하면 8대 2가 아니라 4대 6이 되는 것입니다. 그 중에서도 지방이 자율적으로 쓸 수 있는 재원은 2003년 65조 원에서 올해 90조 원으로 약 25조 원이 늘어났습니다. 어떤 세목이든 국세를 지방세로 돌리게 되면 수도권을 제외한 모든 지방이 큰 손해를 보게 되어 있습니다. 지자체간 부익부, 빈익빈 현상은 더욱 더 심화될 수밖에 없습니다.

하나의 예를 들어보겠습니다. 국세로 걷어 교부세로 지방에 내려 보내는 것 중의 하나가 종합부동산세입니다. 종부세를 지방세로 바꾸게 되면 지방은 절대적으로 불리할 수밖에 없습니다. 특히 경남의 경우는, 지난해 부동산 교부세로 돌려받는 액수가 991억 원입니다. 그런데 경상남도에서 납부한 종부세는 133억 원밖에 되지 않습니다. 종부세를 지방세로 바꾸게 되면 858억 원이라는 막대한 재정손실이 발생하게 됩니다. 이것은 전국에서 가장 큰 규모입니다.

실제로 종합부동산세를 지방세로 돌리자는 주장이 있었습니다. 그때 어떤 지방도 이를 문제 삼지 않았습니다. 중앙정부가 지적해서 철회되기는 했지만, 정책과 자신과의 이해관계를 분명하게 파악해 대응하지 않으면 언제 다시 이런 비슷한 주장이 되살아날지 모릅니다. 종부세 뿐만 아니라, 모든 세금이 서울에서 압도적으로 많이 걷힙니다. 중앙정부는 이것을 교부세의 방식으로 지방으로 배분하는데 서울은 배분하지 않습니다. 그렇기 때문에 국세를 지방세로 보내는 것은 매우 조심스럽게 따져봐야 할 일입니다. 지난 7월 행정중심복합도시에 이어 제주와 경북혁신도시, 태안기업도시가 착공됐고, 오늘 경남 진주혁신도시가 첫 삽을 뜹니다. 전국 곳곳에 지역발전의 거점이 만들어지고 있는 것입니다. 그러나 정부와 공공기관이 내려온다고 해서 그것만으로 저절로 지역발전이 이루어지는 것은 아닐 것입니다. 지속적인 발전을 위해서는 지역 스스로가 발전의 동력을 만들어 나가야 합니다.

참여정부는 지방의 혁신역량을 강화하기 위해서 집중적인 노력을 기울여 왔습니다. 수도권과 대덕을 제외한 지방의 연구개발예산을 지난 4년 동안 두 배 이상 늘렸습니다. 지방대학과 연구소, 기업이 참여하는 혁신클러스터를 구축하고, 각 지역 특성에 맞는 4대 전략산업을 선정해 육성하고 있습니다. 참여정부의 균형발전정책이 '공간정책'이면서 '혁신정책'이고, 또 '산업정책'인 이유가 바로 여기에 있습니다. 전국에 펼쳐질 10개의 혁신도시는 지방의 혁신 역량을 축적하는 중요한 거점이 될 것입니다. 공공기관이 내려오면 관련 기업이 따라오게 되고, 이들이 지방대학 등과 협력해 새로운 기업생태계를 만들어내면 지역경제에 큰 활력이 일어나게 될 것입니다. 사람과 기업이 모여들어 혁신을 이루고 이러한 혁신이 주변으로 파급되는 혁신의 진원지가 되는 것입니다.

뿐만 아니라 혁신도시는 우리 국민에게 수준 높은 생활공간을 제공하게 될 것입니다. 건축과 교통, 교육, 의료, 문화가 잘 갖춰져 있어 경제적 활력과 삶의 질이 조화를 이루는 쾌적하고 아름다운 도시가 될 것입니다. 나아가서 이 도시들을 기반으로 농촌 공동체를 복원하고 지역을 특성 있게 가꾸어 나가면, 전 국토가 활력 있고 살기 좋은 공간으로 재편성될 것입니다. 현재 64개 시범지역에서 추진되고 있는 '살기 좋은 지역 만들기'가 그 좋은 모델이 될 것입니다.

국민 여러분,

참여정부의 균형발전정책은 앞서 말씀드린 것 말고도, 교육, 농촌, 건설, 복지 등 여러 정책에 담겨 있습니다. 대표적인 것이 교육과 인적자원 정책입니다. 인재가 있어야 기업도 오고 지역발전도 가능하기 때문입니다. 누리사업과 산학협력 중심대학을 통해 지방대학의 역량을 강화하고 있습니다. 이전 공공기관이 그 지역 인재를 우선적으로 채용하는 제도도 이미 시작되었습니다. 법학대학원을 선정하는 문제에 있어서도 균형발전을 우선적으로 고려할 것입니다.

농업, 농촌정책도 마찬가지입니다. 낙후지역을 위한 신활력사업이나 지역특화발전특구, 농업클러스터는 말할 것도 없고, 5도2촌 사업, 농촌마을 종합개발사업, 전원마을 조성, 정보화 마을 모두가 균형발전정책이라고 할 수 있습니다. 참여정부는 같은 조건이면 반드시 지방을 우선하고, 설사 조금 효율성이 떨어진다고 하더라도 멀리 내다보고 지방을 우선하는 정책을 써 왔습니다. 도로와 임대주택 건설은 물론이고, 건강증진 사업에서 문화시설 하나 만드는 일에 이르기까지 모두 균형발전영향평가를 거치도록 그렇게 제도화해 놓았습니다.

이러한 균형발전정책은 꼭 지방만을 위한 정책은 아닙니다. 균형발전으로 수도권이 숨통을 틔게 되면, 말하자면 지방이전을 통해 수도권의 공간이 넓어지면, 수도권은 획일적인 규제에서 벗어나 보다 질적인 계획과 관리가 가능해집니다. 비워진 공간을 넓고 푸르게 활용함으로써 첨단지식기반과 쾌적한 생활환경을 갖춘 매력적인 국제도시로 발전할 수 있습니다.

국민 여러분,

수도권의 순유입 인구는 줄어들고 있습니다. 그리고 지역총생산은 조금씩 늘어나고 있습니다. 긍정적인 변화라고 볼 수 있을 것입니다. 그러나 아직도 균형발전정책이 가야할 길은 많이 남아있습니다. 참여정부가 열심히 해왔지만, 40년 동안 계속되어온 중앙 집중이 5년 이라는 짧은 시간에 바뀌기는 어려울 것입니다. 여전히 많은 기업과 사람이 수도권을 선호하고 있고, 수도권 규제완화 요구에서 보듯이 다시 과거로 돌아갈 수 있는 강력한 압력이 존재하고 있습니다.

균형발전이 성공하기 위해서는 보다 파격적인 특단의 대책이 필요합니다. 그래서 준비한 것이 지난 7월 발표한 2단계 균형발전정책입니다. 수도권으로 향하는 기업과 사람의 행렬을 지방으로 확실히 돌려보자는 것이 이 정책의 핵심입니다. 지역의 발전정도에 따라 투자 기업에 대한 인센티브를 차등화해서 제공하고, 지방의 생활여건을 획기적으로 개선하는 내용이 담겨있습니다.

2단계 균형발전정책은 지금 국회에 올라가 있습니다. 이 정책이 국회를 통과해야 균형발전이 제대로 갈 수 있습니다. 그러나 수도권은 물론이고, 지방에서조차 서로 의견이 나뉘어 정책의 발목을 잡고 있는 상황입니다. 2등급 지역은 1등급 지역이 아니라서 불만이고 3등급 지역은 2등급 지역이 아니어서 불만인 것입니다. 크게 보면 모두에게 이익이 되는 일인데도 당장의 이해관계에 얽매여서, 아니면 내 밥그릇이 이웃집 밥그릇보다 작다는 이유로 극렬하게 반대하거나 무관심해서 이 정책은 국회에서 머뭇거리고 있습니다. 참여정부는 이 정책의 입법화를 위해 최선을 다할 것입니다. 국민 여러분, 특히 지역에 계신 여러분께서도 균형발전정책이 한발 더 나아갈 수 있도록 적극적인 관심과 성원을 부탁드립니다.

국민 여러분,

균형발전정책은 종류도 많고 매우 복잡해서 자칫 주목하지 않으면 하나 둘씩 무너져 버릴 수 있습니다. 더욱이 균형발전에 대한 철학과 의지가 없이 정책을 추진하게 되면 이러한 현상은 더욱더 가속화될 수 있습니다. 대학입시정책 하나를 봐도 그렇습니다. 만일에 본고사가 부활되고 내신이 무력화되면 특목고와 수도권 학교에 압도적으로 유리한 상황이 조성되고, 모든 학생은 이리로 몰려들 것입니다. 지방고등학교는 더욱 어려워지고 교육 때문에 지방을 떠나야하는 상황이 계속 될 것입니다. 그런데도 지방에서조차 대학자율화에 대한 찬성 여론이 높은 것이 현실입니다. 참여정부는 균형발전정책이 꼭 필요한 일이라는 확신을 가지고 혼신의 노력을 다해왔습니다. 그러나 이제 저의 임기는 얼마 남지 않았습니다. 더 이상 균형발전정책을 확대하기 어렵습니다. 확대는커녕 이젠 지키기도 어려울 것입니다.

앞으로는 국민 여러분께서 이 정책을 지키고 나아가서는 더욱더 확대 발전시켜 주셔야 할 것입니다. 균형발전이 국가의 정의로운 목표로 뿌리내려 어느 정부도 이를 되돌리거나 흔들 수 없도록 해야 합니다. 지금 살고 있는 지역이 아니라, 우리 아들딸들이 살아갈 대한민국의 장래를 멀리 내다보며 함께 힘을 모아주시길 당부 드립니다. 다시 한 번 경남 진주혁신도시의 기공을 축하드립니다. 그리고 여러분 모두의 건승을 기원합니다.

감사합니다.

김해공항 2단계 확장공사 준공식 축사

2007년 10월 31일

존경하는 부산시민과 경남도민 여러분, 그리고 내외 귀빈 여러분,

오늘, 김해공항 2단계 확장공사가 완료된 것을 기쁘게 생각하며, 국민과 더불어 축하드립니다. 공사를 훌륭하게 수행해 주신 건설 관계자 여러분, 그리고 원활한 사업추진을 위해 애써 오신 부산시와 중앙부처 관계자 여러분, 모두 수고 많으셨습니다. 여러 불편을 감수하면서 적극 협조해 주신 지역주민 여러분께도 감사의 말씀을 드립니다.

내외 귀빈 여러분,

그동안 김해공항은 지역발전을 뒷받침하면서 주민 여러분의 사랑을 받아왔습니다. 하지만 세계 9위의 항공운송강국인 대한민국의 제2공항이라고 하기에는 규모나 시설 면에서 부족함이 많았던 것이 사실입니다. 이번 확장으로 김해공항은 국제공항으로써 손색이 없는 면모를 갖추

게 되었습니다. 국제선 여객과 화물처리 능력이 세 배 가까이 향상되었고, 항공기 계류장도 크게 확장되었습니다. 이제, 해외를 오갈 때 인천공항을 거쳐야 하는 불편이 많이 해소될 것입니다. 김해공항을 통해 부산, 경남을 찾는 외국인 관광객도 크게 늘어날 것으로 기대합니다. 김해공항이 더 큰 경쟁력을 갖고 지역경제에 실질적인 도움을 주기 위해서는 연계 교통망 구축이 중요할 것입니다. 지금 진행되고 있는 부산~울산 간 고속도로 신설공사와 공항을 경유하는 김해~사상 간 경전철 사업 등이 차질 없이 이루어질 수 있도록 계속 지원해 나갈 것입니다.

내외 귀빈 여러분,

이제 김해공항이 제대로 된 면모를 갖추게 되면서 남부권 신공항 건설은 어떻게 되는지 궁금하게 생각하는 분들이 많은 것 같습니다. 신공항 건설은 지금 당장이 아니라, 앞으로의 지역발전 전망에 근거해서 검토되어야 할 것입니다. 장기적인 안목으로 미래 수요에 대해서 차질 없이 대비할 수 있어야 합니다. 2020년이 되면 이곳 동남권의 항공 수요가 지금보다 두 배 가까이 늘어날 전망입니다. 앞으로 15년 정도는 김해공항으로도 큰 불편이 없겠지만, 공항 개발이 10년 이상 소요되는 사업이라는 점을 감안하면 미리부터 준비는 해둬야 할 것입니다. 정부는 지난 3월부터 신공항 건설에 대한 검토 용역을 시행해 왔습니다. 다음 달에 그 결과가 나오는 대로 지체 없이 결론을 내리도록 하겠습니다.

부산시민 여러분,

참여정부는 그동안 균형발전 정책에 정부가 할 수 있는 모든 역량을 다 쏟아 부었습니다. 부산도 예외가 아닙니다. 앞으로 경제자유구역이 제 모습을 갖추어 가면, 김해공항과 부산 신항이 동북아 물류중심의 관문이 되고, 부산, 진해 경제자유구역은 물류와 첨단산업 클러스터로 발전해 갈 것입니다. 균형발전정책에 따라 이곳에 내려오는 13개 공공기관도 부산의 영상, 금융, 관광, 컨벤션 산업을 발전시키는 데 크게 기여할 것입니다. 또한 하야리아 미군부대가 이전하면 이곳은 역사와 문화, 아름다운 자연을 마음껏 누릴 수 있는 시민의 공간으로 새롭게 조성될 것입니다.

부산 북항 재개발사업도 착실하게 진행하고 있습니다. 정부는 이미 북항 재개발 기본계획을 확정하고, 올해 말까지 사업계획 수립과 사업시행자 지정도 마무리할 계획입니다. 북항 재개발사업은 8조 4천억 원의 신규투자를 통해 12만 명의 일자리와 32조 원의 경제적 부가가치를 창출하는 대역사입니다. 재개발이 이루어지면 북항은 관광과 레저의 중심으로 거듭날 것입니다. 무엇보다 시민이 쉽게 접근하여 즐길 수 있는 시민을 위한 공간, 시민의 휴식처가 될 것입니다. 북항 재개발 사업이 계획대로 추진될 수 있도록 제 임기 내에 할 수 있는 모든 일은 다해 놓겠습니다.

존경하는 부산시민 여러분,

돌이켜보면 제 임기 동안 부산 발전을 위한 많은 토대들이 놓여진 것 같습니다. 그러나 부산 발전의 가장 큰 동력은 역시 부산시민 여러분의 관심과 열정, 그리고 역량입니다. 저는 여러분을 믿습니다. 함께 힘을 모아 나간다면 부산은 질 높은 삶의 조건을 갖춘 품격 있는 도시, 그리고 대한민국의 번영을 이끄는 세계적인 해양도시로 발전해 나갈 것입니다.

다시 한 번 김해공항의 확장 준공을 축하드리며, 여러분 모두의 건승을 기원합니다.

감사합니다.

제6차 세계한상대회 개막식 축사

2007년 10월 31일

최종태 대회장님과 동포 경제인 여러분, 그리고 부산시민과 국내 기업인 여러분, 대단히 반갑습니다.

제가 88년에 이곳 부산에서 국회의원에 당선되어서 서울로 살림을 옮겼는데 제가 떠날 때만 해도 부산이 이만한 큰 잔치를 치러내기가 좀 버거운 상태였습니다. 그래서 실제로 이런 큰 잔치를 벌이지를 못했습니다. 그런데 2005년에 바로 이 자리에서 21개국의 정상들을 모셔놓고, 또 많은 수행원들과 함께 큰 잔치를 했습니다. 그때 이후로 우리 부산 시민들은 이제 어떤 큰 잔치라도 훌륭하게 치러낼 수 있다는 자신감을 갖게 됐습니다.

오늘 이제 여러분들을 다시 모셨습니다. 그 당시는 세계 21개국 정상들을 모셨습니다만 오늘은 34개국에서 오신 동포 대표 여러분을 모셨으니까 오늘이 좀 더 큰 잔치 아닌가 생각합니다. 제 마음은 21개국 정상들을 모셨을 때보다 여러분들을 더 잘 모셨으면 좋겠다고 생각합니다만 여러분은 그렇게 느끼실지 모르겠습니다. 이번이 여섯 번째 대회인데, 제가 오늘 처음 참석한다는 말을 듣고 여러분께 무척 미안한 마음입니다. 사실 좀 더 일찍 여러분의 모임에 참석해서 여러분들과 함께하고 또 격려해 드렸으면 좋았을 텐데, 이렇게 늦게 된 것이 매우 유감입니다.

그 대신에 저는 5년 동안에 50개국을 순방했는데, 가는 곳마다 우리 동포 여러분을 일일이 다 찾아뵙습니다. 동포들이 많은 곳에서는 큰 장소를 빌려서 만나고, 동포들이 적은 곳에서는 적은 곳대로 자그마한 방을 얻어서 10명 모이는 모임도 하고, 때로는 수백 명이 모이는 모임도 하고 이렇게 찾아가서 인사드리고 고국 소식도 전해 드리고 했습니다. 요새 하도 통신이 발달해서인지 고국 소식은 저보다 더 잘 알고 계신 것 같고요. 그냥 제 얼굴 한번 보는 것이 그렇게 좋은 모양입니다. 옷을 전부 새로 갈아입고 다소 다루기가 어려운 우리 한복 꺼내서 깔끔하게 갖춰 입고 와서 저를 만나고 하는 것을 보고 저로서는 무척 감동스러웠습니다.

제가 대통령이기 때문에 반가워하는 것이지, 저 개인을 그렇게 좋아서 반가워하는 것이 아니라고 생각해 보면 나올 때는 조금 섭섭하기도 합니다만, 제 입장에서는 여러분을 한국에 모셔놓고 만나니까 찾아가서 뵙는 것보다 훨씬 더 품도 덜 들고 기분도 훨씬 더 좋습니다. 제가 마음에 제일 고마운 것은 사실 별로 덕 될 일도 없는데 동포들 만나면 우리 고국 걱정을 굉장히 많이 해 주십니다. 그리고 따뜻한 정을 전해 주십니다. 아무리 봐도 무슨 이해관계가 있는 것 같지 않은데도 그런 것을 보면 역시 사람이 피를 속일 수가 없고, 고향도 잊어버릴 수가 없는 것이구나, 그런 생각을 하면서 저는 사람이 살아가는 이치에 대해서 여러 가지로 깊은 생각도 해 보고 했습니다.

그런데 이번에 한상대회에 참석하면서 자세히 들여다보니까 이제는 아무 볼일이 없는 것이 아니고, 임도 보고 뽕도 딴다는 말이 있듯이 여러분이 고국에 와서 고국을 즐기기도 하고 더불어서 볼일도 많이 보시는 것 같습니다. 이제 경제시장이 세계무대로 넓혀지면서 우리 한국 경제의 무대도 세계로 뻗어나가고 있고, 또 개개인의 경제 무대도 세계로 뻗어나가고 있습니다. 그런 가운데서 여러분과 한국 경제가 만나고 또 여러분 상호 간에 서로 만나고 하면서 그래도 누구보다 쉽게 이해할 수 있고 신뢰할 수 있는 사람들끼리 경제의 네트워크 또는 거래의 네트워크까지 형성되고 그것이 해마다 자꾸 커져가고 있는 것 같습니다. 이 점에서 가끔 우리말을 자유롭게 하지 못하는 분들이 많은데 그분들이 어쩐지 쑥스러워 하십니다. 그리고 약간 미안한 마음을 가지고 있는 것을 보는데 앞으로 우리 동포 자녀들은 아마 우리말을 보다 잘 쓰는 세대로 변화해 가지 않을까 그렇게 생각합니다.

옛날에는 한국말을 한다는 것이 모국어라서 의무로서 배우는 것이지 자기 삶에 아무런 도움이 되지 않는 것이 사실이었던 것 같습니다. 그러나 지금 세계 여러 나라에 나가 보면 비단 우리 국민들만이 아니라 외국인들도 한국말을 열심히 배우고 있습니다. 한국말을 잘 한다는 것이 이젠 단순한 의무가 아니라 경제생활에 있어서 훨씬 더 유리한 하나의 도구가 된 모양입니다. 아마 다음 세대들은 우리 한국말을 보다 더 잘하게 되지 않을까 생각합니다. 그런 생각을 하면서 느끼는 것은 하나의 큰 의무감입니다. 여러분이 아무 이유 없이 우리나라가 잘 되기를 바라고, 그렇게 성원해 주신 데 대한 보답으로도 우리나라가 잘 되어야 하지만 이제 한국말을 계속 배우면서 새로운 기회를 넓혀가야 될 많은 자라나는 아이들을 위해서 우리 한국 경제가 정말 성공해야겠구나 생각합니다. 지금도 어디 나가면 한국 경제가 성공했다는 말을 듣고 있습니다만 더 큰 성공을 꼭 이뤄야 할 것이라고 저는 생각합니다.

여러분, 해외에서 보시기에 한국 경제가 어떤 것 같습니까, 여러분이 한국 경제가 잘 가고 있다고 보시면 특별히 따로 설명을 드리지 않아도 될 것 같고, 한국 경제 전망이 좀 어둡다고 보시면 여러분께 전망이 밝다는 말씀을 꼭 좀 설명드리고 싶습니다. 몇 가지 구체적인 사실만 말씀드리고 대개 생략을 하겠습니다. 우리나라 과학 경쟁력이 세계 7위로 평가되고 있습니다. 기술경쟁력이 세계 6위로 평가되고 있습니다. 국제 특허출원 건수가 세계 5위로 올라섰습니다. 이게 제자리 순위가 아니고 낮은 순위에서 많이 껑충껑충 뛰어 올라온 결과입니다. 지금까지도 계속 올라왔으니까 앞으로도 좀 더 올라가지 않겠습니까, 얼마 전에는 우리 와이브로 기술이 제3세대 이동통신의 국제표준으로 채택됐습니다. 우리나라 생기고 처음 있는 일이라고 합니다.

올해 수출은 3,760억 달러까지 가게 될 것입니다. 3년 전 제가 여러분들의 모임에 축하메시지를 보낼 때 수출 2천 억 달러 시대가 열렸다고 자랑을 한 기억이 있습니다. 그런데 올해에는 3,760억 달러입니다. 해외에 나가면 숲이 푸른 나라가 선진국 같은 느낌이 듭니다. 젊은 사람들이 활력 있는 나라뿐만 아니라 노인들이 품위 있고 여유 있는 모습으로 또 비교적 활력 있는 모습으로 길거리를 다니는 모습을 보게 될 때 그 나라가 선진국이구나 하는 느낌을 갖습니다.

복지 측면에 있어서 우리나라는 그동안 사실 별로 관심을 기울일 여유가 없었습니다. 그래서 국가 예산중에서 또는 국민 전체의 총 생산중에서 복지 지출이 차지하는 비율이 대개 일본이나 미국의 절반 정도, 유럽의 3분의 1 정도 수준에 머물러 있었습니다. 지금 현재가 그렇습니다. 그 이전에는 그보다 훨씬 더 낮은 수준이었습니다. 그래서 우리 국민들이 한번 해외로 나가면 잘 돌아오려고 하지 않습니다. 이게 이제 이 문제에 관해서도 많이 바뀌어 가고 있습니다.

그런데 이제 이 문제에 대해서도 많이 바뀌어가고 있습니다. 5년 전까지 우리나라 복지예산은 전체 정부예산의 20% 정도였습니다만 올해에는 28%로 약 8%포인트 정도 비율이 올랐습니다. 앞으로 이 비율은 점점 더 올라갈 것입니다. 우리 희망은 2020년까지 미국, 일본 정도의 수준으로 가고 2030년까지 유럽 수준을 따라잡는 것이 목표입니다. 그 밖에 여러 가지 얘기는 제가 생략하겠습니다.

대체로 지금 세계경쟁력의 핵심은 혁신인 것 같습니다. 과학기술도 혁신하고 생산기술도 혁신하고 또 기업의 경영방법도 혁신하는 것, 이것이 90년대 이래 세계 경쟁에 핵심전략이었던 것 같습니다. 우리 한국이 이 부분에 있어서는 역시 상당히 높은 평가를 받고 있습니다. 그리고 정부혁신에 있어서도 세계적인 주목을 받고 있습니다. UN에서 공공부문

혁신상을 여러 차례 수상했습니다. 혁신이 계속되기 위해서는 인재가 육성돼야 됩니다. 특별히 우수한 인재도 교육돼야 되고 또 보통사람들의 직업 능력도 지속적으로 향상시켜야 합니다. 우리의 기술 수준이 높으면 시장이 넓어지는 것입니다. 그러나 또한 여러 가지 무역상의 장벽도 없애줘야 합니다. 그래야 시장이 넓어질 수 있습니다. 그래서 한국은 그동안 꾸준히 개방을 해 왔습니다.

그 이전까지는 개방하지 않고는 세계 경제 속에서 낙오될 수밖에 없기 때문에 국내 경제에 있어서 많은 희생을 무릅쓰고 개방을 해왔습니다. 보기에 따라서는 떠밀려서 개방해 왔다고 말할 수 있습니다. 그러나 2006년 초에 우리가 한, 미 자유무역협정 협상 개시를 선언했습니다. 그리고 2007년에 와서 한, 미 자유무역협정을 체결했습니다. 이제 비준을 남겨놓고 있습니다. 한, 미 FTA가 왜 중요하냐면 그것은 이제 우리가 떠밀리는 개방이 아니라 한국 경제가 스스로 자신감을 가지고 능동적으로 개방을 하기 시작했다는 것입니다. 앞으로 한국 경제는 자신감을 가지고 계속 개방을 해 나갈 것입니다. 그것은 한국경제의 시장이 넓어진다는 것을 의미합니다. 그만큼 경쟁도 더 치열해질 것입니다. 우리 국민들은 능히 치열해지는 경쟁을 충분히 감당해 나가고 앞서 나갈 것입니다. 앞으로 EU와의 FTA도 체결될 것입니다. 목표는 금년 연말까지 체결하는 것입니다. 지금 좀 지체되고 있지만, 큰 장애는 없을 것으로 저는 보고 있습니다.

우리 경제에 항상 부담이 됐던 것이 안보문제입니다. 평화가 없는 곳에서 우리 경제가 잘 될 수가 없는 것이지요. 불행하게도 제가 대통령이 되는 그 시점에 북핵문제가 붉어져서 남북관계가 경색되고 아울러 북미관계도 긴장이 고조돼서 한국 경제에 상당히 부담을 지웠습니다. 이제 안정단계로 들어섰습니다. 특별한 사정이 없는 한 북핵문제는 풀릴 것이고, 남북 간의 경제 협력은 순풍에 돛을 단 상태로 잘 진행될 것입니다. 여러분께 꼭 강조드리고 싶은 말씀이 있습니다. 외국의 경제 신문을 보면, 또 외국의 어떤 신용평가기관의 말을 들으면 한국은 통일비용이 상당히 많은 부담이 될 것이다, 그래서 앞으로 한국 경제는 통일비용 문제가 큰 부담이다, 이렇게 말하고 있습니다. 국내에 있는 많은 사람들도 같은 얘기를 하고 있습니다. 제가 분명히 말씀드리고 싶은 것은, 그것은 사실과 좀 다르다, 우리 한반도에는 통일비용이 없다, 이렇게 말씀드리고 싶습니다. 모두가 함께 박수를 치지 않는 것을 보니까 모두 다 동의하시지는 않는 것 같습니다. 부득이 제가 설명을 좀 드리겠습니다. 통일비용이라는 개념은 독일 통일을 보고 만들어진 것입니다. 독일이 통일하는 것을 보니까 통일비용이 들더라는 것이지요. 독일하고 우리하고 통일의 과정이 같을 것이라고 보십니까, 같지 않을 것입니다.

그런데 1990년대 초반에 핵문제가 붉어지고 1990년대 중반에 북한이 경제적으로 굉장히 어려운 상태로 몰렸습니다. 동구권이 붕괴되면서 세계경제로부터 고립됐으니까 당연한 결과입니다. 북한의 경제가 아주 곤경에 처하게 되니까 뭔가 국제정세를 안다하는 사람들은 북한이 붕괴할 것이라고 봤습니다. 그래서 많은 사람들이 북한의 붕괴를 믿게 되었고, 그것을 전제로 해서 북핵 협상도 하고, 통일비용에 관한 얘기도 하고, 우리 한국정부도 통일비용에 대비해서 재정 건전성을 유지해야 된다고 해서 국가채무를 부담하지 않으려고 재정을 굉장히 긴축적으로 운영해 왔습니다. 북한의 붕괴를 어떤 사람들은 희망하고 어떤 사람들은 우려합니다만, 우려이든 희망이든 간에 그것은 현실성이 없다고 보는 것이 오늘날의 대세입니다.

붕괴하지 않으면 독일식 통일은 없는 것입니다. 억지로 붕괴시키려면 전쟁이 되는 것이지요. 그것은 다 반대하지 않습니까, 합의해서 두 개의 정부를 하나로 합치는 것은 아직 세계 역사상에 한 번도 없었던 일입니다. 그래서 그것이 이루어지려면 수십년의 장구한 세월이 필요할 것입니다. 경우에 따라서는 수십년의 장구한 세월이 흐르더라도 우리가 거기에 대한 정성이 부족하고, 전략이 부족하고, 마음이 비좁으면 이루어지지 않을 수도 있습니다. 저는 남북 간의 관계 개선속도가 EU를 하고 있는 인접 국가들 사이에 관계개선과 통합의 속도보다 더 느리게 진행될 가능성이 대단히 높다고 봅니다. 그렇다고 해서 제가 통일을 포기한다거나 통일을 반대한다는 말씀을 드리는 것은 아닙니다. 통일은 절대로 포기할 수 없는 일이지만 그것을 이루는 과정에 있어서 현실적으로 존재하는 장애에 대해서 냉정하게 볼 수 있어야 합니다. 그래야 우리가 거기에 맞는 통일 전략을 세우고 실천해 갈 수 있는 것입니다. 통일론에 대해서는 추후에 더 연구를 하기로 하고, 제가 여러분께 꼭 드리고 싶은 말씀은 통일비용이라는 개념을 이제 지워달라는 것입니다. 우리 머릿속에 통일비용이라는 말이 있으니까 외국에 경제전문가들이 통일비용을 얘기하고, 통일비용을 얘기하는 만큼 우리 경제의 위험 요소가 높게 평가되고, 우리 경제가 낮게 평가되는 것 아니겠습니까, 그만큼 우리가 손해 보는 것 아니겠습니까, 그래서 저는 이제 통일비용이라는 말을 하지 말자. 누가 얘기하면 그것은 사실이 아니라고 깨우쳐줘야 한다, 이렇게 생각합니다.

거꾸로 북녘 땅은 이제 우리에게 하나의 새로운 기회가 될 것입니다. 남북 간의 갈등관계가 해소되고, 신뢰가 생기고, 서로 활발하게 교류하는 데 있어 모든 장애가 없어지게 되면, 여러분 그 시장에 좀 투자하고 싶지 않으십니까, 앞으로 20년, 30년간 크고 작은 많은 투자의 기회가 우리 앞에 열려 있다고 생각하지 않으십니까, 여러분이 그렇게 생각하고 계신다면 아마 우리 국민, 우리 한국에서 경제하고 있는 분들도 마찬가지로 그렇게 생각할 것입니다. 북한을 이제 위험의 땅이 아니라 기회의 땅으로 보아야 합니다. 그래서 북한에 투자하는 것을 놓고 퍼주기라는 얘기는 이제 그만하자, 결코 밑지는 장사가 아니다, 그 말씀을 강조드리고 싶습니다. 설사 밑지는 장사이면 북한을 그대로 두어야 합니까, 그럴 수는 없습니다. 이웃에 아주 가난한 나라, 가난한 국민이 산다는 것은 그 자체가 안보의 위험요인입니다. 그래서 설사 수지가 맞지 않더라도 우리는 평화를 위해서 우리의 안전을 위해서 투자해야 합니다.

다행히, 하기에 따라서는 그것은 우리가 일방적으로 비용을 지출하는 것이 아니라, 특히 통일 비용을 지출하는 것이 아니라, 투자라는 방법을 통해서 우리 경제에 새로운 기회를 만들어 낼 수 있을 것이다, 저는 그렇게 생각합니다. 물론 시간은 좀 걸릴 것입니다. 1997년에 김대중 대통령께서 당선되셨을 때 제가 우리 국민들이 통일에 이르는 과정을 좀 더 우호적으로 받아들이게 하기 위해서 북방경제라는 개념을 한번 제안해 보자고 말씀드린 적이 있었습니다. 결국 제 제안은 아무 반향을 일으키지 못했습니다. 왜냐 하면 우리 국민들 가슴에 그것을 받아들일 만한 빈 공간이 없었기 때문입니다. 2003년 2월 제가 취임사를 할 때 다시 북방경제를 얘기했습니다만 아직도 그것은 공허한 메아리로 남아있을 뿐 현실로 실행되지 않았습니다.

그러나 그동안에 분명히 달라진 것이 있다면 개성공단의 성공입니다. 개성공단에서 적자본 기업이 많다, 이런 주장을 하는 사람들이 있습니다만, 어제 그제 들어가서 당장 흑자 보기는 쉽지 않은 것입니다. 지금 적자 타령하는 사람들은 잘 몰라서 그렇게 얘기하는 것 같고, 알고도 배가 아파서 그렇게 얘기하는 것이겠지요.

적어도 개성공단에 투자하는 26개 기업 중에서 10개 넘는 기업이 지금 재투자나 투자 확장을 계획하고 있고, 또 실행하고 있습니다. 그 안에서 안 돼서 보따리 싸겠다고 하는 기업은 아직 나오지 않고 있습니다. 성공하고 있는 사람들은 큰 성공을 기대하고 또 자신만만하게 얘기하고 있습니다. 1단계 시범사업 하고 남은 본단지 분양에 약 250개 기업이 지금 선정됐습니다. 3대 1의 경쟁을 거쳤습니다. 제가 북녘 문제를 장황하게 말씀드린 것은 우리 경제가 안 그래도 전망이 밝은데, 북측 요소가 우리 경제에 부담이 아니라 새로운 희망의 요소라는 것을 강조하고 싶었기 때문입니다. 우리 경제에 대한 여러분의 자신감을 좀 더 크게 가지시라고 드린 말씀입니다. 여러분 저녁식사 하실 시간을 아마 조금 뺏었으리라고 생각됩니다만 우리에게 밝은 미래가 있고, 아직 개척되지 않은 더 넓은 시장이 있다는 얘기를 들었으니까 오늘 저녁 맛이 조금 더 좋으

시지 않겠습니까,

한 가지 더 말씀드리겠습니다. 제가 세계 어느 나라에 가서도 한국 사람 때문에 '아주 골치 아프다' 이런 불평을 들은 일이 없습니다. 어느 나라에 가서나 한국 사람은 아주 부지런하고 열심이어서 그 나라 국민들로부터 환영을 받고 있다, 정부도 대환영이라는 말을 들었습니다. 한국 아이들도 학교에 가면 공부를 그렇게 잘 한대요. 학업 성적이 대단히 높다. 그래서 한국 사람은 이민을 많이 오면 좋겠다는 얘기를 들었습니다. 그것도 대강 사는 나라에서 들은 얘기가 아니고 독일에서 들은 얘기입니다. 독일같이 우리보다 훨씬 더 발전해 있다고 하는 나라에서도 우리 한국 국민에 대해서 그만한 존경심을 가지고 있는 것을 보고 상당히 놀랐습니다. 여러분들이 고국을 떠나서 열심히 그리고 정직하고 성실하게 노력해 주신 결과라고 생각합니다. 그 점에 대해서 오늘 이 자리에서 다시 한 번 감사의 인사를 드리고 싶습니다. 여러분 저녁 맛있게 드시고, 한국에 계시는 동안 즐겁고 소득도 있는 유익한 시간 보내시기 바랍니다.

감사합니다.

11월

민주평통자문회의 상임위원회 연설

2007년 11월 1일

감사합니다. 제가 여러 사람 앞에 자주 서는 사람이라서 그냥 덤덤할 줄 알았는데 저도 오늘 좀 떨립니다. 아마 여러분께서 하도 엄숙하게 이 자리를 대하고 계셔서 그런 것 같습니다. 좀 편안하게 하십시다. 저도 좀 풀겠습니다. 말씀드리기 전에 먼저 감사인사부터 드리겠습니다. 북한이 아주 심한 수해를 당했을 때 여러분들이 모금을 해가지고 도움을 주신 것에 대해서 감사하게 생각합니다.

참 민감한 시기였습니다. 그 이전 다른 시기에 그런 일이 있었으면 제가 국무회의를 즉시 열어서 좀 강력하게 북한의 수재를 돕자고 말을 했을 것입니다. 물론 이번에도 말을 하긴 했습니다만 조심조심 얘기할 수밖에 없었습니다. 그래서 전 국민이 함께 대북지원 동참하자는 말을 그렇게 강력하게 하지 못했습니다. 정상회담을 약속해 놓고 있으니까 너무 강력하게 해 놓으면 정상회담 그거 무사하게 성사시키려고 뭐 좀 주자고 하나 보다, 이런 식의 해석이 나올 것 같아서 조심스러웠습니다. 그런데 많은 국민들이 스스로 알아서 모금하고 또 북쪽에 대해서 많은 지원을 해주셨습니다. 이번에 갔더니 김정일 위원장이 이 문제에 대해서 각별히 감사하다는 인사를 제게 했습니다. 정부 차원의 지원에 대해서도 감사를 표시했고, 국민 여러분께서 이렇게 모금해서 도와주신 데 대해서도 감사인사를 했습니다. 형식적으로 그냥 하는 딱딱한 의례적인 말이 아니고 아주 자연스럽게 얘기하는 가운데 '역시 다르다' 이런 말을 했습니다. '역시 남하고는 다르다' 이런 얘기를 자연스럽게 하는 것으로 봐서 진심으로 고마워하는 것 같았습니다.

두 번째는, 북쪽으로 가는 날이었습니다. 보통은 좋은 날이니까 많은 분들이 나와서 환송해 주면 좋겠지요. 그런데 가서 어떤 성과가 있을지 모르겠고, 올 때 빈손으로 내려오는 초라한 모습을 아울러 상상하면서 가지 않을 수 없었기 때문에, 가는 걸음에 누가 나와서 분위기 있게 환송 좀 해달라고 부탁을 할 수가 없었습니다. 그래서 '정말 조용히 갔다 오자. 가서 일이 잘되는 것이 좋은 거지 환송 잘 받는다고 일이 잘 되냐.' 그렇게 참모들하고 얘기를 하고 저도 마음으로 그렇게 자꾸 자세를 낮췄습니다.

근데 막상 출발할 때 광화문에서도 그랬고 휴전선 넘어가기 직전에 통일각 앞쪽에서 우리 평통자문위원들이 많이 나와 주셨습니다. 직접 나오신 분들도 있고 리본만 보낸 분들도 있고 해서 많은 리본이 달려 있었습니다. 저는 그 순간 매우 감격스러웠습니다. 우선 외롭지 않아서 좋았고, 두 번째는 그냥 형식으로 나온 것이 아니고 한 분 한 분 마음을 이렇게 정성스럽게 글로 써서 이렇게 달아놓으니깐 전해 오는 느낌이 아주 좀 진했습니다. 체면도 좀 섰지요. TV 기자들이 다 따라가는데, 아무도 안 나오고 썰렁하게 저 혼자 넘어갔으면 어쩔 뻔했습니까, 그런 점에서 고마운 마음으로 넘어갔습니다.

넘어갈 때 기분이 어땠냐 하는 질문을 우리 박준철 협의회장이 주셨습니다만, 하도 머릿속이 복잡해 가지고 넘어간다고 계획 짜고 하는 동안에 이미 다 감동해 버리고, 그 순간에는 머리가 복잡해 가지고 아무 생각이 없었습니다. 이게 전 세계로 방영된다는 사실을 거기 가서 알았거든요. 가는 길에 오늘 넘어가는 장면이 전 세계로 생중계가 될 거라고 그렇게 얘기를 해서 바싹 긴장을 했습니다. 과연 이제 넘어가는 그 순간의 역사적 의미보다 더 큰 것은 이게 화면에 어떻게 나올 지, 어떤 표정을 지어야 되는지가 심각한 문제였습니다. 그래서 그때는 잘 몰랐습니다. 그런데 이제 갔다 와서 두고두고 그 순간이 제게 그 순간이 있었다는 것이 참 행운이었다, 하느님께 감사드리는 마음으로 그 순간을 돌이켜 보고 있습니다. 많은 대통령이 있겠지만 그 순간이 저한테 허락됐다는 것이 저로서는 무척 영광스럽고 감사합니다.

아마 그 자리에서 그 말을 했던 것 같은데요, 솔직히 이런 맘이 있었습니다. '나만 넘어가면 뭐하나, 우리 국민들이 다 마음대로 넘어갈 수 있어야지.' 그게 제일 큰 아쉬움이었습니다. 정치하는 사람은 상징적인 행위를 하기 때문에 제가 걸어갔지만, 앞으로 그 길을 기차 타고 또 자동차 타고 많은 국민들이 넘어가고 또 넘어오고 하지 않겠습니까, 그렇게 하다가 나중에는 거기 무슨 경계가 있는 것을 우리가 의식하지 못하게 될 때, 잊어버리고 들락날락 할 때 그때는 법적으로는 통일이 안 됐다 할지라도 우리 국민들 마음에는 얼추 통일되는 것 아니겠습니까, 정상회담을 하고 와서 제가 사진에 많이 나오니까 지지도도 한 10%나 올라갔습니다. 제가 우리 참모들에게 항상 하는 얘기가 지지도에 신경 쓰지 마라, 지지도에 신경 쓰기 시작하면 이것저것 재느라고 아무 일도 할 수가 없다고 얘기합니다. 중요한 일일수록 시끄러운데, 시끄러운 일이 지지도가 올라갈 일이 없습니다. 그래서 항상 깎입니다. 제가 생각하기로 중요하다고 생각했던 일 치고 시끄럽지 않았던 일이 없는 것 같습니다. 그래서 지지도 신경 쓰지 말고, 시끄러운 것 신경 쓰지 말고 할 일은 뚜벅뚜벅 해야 된다, 눈치보고 자꾸 미루다 보면 언제 우리가 할일을 할 수 있겠느냐 그렇게 해 왔습니다. 그렇기는 하지만 막상 그 일 하고 난 뒤에 지지도 올라가면 기분이 좋습니다.

기분만 좋은 것이 아니고 사실은 국민들이 이제 대통령을 좀 해줘야 됩니다. 저는 100일 남짓이 남았습니다만 다음 대통령이 누가 되거나 간에 어지간하면, 역사를 되돌리는 일이 아니고 국민들 곤경에 빠뜨리는 일이 아니면 좀 마음에 안 들어도 지지를 좀 해줘야 합니다. 일을 해보면 지지도 좀 있을 때는 하는 일이 잘됩니다. 뭘 내놓으면 당에서도 괄시를 별로 안 하고 국회에서도 어지간하면 가로막지 않고 언론도 대강 두드리고 해서 결론이 잘 나는데, 지지도 땅에 떨어져 있을 때 제가 어떤 의제를 내놓으면 우선 여당이라고 하는 사람들부터 눈치보고 자꾸만 딴전부립니다. 안 하려고 합니다. 또 누가 앞장서서 말하고 나서서 책임지고 국회에서 그 역할을 해 줄 사람이 없습니다. 이리저리 빠집니다.

또 혹시 시비가 생길 만한 일이면 자꾸 깎자고 하지요. 그 정책이 다 나름대로 이목구비를 갖추고 있는데 코 하나 떼자, 이빨 하나 뽑자, 이렇게 이것저것 떼니까 정책이 실효성이 없게 되지요. 그래서 부동산 정책 같은 것이 크게 봐서 8번, 잘게 썰어서 보면 말하자면 열 몇 번을 하게 된 것 아닙니까, 이게 가다가 깎이고 깎이고 해서 효과가 안 나니까 다시 하고 다시 하고 이렇게 되는 것이지요. 마치 자신 없는 의사가 항생제를 놓을 때 처음부터 상당히 함량이 높은 것을 한방에 그냥 500mg 딱 놔야 되는데, 자신이 없으니까 그냥 250mg 주사 놔 보고, 안 낫거든요. 안 나으니까 그 다음에 300mg짜리 하나 놓고 그 다음에 400mg짜리 놓는 것처럼 정책이 그렇게 됐어요. 잘 계산해보고, 아, 이것 역사를 되돌리는 것이다, 이거 하면 우리 국민이 굉장히 큰 곤경에 빠지겠다, 이런 경우 아니면 좀 지지를 해주시기 바랍니다.

한·미 FTA는 서명하기 전까지는 반대가 더 많더니, 서명하고 나니까 찬성이 훨씬 많아지는 것 있지요. 가끔 가다가 그렇게 횡재를 하는 수가 있습니다. 결국 정치인은 굉장히 하나하나 신중하게 짚어가면서 그렇게 해야 되는 것이지만, 확실하다고 검증이 끝난 것은 소신 가지고 좀 밀어붙여야 됩니다. 그렇게 하지 않으면 되는 일이 없습니다. 이게 이제 남북정상회담하고 좀 관계가 있거든요. 그래서 뜸 들이는 얘기를 많이 했습니다. 할 거냐 말 거냐 이게 문제가 됐었죠. 정상회담 하지 말라고 하는 사람도 많이 있었습니다. 할 거냐 말 거냐 이 고민에는 두 가지 고민이 들어있습니다. 북쪽하고 정상회담이라는 것 자체를 해야 되는 것이냐

안 해야 되는 것이냐 하는 근본적인 질문이 하나 있고, 하나는 하긴 해야겠지만 다음 정부에 넘겨라, 그런 의문이 하나 제기되었습니다. 하지 말아라 하는 사람들이 꽤 많이 있었습니다. 그 분들한테 우선 첫 번째 질문에 대해서 말씀 드리죠. 안 할 수 있느냐는 것이죠. 남북 간에 어차피 협상을 하고 회담을 하면 정상회담까지 가는 것이 옳습니다. 제가 53회 정상회담을 했다고 조금 전에 화면에 나왔는데요, 우리 장관들 보내면 되지, 대통령이 왜 갑니까, 장관이 가서 풀리는 것이 있고, 대통령이 가야 풀리는 것이 있습니다. 장관이 가서 합의한 것하고 대통령이 가서 약속한 것하고는 그 이행의 속도가 다릅니다. 그러니까 어려운 문제를 풀고 속도를 빨리 가게 하려면 정상이 만나야 합니다. 꼭 못 만날 사정이 있으면 모르지만, 기왕에 서로 협의하려면 정상이 만나는 것이 좋습니다. 더욱이 남북관계처럼 잘 안 풀리고 막혀있는 곳은 그렇게 해서 정상이 만나면 많은 것이 풀립니다. 이치입니다.

그리고 무슨 회담이든 간에 지금 이 마당에 남북간에 서로 얼굴 맞대고 좋은 얼굴로 웃으면서 계속 교류하고 협력하는 것이 필요하냐 하는 근본적인 의문이 제기됐습니다. 그런데 그 문제에 대해선 의문의 여지가 없습니다. 언제까지 우리가 총부리를 맞대고 미사일을 마주 겨냥해 놓고 살아야 합니까, 그것이 우리에게 도움이 됩니까, 세계에서 가장 중무장한 국경이 우리 한반도 휴전선 아닙니까, 세계 어디 가도 이렇게 중무장해 가지고 서로 대치한 곳이 없습니다. 그렇지만 지난 수십 년 동안 막상 싸움은 벌어지지 않았지 않냐, 그렇게 말할 수도 있지만, 우리는 이 분단 때문에 엄청난 손해를 보고 있습니다. 가까이 보면 경제적으로도 불안하죠. 국제적으로도 아무래도 신뢰도가 낮지요. 국내적으로 봐도 분단 때문에 감옥 안 가도 될 사람들이 국가보안법으로 감옥 가고 많은 사람들이 그렇게 해서 죽었습니다. 사형까지 당했지 않습니까, 정말 그 중에서 진짜 죽어야 될 사람 죽은 사람이 몇 명이겠습니까,

만일에 분단선이 없었더라면 죽어야 될 사람이라는 그런 존재 자체가 없는 것이죠. 얼마나 많은 사람들이 전쟁 이후에 헤어져 가지고 지금도 간절히 부모 형제 친척 얼굴 한번 보고 싶어서 그렇게 목을 매달지 않습니까, 남북간에 상봉한다고 하면, 가족 상봉한다고 하면 신청서 내놓고 자기 차례를 기다리고 죽을 날과 자기 만날 차례가 돌아갈 날을 비교하면서 다 애를 태우고 살고 있지 않습니까, 이미 다 아는 얘기지만, 이 문제 만나지 않고 풀 수 있습니까, 그리고 그런 것 그렇다 치고 북쪽이 계속 저렇게 가난하게 살면 그것이 우리의 안정과 번영에 도움이 되겠습니까, 가난하게 사는 나라는 항상 그 자체에서 많은 문제가 발생하게 되어 있습니다. 그리고 가난하면 국민에게 불평이 많이 쌓이고, 불평이 많이 쌓이면 그것을 무마하기 위해서 대외적으로 강경정책을 펴기 일쑤입니다. 그것은 이미 우리 역사에서 경험한 일이지 않습니까, 전 세계 역사에서 많은 경우에 국내에 불만 있으면 바깥으로 총구를 돌리죠. 그러니까 북한이 평화롭고 안정되고 그리고 풍요로워져야 됩니다. 넉넉해지지 않으면 한반도는 계속해서 불안할 수밖에 없는 것이죠. 그래서 이 문제는 반드시 풀어야 되는 일입니다. 제가 이렇게 설명하는 것도 구구한 일입니다. 다 알고 있는 얘기지요.

노태우 대통령이 남북 정상 간에 만날 수 있었다면 마다했겠습니

까, 북방외교를 열심히 했습니다. 그것을 통해서 남북기본합의까지 이렇게 만들어 냈습니다. 북방외교에서 성공하기 위해서 말하자면 소련과 국교를 트기 위해서 대개 30억 달러를 그 당시에 빌려 주었지요. 인과관계가 있다고 생각한 것이죠. 안 그러면 빌려줄 일이 특별하게 있는 것 아닌데 빌려줬습니다. 30억 달러, 다 소련하고 수교하기 위해서라고 봐야죠. 그렇게 해서라도 우선 소련하고 관계를 풀고 그다음에 남북관계를 풀어나가자는 그런 뜻 아니었겠습니까, 그래서 북쪽에서 만나자고 했으면 만났을 것입니다. 만나지는 못했지만 남북기본합의가 채택되었고 거기에 후속되는 회담을 아마 80번 정도 했을 것입니다. 1년도 안 되는 시기 동안에 회담을 80번 한 것입니다. 정말 그때는 남북간에 새로운 일이 벌어지는가, 우리 모두 기대했습니다. 그것 보면 6공 정부도 정상회담을 마다한 정부가 아니라고 볼 수 있지요. 그 다음에 문민정부 김영삼 대통령도 만나기로 했다가 그만 김일성 주석이 사망하는 바람에 무산됐지요. 그 다음에 김대중 대통령은 만났지요. 어느 정부라도 정상회담 마다한 정부는 없습니다. 그것 보면 만나야 되는 것이 맞지요. 다음으로 미루면 어떠냐는 얘기를 많이 했습니다. 저는 지난 5년 동안 한 번도 김정일 위원장과 만날 일은 없지만 사실상 간접대화를 해 온 것 아니겠습니까, 핵문제가 맨 먼저 불거졌을 때 미국에서 소위 무력공격을 해야 된다는 논의들이 막 나오고 그랬습니다. 그때 제가 무력공격은 안 된다, 핵문제는 중요한 문제이지만 그것은 반드시 대화로 풀어야 된다, 평화적으로 해결해야 된다, 이런 등등의 이야기를 했습니다. 그때부터 꾸준히 북쪽과 미국과의 관계를 중재해 왔다고 그렇게 말할 수 있습니다.

그 다음에 북한에 대해서 해야 될 지원을 꾸준히 했었지요. 실제로 남북 간에 오고간 사람의 숫자도 10배 이상 늘었고요, 그 다음에 물자도 많이 오고 가고, 또 지원도 많이 하고, 그 사이에 6자회담 북핵문제를 놓고 6자회담을 하면서 서로 많은 협의를 하고 또 협력을 했습니다. 그러는 동안에 간접대화가 축적되어 있었던 것이죠. 그 사이에 그래도 좀 말이 통하겠구나 해서 정상회담을 제의해 온 것입니다.

첫 번째 정상회담에 관한 합의가 2005년 9월 달에 정동영 통일부 장관이 북한에 특사로 갔을 때 이루어졌습니다. 김정일 위원장이 만나서 적당한 기회에 정상회담을 하자고 했는데 BDA 문제 때문에 깨졌습니다. 9·19 선언이 이행이 무산되면서 깨져버렸죠. 그리고 이번에 6자회담이 다시 진전되면서, 말하자면 2·13합의로써 9·19 선언이 되살아남으로써 정상회담이 이루어진 것입니다. 서로 간접대화를 해왔던 사람끼리 뭔가 정리를 좀 해놓고 넘겨줘야지 아무 것도 안 하고 그대로 넘겨주는 것이 남북관계 발전에 도움이 되겠습니까, 이번에 합의된 내용이 그동안 준비해 왔던 것인데, 준비해 왔던 것을 기본 틀이라도 잡아놓고 다음 정부에 넘겨주면 다음 정부가 일하기가 훨씬 쉽지 않겠습니까, 다음 정부가 새롭게 정상회담을 추진하려면 그 사이에 또 많은 사전대화가 필요한 것이죠. 간접대화가 많이 있어야 됩니다. 어느 정도 신뢰가 쌓이고 만나면 우리가 어떤 얘기를 하게 될 것이라는 것에 대해서 대강 짐작이라도 있어야 만나질 것 아니겠습니까, 그러면 아마 1년 정도는 늦어 질 것입니다. 1년이 아무 것도 아닌 것 같지만 개성공단에 가 있는 사람들의 마음속에는 그 1년이 속이 타는 것입니다. 북핵문제만 없었으면 우리가 개성공단 1단계를 한꺼번에 다 해버렸을 것입니다. 그런데 북핵 문제가 걸려있고, 우리가 개성공단에 어떤 물자를 보낼 때도 중요한 전략물자에 속하는 것은 미국하고 협의를 하지 않으면 안 되게 되어있고, 이런 여러 가지 사정들이 있어서 한꺼번에 다 밀고 갈 수가 없었습니다. 언제 또 무슨 일이 벌어질지 모르는데 너무 많은 물자와 사람을 거기에 보내놓고 뒷감당은 어찌할까, 또는 북핵문제 협상에 있어서도 우리가 발을 너무 깊이 빠트려 놓으면 협상력이 떨어지지 않을까, 이런 너무 많은 망설임 때문에 사실은 개성공단에 1단계 본격적인 입주가 한 1년 정도 지체됐다고 봐야 할 것입니다. 지금 26개 업체가 시범사업 하러 들어가서 남북 노동자가 2만 명 정도가 지금 같이 일하고 있습니다. 얼마 전까지는 1만 8천명이었습니다. 제가 북한 다녀올 때만 해도 1만 8천명이었는데 이제 2만 명 정도 됐습니다. 지금 그 뒤에 입주신청하고 있는 게 250개 기업이고 그게 다 됐을 때 숫자가 아마 10만 명 정도 되게 될 것입니다.

지체하면 지체하는 그만큼 안 좋은 것입니다. 우리 중소기업들의 빨리 하라는 성화가 빗발칩니다. 왜냐하면 우리 중소기업들이 해외로 나가는 것보다는 개성공단 가는 것이 훨씬 더 유리하다고 보기 때문이죠. 이번에 개성공단 1차분 입주하는 데 경쟁률이 2.3 대 1이었습니다. 심사 봐가지고 들어가는 것이죠, 그래서 시간을 굳이 지체할 것 없이 다녀오기로 했던 것입니다. 앞서 말씀드렸듯이 어느 정부도 정상회담은 마다하지 않는 것입니다. 말하자면 남북 간의 교류와 협력은 어느 정부도 거역할 수 없는 일이라는 것이죠. 그래서 다녀왔습니다. 그래서 제가 다녀오는 것이 좋다 싶어 다녀왔습니다.

이런 점도 하나 있었습니다. 다음 정부에 미루면 시간이 늦어진다는 것 말고도 좀 불안이 있기는 있었습니다. 어느 정부라도 어느 대통령이라도 남북정상회담을 마다할 수는 없습니다. 그런데 어느 정부가 하느냐에 따라서 남북정상회담이 순조롭게 굴러가는 경우도 있고 이런 저런 사고가 나서 안 가는 수도 있습니다. 잘못 가는 수도 있습니다. 1992년도에 6공 정부에서 했던 남북기본합의 그에 기초한 여러 가지 후속회담들은 굉장히 진보적인 것입니다. 지금보다 훨씬 더 진보적인 것입니다. 지금 여러 분야에서 얼마나 더 합의를 해도 그때 합의만큼 가기가 어려울 것입니다. 그래서 우리는 가급적이면 남북간에 대화를 할 때 1992년 남북간 기본합의에 기초해서 이렇게 얘기를 하면, 북쪽은 좀 잘 안 받아줄려고 합니다. 그만큼 많이 나가 있는 것이죠. 잘 가고 있었습니다. 그런데 그때 핵문제가 그때도 불거졌습니다. 1991년도부터 핵문제가 불거져서 비핵화 합의가 이루어지고 이렇게 가다가 다시 핵문제가 불거지고 나니까 우리 남쪽에서 팀스피리트 훈련 재개를 선언해버립니다. 그런데 그게 정부 내에서 잘 조율된 상태에서 한 것이냐, 아니면 정부의 일부 말하자면 기관에서 결정을 해버린 것인지는 정확하지 않습니다만, 그러나 어떻든 잘 조율되지는 않았다는 것이죠. 그래서 팀스피리트 훈련을 재개하는 결정을 하면서 남북관계가 본격적으로 틀어져버립니다.

그렇게 틀어져버렸고 그 뒤에 남북 간에 회담 하라고 보내놨더니 가서 회담은 안 하고 계속 시비를 붙고 싸움을 계속해 가지서 잘 안됐습니다. 안 그래도 남북 간에 만나면 북쪽이 공세적입니다. 대체로 봐서 우리 한국 사람들은 시장경제를 하니까 경제를 항상 우선에 두고 실용적입니다. 중국 사람들을 공산주의자라고 만나지도 못하게 하다가 어느 날 문 열어 놓으니까 중국을 빨갱이라고 안 만나는 사람 없고, 가서 장사 잘하고 어느 순식간에 중국 사람들과 친구가 돼서 지금 장사한다고 정신이 없지 않습니까, 우리가 말하자면 경제 지향적이고 실용지향적이라고 한다면 북쪽은 상당히 이념지향적입니다. 더구나 주체사상을 가지고 있지 않습니까, 자존심 관계에는 세계 최고라고 말하면 아마 맞을 것입니다. 그것이 옳은 것이든 옳지 않은 것이든 간에, 만나면 항상 근본 문제를 가지고 먼저 시비를 거는데 적당하게 부드럽게 응수해야 합니다. 정면대응하지 말고 실무적인 문제들만 풀어나가면 될 텐데, 그것 놓고 아마 입씨름을 했던 모양입니다. 옥신각신하다가 결국 '불바다' 얘기가 나와 가지고. 한때 남북 모두 난리가 났습니다. 그래서 누구라도 정상회담을 바라고, 누구라도 남북협상을 하지 않을 수 없지만 '누구나 잘할 수 있다.' 이건 조금 아닌 것 같습니다.

1993년도에 1차 북미 간에 핵문제가 합의가 이루어졌다가 이게 이행이 안 되고 1994년에 와서 제네바 합의가 이루어지는데, 그때 한국정부가 북미 간에 핵문제에 관한 합의를 하지 말라고 자꾸 비틉니다. 그래서 포괄적 해결이라고 얘기를 해놓으니까 한국정부가 그 포괄적 이것을 반대한다고 얘기해 버립니다. 그러고 나서 클린턴 대통령 만났는데 한국이 미국하고 관계에서 그렇게 큰소리칠 형편은 아니고, 포괄적 해결은 못 한다고 정면으로 클린턴 대통령을 면박을 줄 수도 없으니까, '광범위하고 철저한 해결'이라고 이름을 바꾸어가지고 합니다. 저는 지금도 모르겠습니다. 포괄적 해결은 안 되고 광범위하고 철저한 해결은 왜 되는 것인지 잘 모르겠습니다. 하여튼 그렇게 해 가지고 합의했습니다. 합의해 놓고 돌아오면서, 내가 클린턴 대통령을 설득을 해가지고 포괄적 해결을 광범위하고 철저한 해결로 완전히 바꾸었다고, 한국이 완전히 주도적으로 가서 협상하고 정상회담하고 왔다고, 그렇게 모양내고 그랬지 않습니까.

말하자면 북쪽과 미국이 협상하는데 반대를 하니까 그 협상테이블에 당연히 끼지를 못하죠. 당연히 참여를 못하게 되고, 직접은커녕 간접으로도 참여를 할 수 없게 된 것입니다. 직접 참여가 안 되더라도 미국하고 긴밀하게 협의하면서 협상이 제대로 이루어지게 해야 되는데 거기에 한번 참석도 못했습니다. 그래서 북미 간에 핵 협상이 타결되는 마당에 남북 간에 해결되어야 될 문제는 하나도 항목으로 집어넣지 못하고, 경수로 합의해가지고 오니까 경수로 비용은 우리가 70% 부담하기로 했지 않습니까. 부담 안 할 수 없는 것이거든요. 우리가 제일 답답한 나라니까 70% 부담하는 거는 당연한데, 그래도 가서 도장 찍는 데 가서 말 한마디라도 거들고 우리가 할 얘기라도 끼우고 해야 될 것 아니겠습니까.

9·19공동성명에서는 우선 남북 간에 비핵화 선언이 확인되어 있습니다. 남북한 비핵화 선언을 철저하게 이행한다는 합의가 있고, 그 다음에 핵만 해결하는 것이 아니라 한반도평화협정을 체결하기 위한 절차에 들어간다는 합의가 9·19성명에 들어 있습니다. 그뿐만이 아니고 동북아시아 다자안보협력체제를 만들기 위해 다자간 안보 대화를 연다, 그래서 동북아 안보 포럼을 창설할 것으로 그 합의서에 넣어놓고 있습

니다. 동북아시아의 안보포럼, 다자안보 협력체제라는 것은 우리 한국이 주장하는 것이지 다른 어느 나라도 주장한 일이 없습니다. 그것 안 하겠다고 하면 그 반대할 명분이 없어서 결국 6자회담에 넣게 된 것이죠. 나중에 가서 말씀드리겠습니다만, 우리 한반도로서는 동북아시아의 안보체제라는 것이 그야말로 남북관계만큼이나 중요한 것입니다. 그런데 9·19성명에 그것 다 넣었지 않습니까, 그래서 어느 정부라도 남북협상은 해야 하는 일이고 또 할 수 있는 일이지만, 좀 잘할 수 있는 정부도 있고, 가다가 이것 저것 빼먹고 빠뜨리고 사고내고 그래서 제대로 못 할 정부도 있다, 저는 그렇게 생각합니다. 조금 교만하다고 생각하실지 모르겠습니다만 제가 제 임기 중에 꼭 가서 해야 되겠다고 생각한 데에는 이 판단도 크게 작용했습니다.

퍼주기 퍼주기 하는데, 아마 남북관계에서 제일 큰 퍼주기는 경수로 지원 합의입니다. 그동안에 우리가 들인 돈이 1조 2000억 원 들었습니다. 한 방에 화끈하게 퍼주었죠. 근데 그렇게 말하면 안 된다는 것이죠. 퍼주기의 문제가 아니라 할 일은 해야 된다는 것입니다. 막힌 관계를 서로 뚫어나가려면 그런 과정이 필요한 것이죠. 독일 경우를 보면, 정확한 액수는 뭐 여러분이 더 잘 아실 것입니다만 우리가 지원하고 있는 금액보다 훨씬 많은 금액을 지원했습니다. 장기간 동안에 지원하고 도로도 닦아주고 그렇게 하면서 교류를 해왔습니다. 그 뒤에 흡수통일이 되고 난 뒤에는 매년 GDP의 5% 이상을 동독지역으로 지원했다는 그런 통계도 나와 있습니다.

그건 뭐 특수한 경우이고요. 갈라서 있을 때도 많은 지원을 하는 것이 도리입니다. 또 그렇게 해야 화해가 되는 것이죠. 지금 우리가 협력기금 내년도 예산이 1조 3000억 원 편성되어 있습니다. 금년도 예산은 1조 원에 못 미칩니다. 약 7천억 원인가 이랬었는데 우리 GDP가 800조 아닙니까, 800조인데 여기 1%이면 8조입니다. 0.1%이면 8000억이죠. 그런데 1조 3000억 편성했으니까 0.2%가 안 되는 것이죠.

유럽에서 EU국가 간에 전체 GDP의 약 1% 정도의 분담금을 냅니다. 그래서 그 중의 절반을 0.5%를 후진지역에 지원하는 비용으로 쓰고 있습니다. 지난번에 스페인 갔더니 스페인이 300억 달러를 그 전해에 지원받았다고 그렇게 얘기를 했습니다. 스페인같이 잘사는 나라가 EU의 지원을 받는 것이죠. 이것은 국가별 지원이 아니고 지역별 지원입니다. 어떻든 EU가 이웃나라를 돕는 데 0.5%를 쓰고 있다는 겁니다. 물론 후진국을 돕는 돈은 또 따로입니다. 후진국을 돕는 돈은 지금 세계적으로 0.7% 하자 하는데 그건 지금 지키는 나라가 몇 나라 안 됩니다만, 몇 나라는 0.7%를 넘기고 있고 우리 한국은 외국을 도와주는 데 아직 0.1%를 못쓰고 있습니다.

이처럼 EU국가 상호 간에도 GDP 0.5%를 추렴해서 지원하고 있는데, 우리는 지금 남북 간에 이것을 통해서 평화를 확보하고, 이것을 통해서 우리에게도 경제의 기회를 한 번 더 열자는 것인데도 내년도 예산이 아직 0.2%에 못 미칩니다. 그래도 퍼주기라도 말할 수 있습니까, EU 상호 간 지원의 절반도 안 되는 지원을 퍼준다고 얘기하는 것이야말로 한마디로 말해서 남북 간에 협력하지 말자는 얘기입니다. 그런데 그 퍼주기라는 주장에 대해서 여론조사를 해보면 국민들이 참 동의를 많이 합니다. 이건 우리 정부도 좀 더 홍보를 열심히 해야 될 문제라고 생각하지만, 우리 언론이 좀 더 홍보를 많이 해 줘야 될 일이라고 생각합니다. 근데 거꾸로 하고 있는 언론도 많이 있지요. 우리 자문위원 여러분들께서 이 점들을 국민 여러분들한테 좀 말씀해주시면 고맙겠습니다.

제가 갈 때 부탁을 하는 사람들이 많았습니다. 평통자문위원 여러분들도 저에게 제안서를 보내주셨습니다. 남북회담을 지지하는 분들이 제 손에 쥐어주신 제안서 중에 할 수 있는 거는 거의 다 했습니다. 총리회담 약속되어 있기 때문에 총리회담에서 할 만한 일은 뒤로 미루어 두고 중요한 일은 대개 다 했습니다. 그런데 정상회담을 반대하는 사람이 부탁한 것이 있습니다. 그 사람들 부탁은 첫째, 퍼주지 말라는 것입니다. 거기에 대해서 저는 별로 퍼 준 게 없다고 생각합니다. 만일에 퍼줬다고 생각하면 지금 시끄럽지 않겠습니까, 지금 퍼줬다고 별로 시끄럽게 안 하는 것 보니까 퍼준 것은 없는 것 같고요. 그러니까 아마 밀약을 했을 것이다, 뒷거래가 있을 것이다 그러는데, 임기가 얼마 안 남은 대통령하고 김정일 위원장이 무슨 뒷거래하겠습니까, 우리나라는 언론도 겁이 나고 검찰도 겁이 나서 뒷거래는 못 합니다. 그래서 뒷거래 없습니다.

그 다음 부탁은 다음 정부에 부담 줄 일 절대로 하지 말라는 것이었습니다. 그래서 그러겠다고 약속하고 갔습니다. 지금, 다음 정부에 부담될 일이 뭐 있는 것 같습니까, 예를 들면 개성공단 2단계, 하기 싫은 사람한테는 그것도 부담이겠죠. 해주공단 하고 싶지 않은 사람에게는 그것도 부담이겠죠. 그러나 그것이 해야 되는 일이라고 한다면 부담지운 것은 없고 일 덜어준 것만이 있지 않습니까, 어쨌든 간에 다음 정부가 해야 될 일을 많이 해결해 주고 온 것입니다. 우리가 한 것 중에서 돈 드는 것은 전부 기업적 투자방식으로 들어가게 되어 있습니다. 개성공단도 지금 그렇게 되어있는 것 아니겠습니까, 그러나 정부가 직접 지원해야 되는 것이 있습니다. 뭐냐 하면 개성공단 할 때도 거기 철로를 잇는 데 우리 정부가 철로를 잇는데 정부예산으로 했습니다. 도로 닦는 것도 정부예산으로 했지요. 우리 기업이 개성공단에 가서 사업을 하니까 당연히 해야 되는 것입니다. 지금 신의주까지 철로를 잇고 평양까지 도로를 보수하는 것이 있는데, 이것은 기업적 방식으로 하기는 어려울 것입니다. 그러나 기업적 방식이 아니고 정부가 정부 재정 지출로 하더라도 지금 남북 간의 물자 교류가 서해바다로 해서 저 남포까지 이렇게 빙빙 둘러 다니면 며칠씩 걸립니다. 그런데 도로가 확 트이면 물류가 훨씬 더 빨라지고 비용도 줄어들고 시간도 줄어듭니다. 약 4분의 1 정도로 줄어 들 것이라고 합니다. 그러면 우리 경제를 위해서도 그 도로는 닦는 것이 수지가 맞는 것 아니겠습니까, 철도는 경제적 타산을 맞추어서 할 것입니다.

그러나 북한의 경제가 아주 활성화되어있지 않기 때문에 당장 수지를 맞추기가 어렵습니다. 중국하고 3국간에 운송계약이 맺어지면서 운송에 관한 사업에 협력 합의가 이루어지면서 철도가 되는 것이 순리인데, 그때는 정부가 지원을 하게 될 것입니다. 국내에서도 철도에 대해서 정부가 많은 지원을 하고 있고요. 어떻든 장기적으로 봐서 투자가치가 충분히 있으니까 그것은 우리가 투자하고 아마 두고두고 또 수익을 회수하게 될 것입니다. 그래서 별로 퍼 준 것도 없고 부담 지운 것도 없고 제가 보기엔 아주 효율적으로 된 것 같습니다. 그 다음에 한 가지는, 가서 헌법 건드리지 말고 와라, NLL 문제 얘기지요. NLL 문제는 북쪽에서 강력하게 제기하고 있는 문제이기 때문에 굉장히 어려운 문제입니다. 북쪽의 말을 안 들어 주면 다른 일이 안 되게 되어 있죠, 그렇지 않습니까, 북쪽이 우리한테 요구한 게 뭐가 있습니까, 북쪽이 우리한테 요구한 것은 '성지 참배, 성역에 대한 참배를 제한하지 마라.' 이게 구체적 요구이고요. 그 다음에 남북 간에 협력을 가로막고 있는 제도적 제약, 법적 제약을 풀라는 것입니다. 국가보안법 풀라는 것이죠. 국가보안법, 저야 풀고 싶죠. 그러나 제 맘대로 되는 일이 아니죠. 국회가 안 된다고 했으니까 제 임기 동안에는 못 푸는 것이죠. 들어줄 수 있는 것이 한 개도 없습니다. 그 다음에 NLL 문제인데, 그 NLL에 대한 북측의 주장은 두 가지입니다. 먼저 우리하고 합의해서 그은 것 아니잖느냐는 것입니다. 다른 하나는 남북 간에 영토를 따질 일은 아니지만 국제적으로 공인되어 있는 영토선 획정, 영해선 획정, 방법에 따라 계산하면 안 맞지 않냐는 것입니다. 합의 안 한 건 사실이거든요. 그리고 영해선 획정 방법에 안 맞는 것도 사실입니다. 저는 법률가니까 좀 궁하게 생겼죠, 그것 들고 나오면 참 많이 궁합니다. 그렇다고 해서 '법적으로 합시다.' 하고 내 맘대로 자 대고 죽 긋고 내려오면, 제가 내려오기 전에 우리나라가 발칵 뒤집어질 것 아닙니까, 내려오지도 못합니다. 아마 판문점 어디에서 '좌파 친북 대통령 노무현은 돌아오지 말라, 북한에서 살아라.' 이렇게 플래카드 붙지 않겠습니까, 그러니까 NLL도 못 들어줍니다.

근데 NLL 건드리지 말라는 말은, 말은 정확합니다. 할 수 있는 일이든 못 할 수 있는 일이든 간에 말은 정확한 얘기입니다. 저로서는 대단히 갑갑한 일이죠. 그러나 말은 정확한 얘기인데, 헌법에 위배하는 합의 하지 마라는 것은 사실이 아니거든요. 설사 NLL에 관해서 어떤 변경 합의를 한다 할지라도, 이것은 헌법에 위배되는 것은 아닙니다. 왜냐하면 대한민국 헌법에는 북한 땅도 다 우리 영토로 되어있으니까요. NLL이 위로 올라가든 아래로 내려오든 그건 우리 영토하곤 아무 관계가 없는 거니까 헌법하곤 관계가 없는 것입니다. 어떻든 NLL 안 건드리고 왔습니다. 그러니까 북쪽이 달라고 하는 것은 하나도 주지도 않고 우리가 적어간 것만 4시간 동안, 그 시간 안에 넣을 수 있는 것은 다 넣어 가지고 한 보따리가 됐습니다. 지금까지 많은 정상회담을 했지만 사전에 의제에 관해서 합의하고 또 결론에 대해서 합의가 이루어져 있는 경우, 말하자면 사전에 조율해서 실무적으로 합의가 다 이루어져 있지 않은 경우에, 하루짜리 회담에서 이 많은 가짓수를 다 합의한 정상회담의 사례는 세계 역사상 없을 것입니다. 이게 외국하고 사이에는 있을 수 없는 일인데, 아무리 미우니 고우니 으르렁거리고 싸워도 문화가 똑같고, 생각하는 게 똑같고, 말이 똑같으니까, 쳐다보고 안 통할 이유가 없지요. 물론 조금 전에 얘기했듯이 안 통하는 게 있습니다. 한국은 왜 자주 안 하냐, 고 따지는 것처럼 말입니다.

또 하나 당부한 것이 핵문제는 꼭 해결하고 오라는 것입니다. 여러분 상식적으로 생각하면 핵문제는 지금 6자회담 코스에서 잘 가고 있고, 거기 한국이 참여하고 있지 않습니까, 되고 있는 것을 놓고 마치 도둑놈 취조하듯이 제가 가자마자 '여보쇼! 핵 어쩔거요,' 그렇게 따지면 그건 싸우러 가는 거지, 협상하러 가는 것이 아닙니다. 그런데 어떻든 한나라당이 가서 핵 얘기 꼭 하고 오라니까 가서 안 할 수 있겠습니까, 그냥 왔다가는 또 무슨 매를 맞을지 모르는데 말입니다. 그런데 다행히 김정일 위원장이 딱 준비해 놓고 기다립디다. 핵문제에 대해 제가 모두에서 얘기에서 아주 간결하게 얘기를 했는데, 다른 얘기에 대해선 별다른 얘기 없어도 핵문제 얘긴 딱 김계관 부상을 밖에 대기시켜 놓았다가 같이 보고받아 보겠느냐고 물었습니다. 저도 아직까지 그 보고 직접 못 받았으니까 들어 보자고 해서 오라고 얘기했는데, 김계관 부상이 우리 보도에 본 대로 사실대로 얘기했고, 여러분들한테 따로 전해드릴만한 얘기는 이 두 가지 얘기를 했습니다.

하나는 '두 분 정상회담 잘 하시라고 우리가 많이 양보를 했습니다.' 이렇게 얘기를 했습니다. 우리 정부가 정상회담과 6자회담이 상호 시너지효과를 가질 수 있도록, 선순환 구조가 될 수 있도록 하겠다고 말해 왔는데, 김계관 부상이 그 자리에서 그 말로 체면을 좀 살려준 것이죠. 정상회담 덕분에 6자회담이 좀 잘됐다 이런 체면을 살려준 것입니다.

또 하나는 '우리는 핵 안 가집니다. 김일성 장군의 유훈입니다.' 그것을 확인했습니다. 김정일 위원장이 그 자리에서 같은 말을 반복하지는 않았습니다마는 옆에서 그렇게 듣고 가만히 있었으면 그 얘기가 그 얘기죠, '김정일 위원장께서 김계관 부상이 하신 말씀을 한 번 더 반복해 주시죠,' 그렇게 하려니까 좀 그렇습디다. 근데 듣고 고개 끄덕이고 있으면 그게 확인 아니겠습니까,

이제 합의서에 우리 쪽에서는 한반도 비핵화 선언을 다시 확인하자고 하니까, 북쪽에서는 9·19성명에 다 들어있는 건데 9·19만 말하면

되지 않냐고 하면서 실무자 간에서 약간의 힘겨루기가 있었습니다. 제가 그걸 받아주라고 했습니다. 9·19, 2·13 있으면 다 가는 건데 뭐 그걸 가지고 옥신각신 하느냐고 했습니다. 그래서 '북핵 폐기의 맹세' 같은 걸 제가 따로 안 받아왔다고 꾸중을 들었습니다마는 이 합의문 안에 다 들어있습니다. 좋은 마음으로 보면 들어 있고, 시비하고 싶은 마음으로 들여다보면 안 들은 것 같기도 하고 그럴지 모르겠습니다만 그건 걱정 안 해도 될 것이라고 생각합니다. 제일 큰 성과가 뭐냐고 물으셨죠, 근데 제일 큰 성과는 서해평화협력지대의 설치입니다. 그곳에서 계속 분쟁이 일어납니다. 왜냐하면 합의 안 된 선이니까요. 그렇다고 해서 덜컹 'NLL을 다시 그읍시다.'라고 할 수 있는 형편이 아닙니다. 다시 긋는다고 우리나라에 뭐 큰일이 나고 당장 안보가 위태로워지는 것은 아니지만, 우리 국민들이 북쪽에 대한 정서가 아직 양보하는 것은 용납할 수 없는 정서를 가지고 있습니다. 제가 통일정책, 평화번영정책은 국민과 함께 한다고 약속을 했는데, 저 혼자만 가서 덜렁 합의를 해버리면 되겠습니까, 국민들이 받아들이기 어려운 것은 합의 못 하는 것이죠. 그렇다고 그냥 뒀을 경우, 언제 우리 군인들이 교전해서 북쪽이 죽거나 남쪽이 죽거나하는 그런 불상사가 발생하지 않는다고 장담할 수 없습니다. NLL 문제에 대해서 제가 '그것이 무슨 영토선이냐,' 라고 얘기를 했더니 목숨 걸고 지킨 우리의 방위선, 또는 영토선이라고 얘기합니다. 그 말이 일리가 있습니다. 목숨 걸고 지켰지요. 그것 때문에 목숨을 잃었으니까, 목숨 걸고 지킨 선이라고 말할 수 있습니다.

그러나 한편으로 보면 그 선 때문에 아까운 목숨을 잃은 것 아닙니까, 그 선이 합의가 되어있는 선이라면 목숨을 잃지 않아도 되는 거 아니겠습니까, 그래서 어떻든 거기에는 새로운 질서를 형성해야 됩니다. 다시 충돌이 발생하지 않도록 질서를 형성해야 하는데, 국민들한테 '여기에 다시 충돌이 없는 어떤 조치가 필요하겠지요.' 하면 박수 칠 것이고, 'NLL은 절대로 물리면 안 되겠지요.' 이러면 또 박수를 칠 것입니다. 국민들이 두 군데 다 박수를 치니까 우리는 아무 것도 못하는 것이죠. 여러분 같으면 어떻게 풀겠습니까, 평통자문위원이시니까 자문을 해 주시죠. 거기서 충돌은 다시 없도록 해야 되겠고, NLL은 절대로 건드리면 안 되는 이 두 가지의 조건을 충족하는 해법이 뭐지요,

그래서 군사적인 문제는 좀 묻어놓고, 경제적인 문제를 가지고 그 위에 새로운 질서를 한번 형성하자 해서 만들어진 것이 서해평화협력특별지대입니다. NLL 가지고 감정싸움 하지 말고, 해주 개발하고 개성공단, 인천 이렇게 엮어서 말하자면 세계경제를 향한 3각의 남북협력특별지대를 만들어서 여기에 세계의 기업도 유치하고, 우리 경제가 세계로 뻗어나갈 수 있는 어떤 근거지를 한번 만들자는 말입니다. 한강 하구에 모래가 15톤이나 쌓여있는데, 모래도 파서 좀 팔고 말입니다. 28억 달러 어치라고 하니까요 엄청난 돈이죠. 지금 중국배가 와서 다 잡아가는데 고기 잡는 것도 공동으로 구역 만들어서 어족자원도 좀 보호하고, 그렇게 상의를 해 보자 그렇게 해서 만들어진 것이 서해평화협력특별지대입니다. 거기에는 배도 좀 자유롭게 왔다 갔다 하고 그런 새로운 질서를 우리가 구축하면, NLL 건드리지 않고도 거기에서 충돌이 일어나지 않는 질서를 만들 수 있지 않겠습니까,

앞으로 그 안에서 우리가 새로운 질서를 형성해 가는 데 또 민감한 여러 가지 문제들이 있을 것입니다. 그 합의를 얼마만큼 잘했느냐 그것이 중요한데, 아무래도 상당히 많은 진통이 있을 것입니다. 확실히 이런 건 있습니다. 김정일 위원장을 만났을 때와 다른 사람을 만났을 때 어떤 문제가 풀리는 속도는 현저하게 다릅니다. 그건 김정일 위원장은 결단할 수 있는 위치에 있고 또 성격적으로 할 수 있는 사람입니다. 그래서 이 문제와 관련해서 그림까지 딱 넣고 합의 도장을 찍어버려야 하는데, 그 그림을 그리는데 조금 더 북쪽으로 밀어붙이자, 조금 더 남쪽으로 내려오자, 옥신각신하면서 실질적으로는 거의 아무런 이해관계가 없는 문제를 놓고 치수 가지고 괜히 어릴 때 땅 따먹기 할 때와 비슷한 싸움을 지금 하고 있는 것이지요. 그러나 사실은 그림을 대강 그릴 수 없습니다. 그게 지금 우리의 비극입니다. 대강 그려도 아무 문제없는데 어느 쪽도 대강 그릴 수 없는 그 심리적 상태, 이것이 우리의 비극이지요. 이것을 넘어서야 합니다.

대개 나머지는 이행하는 데 큰 어려움이 없을 것입니다. 대개 이행을 하면 되는데, 적어도 지금 우리가 이것을 이행해 가는 과정을 퍼주기라고 한다면 남북관계는 포기해야 됩니다. 옛날에 중앙일보가 'GDP 1%' 제안했는데, 민간투자 1%면 8조인데요, 정부는 1조 3,000억 해 놨습니다. 1%를 줄 방법이 없습니다. 북쪽이 준비가 안 되어 있으니까요. 우리가 지원을 하는 것도 북쪽이 받을 준비가 돼야 지원을 하는 것 아니겠습니까, 농업이든 보건의료든 뭐든 다 그렇습니다. 지금은 우리가 돈이 모자라서 못 주는 것이 아니고, 준비가 안 돼서 못 줍니다. 조금 전에 제가 말씀드린 GDP 0.2%도 아직 우리는 지금 편성 안 해놓고 있는 것입니다. 대개 우리 조세를 지방세까지 199조 징수하고 있는데, 우리 세금의 1%이면 2조입니다, 연간 2조씩 5년만 해버리면 100억 달러입니다. 우리 한국이 굉장한 능력을 가지고 있습니다. 그런데 아직까지 우리가 이걸 아무 준비도 못 하고 있는 것이죠. 그래서 퍼 준다는 얘기는 안하는 것이 맞습니다.

그 다음에 통일비용 얘기가 있습니다. 블룸버그 통신의 어떤 칼럼을 보니까 '한국은 막대한 통일비용을 물어야 될 것이다. 그게 한국경제의 가장 큰 걸림돌이다.' 한국 경제 실컷 칭찬해 놓고 끝에 가서 한 줄 달아놓는 바람에 그냥 분위기 확 깨버리는 것이지요. 한국 경제가 잘 간다고 칭찬 한참 해놓고는 찬물 끼얹어버리는 것이지요. 또 어느 신용평가 회사가 한국은 통일비용 때문에 신용등급을 더 올려줄 수가 없다 이렇게 얘기합니다. 우리나라에서도 통일비용이 몇 백조라고 뭐 천문학적인 숫자를 내놓는 사람이 있습니다. 몇 백 조가 된다는 둥 몇 천 조가 된다는 둥 그런 얘기를 하는데, 저는 그 통일비용은 다 사실과 다른 이야기다, 틀린 얘기다, 그렇게 여러분께 꼭 다짐하고 싶습니다. 통일비용이라는 말이 독일 통일하고 난 뒤에 들어가는 비용을 보고 우리가 통일비용이라는 말을 했습니다. 독일은 사실은 엄청난 비용을 물었습니다. 흡수통일을 했기 때문이지요. 흡수통일을 하면서도 화폐통합을 해버렸습니다. 화폐통합을 그것도 1대1로 화폐통합을 해 버리니까 동독에 있는 모든 기업이 전부 다 도산해 버렸습니다. 인건비가 올라서 도저히 견딜 수가 없는 것이지요. 전부 도산해 버리니까 동독에 있는 모든 노동자들이 전부 실업자가 돼 버렸어요. 실업자가 됐으니까 실업수당을 줘야 될 것 아닙니까, 서독에 있는 실업수당, 실업보험 급여 기금을 가지고 실업수당을 주었지요. 그게 연간 GDP의 5% 수준까지 갔다는 것 아닙니까, 못 견디지요. 독일경제이니까 견딘 것이죠. 이른바 그것이 통일비용인데, 그러니까 우리도 통일비용 드는가 보다고 생각하는 사람들이 있습니다. 그런데 그것은 흡수통일을 전제하는 것 아닙니까, 흡수통일을 원하는 사람도 있고 원하지 않는 사람도 있고 그렇습니다. 그러나 이번에 가서 보니까 북한이 붕괴할 가능성은 없는 것 같습디다. 여러분도 그렇게 알고 계시지요, 흡수통일을 바라는 사람에게는 그것을 불행이라고 생각할 것이고, 흡수통일을 안 바라는 사람은 다행이라고 생각해야 되겠지요. 그럼 불행이든 다행이든 간에 붕괴할 가능성은 없다 이거지요. 그럼 흡수통일 안 되는 것이지요. 굳이 흡수통일 하려고 한다면 평화통일은 안 되는 것이지요. 그런데 지금 우리는 평화통일하기로, 이것은 전 세계에 약속한 것이지 않습니까, 그러면 독일식 통일비용은 들고 싶어도 들 데가 없는 것 아닙니까, 독일식 통일비용은 법적으로 돈을 안 주면 안 되게 강제되는 것입니다. 제도화돼 있기 때문에. 끌어안아 버렸고 실업자가 돼 버렸으니까 법적으로 실업수당을 줘야 하는 것이니까 그렇게 안 할 수가 없지요. 그런데 지금 우리는 흡수통합이 되지 않는 한 그와 같은 소나기식 통일비용은 들어가지 않는다는 것이고, 지금 한국의 통일비용은 지금 우리가 쓰고 있는 이 돈이 통일비용입니다. 지금 지원하고 있는 돈, 인프라 건설하기 위해서 앞으로 투자할 돈, 농업 협력을 위해서 지원할 돈, 보건의료 거기 지원해 주는 돈, 그게 통일비용입니다.

그런데 '비용'이라는 것은 쓰고 본전은 못 찾는 것이 비용이지 않습니까, 개성공단에 투자하는 것은 전부 본전이 아니고 본전 이상, 몇 배 지금 찾으려고 투자하는 것 아니겠습니까, 앞으로 해주공단에 투자할 때도 마찬가지 아니겠습니까, 철도에 투자할 때도 마찬가지이고 조선단지에 투자할 때도 마찬가지이고, 또 새로운 합의가 이루어져서 할 때도 전부 우리 기업들이 투자를 할 거란 말입니다. 지금 우리나라 전력회사도 전력 만들어가지고 우리 국민들한테 팔아먹고 돈 받지 않습니까, 북한의 전력문제도 해결해야 되겠지만, 그것은 역시 좀 싸게 팔아야 되는 문제, 좀 외상으로 해야 되는 문제는 있을지언정 전부 우리나라에서 하는 장사 방식으로 똑같이 하는 것이란 말이지요. 지금 우리나라 기업들이 해외진출을 하라고 정부에서 여러 가지 지원책을 마련하고 독촉하고 있습니다. 우리나라 기업들이 해외투자를 좀 해줘야 해외소득이 좀 들어오지 않겠습니까, 그리고 달러가 좀 나가줘야 달러 가치가 유지될 텐데 원화가 계속 절상되는 바람에 수출전선에 비상이 오지 않습니까, 그리고 우리나라 공기업들, 도로공사의 경우 국내에서 도로 닦아 가지고 장사 잘 했는데 앞으로 도로 닦을 데가 어디 있습니까, 도로도 닦을 만큼 닦고 나면 더 닦을 데가 없고, 항만도 건설하고 할 만큼 하고 나면 더 할 데가 없습니다. 주택공사도 지금 열심히 집을 지어야 됩니다마는 그것도 지을 만큼 짓고 나면 없습니다. 토지공사도 공단 개발할 만큼 하고 나면 못하는 거지요. 서울시내 들어와서 멀쩡한 땅 다시 개발할 수는 없는 것이니까요.

우리 공기업들도 해외로 나가야 합니다. 그런데 지금 북쪽에서 공단 닦으라는 것 아닙니까, 도로 닦으라는 것이고, 철도 놓으라는 것이니까. 아직은 뭐 마음대로 놓으라는 것은 아니지만 앞으로 일이 벌어지게 생겼지 않습니까, 잘만 가면 우리 공기업들에게 좋은 기회가 될 것입니다. 중국으로 가던 기업들 중국 가서 말도 안 통하고 생산성도 낮은 데서 고생할 필요 없습니다. 북한에 투자하면 지금 중국보다 생산성이 높거든요, 이미 그건 검증되어 나왔으니까. 생산성 높고, 말 잘 통하고, 가깝지 않습니까, 통일 비용이라고 하는 것이 사실과 다를 뿐더러 우리한테 유리한 얘기가 아닙니다. 유리하다면 사실과 달라도 조금씩 좀 부풀려 이야기할 수도 있겠지만, 우리 경제에 아무런 도움이 되지 않는 얘기를 이젠 우리는 해서는 안 됩니다.

북한이 우리에게 지금까지 위기요인이었습니다. 우리나라 경제를 평가할 때, 우리나라 주식을 평가할 때, 우리나라에 돈 빌려줄 때, 항상 북한 때문에 한반도의 위험 때문에 그 위험요소를 고려해서 이자도 비싸고 투자도 꺼리고 그렇게 꺼려왔던 것입니다. 이제 평화가 확실히 정착되고 남북 간에 핵문제 해결되고 서해문제 해결 되면 그때부터 전 세계가 우리 한반도를 주목하지 않겠습니까, 당장 북한이 우리 기업들에게 투자의 기회를 열어주는 기회의 땅입니다. 그리고 전 세계 경제가 우리 한반도 경제를 주목하게 되게 되기 때문에 우리 한국 경제의 신뢰도가 훨씬 높아지는 새로운 기회를 주는 것이 아니겠습니까,

그래서 북한을 이제는 위험의 땅이 아니라 기회의 땅으로 그렇게 이해하고, 이런 긍정적인 자세를 가지고 남북관계를 해나가자고 말씀드리고 싶습니다. 퍼주기, 친북 좌파 이런 발목 잡는 얘기만 자꾸 하지 말

고, 뭔가 미래를 낙관적으로 긍정적으로 바라보고 밀고 나갈 때, 북쪽도 의심을 거두고 우리에게 문을 열지 않겠습니까, 그렇게 열어가야 합니다. 시간이 많이 돼 버렸습니다. 아까 동북아시아 다자안보 체제가 왜 중요한지를 나중에 말씀드리겠다고 했는데, 제가 시간을 너무 많이 써 버렸습니다. 다만 분명한 것은, 한반도의 분단은 동북아시아의 분단에서부터 비롯된 것입니다.

동북아시아의 정세가 분단구조로 가 있으면 한반도는 통일하기 어렵습니다. 통일이 됐다가도 갈라질 우려가 있습니다. 물론 우리 힘이 강력할 때에는 어떤 외부정세에도 불구하고 우리가 다시 분열되지 않지만, 이미 분열돼 있는 상황에서는 동북아시아가 평화 협력의 질서가 형성되지 않으면 한반도의 통일은 더욱더 더뎌질 수밖에 없습니다. 그래서 한반도 통일은 한반도만 가지고 노래할 것이 아니라 동북아시아 문제를 함께 풀어 가야만 이루어질 수 있는 것입니다. 그래서 제가 취임사 할 때 '평화와 번영의 동북아시대'라는 비전을 국민 여러분께 말씀을 드렸던 것입니다. 동북아문제를 내버려 놓고는 한반도 통일 얘기를 할 수가 없는 것입니다.

북핵문제가 우리에게 불행이지만 이번 계기에 6자회담을 통해서 동북아시아 다자안보협력체제를 만들어 나가야 합니다. 그렇게 쭉 밀고 나가 버리면 한반도 통일은 훨씬 더 유리한 조건이 조성되기 때문에, 북핵문제 때문에 까먹은 시간보다 훨씬 더 많은 시간을 단축할 수도 있을 것입니다. 그것이 전화위복 아니겠습니까? 이때는 이 말 하고 저때는 저 말 하는 사람들이 있습니다. 개성공단 문 닫으라고 저한테 그렇게 아우

성치더니 지금은 또 개성공단 투자해야 된다고 얘기하고 개성공단 가서 사진 찍고 내려오고 그러더라고요. 부끄럽지도 않은가 모르겠어요. 이렇게 하면 안 됩니다. 누구든지 국가의 지도자가 되고자 하는 사람은 이런 문제들에 대해서 전략적 비전을 내놔야 됩니다. 전체적이고 전략적 비전을 가지고 국민들에게 말하고 그 비전을 공유하면서 국민들과 함께 나갈 때라야 그 일이 성사할 수 있는 것이거든요. 그래서 지금 대통령 되겠다는 사람들한테 당부하고 싶은 것은 전략적 비전을 통째로 제시해라 이거예요.

제가 취임사에서, 후보 시절부터 동북아시대를 그렇게 소리높이 외친 이유는 그런 것입니다. '북방경제'를 얘기한 것은 아무래도 우리가 평화 하고 통일해야 되지만 '돈도 좀 된다.' 하면 국민들이 관심이 좀더 높지 않겠습니까, 그래서 이 한반도 평화정책이 돈도 되는 정책이라는 것을 전제로 해서 북방경제의 비전, 동북아경제의 비전, 이런 것들을 내걸고 또박또박 해 왔습니다. 정상회담 시기에 관해서도 빨리 안 한다고 저를 다그치는 사람들이 있었습니다. 나는 항상 대답은 '안 됩니다. 나야 하고 싶지만 상대방이 손을 내밀지 않습니다. 상대방이 손을 내밀 때가 있습니다. 북핵문제가 해결의 가닥을 잡았을 때 그때 우리가 내민 손을 상대방이 잡아줄 것입니다. 이렇게 말했습니다.

2005년 9월 달이 바로 9·19성명이 있었던 그때이지요, 9·19공동성명을 결심하고 정상회담 하자고 이렇게 제안했다가 9·19성명이 이루어졌는데 BDA 바람에 판이 깨져버려서 정상회담도 깨진 것입니다. 정상회담이라는 것도 이치가 있는 것이거든요. 이번에는 될 때라 싶어서 우리가 제안을 했고, 또 북쪽이 여기에 응했던 것입니다. 그래서 그동안에 왜 대통령이 정상회담을 안 할까 하고 자꾸 다그치신 분들도 많은데, 일이라는 것은 그것이 될 수 있는 조건이 갖추어져야 되는 것이지, 하고 싶다고 그냥 되는 것이 아닙니다. 앞으로도 이 원칙은 변함이 없습니다. 그래서 넓게 보고 상황을 조성해 나가야 합니다. 정상회담을 하려고 하면 정상회담 하자고 그저 졸라서 되는 것이 아니라 정상회담이 이루어질 수 있는 상황을 조성해 나가야 합니다. 앞으로 우리도 외교가 이렇게 가야 한다는 것이지요.

제 자랑 이제 여기서 마치겠습니다. 감사합니다. 제가 앞으로 남은 기간이 짧지만 그 기간 동안 우리 정부를, 정부가 힘을 모아서 잘 가다듬어서 하여튼 갈 수 있는 데까지 갖다 놓겠습니다. 그 다음에 되돌아오지는 않을 것입니다.

감사합니다.

코리아타임스 특별기고

-한반도 평화로 가는 길-

2007년 11월 2일

지금 한반도는 그 어느 때보다 평화의 분위기가 무르익고 있다. 단순히 전쟁이 없는 소극적 평화가 아니라 공동번영을 향한 적극적 평화의 길로 나아가고 있다. 참여정부 출범 당시, 한반도 안보환경은 평화를 말하기에는 너무도 엄중하고 긴박하였다. 제2차 북핵 위기로 인해 북·미 간 갈등이 증폭되면서 한반도 주변정세는 한치 앞을 내다 볼 수 없는 위기감 속으로 빠져들고 있었다.

이 같이 불안한 여건에서 출발한 참여정부는 한반도 평화를 위한 분명한 원칙과 철학을 가지고 일관된 정책을 견지해 왔다. 안보를 위해 끊임없이 상대를 경계하고 적대해서 대결적 분위기를 조성하는 것이 아니라 상대방의 존재를 인정하고 절제하면서 남북 간의 신뢰를 쌓아왔다. 나아가 남북관계라는 좁은 틀이 아니라 미국, 중국, 일본, 러시아와의 관계를 포함한 동북아 질서 전체를 내다보면서 균형외교를 추진해왔다.

북핵문제는 그동안 북한 핵실험과 BDA 문제 등으로 많은 고비를 겪었지만, 6자회담 당사국간의 의견을 조율하면서 적극적인 역할을 해온 결과, 이제 본격적인 해결 국면으로 들어서게 되었다. 2005년 9·19 공동성명, 2007년 2·13합의와 10·3합의 등을 통해 6자회담 참가국들은 한반도 비핵화를 평화적으로 달성한다는 데 합의하였다. 북한은 모든 핵무기와 현존 핵 프로그램을 포기하기로 약속하였고, 미국과 일본은 북한과의 관계 정상화를 추진해 나가기로 했다. 이러한 약속들은 성실하게 지켜지고 있다. 북한은 지난 7월 핵시설을 폐쇄하였다. 그리고 연내 불능화를 목표로 전문가들이 방북하여 관련 시설들에 대한 불능화 작업을 진행하고 있다.

남북관계에서도 괄목할 만한 진전이 있었다. 이번 남북정상회담에서 나와 김정일 위원장은 허심탄회한 대화를 통해 구체적이고도 실질적인 합의를 이루어냈다. 그 중에서도 특히 '한반도에서 어떤 전쟁도 반대하며 불가침 의무를 확고히 준수'하기로 한 것은 92년 남북기본합의서 이래 15년만의 일로서 한반도에서 전쟁의 위험을 근본적으로 제거해 나간다는 중요한 의미를 갖고 있는 것이다. 김정일 위원장도 정상회담에서 비핵화 의지를 재확인했다. 이를 토대로 한반도에서 항구적인 평화를 정착시키기 위한 평화체제 논의도 개시하기로 하였다.

평화체제 문제는 이미 2005년 9·19공동성명을 통해 직접 관련 당사국들이 적절한 별도의 포럼에서 이에 관한 협상을 갖기로 합의한 바 있다. 이러한 합의를 바탕으로 나와 미국, 중국 지도자들은 각기 정상회담의 기회를 통해 평화체제 문제를 진지하게 논의하였다.

이번 남북정상회담에서 나와 김정일 위원장은 미국정부의 평화협정 체결 의사에 대해 환영하면서 관련 당사국 정상들이 한반도에서 만나 종전을 선언하는 문제를 추진키 위해 협력하기로 했다. 한반도에 전쟁상태를 종식시키고자 하는 직접 관련 당사국 정상선언은 정치적, 상징적 의미가 클 뿐 아니라 비핵화 일정을 촉진시켜 한반도 평화를 앞당기는 데 기여할 것이다.

그러나 한반도의 평화는 한반도만으로 해결될 문제는 아니다. 한반도에 평화의 질서가 확고하게 정착되기 위해서는 동북아 지역에 남아 있는 대결구도가 근본적으로 해소되고, 상호존중과 공존의 질서가 만들어져야 한다. 참여정부가 '평화와 번영의 동북아시대'를 3대 국정목표의 하나로 추진해 온 것도 바로 이 때문이다. 나는 북핵문제를 풀기 위한 6자회담이 북핵문제 해결 이후에도 동북아시아의 평화안보협력을 위한 다자간 협의체로 계속 발전해가야 한다고 생각한다. 한반도의 항구적 평화에 이르기까지는 앞으로도 많은 난관이 있을 것이다.

그러나 나는 확신한다. 그동안 쌓아온 신뢰를 바탕으로 서로 역지사지하고 협력해 나간다면 우리 한반도가 세계 평화와 번영의 진원지가 될 수 있을 것이다.

무안국제공항 개항식 및 무안~광주 고속도로 개통식 축사

2007년 11월 8일

광주시민과 전남도민 여러분, 그리고 내외 귀빈 여러분,

무안국제공항 개항과 무안~광주 고속도로 개통을 매우 기쁘게 생각합니다. 온 국민과 더불어 진심으로 축하드립니다. 오늘이 있기까지 애써주신 공사 관계자 여러분, 그리고 지방자치단체와 중앙부처 관계자 여러분, 수고 많으셨습니다. 특히 사업 추진에 적극 협조해주신 지역주민 여러분께 감사의 말씀을 드립니다.

내외 귀빈 여러분,

무안국제공항은 광주, 전남 발전의 새로운 이정표가 될 것입니다. 인천, 김해공항과 함께 대한민국 항공물류의 위상을 더욱 높이게 될 것입니다. 무안~광주 고속도로 또한 일부 개통이긴 하지만, 서남권 경제의 대동맥으로서 무안국제공항의 경쟁력을 뒷받침할 것입니다. 우여곡절

도 많았지만, 참여정부는 서남권의 미래에 대한 확신을 가지고 이 사업을 추진해 왔습니다. 당장의 잣대가 아니라 지역의 발전가능성과 국가의 장래를 내다보면서 판단했습니다.

한·중 교역과 교류가 크게 확대되고 있습니다. 2004년 이후 중국은 우리의 첫 번째 교역대상국으로 떠올랐습니다. 인적 교류도 크게 늘어 매일 1만 3천 명 이상이 양국을 오가고 있습니다. 중국과의 지리적 접근성이 뛰어난 서남권의 중요성이 그만큼 커지고 있습니다. 더욱이 이곳 서남권은 오랜 역사와 문화전통, 그리고 빼어난 자연환경을 자랑하고 있는 지역입니다. 미래 성장동력인 관광, 레저, 문화 산업의 발전에 더없이 좋은 여건을 갖추고 있습니다.

지금 서남권에서는 이러한 잠재력을 극대화할 여러 사업들이 착착 진행되고 있습니다. 광주, 나주권, 여수, 광양권, 그리고 무안, 목포, 신안권을 삼각축으로 새로운 도약을 이뤄나갈 것으로 기대합니다. 광주가 아시아문화중심도시를 향한 힘찬 발걸음을 시작했습니다. 광산업클러스터도 지역전략산업의 모범사례가 될 만큼 빠르게 발전하고 있습니다. 오늘 오후 나주에서는 광주, 전남 공동 혁신도시 기공식을 합니다.

여수, 광양권에서는 석유화학, 제철, 물류 기반이 더욱 고도화되고 있습니다. 특히 2012년 세계박람회 유치가 성공한다면 여수는 해양관광도시로 발전해가는 좋은 계기를 맞게 될 것입니다. 민, 관이 함께 총력을 기울인 만큼 좋은 결과가 있을 것으로 기대합니다. 무안, 목포, 신안권에는 대규모 관광, 레저 벨트를 조성해서 해외로 향하는 서비스 수요를 국내에서 흡수하도록 해나가야 할 것입니다. 이와 함께 신재생에너지 산업, 신소재 조선산업과 같은 지역특화산업도 적극 육성해 나가야 할 것입니다. 무안과 영암, 해남에 건설되는 기업도시는 이러한 발전을 한층 가속화할 것으로 믿습니다.

이 같은 사업들이 성공하기 위해서는 인프라 구축이 필수적입니다. 오늘 무안국제공항에 이어, 호남고속철도와 목포~광양 고속도로 건설, 목포신항 확충도 차질 없이 추진될 것입니다. 서남권 개발은 지역발전 차원을 넘어, 환황해권에 국가발전의 새로운 거점을 마련하는 가치 있는 투자입니다. 정부는 서남권, 특히 무안, 목포, 신안권 발전에 대한 구체적인 내용을 담은 종합발전계획을 올해 안에 발표할 것입니다. 이와 함께 서남권 특별법도 국회에서 심의 중에 있습니다. 이 법이 국회를 통과하면 사업 추진의 확고한 기반이 마련될 것입니다.

광주시민과 전남도민 여러분,

이처럼 밝은 미래가 우리 앞에 있습니다. 지금보다는 앞으로의 더 큰 이익을 내다보며 함께 힘을 모아나갑시다. 서남권 발전을 반드시 성공시켜 광주, 전남이 대한민국 번영의 견인차가 되도록 합시다. 다시 한 번 무안국제공항 개항과 무안~광주 고속도로 개통을 축하드리며, 여러분 모두의 건강과 행복을 기원합니다.

감사합니다.

광주·전남 공동 혁신도시 기공식 축사

2007년 11월 8일

존경하는 국민 여러분, 광주시민과 전남도민 여러분, 그리고 이 자리에 함께하신 내외귀빈 여러분,

서남권의 새로운 중심이 될 광주, 전남 공동 혁신도시 기공을 진심으로 축하드립니다. 그동안 애써주신 중앙정부 여러 기관과 지방자치단체, 그리고 이전하는 공공기관 관계자 여러분, 모두 수고하셨습니다. 아울러 광주시민과 전남도민 여러분께도 감사와 축하 인사를 드립니다. 특히 적극적인 협조를 아끼지 않으신 이 땅의 주인 여러분께 깊이 감사드립니다. 여러분이 이 도시의 주인으로 다시 돌아올 때, 자랑스럽게 오늘을 이야기할 수 있도록 최선을 다해 사업을 추진해 나갈 것입니다.

광주시민과 전남도민 여러분,

저는 광주, 전남 혁신도시가 가장 성공적인 혁신도시가 될 것으로

믿습니다. 그리고 이 성공은 이미 시작되었다고 생각합니다. 여러분께서는 양보와 타협을 통해 혁신도시를 공동으로 건설하는 특별한 모범을 보여주셨습니다. 멀리 내다보며 수준 높은 협력을 이뤄낸 이러한 역량이야말로 무엇보다 성공의 가장 중요한 자산이 될 것입니다. 광주, 전남 혁신도시는 전국 10개의 혁신도시 중 최대 규모입니다. 그만큼 파급효과도 클 것입니다. 관련된 민간기업이 함께 내려오고, 이들이 지역대학과 클러스터를 형성해 기업생태계를 만들면 이곳은 서남권의 새로운 성장거점이 될 것입니다. 광주, 전남의 발전도 혁신도시의 성공을 촉진하게 될 것입니다. 광주가 아시아문화중심도시를 향해 힘차게 나아가고 있습니다. 무안과 해남, 영암에 기업도시가 들어서고, 서남권 개발사업도 본격화될 것입니다. 무안국제공항에 이어 호남고속철도, 목포신항 등 인프라 조성도 차질 없이 이루어질 것입니다.

앞으로도 정부는 광주, 전남 공동 혁신도시의 성공을 힘껏 지원할 것입니다. 특히 이전하는 공공기관의 직원과 가족 여러분이 마음 놓고 내려와 교육, 의료, 문화 등 모든 면에서 수준 높은 삶의 질을 누릴 수 있는 그런 도시로 만들어 갈 것입니다.

국민 여러분,

참여정부는 균형발전에 대한 확고한 신념을 가지고, 보다 근본적이고 과감한 정책을 추진해 왔습니다. 행정중심복합도시, 혁신도시, 기업도시와 같은 공간구조의 개편과 함께, 제도개혁, 재정지원, 혁신클러스터 구축, 지역산업 육성, 지방대학 지원 등 종합적이고 체계적인 노력을 기울여 왔습니다. 무엇보다, 지방 스스로 발전의 동력을 만들어 갈 수 있도록 혁신역량을 강화하는 일에 최선을 다해왔습니다. 지방의 연구개발예산을 1조5천억 원에서 3조2천억 원으로 두 배 이상 늘렸습니다. 110개 대학이 참여하고 있는 누리사업을 통해 지방대학의 경쟁력도 높여가고 있습니다.

산업클러스터, 생명과학클러스터, 농업클러스터 등을 전국 곳곳에 구축하고 있고, 각 지역의 특성에 맞는 전략산업을 집중적으로 육성하고 있습니다. 광주의 광산업은 그 좋은 성공 사례라고 할 수 있을 것입니다. 이와 함께, 공공자원의 배분에 있어 지방우선 지원정책을 적극적으로 펴나가고 있습니다. 2004년 신설된 균형발전특별회계를 올해 6조8천억 원까지 확대했습니다. 지방이 자율적으로 쓸 수 있는 재원을 2003년 65조 원에서 올해 90조 원까지 늘렸습니다. 정책 하나, 사업 하나 만들 때에도 균형발전영향평가를 통해 지역발전에 도움이 되는 방향으로 해왔습니다.

저는 조금씩 긍정적인 변화들이 나타나고 있다고 생각합니다. 지방의 1인당 지역총생산이 2004년부터 수도권을 앞지르기 시작했습니다. 지방의 혁신형 중소기업이 2002년에 비해 세 배 가까이 늘었습니다. 수도권으로의 순유입 인구도 조금씩 줄어들고 있습니다.

국민 여러분,

그러나 40년 동안 지속되어온 중앙 집중을 되돌리기에는 아직도 갈 길이 먼 것 같습니다. 그래서 내놓은 것이 2단계 균형발전정책입니다. 1단계 정책이 혁신도시처럼 공공부문이 주도하는 것이라면, 2단계 정책은 민간 기업과 사람이 지방으로 내려오도록 하자는 것입니다. 가장 핵심적인 정책은 지역의 발전 정도에 따라 기업에게 차등화된 인센티브를 제공하는 것입니다. 그렇게 되면 매년 1조 원 가량을 지방기업 활성화를 위해 더 지원할 수 있습니다.

그런데 지금 2단계 균형발전정책이 국회에 발이 묶여 있습니다. 수도권의 저항이 거센데다, 지방에서조차 일부 지역이 자기가 받은 등급에 불만을 가지면서 이 정책에 힘이 실리지 않고 있습니다. 2단계 균형발전정책이 제대로 가야 균형발전이 성공할 수 있습니다. 약 50년 동안 중앙집중이 계속되어 왔습니다. 이것을 다시 바로잡아가자면 많은 시간과 많은 노력이 필요할 것입니다. 참여정부는 마지막까지 최선을 다할 것입니다. 2단계 균형발전정책이 입법화될 수 있도록, 그리고 균형발전정책이 확고히 뿌리내릴 수 있도록 할 수 있는 모든 노력을 기울여 나갈 것입니다. 국민 여러분께서도 균형발전정책이 계속 진전할 수 있도록 더 큰 관심과 애정을 가져주시기 바랍니다. 잘 되겠지 하고 방심하는 사이에 힘겹게 만들어온 균형발전정책이 하나둘 무너질 수도 있습니다. 균형발전과 배치되는 정책에는 단호하게 대응하고, 균형발전에 대한 명확한 입장을 공약으로 받아낼 수 있어야 합니다. 그래야 균형발전정책을 지켜낼 수 있습니다. 함께 힘을 모아 균형발전정책이 다음 정부, 그리고 그 다음 정부에서도 흔들림 없이 추진될 수 있도록 합시다. 그래서 모든 국민이 다함께 잘 사는 행복한 대한민국을 만들어 갑시다. 다시 한 번 광주, 전남 공동 혁신도시 기공을 축하드리며, 여러분 모두의 건승을 기원합니다.

감사합니다.

동학농민혁명 제113주년 기념대회 축하 메시지

2007년 11월 9일

동학농민혁명 113주년 기념대회를 참으로 뜻깊게 생각합니다.

동학농민혁명은 '사람 사는 세상'을 만들기 위해 민중들이 일어선 위대한 궐기입니다. '사람 섬기기를 하늘같이 하라'는 인간 평등사상과 부패척결에서 출발하여 노비해방과 토지개혁 같은 사회변혁운동으로까지 이어졌습니다. 그리고 제국주의세력에 죽음을 무릅쓰고 맞서 싸웠습니다. 세계 민중운동사에 유례가 없는 반봉건, 반제국주의의 깃발을 높이 들었던 것입니다. 이러한 동학혁명의 정신은 3·1운동과 4·19혁명, 그리고 5·18민주화운동과 6월항쟁으로 면면히 이어져 오고 있습니다. 사람이 사람대접을 받고, 사람이 사람 노릇을 하는 사회, 모든 사람이 자유와 평등, 인권을 보장받고, 주권자로서 권리를 행사하는 사회를 만들자는 것이 바로 그것입니다.

앞으로도 동학농민혁명이 이루고자 했던 개혁과 자주의 맥을 찾아 계승하고 발전시켜 나가야 합니다. 그 때 그 때 시류에 따라 이해득실만을 좇아 행동하는 것이 아니라, 역사적 안목을 가지고 공동체의 내일을 걱정하면서 책임 있게 미래를 개척해 나가야 합니다. 그랬을 때 역사의 큰 물줄기는 보다 균형 있고 평화로운 삶을 누리는 방향으로 흘러갈 것입니다. 그런 점에서 지난 2004년, 동학농민혁명 선열들의 명예를 회복하기 위한 특별법이 제정되고, 지난해 처음으로 국가 예산을 지원 받아 기념대회가 치러진 것은 늦었지만 다행한 일이 아닐 수 없습니다. 아울러 이번 대회에서 농민군과 진압군 후손들이 '화해의 장'을 마련한 것은 과거사 정리라는 측면에서 매우 의미 있는 일이라고 생각합니다. 아무쪼록 이번 대회가 동학농민혁명의 참뜻을 다시금 일깨우고 더욱 발전시키는 소중한 계기가 되기를 기대합니다.

제45주년 소방의 날 기념식 연설

2007년 11월 9일

전국의 소방공무원 여러분, 의무소방원과 의용소방대원 여러분,

마흔 다섯 번째 맞는 소방의 날을 온 국민과 함께 축하합니다. 우리 국민이 어려움에 닥쳤을 때 가장 먼저 찾는 사람이 바로 여러분입니다. 위험을 무릅쓰고 국민의 안전을 지키기 위해 최선을 다하고 있는 여러분이 정말 고맙고 자랑스럽습니다. 늘 걱정하는 마음으로 뒷바라지하고 계신 가족 여러분께도 따뜻한 위로와 감사의 말씀을 드립니다. 이제 우리의 소방방재 역량은 해외에서도 인정받고 있습니다. 여러 나라에서 소방관들을 한국에 보내 교육을 받게 하고, 우리의 시스템과 장비를 도입해 가고 있습니다.

내외 귀빈 여러분,

제가 취임할 당시, 대구지하철 화재로 온 국민이 충격과 슬픔에 휩

싸였습니다. 저는, 그런 일이 다시는 일어나지 않도록 재난관리체계를 획기적으로 개선해서 안전한 사회를 만들 것을 약속 드렸습니다. 참여정부는 그 약속을 지키기 위해 다각적인 노력을 기울여 왔습니다. 가장 중요한 성과 중의 하나는 역시 2004년 소방방재청의 신설입니다. 흩어져 있던 소방방재 업무를 통합하여 전문성과 효율성을 높이고, 과학적 시스템에 의한 선진형 재난관리로 나아가고 있습니다.

재난관리는 예방과 재발방지가 가장 중요합니다. 시설물 안전관리 기준을 표준화하고, 재해위험지구에 대한 정비사업을 추진하는 등 사후복구 중심의 재난관리를 예방 중심으로 전환해 가고 있습니다. 이미 일어난 사고나 자연재해에 대해서도 재난정보관리의 고도화와 현장 중심의 상황관리로 피해를 최소화하고 있습니다.

이러한 노력에 힘입어 소방방재청 개청 이전에 비해 자연재해로 인한 인명피해가 64% 가량 줄었습니다. 64%라는 이 숫자는 저도 정말 믿기지 않습니다만, 얼마 전에 국정브리핑에 올라와 있는 기사를 제가 자세히 읽어 봤습니다. 아마 기상이변이 좀 적었다는 행운도 포함되어 있겠지만, 이 모두가 여러분이 땀 흘린 결과라고 생각합니다. '인재'의 발생과 피해도 크게 감소하고 있습니다.

재난복구체계도 새롭게 혁신했습니다. 재난지원금 처리업무를 일원화하고, 지급소요기간도 90일에서 20일로 대폭 단축했습니다. 풍수해보험제도도 작년부터 시범 실시하고 있습니다. 앞으로 이 제도를 전국으로 확대하고, '선 복구, 후 정산'을 위한 수해복구제도도 개선해 나갈 계획입니다. 이와 함께 국민안전의식지수 개발 등을 통해 국민 스스로 재해를 예방할 수 있는 역량을 높여나갈 것입니다. 저는 이러한 변화의 중심에 소방인 여러분이 있다고 생각하며, 여러분의 헌신에 다시 한 번 감사드립니다.

소방인 여러분,

정부도 여러분이 긍지와 자부심을 가지고 직무에 전념할 수 있도록 열심히 노력하고 있습니다. 2004년부터 추진해온 소방전문치료센터가 지난 9월 문을 열었습니다. 이를 통해 진료비 감면은 물론, 소방인의 특수성에 맞는 건강관리가 가능해진 것은 늦었지만 다행스러운 일입니다. 내년에 화상치료센터까지 완공되면 보다 질 높은 의료서비스를 제공할 수 있을 것입니다. 하위직의 근속승진 확대, 초과근무수당 현실화 등 인사와 보수 문제를 계속 개선하고 있습니다. 불의의 사고로 순직한 소방관의 국립묘지 안장 범위를 확대하고, 유가족에 대한 보상도 상향조정했습니다. 소방관서와 장비의 확충으로 소방 취약지역도 줄여왔습니다.

그러나 아직 좀 아쉬운 점도 있습니다. 3교대를 통한 근무부담 완화는 여전히 해결해야 할 과제로 남아 있습니다. 참여정부에서 소방인력을 19%정도 늘렸습니다만, 그래도 많이 부족한 것이 사실입니다. 과중한 업무로 건강조차 돌보기 어려운 여러분을 보면 늘 미안한 마음입니다. 관건은 인력의 증원입니다. 국가기능이 고도화되고, 공공서비스가 확대됨에 따라 소방 분야뿐만 아니라 인력이 더 필요한 분야가 많아지고 있습니다. 참여정부 들어 증원된 공무원은 5만 7천명입니다. 이 가운데 교사가 절반이 넘고 나머지도 경찰, 보건, 환경, 집배원, 고용지원 등 대국민서비스에 꼭 필요한 인력입니다. '작은 정부'에 집착해서는 이 분들의 열악한 근무여건을 개선할 수도 없고, 국민에게 더 질 높은 서비스를 제공하기도 어려울 것입니다.

특히 소방방재 분야는 국민의 생명, 재산과 직결된 분야인 만큼 앞으로도 충분한 인력이 보강되어야 합니다. 안전과 안심은 돈으로 헤아릴 수 없을 만큼 가치가 있는 것입니다. 소모적인 정부크기 논쟁보다는 책임 있게 일할 수 있는 여건을 만드는 데 함께 힘을 모아줘야 것입니다. 제 임기 동안 이 모든 문제를 다 완결하지 못한 것을 무척 아쉽고 마음 아프게 생각합니다. 그러나 앞으로도 이와 같은 문제들이 해결되도록 조그만 힘이라도 보태겠습니다.

소방공무원 여러분,

여러분은 우리 국민에게 가장 신뢰받는 공직자입니다. 여러분 덕분에 우리 국민 모두가 안심하고 생활할 수 있습니다. 여러분이 최선을 다할 때, 우리 국민의 삶의 질은 물론, 국가경쟁력도 한층 높아질 것입니다. 지난날에는 권력을 가진 기관이 국민들로부터 존중받았습니다. 그러나 이젠 세상이 달라지고 있습니다. 시대의 변화에 따라서 국민에게 가장 좋은 서비스를 하는 기관이 국민들로부터 가장 신뢰받고 존경받는 기관이 되어가고 있습니다. 지난날에도 물론 소방관서가 존경을 받았겠지만, 앞으로 소방관서의 봉사가 커질수록, 역할이 커질수록 국민들로부터 더 큰 신뢰와 더 큰 존경을 받게 될 것입니다.

언제나 공무원들 인력을 늘려 달라고 할 때, 인력 부족을 얘기하면 국민들은 먼저 서비스로 증명하라고 합니다. 사람이 있어야 큰 서비스를 할 수 있지 않겠습니까, 그러나 국민은 먼저 증명할 것을 요구하고 있습니다. 저는 우리 공무원들이 그렇게 해야 한다고 생각합니다. 지금 학교 선생님들도 더 많은 인력, 더 좋은 교육환경을 계속 요구하고 있습니다. 이것은 닭이나 달걀이냐의 논쟁과 비슷합니다. 저는 어려운 일이지만 공무원들이 먼저 좀 더 열심히 해서 증명해 보이고, 신뢰를 받고, 그리고 국가의 지원을 당당하게 요구할 수 있는, 그런 신뢰를 획득하시기 바랍니다. 앞으로 소방공무원 여러분들의 근무여건상의 여러 어려움 같은 것도 여러분 기관의 업적이 이 수준으로 계속 간다면 틀림없이 해결될 것이라고 생각합니다. 함께 노력해서 대한민국을 세계에서 가장 안전한 나라로 만듭시다. 다시 한 번, 소방의 날을 축하하며, 여러분 모두의 무궁한 발전을 기원합니다.

감사합니다.

월성 원자력환경관리센터 착공식 축사

2007년 11월 9일

존경하는 경주시민과 경북도민 여러분, 그리고 내외 귀빈 여러분,

월성 원자력 환경관리센터의 착공을 온 국민과 더불어 축하드립니다. 경주시민 여러분, 기쁘시지요, 걱정도 좀 있지요, 다시 한 번 감사드립니다. 그리고 축하드립니다. 우리 정부로서는 정말 큰 짐을 덜었습니다. 19년이 걸렸습니다. 9번이나 상처만 남기고 무산되었습니다. 그러나 2년 전, 드디어 결론을 봤습니다. 민주적인 절차에 따라서, 정부와 그리고 주민도 모두 함께 승리하는 방폐장 부지 선정을 이뤄냈습니다. 그리고 오늘, 새로운 도약의 첫 삽을 뜨게 되었습니다. 정말 기쁘고 감격스럽습니다. 그동안 노고를 아끼지 않으신 관계자 여러분들, 그리고 이 사업의 성공을 위해서 적극적으로 협력해 주고 계신 경주시민과 경북도민 여러분께 거듭 감사 인사를 올립니다.

경주시민 여러분,

정부는 여러분과의 약속을 반드시 지켜낼 것입니다. 지키지 않으면 다음에 이런 일을 다시 할 수가 없게 되겠지요. 정부는 앞으로도 이와 같이 어려운 일, 또 더 어려운 일들을 풀어 나가야 합니다. 그러므로 여러분과의 약속을 지키고 신뢰를 확보해야 합니다. 약속은 꼭 지켜질 것입니다. 특별지원금은 지난해 이미 지급되었습니다. 2010년까지 한수원 본사가 이곳으로 이전할 것입니다. 조금 전 사장에게 그때 이전하는 한수원 직원들 학교는 어떻게 되느냐고 물었습니다. 지금도 괜찮답니다. 울산도 있고, 경주도 괜찮답니다. 그런데 앞으로 본사가 오면 아예 한수원이 책임지고 학교 하나를 한국 최고의 학교로 만들어 내겠다고 약속했습니다. 컨벤션센터, 에너지박물관 등 올 4월 정부계획으로 확정된 55개 지원사업도 차질 없이 추진해 나갈 것입니다. 양성자 가속기 건립에 대해서도 기대가 크실 것입니다. 양성자 가속기뿐만 아니라 그 배후단지 조성까지 지원계획에 포함시켜 놓았습니다.

천년 고도의 문화적 기반을 복원하고 발전시키는 노력도 착실히 진행해 가고 있습니다. 월정교, 황룡사 복원, 신라문화 체험단지 등이 완료되면 훨씬 더 많은 국내외 관광객들이 이곳 경주를 찾게 될 것입니다. 아직 일부 내년도 예산에 편성되지 않은 것이 있어서 좀 걱정하신 분들이 계신 것으로 들었습니다만, 그것은 정부 나름대로 절차가 필요하기 때문입니다. 타당성 조사를 하지 않고 예산을 편성할 수는 없습니다. 타당성 조사를 마치고 차근차근 진행해 나갈 것 입니다. 조금 전에 제가 말씀드렸다시피 정부는 신용을 지켜야 이후에도 큰일을 할 수 있습니다. 너무 걱정하지 마십시오. 경주는 보석 같은 도시입니다. 세계적인 역사문화도시로, 첨단 에너지, 과학도시로 더욱 힘차게 도약해 나갈 것입니다. 전통과 첨단이 어우러지는 도시 발전의 새로운 모델이 될 수 있도록 앞으로도 정부는 있는 힘껏 지원해 나갈 것입니다. 경주는 그만한 가치가 있지 않습니까.

참석자 여러분,

지구 온난화로 인한 우려가 높아지고, 유가가 급등하면서 세계적으로 원자력에 대한 관심이 다시 높아지고 있습니다. 지난 30년간 원전을 짓지 않았던 미국을 비롯해서 러시아, 중국 등 많은 나라들이 원전 확대를 계획하고 있습니다. 얼마 전 유럽의회도 원전의 추가 건설을 지지하는 성명을 채택했습니다. 원자력 에너지의 기술수준과 안전성이 그동안 매우 높아졌다는 것을 잘 보여주고 있습니다.

세계 6위의 원자력 발전 국가인 우리나라는 지금 세계 최고 수준의 원전 건설기술과 운영 노하우를 가지고 있습니다. 특히 우리 원전은 세계 400여개의 원자력 발전소 중에서 최상위권의 이용률을 자랑하고 있습니다. 도시 가까운 곳에 위치하고 있기 때문에 안전성에 있어서 세계적 수준이 될 수밖에 없습니다. 원자력 발전을 시작하려는 나라에게 저는 항상 이 점을 강조해서 자랑합니다. 한국 원전은 세계 최고의 안전성을 가지고 있다. 도심지 안에 있기 때문이다. 이렇게 말하면 대개는 고개를 끄덕입니다. 제가 방문한 많은 나라의 지도자들이 우리 원전 기술에 큰 관심을 보이면서 협력을 희망하고 있습니다. 월성 원자력 환경관리센터는 이러한 원자력 에너지의 안정적인 공급과 원전기술 발전을 위한 필수적인 기반입니다. 정부는 원자력 발전소뿐만 아니라 방폐장 또한 세계 최고의 안전성을 갖춘 시설로 건설할 것입니다. 자연과 조화를 이루는 휴양, 관광시설로, 첨단 과학을 배우는 교육, 학습의 장으로 그렇게 만들어 나갈 것입니다. 이곳이 경주가 자랑하는 또 하나의 명소가 될 수 있도록 그렇게 만들어 갑시다.

참석자 여러분,

방폐장 부지 선정은 사회적 갈등과제 해결의 새로운 지평을 연 의미 있는 역사입니다. 정부부터 자세를 바꿨습니다. 그동안 실패의 원인들을 꼼꼼히 분석하고, 해외사례들도 충실히 연구를 했습니다. 모든 것을 투명하게 공개하면서 주민 여러분의 이해를 구했습니다. 국책사업을 대상으로는 처음 주민투표제를 실시해서 민주적인 의사결정을 이뤄냈습니다. 주민 여러분도 마음을 열어주셨습니다. 방폐장에 대한 올바른 이해를 토대로 무엇이 지역 발전에 도움이 되는지, 무엇이 나라를 위해서 필요한 일인지 진지하게 논의하고 결단해 주었습니다. 그리고 반대하신 분들까지도 결과를 존중하고 승복하는 성숙한 자세를 보여주셨습니다.

이제 개발독재 시절의 밀어붙이기식 행정으로는 국책사업을 추진할 수 없는 시대에 들어섰습니다. 급할수록 민주적인 절차에 따라 마음과 뜻을 하나로 모아내야 합니다. 그래야 더 큰 추진력을 만들어낼 수 있습니다. 사패산 터널이나 장항산업단지, 항만노동공급체계 문제도 우리는 대화와 타협을 통해서 합리적인 해결의 길을 찾아냈습니다. 저는 결코 풀지 못할 갈등은 없다고 생각합니다. 자기 소신만을 고집할 것이 아니라 서로의 의견을 충분히 듣고, 설득하고, 그리고 타협해서 결론을 이끌어 내야 합니다. 합의가 되지 않아 표결로 가더라도 결과에 승복하고, 그 결과를 자기 자신의 결정으로 받아들일 수 있어야 합니다. 이런 사회가 바로 선진사회입니다. 앞으로 방폐장 선정과 같은 성공사례들이 더 많이 나오고, 대화와 타협이 우리 사회의 보편적인 문화로 정착할 수 있도록 다같이 노력합시다. 그래서 경제, 사회 모든 면에서 세계의 모범이 되는 선진한국의 미래를 열어갑시다.

저는 가끔 약한 정부라는 말을 들었습니다. 좀 더 세게, 강력하게 하라는 조언들을 많이 들었습니다. 그런데 그렇게 세고, 강력한 정부는 아니었지만, 세고 강력한 정부들이 해결하지 못했던, 미루어 두었던 많은 문제들을 참여정부에서 해결했습니다. 저는 이것이 오히려 강한 정부라고 생각합니다. 다시 한 번 월성 원자력환경관리센터의 착공을 축하드리며, 여러분 모두의 건승을 기원합니다. 경주에 더 큰 복이 쏟아지길 바랍니다.

2012 여수세계박람회 유치홍보 뉴스레터 축하 메시지

2007년 11월 12일

우리 국민은 11월 26일을 손꼽아 기다리고 있습니다. 2012년 세계박람회 개최지로 대한민국 여수가 선정되기를 한 마음으로 기원하고 있습니다.

여수는 자연과 문화와 산업이 조화를 이룬 아름다운 해안도시입니다. 세계 최대 규모의 제철소와 해상국립공원이 있고, 세계 3대 갯벌이 이웃하고 있습니다. 여수에서 우리는 '살아있는 바다, 숨 쉬는 연안'을 주제로 성대한 축제를 열고자 합니다. 바다와 연안은 인류의 미래를 여는 중요한 열쇠입니다. 여수에서 세계박람회가 개최된다면 바다와 연안의 가치를 새롭게 인식하고, 지속가능한 발전의 길을 찾아나가는 소중한 기회가 될 것입니다. 박람회를 통한 과학기술협력과 문화교류는 연안국가뿐만 아니라 내륙국가에도 많은 혜택을 제공할 것입니다.

나아가 여수세계박람회는 세계 유일의 냉전지대로 남아있는 한반도와 동북아시아의 평화와 안정에도 실질적인 기여를 하게 될 것입니다. 한국은 2012 세계박람회를 계기로 개발도상국의 해양관련 문제 해결을 지원하는 '여수 프로젝트'를 시행함으로써 지구촌의 공동 번영에 기여해 나가고자 합니다. 우리 국민은 올림픽, 월드컵 등 많은 세계적인 축제들을 성공적으로 치러낸 경험과 역량을 가지고 있습니다. 세계박람회도 세계인의 기억 속에 남을 감동적인 축제로 만들 자신이 있습니다.

무엇보다 한국의 첨단 IT기술, 최고의 안전과 질서, 그리고 친절한 우리 국민은 참가자 모두에게 만족을 전해드릴 것입니다. 이미 교통망 구축 등 대규모 방문객을 맞이할 준비를 착실히 진행해가고 있습니다. 한국 정부는 박람회의 성공을 위해 필요한 모든 지원을 아끼지 않을 것을 약속드립니다. 2012년 여수에서 여러분을 만나 뵙기를 기대하며, 여러분의 지지를 부탁드립니다.

한겨레·부산 국제심포지엄 기조연설

2007년 11월 13일

여러분, 반갑습니다.

한겨레·부산 국제심포지엄을 매우 뜻깊게 생각합니다. 세계 각국에서 오신 학자와 전문가 여러분을 환영합니다. 저를 초청해주신 한겨레통일문화재단과 부산시 관계자 여러분께 감사드립니다. 저는 오늘 동북아의 평화와 번영이라는 주제로 말씀을 드리고자 합니다. '평화와 번영의 동북아시대'는 참여정부가 추진해온 핵심적인 국정목표의 하나입니다. 왜 한반도가 아니라 동북아 평화냐, 그런 의문이 있습니다. 그것은 동북아시아의 평화와 번영이 한반도의 항구적인 안정과 밀접하게 연관되어 있기 때문입니다.

한반도의 분단과 전쟁은 냉전체제의 산물이었습니다. 그런데 세계적인 냉전체제는 해체되었지만, 아직도 한반도는 분단의 굴레를 벗지 못하고 있습니다. 그것은 동북아의 냉전체제가 아직 완전히 해소되지 않고 있기 때문입니다. 동북아의 냉전체제가 아직도 해소되지 않고 있는 것은 동북아의 냉전구도가 보다 뿌리가 깊은 동북아의 대결구도와 결합되어 있기 때문입니다. 동북아의 대결구도는 냉전체제보다 그 역사가 오래된 것입니다. 400년 전 임진왜란 이래 동북아의 해양세력과 대륙세력은 지속적인 대립과 충돌을 반복해 왔습니다. 청일전쟁, 러일전쟁이 그 대표적인 사례입니다. 한반도의 분단은 그때부터 씨앗이 뿌려졌습니다. 그리고 그 상처는 아직도 아물지 않고 있습니다. 이처럼 한반도의 갈등과 대립은 한반도만의 문제가 아닙니다. 오랜 역사를 가진 동북아 대결구도의 일부이고, 그것에 의해 규정받아 왔습니다. 한반도에 평화가 정착되기 위해서는 동북아에 남아 있는 역사적, 이념적 갈등이 해소되고 새로운 협력의 질서가 만들어져야 합니다. 그래서 우리는 동북아 평화를 말하는 것입니다.

다음으로, 왜 동아시아가 아니고 동북아인가 하는 점입니다. 현재 동남아시아는 아세안을 중심으로 새로운 협력질서를 형성해가고 있습니다. 잘 가고 있습니다. 그에 반해 동북아는 앞서 말씀 드린 바와 같이 아직도 대결의 질서를 해소하지 못하고 있습니다. 경제적으로 군사적으로 압도적인 역량을 가진 동북아 3국이 화해와 협력의 질서를 형성하는 데 성공하기 전에는 아세안에서 한·중·일 간의 각축은 심화될 것이고, 이는 결국 동아시아 전체의 불안요인이 될 수도 있습니다. 그런 점에서, 동북아공동체를 전제하지 않고 동아시아공동체를 말하는 것은 좀 공허하다 싶습니다. 따라서 동아시아공동체가 성공하려면 동북아공동체가 먼저 성공하거나, 적어도 병행하여 추진되어야 한다는 것입니다. 그것이 동아시아 전체의 번영과 결속에 기여하는 길이 될 것입니다.

여러분,

지금까지 저는 동북아 문제를 풀지 않고는 한반도 문제가 풀리지 않는다는 점을 말씀드렸습니다. 그러나 거꾸로 말씀드리면, 한반도 문제가 풀려야 동북아시아 문제도 풀릴 수 있습니다. 한반도에서의 대립과 긴장은 동북아 정세에 여러 가지 대립과 긴장의 요인을 제공하고 있습니다. 북핵 문제, 미사일 문제, 주한미군, 미사일 방어체제 등이 한반도의 대결상태에서 비롯되었거나 관련을 가지고 있습니다. 따라서 한반도에 냉전체제가 계속되는 한 동북아시아의 대립과 긴장은 해소되기 어렵습니다. 그런 점에서 한반도 문제의 해결은 평화와 번영의 동북아시대를 여는 첫 걸음이 될 것입니다. 지금 한반도 문제는 핵문제로 압축되어 있습니다. 핵문제가 해결되면 나머지 문제들도 해결이 될 것입니다. 지금 북핵 문제는 본격적인 대화의 국면에 들어와 있습니다만, 지금도 대화에 대하여 부정적인 견해를 말하고 있는 사람들이 있습니다. 어떻게든 깨져라 라고 바라는 사람들이 있는 것 같습니다. 북한을 믿을 수 없다는 것입니다. 그러나 이런 견해는 옳지 않습니다. 대화가 아닌 압력수단으로는 북핵 문제는 풀리지 않을 것입니다.

북한은 북한체제가 위협을 느꼈을 때 핵을 손에 잡았습니다. 안전보장과 관계정상화를 약속받았을 때 핵 포기를 약속했습니다. 약속의 이행에 대한 불안이 생겼을 때 다시 핵 프로그램 개발을 시도했습니다. 그리고 압력이 가중되었을 때 마침내 핵실험을 강행했습니다. 체제가 불안하거나 압력이 높을수록 사태는 더욱 더 악화되어온 것이 과거의 경험입니다. 결국 대화밖에는 다른 방법이 없습니다. 조금만 깊이 생각하면 누구라도 쉽게 알 수 있는 일입니다. 지난날 무력행사의 가능성을 말한 사람들이 있습니다만, 아무래도 그것은 진심이 아닐 것입니다. 북한의 붕괴 가능성을 말한 사람들이 있습니다. 그러나 이것은 근거 없는 기대에 지나지 않습니다. 만일 그런 일이 발생한다면 그것은 전쟁 이상의 큰 재앙이 될 것입니다. 그리고 그 재앙은 1차적으로, 아니 고스란히 우리 한국의 부담이 될 것입니다. 정말 위험한 생각이 아닐 수 없습니다. 다행히 지금은 이런 말을 하는 사람들이 없습니다만, 아직도 대화의 무용성을 주장하는 사람들이 있고, 언론에는 북한에 대하여 뚜렷한 근거도 없이 여러 가지 의혹과 불신을 제기하는 보도들이 끊이지 않고 있어서, 지난날의 이야기를 한 번 되짚어 보는 것입니다.

북한과 미국은 핵 포기와 안전보장, 관계정상화라는 큰 틀에는 이미 합의를 했습니다. 그리고 일부 이행절차에 관해서도 합의를 하고 이행에 들어갔습니다. 그러나 아직도 남은 문제가 있고 그 이행의 순서에 관해서는 이견이 남아 있습니다. 서로 상대방이 할 일을 먼저 약속하고 이행하라는 것입니다. 서로 상대방을 믿을 수 없다는 것입니다. 한 쪽이 먼저 약속하고 이행을 해버렸는데 상대방이 약속을 이행하지 않으면 곤란에 빠진다는 것입니다. 나는 쌍방이 실제 이상으로 상대방을 불신하고 있다고 생각합니다만, 쌍방간 불신이 너무 깊어서 어느 쪽도 설득할 방법이 마땅치 않습니다. 지난 4, 5년 내내 이것이 우리의 가장 큰 고민이었습니다. 다만, 나는 이 점에 관해, 쌍방의 처지가 같지 않다는 점을 고려할 필요가 있다는 점을 말씀 드리고 싶습니다.

만일 북한이 약속을 지키지 않을 경우에는 미국은 다시 상황을 원점으로 되돌릴 수 있는 수단과 힘을 가지고 있습니다. 그러나 그 반대의 경우 북한은 다시 상황을 원점으로 돌리거나 새로운 압력수단을 준비하는 데 많은 시간과 노력이 필요하다는 것입니다. 북한 핵의 완전 폐기와 한반도 평화체제를 위한 절차에 관해서도 마찬가지입니다. 한 쪽은 '선 평화체제, 후 핵폐기'를 주장하고, 다른 한 쪽은 '선 핵폐기, 후 평화체제'를 주장해 왔습니다. 그런데 이렇게 해서는 문제를 풀기가 어려울 것입니다.

두 가지 모두 많은 시간이 걸리는 일이어서, 그리고 복잡한 절차가 필요한 일이어서 어느 한쪽을 먼저 끝내고 다른 한쪽을 시작한다는 것은 현실적으로 어려운 일입니다. 이치로 보아서도 북핵 문제는 정전체제와 관련된 것이기 때문에 두 가지는 따로 갈 수가 없는 문제입니다. 두 가지는 동시에 진행되어야 합니다. 그리고 종착점에서 만나면 되는 것입니다. 다시 한 번 강조하고 싶습니다. 순서를 가지고 싸우다가 대화를 깨버려서는 안된다는 것입니다. 대화 말고는 다른 방법이 없습니다. 북한의 핵 포기 의사는 확실합니다. 북한을 응징하거나 굴복시키려고 하지 않는다면, 대화에 의한 해결은 가능한 일입니다.

다음으로, 남북관계에 대해 말씀드리겠습니다. 그동안의 남북관계 진전이나 지난달 남북정상회담 결과에 대해서는 이미 잘 소개되었으므로 다시 설명드리지 않겠습니다. 북한이 핵실험을 강행했을 때, 개성공단과 금강산 관광을 중단하라, 즉각 강경한 대응을 하라, 압력을 행사하라는 목소리가 높았습니다. 정부는 그렇게 하지 않았습니다. 북한과의 교류협력은 양면성을 갖고 있습니다. 남북관계가 진전되고 상호의존성이 높아질수록 평화에 대한 지렛대가 커지는 반면, 무슨 일이 벌어졌을 때, 잘못되었을 때 북한에 가 있는 사람과 물자가 볼모가 될 수도 있는 위험도 있습니다. 평화의 지렛대와 인질이라는 상반된 측면이 있는 것입니다. 참여정부가 이러한 양면성을 고려하면서도 교류협력을 중단하지 않은 이유는 다음과 같습니다.

하나는, 북한은 체제의 안전과 관계정상화가 보장되면 핵무기를 포기할 것이라는 확신과 남북문제는 대화로 풀 수밖에 없다는 현실에 대한 인식입니다. 다른 하나는 남북관계를 지속적으로 발전시켜 나가는 과정이 신뢰를 쌓아나가는 과정이기 때문입니다. 신뢰는 문제해결의 결정적인 열쇠입니다.

나는 남북대화가 6자회담의 성공을 촉진하고, 6자회담이 남북대화를 진전시키는 선순환의 관계에 있다고 판단하고 있습니다. 남북정상회담 이후 많은 분들이 관심을 갖는 사안 중의 하나가 4자 정상선언입니다. 4자 정상선언을 하자는 이유는 간단합니다. 한반도 평화체제 형성을 보다 확실한 흐름으로 굳혀서 북한이 조속히 핵 폐기를 이행할 수 있게 하자는 것입니다. 북핵 폐기와 평화협정의 과정은 많은 시간이 걸리는, 그리고 복잡한 절차가 필요한 일입니다. 그래서 그 체결 과정도 순탄치만은 않을 것입니다. 미처 예측하지 못했던 많은 장애가 나타날 수 있습니다. 그러면 시간이 또 더 늦어질 것입니다. 사태가 악화될 수도 있습니다. 이런 사정에 비하면 부시 행정부가 가지고 있는 시간이 결코 충분하다고 할 수는 없습니다.

북핵 폐기와 평화협정을 시간에 늦지 않게 밀고 가기 위해서는 정상들의 선언으로 결정적인 이정표를 제시할 필요가 있습니다. 이렇게 하면 이 문제를 풀어가는 실무자들에게 강력한 메시지를 주게 될 것입니다. 그래야 가다가 어려운 일에 부닥치더라도 좌절하는 일 없이 결론에 이를 수 있을 것입니다. 평화협정이 체결되고 난 후에 선언을 하는 것은 그저 축배를 드는 것 이상 별 의미가 없는 일입니다. 종전선언이라는 명칭을 두고 그것은 평화협정의 끝에 하는 것이므로 협정 이전에 하는 것은 맞지 않는다는 논란이 있습니다. 한반도에서의 전쟁 종식과 평화 구축을 위한 정상선언이라면, 그 취지만 명백하다면 그 명칭은 문제가 되지 않을 것입니다.

그 다음에, 통일비용에 관해 한 말씀 드리겠습니다. 큰 부담이 될 것이라는 주장이 있습니다. 이것이 한국 국가와 국가 경제 신인도에 다소 불리한 영향을 미치고 있는 것 같습니다. 그런데 통일비용이라는 주장은 독일 통일을 보고 그렇게 생각하는 것 같습니다. 저는 한반도에는 통일비용이 없다, 이렇게 분명히 말씀드립니다. 왜냐하면 통일의 과정이 독일과 같지 않을 것이기 때문입니다. 우리는 흡수통일을 바라지도 않을 뿐만 아니라, 그것이 가능하다고 생각하지도 않습니다. 북한이 붕괴하지 않으면 독일식 통일은 없는 것이고, 통일비용이라는 개념도 성립하지 않는 것입니다. 우리는 오랜 시간을 두고, 북한 경제가 상당한 수준에 이를 때까지 정부지원과 민간투자를 병행해 나가게 될 것입니다. 이 과정에서 우리 경제는 또 한 번 도약의 기회를 맞게 될 것입니다. 북한은 우리에게 위험의 땅이 아니라 기회의 땅이 될 것입니다.

정부지원은 일방적인 비용이기는 하지만 그 규모가 우리 경제에 부담이 되는 수준은 아닐 것입니다. 그리고 이 또한 멀리 보면 국내의 인프라 투자와 마찬가지로 남북 경제 모두의 발전에 기여하고 마침내 이익으로 돌아 올 것입니다. 얼마 전에는 영국 회사가 북한에 투자를 고려하고 있다는 보도가 있었습니다. 북한이 한국만이 아니라 많은 나라에 기회가 될 수 있다는 뜻일 것입니다.

참석자 여러분,

이제, 서두에 말씀드린 동북아의 평화와 번영에 대해 말씀드릴 차례입니다. 저는 오래 전부터, 유럽의 통합에 관심을 가져왔습니다. 그리고 동북아시아에도 EU와 같은 평화와 공존의 질서가 실현되기를 꿈꿔왔습니다. 그래야 한반도에 진정한 평화가 올 수 있다고 믿기 때문입니다. 참여정부 5년 동안 동북아시대 구상은 북핵 문제에 발목이 잡혀 큰 진전을 보지 못했지만, 북핵 문제 해결과정을 동북아시대로 가는 전화위복의 계기로 만들기 위해 노력해 왔습니다. 9·19 공동성명은 한반도 비핵화뿐만 아니라 북·미, 북·일 관계 정상화, 한반도 평화체제 구축, 동북아 평화안보체제 형성을 위한 조치들을 담고 있습니다. 말하자면 동북아 구상이 9·19성명에 담겨있습니다. 제대로만 실현된다면 동북아에서 60년 만에 냉전을 대체하는 새로운 평화질서가 만들어질 수도 있을 것입니다.

저는 6자회담이 북핵 문제 해결 이후에도 북핵 문제를 푼 역량을 바탕으로 동북아시아의 평화안보협력체로 발전해가야 한다고 생각합니다. 나아가 안보문제만이 아니라 역내 저개발 지역의 발전과 물류, 에너지, 금융, 통상 등의 경제협력으로 이어지고, 마침내 동북아 경제공동체로 발전해 가기를 바랍니다. 그렇다고 동북아만의 폐쇄적이고 배타적인 지역주의를 추구하자는 것은 아닙니다. 개방적 지역주의를 통해 동북아의 통합이 동아시아의 통합, 나아가 더 큰 통합으로 가는 징검다리가 되도록 하자는 것입니다.

저는 가능하다고 믿습니다. 역사는 평화와 공존, 통합의 방향으로 가고 있습니다. 끝내 세계는 하나가 될 것입니다. 저는 그것이 역사의 필연이라고 생각합니다. 이미 EU는 인류사회가 추구해야 할 질서의 모범을 보여주고 있습니다. 가장 중요한 것은 중국과 일본의 마음가짐이라고 생각합니다. 경제와 사회, 문화, 모든 영역에 있어서 상호 교류와 협력, 상호 의존이 깊어지고 있습니다. 통합의 질서로 이미 가고 있는 것입니다. 그러나 한편으로는 서로를 경계하여 군비를 강화하고 있습니다. 나아가서는 역사인식에 있어서 국수주의적 경향이 고개를 들고 있습니다. 이러한 경향은 서로에 대한 경계심에서 비롯된 것일 것입니다. 저는 이러한 경계심이 위협에 대한 착오에서 비롯된 것이라고 말하고 싶습니다. 지난날의 역사만 보면 또다시 침략하고, 점령하고, 지배하는 역사가 되풀이될 수도 있다고 생각할 수도 있습니다.

그러나 세상은 달라졌습니다. 이상 더 점령과 지배가 가능하지 않은 시대로 들어섰다고 생각합니다. 일시적으로 전쟁에서 승리할 수 있을지는 모르나, 점령은 가능하지 않을 것입니다. 지배는 더더욱 불가능할 것입니다. 민주주의와 인권의식이 누구의 지배도 받아들이지 않을 만큼 신장되었기 때문입니다. 저는 이것이 돌이킬 수 없는 역사의 흐름이라고 생각합니다. 중국은 대국답게, 그리고 일본은 세계일류국가를 지향하는 나라로서, 이제 평화와 공존의 질서를 앞장서서 이끌어야 합니다. 동북아의 대결구도를 해소하고 평화를 이끌어나갈 분명한 비전과 구체적이고 책임 있는 방안을 제시해야 할 것입니다. 무엇보다 국민들이 불안과 경계의 시선을 거둘 수 있도록 정치적 리더십을 발휘해야 합니다. 그래서 국민들 가슴 속에 화해와 협력의 새로운 패러다임이 자리 잡게 해야 합니다. 저는 평화와 번영의 동북아시대야말로 역내 지도자들이 국민들에게 이야기해야 할 공동의 미래라고 확신합니다. 미국 또한 동북아시아에서 빼놓을 수 없는 당사자입니다. 특히 동북아 지역의 평화구조를 만드는 데 핵심적인 역할을 할 수 있는 위치에 있습니다. 앞으로 6자회담이 성공하면 미국은 동북아시아를 평화와 번영의 공동체로 만드는 데 큰 기여를 하게 될 것입니다.

참석자 여러분,

한반도는 동북아의 요충에 자리하고 있습니다. 그리고 이로 인해 수많은 침략을 겪어야 했습니다. 역사적으로 우리가 힘을 가지고 있을 때 동북아 평화는 유지되었고, 그렇지 못했을 때 동북아의 평화는 깨졌습니다. 이제 한국은 동북아에 새로운 질서를 여는 데 주도적으로 참여할 준비와 역량을 갖추고 있습니다. 또한 유사 이래 단 한 번도 다른 나라를 침략한 일이 없는 평화세력입니다. 이 지역의 갈등과 불신을 풀 수 있는 도덕적 명분을 가지고 있습니다. 한국이 동북아의 화해와 협력을 이루는 촉진자가 되고, 한반도가 평화의 발원지가 될 때 동북아에는 새로운 역사가 펼쳐질 것입니다.

참석자 여러분,

역사는 위기와 기회를 동시에 제공합니다. 지난 5년 동안 북핵 문제 때문에 동북아시대는 한 발짝도 앞으로 나아가지 못했습니다. 그러나 또한 핵 문제로 인해 9·19 공동성명이 이루어졌고, 우리는 그 안에 동북아 안보 협력에 관한 실마리를 담아 두었습니다. 역사가 우리에게 준 기회를 살려 나갑시다. 그래서 한반도와 동북아에서 새로운 역사를 만들어 나갑시다.

경청해 주셔서 감사합니다.

평택 미군기지 기공식 축하 메시지

2007년 11월 13일

알렉산더 버시바우 주한 미국대사, 버웰 벨 한미연합사령관을 비롯한 주한미군 장병 여러분, 그리고 내외 귀빈 여러분,

평택 미군기지 기공식을 매우 뜻깊게 생각합니다. 그동안 여러 우여곡절이 있었지만, 중앙정부와 주한미군, 지방자치단체, 그리고 평택시민이 함께 대화하고 타협해서 오늘의 성과를 이루어냈습니다. 여러분 모두에게 깊은 감사의 말씀을 전합니다. 특히 정든 고향을 떠나는 아픔을 감내하면서까지 사업에 적극 협조해주신 대추리 주민 여러분께 진심으로 감사드립니다. 정부는 여러분이 하루 빨리 이주를 마치고 안정된 생활을 누릴 수 있도록 최선을 다해 지원할 것입니다. 아울러 이 사업이 평택의 발전에도 도움이 될 수 있도록 노력할 것입니다.

지금 한미동맹은 보다 굳건하고 미래지향적인 방향으로 나아가고

있습니다. 상호존중과 긴밀한 협의를 통해 주한미군 재배치와 용산기지 이전, 전시작전통제권 전환 등 오랫동안 미뤄져왔던 현안들을 하나하나 해결해 왔습니다. 이러한 진전을 바탕으로 한미동맹은 한반도는 물론, 동북아시아의 평화와 번영에 기여하는 보다 강력하고 효율적인 동맹으로 발전해 나갈 것입니다. 새롭게 건설될 평택 미군기지는 이러한 한미동맹 발전의 토대가 될 것입니다. 주한미군의 안정적인 주둔 여건을 보장할 뿐만 아니라, 전국에 흩어져 있는 35개의 기지들을 통합, 운용함으로써 부대의 효율성도 한층 높아질 것입니다.

정부는 평택 미군기지 건설이 차질 없이 추진될 수 있도록 모든 지원을 아끼지 않을 것입니다. 여러분께서도 이 사업의 성공을 위해 함께 힘을 모아 주시기 바랍니다. 다시 한 번 평택 미군기지 기공을 축하드리며, 여러분 모두의 건승을 기원합니다.

농 득 마잉 베트남 서기장을 위한 만찬사

2007년 11월 14일

존경하는 농 득 마잉 서기장 각하, 그리고 귀빈 여러분,

3년 만에 서울에서 각하를 다시 뵙게 되어 매우 기쁩니다. 각하와 일행 여러분을 진심으로 환영합니다. 각하께서 서기장에 취임하신 2001년 이후, 베트남은 눈부시게 발전하고 있습니다. 연평균 8%에 가까운 고도성장을 하고 있고, 수출도 두 배 이상 증가했습니다. 베트남에 투자하려는 나라들도 크게 늘고 있습니다. 저도 두 차례의 방문을 통해 베트남의 활기 넘치는 모습을 직접 확인했습니다. 내년부터 유엔안보리 비상임이사국으로 활동하는 등 국제적 위상 또한 한층 높아지고 있습니다. 이렇게 큰 도약을 이뤄가고 계신 각하의 지도력과 베트남 국민의 역량에 깊은 경의를 표합니다.

서기장 각하,

올해로 수교 15주년을 맞는 양국 관계는 모든 분야에서 역동적으로 발전하고 있습니다. 양국 간의 교역이 수교 당시보다 열 배 가까이 늘었습니다. 지난해부터는 우리나라가 베트남의 제1의 투자국이 되었습니다. 베트남을 방문하는 우리 국민의 수가 해마다 크게 증가하고 있습니다. 양국간 고위인사 교류와 문화예술, 체육 분야의 협력도 매우 활발하게 이뤄지고 있습니다. 이와 함께, 양국은 동아시아의 평화와 안정을 위해 노력하고 있습니다. 각하께서는 지난달 북한을 방문해서 남북정상회담의 결과와 6자회담의 진전에 대해 환영과 지지를 표해 주셨습니다. 2주 전 유엔 총회에서도, 베트남이 남북정상회담 지지결의안 채택에 주도적인 역할을 해주었습니다. 진심으로 감사드리며, 앞으로도 한반도의 평화와 안정을 위한 우리의 노력에 더 큰 관심과 성원을 기대합니다. 곧 있을 세계박람회 개최국 선정에서도 대한민국 여수에 대한 변함없는 지지를 부탁드립니다. 오늘 각하와의 정상회담은 양국간 실질협력을 확대하는 좋은 계기가 될 것입니다. 특히 베트남이 추진하는 여러 개발 사업에 우리 기업의 참여가 확대된다면 한 차원 더 높은 성과를 만들어 낼 것으로 확신합니다.

귀빈 여러분,

서기장 각하의 건강과 베트남의 발전, 그리고 우리 두 나라 국민의 영원한 우정을 위해 건배를 제의합니다.

건배!

CBS 뉴스 부활 20주년 및 창사 53주년 축하 메시지

2007년 11월 15일

CBS 뉴스 부활 20주년과 창사 53주년을 축하드리며, 임직원과 애청자 여러분께 따뜻한 인사를 전합니다.

우리나라 최초의 민영방송인 CBS는 그동안 소외되고 고통 받는 사람들을 대변하고, 양심과 정의에 따른 정론으로 국민의 신뢰를 쌓아왔습니다. 암울한 독재 시절에는 민주세력의 든든한 친구가 되어 주었고, 87년 보도기능이 부활된 이후에는 우리가 함께 힘을 모아야 할 새로운 의제를 공론화하는 데 힘쓰고 있습니다. 멀티미디어 방송으로 성장한 '희망의 소리' CBS가 앞으로도 국민의 사랑 속에 더 큰 발전을 이뤄나갈 것으로 믿습니다.

CBS와 제가 소망하는 나라는 다르지 않을 것입니다. 경제적으로 좀 더 넉넉하고, 국민 모두가 더불어 행복한 나라가 바로 우리가 꿈꾸는 미래입니다. 이러한 선진한국은 경쟁과 성장만을 강조해서는 이룰 수 없습니다. 균형과 연대가 함께 가야 합니다. 그래야 국민적 역량을 한 데 모아 지속적인 발전을 이뤄갈 수 있습니다. 성공한 사람이 존경받고 경쟁에서 낙오한 사람들도 재기의 기회가 있는 사회를 만들 수 있습니다.

언론의 역할이 중요합니다. 다양하고 균형있는 공론의 장을 통해 우리 사회가 추구해야 할 가치와 전략에 대해 합의를 이루어가야 합니다. 창조적인 대안 제시로 우리 사회에 희망을 만들어 가야 합니다. CBS가 이러한 길에 중심적인 역할을 해주시기 바랍니다. 다시 한 번 창사 53주년을 축하드리며, CBS의 무궁한 발전과 애청자 여러분의 행복을 기원합니다.

세계 성공회 평화대회 축하 메시지

2007년 11월 16일

세계 성공회 평화대회를 매우 뜻 깊게 생각합니다. 한국을 찾아 주신 성공회 지도자 여러분을 진심으로 환영합니다. 한반도 평화를 위한 여러분의 기도와 노력에 깊은 감사를 드립니다. 지금 한반도에는 평화의 분위기가 무르익고 있습니다. 남과 북이 화해, 협력을 통해 공동번영의 길로 한발 한발 나아가고 있습니다.

여기까지 오는 길이 순탄치만은 않았습니다. 무엇보다 북핵문제가 남북관계 진전에 커다란 걸림돌이 되었습니다. 정부는 인내와 절제로 남북관계를 안정적으로 관리하며 신뢰를 쌓아 왔습니다. 어려운 때일수록 대화의 끈을 놓지 않았습니다. 이제 북핵문제는 핵 불능화 절차가 진행되는 등 평화적 해결의 길로 들어섰습니다. 지난달 남북정상회담은 한반도에 평화를 정착시키고 남북이 함께 경제공동체를 형성해 가는 중요한 전기가 될 것입니다. 앞으로 정상선언에서 합의한 내용들을 하나하나 실천해 가면, 이곳 한반도는 냉전과 분단의 굴레에서 벗어나 세계평화의 발원지로서 인류 역사의 진보에 기여하게 될 것입니다.

저는 이처럼 희망찬 미래가 머지않을 것이라고 생각합니다. 분쟁과 갈등을 치유하고 평화로운 세상을 만들기 위한 많은 분들의 헌신이 있기 때문입니다. 특히 예수 그리스도의 가르침을 따라 평화의 메시지를 전파하는 세계 성공회의 노력은 한반도의 평화를 앞당기는 데 소중한 밑거름이 될 것입니다.

이번 대회를 거듭 축하드리며, 참석하신 여러분 모두에게 하나님의 은총이 함께하길 기원합니다.

한국인터넷기자협회 창립 5주년 축하 메시지

2007년 11월 19일

한국인터넷기자협회 창립 다섯 돌을 매우 뜻깊게 생각하며, 이준희 회장을 비롯한 기자 여러분께 축하 인사를 전합니다.

협회가 출범한 지난 2002년, 저는 대통령에 당선되었습니다. 당시 영국의 한 신문은 '최초의 인터넷 대통령, 로그인하다.'라고 보도하기도 했습니다. 인터넷은 참여 민주주의의 새 장을 열어가고 있습니다. 네티즌의 참여로 정보의 흐름이 공급자 중심에서 소비자 위주로 바뀌었습니다. 모든 정보가 숨김없이 공개되고 공유되고 있습니다. 자발적인 정치 참여의 기회가 늘어나고, 깨끗한 선거문화 조성에도 크게 기여하고 있습니다.

이러한 변화의 중심에 인터넷 기자 여러분이 있습니다. 신속하고 다양한 보도로 균형 있는 공론의 장을 만들어가고 있습니다. 사회적 약자나 지역사회 현장의 목소리도 생생하게 대변하고 있습니다. 참여정부는 그동안 언론과의 관계를 정상화하기 위해 많은 노력을 기울여 왔습니다. 유착관계를 끊고 잘못된 관행을 고치는 한편, 개방형 기자실, 브리핑제와 같은 선진적인 제도를 도입했습니다. 갈등도 있고, 정부도 힘이 들지만 미래를 위해 꼭 필요한 과정이라는 확신을 가지고 있습니다. 언론이 어떻게 하느냐에 따라 우리의 미래는 달라질 것입니다. 정확하고 공정하게 보도하고 책임 있게 대안을 제시할 때 우리 사회는 경제, 사회 모든 분야에서 한층 더 성숙해질 수 있을 것입니다.

한국인터넷기자협회 창립 5주년을 거듭 축하드리며, 여러분 모두의 건승을 기원합니다.

해인사 대비로전 낙성대법회 축사

2007년 11월 24일

존경하는 법전 종정 스님, 지관 총무원장 스님, 현응 주지 스님과 이 자리에 함께 하신 여러 스님, 그리고 불자 여러분, 내외 귀빈 여러분,

정말 축하드립니다. 해인사 대비로전 낙성 대법회를 정말 뜻 깊은 자리라고 생각합니다. 대한민국 불교역사 2000년에서 이런 일이 자주 있지는 않았을 것이라고 생각합니다. 조계종 종단으로서도 정말 더 없는 경사라고 생각합니다. 불자 입장에서 그것만으로도 충분히 경사스러운 일입니다만, 국가적으로도 대단히 뜻있는 날입니다. 우리나라가 오랜 불교의 전통과 역사를 가지고 있는데, 불교문화가 우리나라에 많은 문화를 남겼습니다. 그 문화를 융성시킨 결과로서 많은 문화재를 남겨놓고 있습니다. 그 중에서도 매우 특별하고 자랑스러운 문화재를 남겨주신 것입니다. 그래서 국가적으로도 오늘이 굉장히 뜻있는 날입니다.

아마 그런 것이 없으면 제가 법당 건축을 지원하자고 말하기도 어려웠을 것이고 이 자리에 오기도 좀 어려웠지 않았겠습니까, 불교로 보나 우리 문화로 보나 정말 큰 경사입니다. 제가 오늘은 치사를 참 많이 듣는 날입니다. 제가 여간해서 이만큼 치사를 못 들어봤는데 오늘 나오시는 분마다 치사를 하는 바람에 제가 한편으로는 입이 자꾸 벌어지면서 한편으로는 과분해서 부담스럽습니다.

그렇기는 하지만 한 가지는 분명한 것 같습니다. 제 재임 중에 해인사를 이번까지 세 번 왔습니다. 인연이 특별하지 않으면 아마 이런 일이 생기기 매우 어려운 것이라고 생각합니다. 제가 2003년 2월에 취임했는데 연말까지 아주 어려운 문제들이 많이 안 풀리고 힘들었습니다. 그때 제가 해인사에 와서 우리 종정 스님께 저 좀 도와주시라고 간절히 부탁을 드렸습니다. 그런데 긴 말씀 안 하시고 열심히 하라고, 도와주겠다고 그렇게 말씀하셨습니다. 제가 부탁드린 일도 잘 풀렸지만 그 일뿐만 아니라 나머지 다른 일들도 다 잘 풀렸습니다. 그래서 어려움이 많기는 했지만 하고자 하는 일들은 대체로 하나씩 하나씩 할 수 있었습니다. 그래서 정말 감사한 마음을 품고 있었습니다.

2005년 사천 비행장에서 우리나라 최초로 만든 초음속 고등 훈련기를 출고해 그날 처음 이륙했는데 그 행사에 참석했습니다. 제가 준비한 일은 아니지만 제 임기 중 초음속 비행기를 우리가 스스로 만들어 하늘에 띄우게 됐다는 것이 그 얼마나 축복입니까, 너무 기뻐서 현장에 참석했습니다. 그런데 때마침 비로자나 부처님이 새로 발견되어서 많은 사람들이 친견을 하고 간다고 그래서 두 번째 해인사를 방문하게 됐습니다. 주지스님의 방문 요청도 있고 비행기 사고 없이 잘 날아다니고, 잘 팔아달라고 제가 부처님께 부탁도 드릴 겸해서 방문했습니다.

그래서 그런지 비행기가 팔릴 것 같습니다. 지금 현재 세 나라 비행기가 경쟁을 하고 있는데, 지금 다른 나라는 비행기 말고 그 나라의 여러 가지 선물을 많이 하겠다고 하고 해서 어렵기는 하지만, 어떻든 우리가 제일 유리하다고 합니다. 팔 수 있을 것 같습니다. 그게 중동에 한 군데 있고 다른 곳에서도 하고 있습니다. 우리가 보통 옷이나 이런 것 하고 달라 정말 몇 십 년 만에 한 번씩 사는 물건이기 때문에 어떻게 들여다보고 값과 성능을 따져보는지 쉽사리 도장을 안 찍어 줍니다. 그 때문에 제가 일부러 전직 대통령들이 안 간 나라인데도 방문했습니다. 아쉬운 소리도 많이 하고 좋은 얘기도 많이 했습니다. 부처님께서 한번만 더 도와주시면 안 될까요, 감사합니다. 제가 싱거운 소리를 했습니다만, 기쁜 마음을 표현할 길이 마땅히 없어서 그렇게 말씀드렸습니다.

오늘 부처님을 좋은 집에 모셨습니다. 그래서 이제 인사드리러 왔습니다. 이제 한 가지, 두 가지 모든 것을 정성들여 풀어가면 나중에는 대개 다 풀리는 것 아니겠습니까, 오늘 국운융창, 평화통일, 그리고 국민대화합의 염원을 가지고 왔습니다. 여러분들께 우리 정부도 자랑드릴 것이 하나 있습니다. 그 중 제일 첫 번째는 물건이 아니고 사람입니다. 유홍준 문화재청장입니다. 우리 한국의 국보급 문화재 같은 사람입니다. 아마 유홍준 청장이 맡고 난 뒤에 우리 문화재의 대우 받는 수준이 많이 좋아졌습니다. 제도도 많이 바뀌었습니다.

지난해 제가 비로자나 부처님 복장의식 발원문에서 투명하고 공정한 사회, 경제적으로 넉넉한 나라, 그리고 서로 돕고 함께 사는 상생의 나라, 연대의 나라 그런 한국이 되게 해달라고 기원 드렸습니다. 아마 여러분들이 바라는 나라도 저와 크게 다르진 않을 것입니다. 지난 5년 동안 시끄럽고 힘들었던 기억, 그리고 버거운 싸움을 계속했던 기억밖에 별로 남아있지 않는 것 같습니다. 그러나 우리 국민들이 하도 유능해서 그렇습니다. 우리 국민들 역량이 아주 뛰어나서 대한민국은 잘 가고 있습니다. 사는 사람마다 소원이 다르고 한 가지를 이루면 더 큰 소원을 가지고 그렇게 해서 만족이 있을 수 없습니다. 잘 된 사람은 아주 잘 되고 그냥 사는 사람은 그냥 살지만 지금도 어려운 사람들은 굉장히 어렵습니다. 그 전보다 조금 나빠진 사람들, 언제나 어려운 사람들의 가슴 속에 제가 큰 기쁨을 드리지 못한 것 같습니다. 그래서 저도 항상 마음이 무겁고 안타깝습니다.

그러나 한편으로 보면 우리 경제가 세계 10위권에 들어서 안정적으로 가고 있습니다. 경제성장률을 가지고 많은 분들이 흠을 잡는데, 제 생각은 높은 성장률도 좋지만 널뛰기를 안 했으면 좋겠다고 생각합니다. 저는 5년 내내 경제가 널뛰기를 하지 않게 안정되게 끌어가는 것을 목표로 삼았습니다. 지난날 우리 경험에 의하면 경제가 아주 좋아질 때 가난한 사람들과 잘사는 사람 거리가 더 멀어지고, 경제가 곤두박질쳤을 때 어려운 사람들이 제일 먼저 직장에서 나오고 길거리로 쫓겨났습니다. 경제가 안정되면서 서서히 성장하는 것이 제일 좋습니다.

저는 5% 정도 성장을 계속해 갈 수 있는 동력이 매우 중요하다고 생각합니다. 그 동력이라는 것은 경제가 병들지 않아야 됩니다. 여러 요소에서 병들지 않아야 하고 심각한 불균형이 없어야 합니다. 그것을 목표로 해왔는데 대개 그렇게 유지돼 갈 것입니다. 경제전문가들이 보기로는 지금은 5% 정도 성장도 가능하지만 앞으로 5년, 10년 뒤에는 5%를 유지하기 어려울 것이라고 대체로 얘기 합니다. 그래서 지금 수준에서 지난해, 금년 이렇게 5% 수준을 유지한 것이 매우 다행스러운 일입니다.

국가경쟁력수준을 가지고 굳이 얘기를 하면 평가가 들쑥날쑥해서 그렇습니다만, 전체적으로 이전보다 높아진 것은 사실이라고 생각합니다. 한 기업의 경쟁력의 핵심요소가 뭐냐. 기업경영을 알뜰하게 하는 것도 경쟁력의 요소고, 모든 사람들이 손발을 잘 맞추는 것도 경쟁력의 요소고, 경쟁력의 요소는 이렇게 많이 있습니다. 그 중에서 특히 우리가 비용절감을 매우 중요하게 생각하는데, 기업에서 가장 결정적인 경쟁력은 기술력입니다. 나라도 마찬가지로 과학기술의 수준, 생산기술의 수준이 제일 중요한 것입니다. 생산력, 과학경쟁력, 기술경쟁력이 많이 높아졌습니다. 세계 14위에서 7위로, 기술경쟁력은 24위에서 6위로 이렇게 높아졌습니다.

국민소득 얘기를 많이 하는데 올해 국민소득은 연간 다 통합해서 하는 것이기 때문에 어느 시점이 없습니다. 그러나 금년 연말 통계를 다 합쳐 예상하면 올해 2만 달러를 넘어선 것으로 예측됩니다. 물론 많은 사람들이 그것은 우리 환율이 떨어졌기 때문이라고 얘기합니다. 물론 그런 요소가 있습니다. 그러나 일본이든, 싱가폴이든, 어느 나라든 소득수준이 올라갈 때는 환율의 영향을 다 받습니다. 실제로 환율의 영향을 적게 받는다고 말할 수도 있습니다. 예를 들면 96년, 97년 환율은 800원대였습니다. 지금 우리 환율은 900원대입니다. 800원대로 만일 환율이 떨어진다면 우리 국민소득은 21,000 달러 이상으로 올라가버리게 됩니다. 그래서 10년 전과 지금을 비교하면 환율은 오히려 높은데도 우리는 2만 달러를 달성했다고 말씀드릴 수 있습니다.

복지예산이 있습니다. 어려운 사람들을 위해 쓰는 돈을 복지예산이라고 하는데 그것이 5년 전 정부예산의 20% 정도였습니다. 금년도 예산에는 28% 정도로 올라갔습니다. 8%라면 아무것도 아닌 것 같지만 실제도 255조 원 되는 예산의 8%이면 20조 원 가량이 되는 것입니다. 5년 전보다 연간 20조 원씩을 어려운 사람들, 노인들, 사회적 약자를 위해 더 쓰고 있다는 것을 의미하는 것입니다. 5년 뒤에 8%를 더 올려도 우리나라의 복지수준은 미국이나 일본, 유럽보다 훨씬 더 떨어집니다. 대체로 우리나라가 사회적 약자를 위해서 쓰고 있는 비용을 따지면 일본의 절반입니다. 국민총생산 중에서 우리가 쓰는 비율을 따지면 8%밖에 안 되는데 일본은 16%나 쓰고 있습니다. 유럽은 평균 23~24%, 많이 쓰는 나라는 30%까지 쓰고 있습니다. 갈 길이 멀지요. 지난 5년 동안 어떻든 이쪽의 예산을 늘리기 위해 많은 노력을 해왔습니다. 결국 상생의 사회를 위해 노력한 것입니다.

성장이냐 분배냐를 말합니다. 옛날에는 개인 능력과 관계없이 수백 명, 수천명씩 똑같은 라인에 놓고 같은 동작을 반복하는 생산방법에 의해 제품을 생산하고 수출했습니다. 지금은 제품 하나하나에 정교한 아이디어와 문화적 디자인이 다 들어가는 생산방법입니다. 머리를 쓰지 않으면 도저히 경쟁할 수 없는 시대로 가고 있습니다. 현장에서 일하는 사람일지라도 상당히 수준이 높습니다. 똑같이 반복되는 작업을 하는 사람들은 마음에 불만이 있어도 똑같은 것만 하기 때문에 큰 차이가 없지만 머리를 쓰고 높은 재주를 필요로 하는 수준으로 가면 그 마음까지 편안해야 됩니다. 마음속에 불안함이 없고 걱정이 적어야 됩니다. 머리가 복잡하면 높은 수준의 기술이 나올 수가 없어요. 마음에 불만이 많으면 높은 생산성을 낼 수가 없습니다. 사람이 밑천인 시대로 갑니다. 사람을 교육해야 하고, 특히 가정환경이 나빠서 교육을 받기 어려운 사람들을 위해 각별한 대책을 세워야 합니다.

옛날에는 자비심으로 약한 사람을 같이 끌어안고 가야 된다는 말을 했지만, 미래에는 더 이상 자비심이 아니라 국가전략 차원의 일입니다. 모든 국민들을 가장 우수하게 만들어 길거리에서 청소를 하는 사람일지라도 자부심을 느끼고, 사회에 대한 만족감이 높고, 자기 생활에 보람을 느끼는 상태를 만들어야 합니다. 우수한 판단력으로 가지 않으면 우리가 세계에서 가장 우수한 나라를 만들 수 없습니다. 상생은 더 이상 자리에서 머무는 것이 아니라 미래를 위한 국가전략입니다. 그래서 그런 방향으로 노력했습니다. 지금은 누구를 비판하고자 말씀드리는 것이 아니라 제가 이런 방향으로 일하는 동안 공격을 너무 많이 받았다는 점을 말씀드리는 것입니다. 너무 어려움이 많았습니다. 여러분들이 이런 데 대한 이해가 더 넓어졌으면 하는 소망을 가지고 있습니다.

민주주의 사회에서 대통령이 국민들이 하자고 하는 것만 해야 하는 것인지, 대통령의 판단으로 국민에게 이익이 되는 것을 해야 것인지 굉장히 판단하기 어려운 문제입니다. 저는 어느 한쪽만으로 갈 수 없다고 생각합니다. 국민이 원하는 것이면서, 또한 국민에게 이익이 되는 것이 함께 가야 합니다. 이 판단이 언제든지 조금씩 다를 수가 있습니다. 지난날 기억을 돌이켜보면 국민의 이익이라고 말했던 많은 것이 지나고 보면 국가를 위해 전혀 이익이 되지 않았던 일들이 많이 있습니다. 그래서 국민의 의견과 대통령의 의견이 다를 때가 있습니다. 참 어렵습니다.

정부가 언론하고 그렇게 각을 세우고 맞서야 하는 것인가, 부처출입제도, 기자단제도를 갖고 그렇게 싸워야 하는 것인가, 이 문제가 과연 누구에게 언제 어떻게 이익이 되는가를 판단하는 것은 저도 쉽지 않고 국민들에게도 쉽지 않은 일입니다. 대체로 이런 많은 갈등이 있습니다만 양심껏 하느라고 했습니다. 제가 중간에 안 쫓겨 나오고 무사히 다 마치고 나오게 된 것을 저는 다행으로 생각합니다. 마지막이 좀 편안할 것 같았는데 역시 제 팔자가 그런지 마지막도 시끄러운 일이 몇 개 터졌습니다. 정책실장 사고가 나고, 비서관 한 사람 사고가 나고, 지금은 무슨 비자금 의혹을 제기합니다. 비자금, 조사하면 됩니다. 조사하면 되는데, 당선축하금은 안 받았거든요.

어떻든 의심을 받는다는 것은 참 슬픈 일입니다. 개인적으로 부끄러운 일이고 국가적으로도 슬픈 일이고 특검을 하든 안하든 어느 쪽으로든 제가 흑백을 밝히도록 되어 있습니다. 한국이라는 나라가 어떤 절차로 가던 간에 뭘 덮어버릴 나라가 아닙니다. 그런 힘이 있는 사람이 아무도 없습니다. 결국은 다 밝혀집니다. 운 좋은 사람은 숨기고 갈 수 있을 것이고요. 옛날에는 힘이 세면 숨기고 갈 수 있었는데 요즘은 힘이 세서는 숨기지 못하고 운이 좋아야 숨기고 갑니다. 세상이 바뀐 것이지요.

마지막이 조금 파란이 있기는 있습니다만 그동안 제 양심으로 국민을 위해 하고 싶었던 일, 꼭 해야 될 일들은 그런대로 열심히 할 수 있었고, 몇 가지가 남았지만 대부분 이루고 간다고 말씀드릴 수 있습니다. 누구 탓이라고 얘기하겠습니까, 부처님이 답이라고 생각합니다.

좋은 기회를 주신 조계종 총무원장 스님, 해인사 주지스님, 그리고 여러 스님들, 그리고 여러분 모두 복 많이 받으십시오. 소원 성취하십시오.

강원도민일보 창간 15주년 축하 메시지

2007년 11월 26일

강원도민일보 창간 열다섯 돌을 진심으로 축하합니다. 임직원과 애독자 여러분께 따뜻한 인사를 전합니다.

강원도민일보는 지역혁신에 앞장서며 강원도 발전에 크게 기여해 왔습니다. 특히 지역 현안에 대한 심층보도와 다양한 문화행사는 지역언론의 좋은 모범이 되고 있습니다. 참여정부는 그동안 국가균형발전에 최선의 노력을 기울여 왔습니다. 혁신클러스터 구축, 지역전략산업 육성, 지방대학 지원 등을 통해 지역의 혁신역량을 키우고 있고, 행정중심복합도시, 혁신도시, 기업도시도 하나둘 첫 삽을 뜨고 있습니다. 지방기업에 획기적인 인센티브를 제공하는 2단계 균형발전정책도 추진되고 있습니다.

강원도는 이러한 균형발전시대를 선도하는 지역이 될 것입니다. 천혜의 자연환경을 바탕으로 관광, 문화, 의료기기, 바이오산업이 빠르게 발전하고 있습니다. 원주에는 혁신도시와 기업도시가 들어섭니다. 무엇보다 남북 교류협력의 확대는 강원도의 발전을 가속화하는 좋은 여건이 될 것입니다. 그러나 가장 중요한 것은 역시 지방 스스로의 역할입니다. 지역의 각 주체들이 협력해 혁신역량을 강화하고, 균형발전정책이 흔들림 없이 추진될 수 있도록 힘을 모아야 합니다. 강원도민일보가 이러한 일에 더욱 앞장서 줄 것으로 믿습니다.

창간 15주년을 거듭 축하드리며, 강원도민일보의 무궁한 발전을 기원합니다.

삼성비자금 의혹 특검법안 관련 기자회견 모두말씀

2007년 11월 27일

그동안 국민들의 관심이 집중되어 있던 특검법 문제에 관해서 제 입장을 말씀드리러 나왔습니다.

특검 재의 요구는 하지 않기로 했습니다. 그러면 굳이 나와서 기자회견 방식으로 말씀드릴 필요도 없을 것 같지만, 재의 요구를 하지 않기로 한 것이 기존의 청와대 입장하고 좀 맞지 않는 것처럼 생각될 수도 있고, 여러분이 의문을 가질 수도 있다고 생각합니다. 또 그 점을 떠나서도, 재의 요구는 하지 않지만 우리가 함께 알고 넘어가야 될 이 법이 가지고 있는 여러 가지 문제들이 있다고 생각합니다. 그 문제들에 대해서 말씀을 드리려고 오늘 이 자리에 섰습니다. 저는 이 특검법이 법리상으로나 정치적으로나 굉장히 많은 문제를 가지고 있는 법이라고 생각합니다. 그럼에도 불구하고 재의 요구를 하지 않기로 한 것은 이미 국회에서 특검법안 통과할 때 찬성표가 압도적으로 많고, 그러한 상황이 재의 요구를 한다고 해서 달라질 가능성이 매우 낮다고 판단했기 때문입니다.

재의 요구를 하면 결국 그 기간 동안에 검찰 수사는 검찰 수사대로 진행되고 또 그 다음에 또 다시 수사를 이어받아서 해야 되는 번거로움과 혼란이 있고, 정치적으로도 또 많은 논란이 있을 것입니다. 그렇게 해서 많은 비용을 지불해야 하는데, 그 비용을 지불하고라도 꼭 부당성을 주장하고 다투어 나갈 만한 정치적 이익이 있는 것 같지는 않습니다. 그래서 수용하는 쪽으로 결정을 했습니다. 다만 저는 국회가 이와 같은 특검법을 만들어서 보내는 것은 국회의원들의 횡포이자 지위의 남용이라고 생각합니다. 다리가 있으면 다리로 다니면 됩니다. 그런데 왜 굳이 나룻배를 띄워야 합니까?

검찰이 공정하게 수사하기 어려운 사건도 있을 수 있으므로 공직부패수사처, 이런 것이 필요하다는 것을 지난번 대선 때 각 당이 모두 공약했고, 저는 그 공약에 따라서 법무부와 검찰의 이의가 있음에도 불구하고 조정을 거쳐서 정식으로 국회에 제출했습니다. 그것을 통과시키면 되는데 왜 국회가 그 법은 통과시켜주지 않느냐는 것입니다. 다 공약한 것을 왜 통과시켜주지 않는지 여러분은 이해가 가십니까, 국민들한테 물어보면 다 필요하다고 하지 않겠습니까, 그걸 통과 안 시키고 필요할 때 이런 특검법을 끄집어내겠다는 것인데, 특검법은 다수당이 아니면 할 수 없는 것입니다. 여소야대니까 야당이 뭉쳐서 특검법을 자주 만들어내지만, 앞으로 '여대' 국회가 된다면 정부의 어느 부처에 무슨 일이 있더라도 특검법이 나올 가능성이 없어지는 것입니다. 결국 다수당의 몫입니다. 그리고 국회가 이번처럼 결탁해 가지고 대통령을 흔들기 위해서 만들어 낼 때에만 특검이 나올 수 있는 것입니다.

국회가 필요에 따라서 언제든지 끄집어내서 쓸 수 있는, 정치적 남용의 도구가 되어서는 안 됩니다. 공수처로 가야 됩니다. 국회의원들이 부담스러워서 공수처를 반대하는지는 알 수 없지만, 그렇게 해서는 안 된다는 것입니다. 2004년 11월에 국회에 제출해 놨는데 심의도 하지 않았습니다. 이 점이 일반적인 관점에서, 국회의원들이 정치적으로 직권을 남용하고 있는 것이라고 말씀드릴 수 있습니다. 그 다음에 법리적인 얘기들은 이미 대개 설명을 했기 때문에 일일이 다 말씀을 드리지는 않겠습니다. 제일 중요한 부분이 그런 부분입니다. 그래서 특검이 참 좋은 제도인 줄 알고 있는 국민들에게, 특검이 참 좋은 제도가 아니고 국회의원들한테만 편리한 제도라는 점을 분명하게 좀 이해시켜 주십사 하는 것입니다.

그동안에 특검이 다섯 번 있었습니다. 두 번만 성과가 있었고 세 번은 완전히 헛일만 했습니다. 엄청난 시간과 예산을 낭비하고, 많은 사람들의 집을 뒤지고 사람을 부르고 그렇게 해서 국가뿐만이 아니고 수사를 받는 국민들에게도 엄청난 부담을 안겨줘 놓고 나중에 남는 것은 아무 것도 없다는 것입니다.

공권력을 이렇게 무절제하게 마구 행사해도 괜찮은 것입니까? 한 번 더 말씀드리고 싶은 것은 국회가 진정으로 투명한 사회를 만들고 싶다는 의지가 있다면, 그리고 공정한 수사를 바란다면 공수처법 통과시켜 줘야 합니다. 감사합니다.

제44회 무역의 날 기념식 축사

2007년 11월 30일

존경하는 국민 여러분, 기업인과 근로자 여러분,

마흔 네 번째 '무역의 날'입니다. 진심으로 축하드립니다. 오늘 상 받으신 분들께 특별히 축하를 드립니다. 참여정부 내내 무역의 날이 제일 기분 좋은 날이었습니다. 계속 축하하면서 지내왔습니다. 올해에도 역시 마찬가지입니다. 무역 규모 7천억 달러, 수출 3,600억 달러라는 놀라운 기록들을 여러분이 올려 주셨습니다. 2002년에 비해서 모두 두 배 이상 늘어났습니다. 매년 1000억 달러 정도씩 성장해 왔습니다.

기름 값이 계속 올라가고 원화가 계속 절상되는 어려운 상황에서 이룬 성과라서 각별히 값지고 대견스럽습니다. 그리고 한편으로는 우리 기업의 경쟁력에 대한 믿음을 가질 수 있게 해주는 증거라서 무척 마음이 놓입니다. 언제나 우리가 '샌드위치'다 또는 '넛크래커'다 하면서 언제 무너질지 모른다는 불안감을 가지고 스스로를 경계하면서 그렇게 달려왔습니다. 그런데 지금 이만큼 이루어냈습니다.

미래에 대해서 역시 비관적이고 불안한 전망이 없는 것은 아니지만, 대체로 여러분들은 자신감을 가지고 있는 것 같습니다. 우리가 측량하고 개선할 수 있는 근거들을 가지고 미래를 예측할 때에는 항상 좀 불안했습니다. 그러나 그동안 우리 기업인들은 우리가 예측하고 측량하지 못했던 많은 기적들을 이뤄 내주셨습니다. 그리고 많은 연구자들이 미처 우리가 기대하지 못했던 수준의 과학과 기술의 발전을 계속 이루어 나가주었습니다.

우리 노사관계에 대해서 많은 걱정이 있고, 또 외국에까지 소문이나 있기는 하지만, 우리 노동자들이 작업 현장에서 이루어낸 성과, 혁신의 땀방울도 결코 가볍게 생각할 수 없는 자랑스러운 성과입니다. 정말 수고 많으셨습니다. 우리가 혁신주도형 경제라는 것을 새로운 전략으로 세워야 한다고 말한 지도 몇 년 됐습니다. 거기에 근거해서 기업들도 혁신을 위해 열심히 노력했고, 정부도 소위 혁신주도형 경제를 뒷받침하는 방향으로 정책을 전부 바꾸어 왔습니다.

그런 것이 제 기억에는 그렇게 긴 세월이 아닌데, 우리 기업들이 우리 경제를 혁신주도형경제로 이미 바꾸어 놓은 것 같습니다. 궤도에 확실하게 들어 선 것 같습니다. 그렇지 않다면 지금의 유가, 환율, 그밖에 세계경제의 여러 가지 변동을 이처럼 잘 헤쳐 나갈 수가 없었을 것입니다. 지금 하는 것 보면 아마 혁신주도형 경제로 온 것 아닌가 그렇게 믿고 있습니다. 특히 와이브로라든지 지상파 DMB는 제가 세계 어디 나갈 때마다 항상 자랑합니다. 그러면 다른 나라 국가원수들은 저를 아주 부러운 눈으로 바라보고 제 얘기를 듣습니다. 그밖에도 필요할 때마다 우리 한국전력의 경영이나 또는 기술력, 우리 원자력 자랑도 하고, 조선 자랑도 합니다. 휴대폰은 제가 자랑하지 않습니다. 그분들이 먼저 꺼내들고 이게 한국제라고 이렇게 얘기를 해 주기 때문에 자랑할 필요가 없습니다. 정말 쾌거입니다. 특히 와이브로 기술이 제3세대 이동통신의 국제표준으로 채택된 것은 한국 경제가 어느 수준까지 왔는지를 단적으로 표현해 주는 증거라고 생각합니다.

그런데 걱정도 있습니다. 수출은 늘고, 국민소득도 전체적으로 늘고, GDP도 늘고 하는데 일자리가 늘어나지 않습니다. 늘기는 느는데 느는 속도가 우리 마음에 차지 않습니다. 그러니까 수출이 내수로도 확산이 좀 안 되는 그런 걱정이 있습니다. 그래서 중소기업과 서비스업이 잘 살아나야 합니다. 수출의 효과가 그와 같은 방향으로 파급이 돼야 할 것입니다. 이것을 위해서 우리 정부도 여러 가지 노력을 하고 있습니다. 중소기업에 대한 R&D 투자도 확대하고, 지원정책을 전부 시장친화적인 그런 생태계 조성이라는 방향으로 바꿨습니다. 대중소기업 상생협력도 적극 추진해 왔습니다. 그래서 중소기업의 혁신역량이 강화될 수 있도록 했습니다. 그리고 서비스업에 대해서도 제조업과 같은 지원을 함으로써 서비스도 함께 발전해 나갈 수 있는 이런 여러 가지 노력들을 하고 있습니다.

2003년에는 우리 중소기업 중에 혁신형 중소기업이 8,500개 정도였습니다. 그런데 작년 통계로 이것이 1만 7,500개 정도로 늘어났습니다. 우리 중소기업도 놀랍게 발전하고 있습니다. 그래서 지난해 중소기업 수출이 1천억 달러를 넘어섰습니다. 특히 부품소재산업은 347억 달러의 무역수지 흑자를 기록할 만큼 경쟁력이 높아졌다고 합니다. 물론 우리 대기업들의 해외진출에 따른 동반수출이 부분이 많이 있겠지만 그래도 경쟁력이 있으니까 우리 중소기업이 따라 나가지 않겠습니까, 저는 깎아낼 이유가 없다고 생각합니다.

서비스산업에 대해서는 일반적인 종합적인 경쟁력 강화대책을 추진하지만, 그중에서도 지식서비스 수출보험 제도 도입, 서비스 수출금융 지원 등 서비스 수출을 활성화하는 데 최선을 다해 왔습니다. 정권이 어디로 바뀌든 간에 중소기업에 대한, 또 특히 기술혁신에 대한 지원은 바뀌지 않을 것입니다.

지금 여러 후보가 나와서 우리 산업과 중소기업에 대해서 공약하고 있는데, 기술혁신과 중소기업 지원, 그리고 서비스 산업의 경쟁력 강화에 대해서 안하겠다는 분이 한 분도 없는 것 같습니다. 설사 하기 싫은 분이라도 대통령이 되면 이 흐름은 거역할 수 없을 것입니다. 계속 잘 되리라고 생각합니다. 중동에 가 보면 우리 플랜트 수출이 정말 눈부시게 성장하고 있습니다. 중동 가서도 참 떳떳하고 자랑스러웠습니다. 대접도 잘 받았고요. 우리 기업들 덕분입니다. 전자무역망 구축을 통해서 무역 절차를 간소화하고 거래 비용을 절감하는 데에도 여러 가지 노력을 하고 있습니다. 어떻든 정부가 기업의 발목을 잡지 않도록 여러 가지 노력을 해 왔고, 앞으로도 그와 같은 노력은 계속 될 것입니다.

개방에 대해서는 능동적으로 대응하고 있습니다. 지금까지는 칠레,

아세안 등과 자유무역협상은 발효되어 있는데, 이제 시간이 가면 한·미, 한·EU, 한·캐나다 자유무역협상도 다 발효가 될 것입니다. 이것은 하나의 기회이기도 하지만 한편으로는 여러분이 뛰어야 하는 마당이 그만큼 넓어졌다는 것, 경쟁의 수준이 이 수준까지 왔다는 것, 말하자면 이제 세계무대에서 경쟁을 해야 된다는 점에 대한 확고한 인식을 심어주는 계기가 될 것입니다.

그래서 저는 우리 모든 기업들에게 약간의 불안요인임과 동시에 도전의 자극이라고 그렇게 생각합니다. 실제 무역에 있어서, 관세에서 얻는 이익보다도 이와 같은 문화적 자극, 그리고 우리 한국의 경제시스템이 세계적인 경제표준과 같이 가게 된다는 점, 이런 데서 생기는, 눈에 보이지 않는 이익들이 훨씬 클 것이라고 생각합니다. 저는 개방을 그렇게 이해하고 추진해 왔습니다.

한·미 자유무역협정 비준 동의안이 국회에서 심의가 되지 않고 딱 잠자고 있습니다. 좀 걱정되지요. 그런데 제 생각은 어느 나라라도 대통령선거 때 국회에서 그거 끄집어내서 옥신각신 싸우기는 좀 부담스러울 것입니다. 대통령선거 끝나고 나면 우리 국회가 잊어버리지 말고 꼭 비준을 해서 국제적으로 한국이 책임 있게 행동하는 국가로서의 신뢰를 확보할 수 있을 것이라고 생각합니다. 총선이 또 남아있고, 혹시 모르니까 여러분들께서 조금 관심을 가지고 촉구를 해 주시는 것도 좋은 방법이라고 생각합니다. 잘 부탁드립니다.

저는 우리 경제에 대해서 또 하나의 기회를 말씀드리고 싶습니다. 바로 남북경제협력입니다. 민족의 통합이라는 이 가치가 워낙 큰 것이기 때문에 민족통합은 정치적인, 이념적인 가치로만 항상 평가 돼오고, 또 한쪽의 반대편에서는 이념적 대결 성향이 강하기 때문에 공산주의 독재자들하고 맞대놓고 서로 친구가 되려고 하느냐면서 거부감이 굉장히 많이 있습니다. 한편으로는 당연한 통일의 열망이 있으면서 다른 한편으로는 강한 거부감이 공존하는 가운데 남북관계가 이루어져 오고 있습니다.

그러나 저는 그 점도 중요하지만 경제적 관점에서 우리가 이 문제를 더 뒤로 미룰 수 있는 문제인가에 대해서 한번 생각해 보고 싶다는 것입니다. 미루더라도 우리경제가 망하지는 않을 것입니다. 그러나 남북관계가 잘 풀리면 우리 경제가 또 한 번의 기회를 만들 수 있는 것 아니냐, 그리고 장기적으로 봤을 때 미래의 우리 우환을 해소할 수 있는 것 아니냐, 그래서 이것은 어차피 가야 할 일이라고 저는 생각합니다. 많은 사람들이 통일, 통일을 얘기합니다. 누구 통일하기 싫은 사람이 어디 있겠습니까, 그러나 많은 사람들이 통일에 대해서 한편으로는 불안감을 가지고 있습니다. 그것은 남북의 경제력 격차가 너무 크기 때문입니다. 이념적 차이도 크지만 그보다 더 중요한 것은 경제력 격차가 너무 크기 때문에 갑자기 무리하게 통합해 놓으면 엄청난 비용의 부담이 발생할 수 있습니다. 그래서 안 한 것보다 못한 결과가 돼 버릴 가능성이 있습니다. 그래서 장기적으로는 남북 간에 경제력 격차를 줄여가야 통일을 할 수 있는 준비가 되는 것이지요. 또 한편으로 생각하면 북한의 시장이 엄청나게 커진다는 것을 말하는 것 아니겠습니까, 투자의 기회이자 교역무역 시장이 커질 수 있다는 것을 의미하는 것입니다. 그래서 우리 정부는 남북 간에 교역을 열고, 투자를 열고, 기회를 만들기 위해서 많은 노력을 해 왔습니다.

하여튼 지난번 남북정상회담, 그리고 이달 총리회담에서 상당히 많은 의견접근을 보았습니다. 개성공단 활성화를 위해서 3통 문제를 해결하기로 했고, 다음 달부터 정기화물열차도 개통됩니다. 서해평화협력 특별지대는 기본적으로 충돌의 위험을 배제하자는 것이지만, 그러나 거기에 기대되는 경제적 효과는 굉장히 큰 것입니다. 지금 좀 느리게 가지만 앞으로 잘 갈 것입니다. 조선협력단지에 대해서 남북 모두가 굉장히 관심이 많습니다. 무척 빠른 속도로 나가고 있습니다. 저는 우리 조선업이 그동안 겪어왔던 여러 가지 애로사항을 2~3년 이후에는 상당부분 풀어버릴 수 있는 그런 좋은 기회가 아닌가 그렇게 생각합니다. 어떻든 이제 북한은 몇 가지 풀지 못한 갈등이 있고, 해결돼야 되는 문제점이 있지만, 그러나 이젠 이상 더 위험한 존재가 아니고 기회의 땅이다 그렇게 분명히 말씀드리고 싶습니다.

저는 우리가 지금까지 가지고 있던 안보관, 한반도뿐만이 아니라 세계적 수준에 있어서의 안보관, 이것은 전면적으로 재검토돼야 한다는 그런 생각을 가지고 있습니다. 저는 새로운 안보관에 의해서 한반도를 바라보고, 동북아시아를 바라보고, 그리고 미래를 설계해야 된다라고 생각합니다. 여러 가지 장애와 애로가 있겠지만 인내심을 가지고 꾸준히 한반도의 평화와 번영의 토대를 계속해서 다져나가야 할 것입니다. 여러분께서도 낙관적 전망을 가지고 적극적으로 남북경제에서 기회를 찾도록 노력해주시기 바랍니다. 여러분들은 새로 열리는 한반도 경제에서도 좋은 결과를 만들어 낼 그런 역량을 가지신 분들이라고 저는 믿습니다.

조금 전에 영상물에서 수출 5,000억 달러, 무역 1조 달러 시대를 단기적인 비전으로 내세웠습니다. 저는 여러분들이 다음 정부 끝나기 전에 이 목표를 거뜬히 달성하실 것이라고 그렇게 굳게 믿습니다. 제가 서두에 말씀드렸듯이 여러 가지 어려운 요소들이 있는 것은 사실이지만, 그동안 우리 국민들은 그 모든 장애 요소들을 거뜬히 다 극복해 왔습니다. 심지어는 외환위기까지도 다 극복했습니다. 양극화가 아직 심각한 문제로 남아있습니다. 앞으로도 여러 가지 우려가 있는 것은 사실입니다만, 이 또한 우리가 잘 대처해 나갈 수 있을 것이라고 생각합니다.

1990년대 이후 전세계적인 현상이고, 특히 우리는 외환위기 때문에 더욱 심각해졌는데, 저희 정부 동안에 일단 악화되는 것은 대개 좀 완화시켰습니다. 중요한 것은 시장소득은 아직도 악화되고 있지마는 가처분 소득은 개선의 방향으로 이미 들어섰다는 것이죠. 그다음에 정부의 재정에 의한 소득격차의 시정효과가 점진적으로 커지고 있습니다. 이것이 유럽에서 가장 큰 나라는 약 40%까지 소득격차를 시정하는 효과를 정부가 담당하고 있습니다. 우리나라는 4.5%하고 있습니다. 이것도 참여정부 와서 2배 정도 늘어난 것입니다. 멀리 성공하는 경제를 만들기 위해서는 이 점에 관해서는 우리 경제계에서도 각별히 관심을 가지고, 함께 걱정을 좀 해 주셨으면 하는 생각을 가지고 있습니다. 그 문제만 잘 풀리면 정말 문제없을 것이라고 생각합니다.

교육의 기회균등, 기회의 경쟁력, 양극화로 인한 사회적 갈등과 그로 인한 많은 비용, 이런 문제를 우리가 잘 다루어 가기만 하면 한국의 장래는 밝습니다. 꼭 성공할 것입니다. 그리고 이젠 세계의 경제번영과 경제 안정, 그리고 세계적 수준에 있어서의 빈곤문제의 해결, 예를 들면 2000년에 유엔이 발표했던 '밀레니엄 프로젝트' 이런 데도 우리 한국이 좀 관심을 가지고 참여할 수 있는 그런 아주 품격 있는 국가가 될 수 있을 것입니다. 여러분 다시 한 번 감사드립니다. 여러분이 이렇게 잘 해주시지 않았더라면 제가 떠나면서 얼마나 부끄럽겠습니까, 크게 부끄럽지 않게 제 임기를 마감할 수 있게 해주신 것은 여러분들의 성공덕분입니다.

여러분, 감사합니다.

12월

희망2008 나눔캠페인 출범식 메시지

2007년 12월 1일

국민 여러분, 안녕하십니까,

날씨가 매우 추워졌습니다. 모두가 따뜻해지는 좋은 방법이 있습니다. 바로 나눔입니다. 작은 나눔이 모여 큰 행복이 됩니다. 나눔이 커지면 희망도 커집니다. 여러분의 손길을 기다리는 이웃들이 많습니다. 혼자 사시는 어르신, 소년소녀가장, 몸이 불편한 분들, 생계가 어려운 이웃들, 이분들에게 더불어 사는 공동체의 따뜻한 정을 보여줍시다. 올해도 많은 분들이 동참해 주실 것으로 믿습니다.

여러분 모두, 남은 한 해 뜻 깊게 마무리하시기 바랍니다.

2007 신기술 실용화 촉진대회 축하 메시지

2007년 12월 13일

2007 신기술 실용화 촉진대회를 진심으로 축하합니다. 신기술 개발과 확산에 앞장서고 계신 여러분의 노고에 감사의 말씀을 전합니다.

참여정부는 그동안 기술혁신을 최우선 국가발전전략으로 삼아 집중적인 노력을 기울여 왔습니다. 중소기업정책도 연구개발투자 확대, 벤처생태계 조성, 대중소기업 상생협력 등 혁신역량을 높이는 방향으로 바꿔왔습니다. 혁신형 중소기업이 2003년 8,500개에서 지난해 17,500개로 두 배 이상 늘었습니다. 신기술인증제품의 매출도 매년 큰 폭으로 성장하고 있습니다. 특히, 공공기관이 신기술인증제품을 의무적으로 구매하는 제도를 도입해 기술력 있는 중소기업이 성장할 수 있는 여건을 조성하고 있습니다.

지금은 기술 수준이 국가경쟁력을 좌우하는 시대입니다. 앞으로도 우수한 신기술제품을 더 많이 만들고, 대기업과 공공기관은 적극 구매에 나섬으로써 더욱 활발한 기술혁신이 이루어질 수 있도록 함께 노력해 주기 바랍니다. 신기술 실용화 촉진대회를 거듭 축하드리며, 여러분의 큰 성공을 기원합니다.

1월

2008년 신년사

2008년 1월 1일

국민 여러분,

2008년 새해가 밝았습니다. 올 한 해 뜻하시는 일 모두 이루시기 바랍니다. 7백만 해외 동포와 북녘 동포 여러분에게도 따뜻한 새해 인사를 전합니다.

국민 여러분,

새해를 맞아 여러 가지 소망이 있을 것입니다. 모두가 건강하고, 살림살이도 좀 더 넉넉한 한 해가 되기를 바랍니다. 이웃이 서로 따뜻하고 당장 넉넉하지 않은 사람들도 내일에 대해서는 밝은 희망을 가질 수 있는 그런 나라가 되기를 바랍니다.

저는 우리 국민의 저력을 믿습니다. 그동안 어려운 일이 많았지만 우리 국민은 그때마다 하나하나 잘 극복해 왔습니다. 지금도 태안에서는 수많은 국민들이 참여해 또 하나의 기적을 만들어 가고 있습니다. 참으로 세계의 칭찬을 받기에 부족함이 없는 국민이라고 생각합니다.

새해가 국가적으로 더 큰 발전을 이루는 한 해가 되기를 기원하며, 저도 다음 정부가 보다 나은 여건에서 출발할 수 있도록 남은 기간 최선을 다하겠습니다.

국민 여러분, 새해 복 많이 받으십시오.

울산 국민보도연맹사건 희생자 추모식에 보내는 메시지

2008년 1월 24일

존경하는 울산시민 여러분, 그리고 국민보도연맹사건 유가족 여러분,

58년 전, 국민보도연맹사건은 우리 현대사의 커다란 비극입니다. 좌우 대립의 혼란 속에서 수많은 사람들이 보도연맹에 가입되었고, 6·25전쟁의 와중에 영문도 모른 채 끌려가 죽임을 당했습니다. 그리고 그 유가족들은 연좌제의 굴레에서 고통 받으며 억울하다는 말 한마디 못한 채 수십 년을 지내야만 했습니다.

저는 대통령으로서 국가를 대표해서 당시 국가 권력이 저지른 불법 행위에 대해 진심으로 사과드립니다. 무고하게 희생당하신 분들의 명복을 빌고, 유가족 여러분께 깊은 위로의 말씀을 드립니다. 아울러 이 기회를 빌려, 지난날 국가 권력의 잘못으로 희생되거나 피해를 입으신 모든 분들과 유가족 여러분께 다시 한 번 사과와 위로의 말씀을 드립니다. 그

리고 앞으로 다시는 이러한 일이 되풀이되지 않도록 우리 모두가 경계로 삼아야 할 것입니다.

국민 여러분,

과거사 정리는 우리의 미래를 위해 꼭 필요한 일입니다. 진실을 밝혀 억울한 분들의 맺힌 한을 풀고 명예를 회복해서 진정한 화해를 이루자는 것입니다. 훼손된 국가권력의 도덕성과 신뢰를 회복하자는 것입니다. 나아가 자라나는 우리 아이들에게 올바른 역사를 가르치기 위한 것입니다. 아직도 의혹이 있는 사건이 있다면 그 진실을 분명히 밝혀야 합니다. 그리고 이미 밝혀진 일들에 대해서는 명예회복, 사과와 화해, 추도사업, 재발방지 대책과 같은 후속조치들을 착실히 추진해 나가야 할 것입니다. 과거사 정리 사업이 제대로 추진될 수 있도록 앞으로도 국민 여러분의 적극적인 관심과 성원을 당부 드립니다.

정부조직개편안 관련 기자회견

2008년 1월 28일

존경하는 국민 여러분,

저는 오늘, 차기 정부 인수위의 정부조직개편안에 관해 몇 말씀 드리고자 이 자리에 섰습니다.

두 가지 관점에서 의견을 말씀드리겠습니다. 하나는 내용과 절차가 타당한가 하는 점이고, 또

하나는 현 정부가 무조건 협력하는 것이 타당한가 하는 점입니다.

먼저 내용에 관하여 인수위에 몇 가지 질문을 드리고 싶습니다.

정부조직 개편의 논거가 무엇이지요, 우리 정부가 큰 정부입니까, 크다면 세계에서 몇 번째나 큰 정부입니까, 공무원 숫자, 재정규모, 복지의 크기, 각기 세계에서 몇 번째나 큰 정부인지 자신 있게 말할 수 있습니까, 여러 부처를 합쳐서 대부처로 하는 것이 작은 정부 하는 것 맞습니

까, 대부처 하는 나라에는 한 부처에 업무별로 여러 담당장관이 있고 그것도 모자라 많은 수의 정무직이 있어 정무직의 수가 부처 수의 여러 배가 되는 나라가 많다는 사실은 알고 있습니까, 장관 혼자서 그 많은 일을 다 할 수 없기 때문이지요. 결국 나중에는 우리도 그렇게 가게 되지 않을까요, 대부처로 합치면 정부의 효율이 향상되고 대국민 서비스가 향상된다는 논리는 사실입니까, 그래서 대부처 하는 나라가 잘사는 나라이고 소부처 하는 나라는 못사는 나라입니까, 대부처 하는 나라는 선진국이고 소부처 하는 나라는 후진국입니까, 그렇게 검증된 것입니까, 인수위원회는 그렇게 알고 있습니까,

위원회 숫자가 적은 나라가 선진국입니까, 위원회가 없으면, 학계, 업계, 시민사회의 전문지식과 여론을 수렴하고, 토론을 통해 타당성을 검증하고, 이해관계를 조정하여 정책의 오류와 장애를 줄이는 일은 어디에서 하지요, 새 정부에서는 그런 일이 없어지는 것인가요, 대통령 혼자 다 하는 것인가요, 그래도 민주주의가 되고 효율적 행정이 된다고 보십니까, 조직개편에 드는 비용은 얼마이고, 업무 혼선으로 인한 행정력 손실은 얼마인지 혹시 분석 한번 해보셨습니까, 정보통신부는 언제, 왜 생겼는지 아십니까, 한국의 정보통신 기술과 산업은 지금 세계 일류 수준에서 세계 최고 수준으로 달려가고 있습니다. 정보통신부가 없었더라면 우리 정보통신 기술이 세계 일류가 될 수 있었을까요, 앞으로 정보통신부가 없어져도 우리의 정보통신 기술이 세계 최고가 될 것이라고 장담할 수 있겠습니까,

처음에는 교육인적자원부가 없어진다고 하더니 나중에 보니 과학

기술부가 찢겨서 없어지는 것 같습니다. 왜 그렇게 되었습니까, 과학기술부는 언제, 왜 생겼는지 생각해 보셨습니까, 과학기술부가 생기고 나서 한국의 과학기술 경쟁력이 얼마나 향상되었는지 분석해 보셨습니까, 참여정부가 왜 과학기술부장관을 부총리로 격상하고 과학기술혁신본부를 신설했는지 그 이유를 생각이나 해보셨습니까, 지금 한국의 과학기술혁신체계가 국제적으로 얼마나 높은 평가를 받고 있는지 들어본 적이 있습니까,

여성부가 왜 생겼고, 그것이 왜 여성가족부로 확대 개편되었는지, 그 철학적 근거가 무엇인지 살펴보았습니까, 보육과 가정교육의 중요성, 가족의 가치를 살려보자고 여성부의 업무로 해 놓은 것입니다. 여성부에서는 귀한 자식 대접 받던 업무가 복지부로 가면 여러 자식 중의 하나, 심하면 서자 취급을 받지 않을까요,

통일부는 지키자고 하는 사람들이 많으니 지켜지겠지요. 그러나 통일부의 업무가 정치적 상징의 문제만이 아니라 실질적으로 중요한 점이 있어서 한 마디 보태겠습니다. 통일부는 북한을 잘 알고, 외교부는 국제관계와 미국을 잘 압니다. 그래서 그런지 지난 5년 내내 통일부와 외교부는 북핵 문제나 남북 협력, 북한 인권 등의 여러 문제에서 의견이 다른 경우가 많았습니다. 참여정부에서는 청와대가 이를 조정했습니다. 두 부처가 합쳐지면 부처 내에서 장관이 이를 조정하게 될 것입니다. 장관이 누가 되느냐에 따라 어느 한 쪽으로 기울어질 것입니다. 과연 이런 사안이 부처내의 조정업무, 장관급의 조정업무가 되는 것이 맞는 것일까요,

기획예산처가 독립하고 나서부터 문화, 환경, 노동, 인권, 복지 예산

이 늘어나기 시작해서 경제 분야 예산을 넘어 섰습니다. 이제 예산 기능이 경제부처로 들어가면 예산 구조가 어떻게 변화할까요. 우리의 경험상 경제부처는 경제계의 이익을 대변하고 사회부처는 시민적 권리를 대변해왔습니다.

그런데 부처 간 협의를 해보면 언제나 경제부처의 목소리가 사회부처의 목소리보다 컸습니다. 좌파정부라는 소리를 듣는 국민의 정부, 참여정부에서도 이 점은 마찬가지였습니다. 언론, 정계 모두에서 재계의 목소리, 경제논리가 큰소리를 내고 있기 때문입니다. 그럼에도 그동안 사회부처 예산이 계속 증액되어온 것은 예산 기능이 경제부처로부터 독립해 있었기 때문입니다. 이제 예산 기능이 경제 부처로 통합되면 예산 구조도 다시 변화할 것입니다. 사회적 약자를 위한 예산은 앞으로 어떻게 될까요.

위원회도 없어져서는 안 될 위원회가 많습니다. 한두 가지만 지적하겠습니다. 국가균형발전위원회는 여러 지역, 여러 분야의 사람들이 모여서 균형발전특별회계 사업을 심의 조정하고 예산을 배분하는 일을 하고 있습니다. 이런 사업은 어느 특정 부처의 사업이 아니고 모든 부처에 다 걸리는 일인데 균형발전위원회를 없애고 나면 어느 부처에서 이런 일을 할 것입니까. 균형발전정책은 사실상 무력화되지 않겠습니까.

인권위원회도 대통령 직속기관으로 하는 것이 맞는가요. 이번 개편안에 대해 왜 국제인권기구가 대한민국 인권보호의 퇴보이며 독립성에 심각한 우려가 있다고 걱정을 했을까요.

질문을 하자면 더 할 것이 많지만 이 정도로 하고, 절차 문제에 관해 좀 물어보고 싶습니다.

45개 법안을 고치는 일입니다. 우리 정부의 조직과 기능을 전면적으로 바꾸는, 역사상 유례가 없는 대폭적이고 전면적인 개편입니다. 정부조직법은 전면 개정이고 나머지는 일부 개정이라고 합니다. 그런데 일부 개정이라는 법안도 그 법 자체를 무력화하는 조항이 들어 있는 것 같습니다. 만들 때는 많은 토론을 거치고 국회를 통과한 법들입니다. 그중에서 어떤 것은 여야 합의로 통과된 것들입니다. 참여정부에서 수년에 걸쳐 공들여 다듬은 정부조직에 대해 인수위 출범 20일 만에 개편안을 확정하고, 이를 불과 1~2주 만에 국회에서 처리하자고 합니다.

이처럼 큰 일이 정말 토론이 필요 없는 일입니까, 이 정도는 우리 국민들이 이미 잘 알고 있는 문제라서 토론이 필요 없는 것입니까, 국민들은 알 필요도 없다는 것입니까, 언론은 제가 질문한 내용들을 이미 잘 알고 있는 것일까요, 그래서 질문도 제대로 하지 않는 것입니까, 국회의원들은 다 알고 찬성하고 있는 일일까요, 그래서 토론도 하지 않고 통과시켜 달라는 것입니까, 국민들이 선거로 대통령을 뽑아 주었으니 이런 문제는 물어 볼 것 없이 그냥 백지로 밀어주어야 하는 것 맞습니까, 지난 5년 동안 한나라당은 그렇게 했습니까, 지난 5년 동안 저는 근거도 없는 의혹제기, 논리도 없는 반대 때문에 정말 힘들었습니다. 정말 저는 그렇게 하고 싶지 않습니다. 앞으로 야당이 될 정당들이 그렇게 해서는 안 된다고 생각합니다.

그러나 그렇다고 해서 여러 가지 문제가 있는 정책에 대해 아무 토론도 없이 눈 딱 감고 당선된 정부이니 무조건 밀어줘야 한다, 그런 것은 옳지 않다고 생각합니다. 합리적으로 따져야 될 문제는 따지는 것이 국회의 자세이고, 언론의 자세이고, 국민의 자세이고, 또한 물러나는 대통령에게도 당연히 필요한 일이라고 생각합니다. 대통령 뽑아놓고 또 국회의원을 뽑아 국회를 구성하도록 만들어 놓은 것을 보면 민주주의라는 것은 대통령을 뽑았다고 그 정권에 모든 것을 맡겨야 하는 것은 아닌가 봅니다.

바쁠수록 둘러가라는 말이 있습니다. 충분한 토론을 거치고 문제가 있는 것은 고치고 다듬어서 국민과 국회의 동의를 얻어서 가는 것이 순리입니다. 그렇게 하는 것이 민주주의이고 또 실수를 줄이는 길이라고 생각합니다. 사리야 어떻든, 물러나는 대통령이 나서는 것은 새 정부 발목잡기로 보일 우려가 있으니, 그러지 말고 뒷모습이 아름답게 산뜻하게 물러나라는 언론의 충고를 들었습니다. 말이야 좋은 이야기입니다.

만일 우리 사회에 토론의 장이 제대로 열려 있다면, 그리고 국회가 미리 잘 대응하고 있다면 굳이 왜 욕먹을 일에 제가 먼저 나서겠습니까, 사정은 그렇지 못하니까 제가 나서는 것 아니겠습니까, 저도 답답하지요. 제가 하는 이 일에 많은 비판이 따를 것이라는 점을 잘 알고 있습니다. 그래도 저는 무릅쓰고 이 말씀을 오늘 드리는 것입니다.

부처 통폐합이 단지 앞에서 질문 드린 바와 같은 일반적인 정책, 그 자체만의 문제라면 떠나는 대통령이 굳이 나설 것 없이 국회에서 결정해 주는 대로 서명 공포할 수도 있을 것입니다. 그러나 그렇지 않고 그것이 참여정부가 공을 들여 만들고 가꾸어 온 철학과 가치를 허물고 부수는 것이라면, 여기에 서명하는 것은 그동안 참여정부가 한 일이 잘못되

었다는 것을 인정하고 이를 바꾸는 일에 동참하는 것과 무엇이 다르겠습니까,

떠나는 대통령이라 하여 소신과 양심에 반하는 법안에, 그리고 자기가 애써 가꿔왔던 모든 가치를 무너뜨리는 일에 서명을 요구하는 일이 당연하다 할 수 있겠습니까, 참여정부의 정부조직은 시대정신을 반영한 것이고, 민주적이고 신중한 토론 과정을 거쳐 만든 것입니다. 굳이 떠나는 대통령에게 서명을 강요할 일이 아니라, 새 정부의 가치를 실현하는 법은 새 대통령이 서명 공포하는 것이 사리에 맞는 일이라고 생각합니다.

앞서 말씀드렸듯이 여성가족부, 과학기술부는 참여정부가 철학과 전략을 가지고 만든 부처입니다. 국가균형발전위원회에는 참여정부의 핵심가치가 담겨 있습니다. 예산처는 그동안 탑다운 예산제도를 도입하여 재정운용을 합리화하고 사회적 약자를 위한 예산, 그리고 미래를 위한 예산을 늘려 왔습니다. 비전2030도 앞장서서 만들었습니다. 이것은 국민의 정부와 참여정부의 철학에 근거한 것입니다. 정보통신부는 국민의 정부 이전에 생긴 것이어서 철학을 말할 일은 아니지만, 훌륭한 성과를 가지고 있습니다. 이런 부처들을 통폐합한다는 것은 참여정부의 철학과 가치를 훼손하는 것입니다. 그래서 재의 요구를 거론한 것입니다.

재의요구를 검토하더라도 국회가 하는 것을 지켜보고 말하자는 의견도 있었습니다. 국회에 맡겨 둘 일이지 대통령이 왜 미리 나서느냐고 핀잔을 주는 사람도 있었습니다. 저도 정치권이 어떻게 하나 지켜보았습니다. 보도도 살펴보고 사람들에게 물어도 보았습니다. 그런데 통일부와

여성부 존치를 주장하고 있을 뿐, 다른 부분은 대체로 '부처 숫자를 줄여야 한다'는 인수위원회의 주장을 수용하면서 부분적 기능 조정을 모색하는 것 같습니다.

가족의 가치와 중요성을 살리고자 여성가족부를 재편하고, 국가과학기술체계를 정비하고, 과학기술 투자의 효율성을 높이기 위한 전략을 가지고 과학기술부를 재편한 사실이나, 국가균형발전이라는 핵심가치를 구현하기 위하여 균형발전특별법을 만들었다는 사실을 기억이나 하고 있는지 의심스럽습니다. 예산처가 독립부처로 존재하는 것이 진보의 가치와 정책을 실현하는 데 얼마나 중요한 일인지를 알고나 있는 것인지 정말 물어보고 싶습니다.

작은 정부론에 주눅이 들어 있는 것인지 여론의 눈치를 살피고 있는 것인지 알 수는 없지만 무작정 믿고 기다릴 수만은 없는 것 아니겠습니까, 그러다가 참여정부의 가치를 모두 부정하는 법안이 국회에서 통과되어 넘어왔을 때, 그때 재의를 요구한다면 새 정부는 아무 준비도 없이 낭패를 보게 될 것입니다. 국회에서 통과된 법만 믿고 새 정부 구성을 준비했다가 뒤통수를 맞았다고, 그야말로 발목잡기를 했다고 저에게 온갖 비난을 다 퍼붓겠지요. 그래서 미리 예고를 한 것입니다.

인수위에 충고합니다. 인수위도 법을 지켜서 법에서 정한 일을 하시기 바랍니다. 인수위가 부처 공무원들에게 현 정권이 한 정책의 평가를 요구하고, 새 정부의 정책을 입안하여 보고하라고 지시 명령하는 바람에 현직 대통령은 이미 식물 대통령이 되어 버렸습니다. 옛날 같으면 당장 청와대가 나서서 풀었어야 할 문제들을 지켜볼 수밖에 없는 안타까운 사정도 있었습니다. 인수위가 마치 새 정부인 것처럼 그렇게 권한을 행사하는 것은 인수위의 권한 범위를 넘는 일입니다. 그러나 그렇다고 어느 공무원이 장래의 인사권자에게 그것이 부당하다고 항명할 수 있겠습니까,

참여정부의 가치를 깎아내리는 일, 그것도 공무원으로 하여금 그 일을 하게 하는 일은 새 정부 출범 후에 해도 될 것입니다. 아직 현직 대통령의 지휘를 받아야 할 공무원에게 그런 일을 강요하는 것은 너무 야박한 일 아닌가요, 새 정부가 할 일은 새 정부에서 하는 것이 순리입니다. 정부조직개편도 마찬가지입니다. 아무쪼록 국회가 이러한 여러 가지 상황을 깊이 검토하시어 정부조직개편안에 대해 책임 있게 논의하고 적절하게 반영해주시기를 기대합니다.

감사합니다.

질문과 답변

질문 : 정부조직개편안에 대해 국회 심의가 오늘부터 시작되는데여, 야가 충분히 절충할 수 있고 논의할 수 있는 문제인데, 이 부분을 사전에 언급하신 이유에 대해서 말씀해 주시고, 지금도 거부권을 행사할 수 있다는 입장에 변함이 없으신지 답변해 주시면 고맙겠습니다.

대통령 : 그 질문의 앞부분 '왜 사전에 거론하는가,' 하는 점에 관해서는 조금 전 제가 회견문 본문 낭독을 통해 말씀드린 것으로 충분하리

라고 생각합니다.

아무 말도 안 하고 있다가 마음에 안 든다고 거부해 버리면 다음 정부가 혼선을 빚을 것입니다. 그리고 거부권을 행사할 수 있다는 시사가 국회의 심의에 영향을 미칠 수도 있을 것입니다. 그것은 자연스러운 정치적 과정입니다. 거부권 행사를 사전에 예고하고, 그것을 통해 국회 심의에 영향을 미치고, 그래서 가급적이면 거부권을 행사하지 않을 수 있는 상황을 만들어 내는 것, 그것이 정치 아니겠습니까, 합법적이고 합리적인 정치 과정이라고 저는 생각합니다. 그리고 정권 교체기에 다음 정부도 예고 없이 낭패를 봐서는 안 된다고 예고해 주는 것입니다.

그러나 변하지 않는 것이 있겠습니까, 국회에서 여러 가지 사정을 고려해서 심의할 것이고, 그래도 되돌려보내는 것보다는 모두가 어느 정도 합의하고 수용된 모습으로 그렇게 되면 좋지 않습니까, 그래서 그 여지는 열려 있습니다. 다만 지금까지 제가 말씀드렸던 매우 중요한 문제에 관해 사회적 토론이 너무 없기 때문에 그 점을 오늘 또박또박 말씀드리고 국회 심의과정에서 반영시켜 달라는 호소로 받아들여 주시기 바랍니다. 실제로 제가 너무 많은 논점에 대해서 질문했는데, 다 대답하기 어려울 것입니다. 왜냐하면 학문적으로도 이 문제가 아직 논란이 많고 검증되지 않은 이론에 기초하고 있기 때문에 다 대답할 수는 없지만, 몇 가지 제가 지적한 점은 보기에 따라 명료한 것이거든요.

기획예산처가 경제 부처에 예속됐을 때와는 달리 예산처가 중립을 지키고 경제부처와 사회 부처의 이해관계를 조정해 나갈 때 우리의 사회적 가치가 균형을 잡을 수 있다는 점, 이런 점은 매우 중요한 것입니다. 지금 흩어지고 없어지고 하는 몇 개의 부처, 그 부처의 이해관계가 아니라 문화, 환경, 노동, 인권, 그 밖에 수많은 복지 주제들, 이런 사회적 가치들을 경제 논리 앞에서 어떻게 지켜 낼 것이냐, 이것이 독립된 예산처의 가치입니다. 너무 한 가지만 예를 들었습니다만, 균형발전 그것은 국가적으로 합의한 것 아닙니까, 국가적으로 합의한 것이거든요. 기둥뿌리를 뽑아 버리고 지붕만 남겨 놓으면, 껍데기만 남겨 놓으면 균형발전이 되겠습니까.

이런 여러 가지를 잘 반영해 주시기 바랍니다. 그 뒤의 결과가 어떻게 되든, 여러 가지 사회적 가치와 의견이 어느 정도 균형을 갖추면 저도 마음에 다 들지는 않더라도 협상하는 마음으로 타협해야겠지요. 그러나 매우 중요한 가치들이 훼손되어 있을 때는 제 스스로의 양심이라도 지켜야 되는 것 아니겠습니까.

질문 : 다수 국민들은 지난번 대선을 통해 당선자 측이 임기가 시작되기 전이지만 차기 정부의 운영권에 대해 포괄적으로 위임을 받았다는데 대해서 일부 동의를 하고 있는 것 같습니다. 자칫 오늘의 기자회견이 차기 정부 국정의 발목을 잡는다는 식으로 이해될 수 있는 부분이 있는데, 이 부분에 대해서 어떤 의견을 가지고 계신지 말씀해 주시기 바랍니다. 그리고 지금 국회에 제출되어 있는 정부조직 개편안에 대해서 청와대가 어떠한 방법을 통해 의견을 관철시켜 나갈지에 대한 의견도 말씀해 주시기 바랍니다.

대통령 : 선거로 모든 것을 백지위임했다고 보는 것이 맞는가 하는 점에 대해서 제 스스로 질문을 했었지요. 그리고 회견문을 읽으면서 그것은 아무래도 좀 이상한 것 같다고 말씀드렸지요. 제가 지난 5년 동안 백지위임받은 것이 있습니까. 그 이전의 대통령, 또 그 이전의 대통령은 백지위임 받았습니까. 노태우 대통령께서 국민의 직접선거에 의해서 당선되셨지요. 그분이 원하지 않은 많은 민주주의 개혁을 떠밀려서 했거든요. 김영삼 대통령도 마찬가지이고요. 하고 싶은 것도 했지만, 하고 싶은 것을 못한 것도 있고, 하기 싫은 일도 했습니다. 김대중 대통령이 언제 백지위임 받아서 일사천리로 했습니까.

약간의 정부조직 개편을 김영삼 대통령, 김대중 대통령 두 분이 했습니다. 하나는 잘못된 조직개편이었던 것 같고 하나는 잘된 조직개편이었던 것 같습니다만, 그러나 하고 싶은 대로 다한 것이 아니고 국회에서 많이 깎이고 그 뒤 두 번에 걸쳐서 했습니다. 김영삼 정부도 두 번 조직개편을 더 했고, 김대중 정부도 그 뒤에 두 번 조직개편을 더 했습니다. 참여정부에서도 작지만 조직개편을 했습니다. 이처럼 대폭적인 조직개편을 선거에 승리했다고 국회 심의도 생략하고 그냥 넘어가자는 것은 아니라고 생각합니다.

그 다음에 제가 물러나는 대통령인 건 맞습니다. 저도 모양내고 싶습니다. 그러나 그렇다고 해서 사리에 대해서 말도 하지 않는 것이 정말 맞습니까. 제가 발목 잡기를 하는 것이 아닙니다. 저도 제 임기가 있습니다. 그리고 적어도 정치철학과 소신을 가지고 있습니다.

첫 번째 요구는 신중하게 생각하고 깊이 토론해 달라는 것입니다.

여러 가지 사정을 잘 참작해 깊이 있게 충분히 토론해 달라는 주문입니다. 두 번째 주문은 제 양심에 반하는 일을 강요하지 말라는 것입니다. 정권은 바뀌었지만 제 임기동안 제가 양심에 반하는 법안에 서명하지 않을 권리는 존중해 달라는 것입니다. 다음 정부 개혁은 다음 정부에서 해도 됩니다. 서로를 존중해야 될 것 아니겠습니까, 새 정부는 물러나는 정부의 소신과 철학을 임기까지는 존중해 주고, 그 다음 물러나는 정부는 새 정부가 새로 출범해서 일 잘하도록 여러 가지 정보 제공하고 협력할 것은 협력해 주면 되는 것 아니겠습니까,

참여정부의 철학을 형편없이 깎아내리는, 어찌 보면 참여정부의 철학을 깎아내기 위해서 하는 것처럼 보이는 그런 법안에까지 꼭 서명을 해야 하는 것이 그것이 합리적인 협력입니까, 저는 그렇게 생각하지 않습니다. 저는 근거도 없이 이유도 없이 발목 잡지 않습니다. 그렇게 하면 물러나서도 제 스스로도, 제 가까운 사람한테도 떳떳하지 못하지요. 지금 여론은 분위기가 있지요, 잘 알고 있습니다. 그러나 여론이라는 것은 항상 그대로 있는 것만은 아닙니다. 나중에 없어졌던 조직이 하나둘씩 살아나는 모습을 보면 여론도 달라질 것입니다. 반드시 되살아나지 않으면 안 될 많은 조직들이 지금 문패를 내리고 있습니다.

후임 정부가 물러나는 정부 철학과 소신에 맞추어 달라는 것은 결코 아닙니다. 차기 정부의 개혁은 차기 정부에서 하라, 이 말입니다. 최소한 그것만은 지켜 달라는 것입니다. 제가 앞부분 말씀드린 것은 여러 가지를 고려해서 국회에서 심의를 잘해 달라는 것이고, 뒷부분은 저의 임기를 존중해 달라는 얘기입니다. 우리나라에 두 번의 사례가 있지요,

정보조직 일부라도 개편하고 취임한 사례가 두 번 있지만, 그 외에 어느 나라 어느 선진국에서 이런 일이 있습니까. 우리나라의 지난 두 번의 사례가 비정상적인 것입니다. 특수한 정치적 상황이지요. 세계 선진국 중에서 선거에 당선됐다고 정부조직 다 뜯어고쳐 놓고 취임하는 나라가 어디 있습니까. 물러가는 대통령에게 거기 서명하라고 요구하는 데가 어디 있습니까. 그것도 물러나는 대통령의 철학과 가치를 다 훼손시키고 파괴하는 그런 법안에 서명하라는 나라가 어디 있습니까. 그것이 정당한 것이라면 조금 시간이 더 걸리면 되지 않겠습니까. 제 앞부분의 문제제기가 별로 이유가 없는 것이고 또 국회에서 그것이 이유 없다고 그렇게 하면, 그래도 대통령이 이것을 못 받아들이면 시간 조금 더 걸리면 되는 것입니다. 여, 야 합의했던 행정수도법도 헌법재판소에 가서 깨지고, 그래서 행정도시법으로 다시 만들었지 않습니까. 그래도 행복도시는 지금 건설되고 있습니다. 조금 늦어진다고 무슨 큰 혼란이 있겠습니까. 저는 냉정해야 한다고 생각합니다. 선거 분위기도 이제 좀 벗어났으면 좋겠어요. 선거는 끝났습니다. 그리고 벌써 4월 총선 분위기에 휘말려 들어가는 것도 국가 경영을 위해서 바람직하지 않다고 생각합니다. 언제나 냉정하게 따질 것은 따지고 해야지 분위기에 휩쓸려서 이것도 백지위임, 저것도 백지위임한 다음에 나중에 보고 이상하게 됐다고 하는 것은 바람직하지 않다고 생각합니다.

질문 : 대통령께서는 새 정부가 추구하고 있는 대부처주의에 근본적으로 반대하고 계십니다. 수용할 수 있고 또 타협할 여지가 있는 개편안

수정의 기준은 가지고 계신지, 만약 가지고 계시다면 어느 정도 수준이어야 거부권을 행사하지 않으시겠는지 말씀해 주시기 바랍니다.

대통령 : 협상용이라기보다는 좀 신중하고 책임 있는 논의를 해서 정부조직 개편이 되더라도 큰 혼란이 없이 안정적으로, 그리고 또 미래 정부 운영의 효율성을 높일 수 있는 방향으로 되기를 바랍니다. 그리고 대단히 가치 있고 효율적인 부처는 그 체계를 그대로 살려가야 되겠지요. 그런 것을 우려하는 것입니다. 국회에서 신중하게 심의하면 제가 미처 생각하지 못했던 여러 가지 대안들도 있을 수 있겠지요. 가치가 살고 전략이 사는 대안들이 있을 수 있을 것입니다. 그러나 지금 이대로라면 저는 우리나라 과학기술 발전에 심각한 문제가 제기될 것이고, 균형발전 정책은 물 건너갈 거다, 그렇게 생각합니다. 이 점에 있어서 좀 깊이 들여다봐 달라는 주문으로 이해해 주시면 좋겠습니다. 협상의 제안이 아니라 그런 요청으로 받아들여 주시면 좋겠고요, 어떤 것이 데드라인이냐, 어느 정도이면 수용하고 어느 정도이면 거부할 거냐에 대해서는 저도 지금 딱 잘라 말씀드릴 수가 없습니다.

대개 이 법안들을 깊이 들여다보면 누구라도 이해할 수 있을 것입니다. 그러나 구체적인 모양은 또 서로들 체면을 살려야 하니까 그런대로 껍데기는 변해도 알맹이는 살아 있을 수도 있지 않겠습니까, 저는 알맹이입니다. 그러나 또한 껍데기 없으면 알맹이도 도저히 버틸 수 없는 구조도 있지요. 정부조직이라는 것은 여러 가지 관점에서 볼 수 있기 때문에 제가 그것을 지금 뭐라고 규정해서 이리 주문하고 저리 주문하는 것은 불가능합니다. 나중에 국회에서 제대로 심의해서 법안이 오면, 그 때 또다시 우리 참모들과 여러 관점에서 분석해 보고 최종적으로 결정해야 할 것입니다. 각 분야별로 이 정도면 그래도 균형발전이 좀 살아갈 수 있겠느냐, 뭐 이정도이면 그래도 과학기술혁신 체계라는 것이 그런대로 작동할 수 있겠느냐, 이런 여러 가지를 봐야겠지요.

제가 과학기술을 얘기한 것은 예로 든 것입니다. 조금 전에 아주 중요하게 말씀드렸던 것이 예산기능이지요. 여러분, 예산기능이 지금 이 시점에 어디에 서 있어야 되는지를 곰곰이 생각해 보십시오. 원칙적으로 예산기능은 대통령제 국가에서는 대통령 직속 권한입니다. 그것이 맞지요. 내각제에 있어서도 총리 직속 권한입니다. 어느 특정 부처에 예속시키는 것이 아니지요. 가치의 균형이지요. 예산 중기재정계획의 추세선을 한번 보십시오. 그 선이 어떻게 앞으로 변화할 것인지 가만히 들여다보십시오.

감사합니다. 깊이 살펴 주시기 바랍니다.

대통령 노무현의 5년 : 사람 사는 세상을 이끈 참여정부 대통령 노무현

초판 1쇄 펴낸 날 2019년 6월 24일

엮은이 편집부
펴낸이 장영재
펴낸곳 (주)미르북컴퍼니
자회사 더휴먼
전 화 02)3141-4421
팩 스 02)3141-4428
등 록 2012년 3월 16일(제313-2012-81호)
주 소 서울시 마포구 성미산로32길 12, 2층 (우 03983)
E-mail sanhonjinju@naver.com
카 페 cafe.naver.com/mirbookcompany